COLLECTION « BEST-SELLERS »

RANI MANICKA

LA GARDIENNE DES RÊVES

roman

Traduit de l'anglais par Carisse Beaune-Busquet

ROBERT LAFFONT

Titre original : THE RICE MOTHER
© Rani Manicka, 2002
Traduction française : Éditions Robert Laffont, S.A., Paris, 2003

ISBN 2-221-09651-7
(édition originale : ISBN 0-340-82388-7 Hodder & Stoughton/Hodder Headline, Londres)

*À mes parents qui consultèrent les dieux
au début de tous mes voyages.*

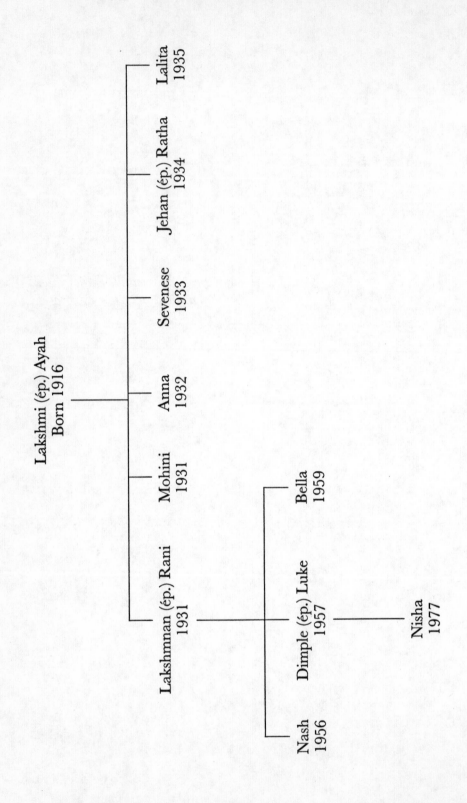

C'est sur les genoux de mon oncle, le marchand de mangues, que j'ai entendu parler pour la première fois des ramasseurs de nids d'hirondelle, qui vivent dans une lointaine contrée appelée Malaisie. Sans torches, ils montent courageusement au sommet d'oscillants mâts de bambou, hauts de plus de cent mètres, afin d'atteindre le plafond d'immenses grottes creusées dans la montagne. Sur leurs perches précaires, épiés par les fantômes des hommes qui ont fait une chute mortelle, ils tendent la main pour voler le délice de l'homme riche : un nid fait de salive d'oiseau. Dans l'obscurité, on ne prononce jamais les mots peur, chute ou sang, car ils résonnent et tentent les esprits malins. Les seuls amis des ramasseurs sont les mâts de bambou qui supportent leur poids. Avant de commencer à monter, les hommes tapotent tendrement le bambou : s'il soupire de tristesse, ils renoncent aussitôt. S'il chante, alors les ramasseurs de nids risquent l'ascension.

Mon oncle m'a dit que mon cœur était comme un bambou : si je le traite avec douceur, si j'écoute son chant, le nid le plus haut et le plus gros sera mien.

Première partie

Jeunes enfants chancelant
dans l'obscurité

Lakshmi

Je suis née à Ceylan en 1916, à une époque où les esprits parcouraient la terre comme les gens. Avant que l'éclat aveuglant de l'électricité et le grondement de la civilisation ne les aient effrayés et confinés au cœur secret des forêts. Ils demeuraient à l'intérieur d'arbres gigantesques, au sein de l'opulente fraîcheur bleu-vert. Dans l'immobilité mouchetée, on pouvait étendre la main et sentir leur présence silencieuse et courroucée, car ils aspiraient désespérément à prendre une forme physique. Si nous étions pris d'un besoin pressant en traversant la jungle, il fallait dire une prière et demander leur permission avant que nos déjections ne touchent le sol, car ils s'offensaient facilement. La rupture de leur solitude était le prétexte dont ils se servaient pour pénétrer dans le corps d'un intrus. Pour s'insinuer dans ses jambes.

Maman racontait qu'un jour sa sœur avait été attirée et possédée par l'un de ces esprits. Afin d'exorciser le mal, nous avions appelé un sorcier qui vivait à deux villages de là. Il portait autour du cou de multiples rangs de perles et de racines séchées étrangement torsadées, témoins de ses redoutables pouvoirs. Les villageois ont fait cercle autour de lui, formant un anneau de curiosité. Pour chasser l'esprit, l'homme s'est mis à battre ma tante avec une longue et mince badine tout en lui demandant sans arrêt :

– Qu'est-ce que tu veux ?

Il a fait retentir le paisible village de ses hurlements de terreur, mais, inébranlable, il a continué à la frapper jusqu'à ce que son pauvre corps ruisselle de sang.

– Vous allez la tuer, hurlait ma grand-mère, retenue par trois femmes à la fois épouvantées et fascinées d'horreur.

L'ignorant, le sorcier touchait de ses doigts la cicatrice d'un rose livide qui balafrait le visage de ma tante, décrivait des cercles étroits et déterminés autour de l'enfant recroquevillée, sans cesser de murmurer son énigmatique question : « Qu'est-ce que tu veux ? », jusqu'à ce qu'elle crie d'une voix aiguë qu'elle voulait un fruit.

— Un fruit ? Quelle sorte de fruit ? a-t-il demandé d'un ton dur à la petite en sanglots.

Une odieuse transformation s'est soudain produite. Ma tante a levé sournoisement son petit visage vers lui, et il y a eu peut-être une once de folie dans la grimace qui lentement et avec une indicible obscénité a étiré ses lèvres d'enfant. Avec une timidité feinte, elle a désigné du doigt sa jeune sœur, ma mère.

— C'est le fruit que je veux, a-t-elle déclaré d'une voix d'homme.

Les naïfs villageois ont poussé à l'unisson un halètement de stupeur. Inutile de dire que le grand sorcier n'a pas donné ma mère à l'esprit malin, car elle était sans aucun doute la fille préférée de son père. L'esprit a dû se contenter de cinq citrons découpés qu'on lui a jetés à la face, d'une rapide aspersion d'eau sacrée et d'une suffocante quantité de myrrhe.

Quand j'étais toute petite, j'avais l'habitude de me blottir tranquillement dans le giron de ma mère, à écouter sa voix qui se remémorait des temps plus heureux. Tu sais, ma mère venait d'une famille si riche et si influente qu'au faîte de sa gloire ma grand-mère anglaise, Mme Armstrong, avait été invitée à offrir un petit bouquet de fleurs à la reine Victoria en personne et à serrer sa main gantée.

Ma mère était née à moitié sourde, mais son père a posé ses lèvres sur son front et lui a parlé inlassablement jusqu'à ce qu'elle apprenne à son tour à communiquer. Lorsqu'elle a eu seize ans, elle est devenue aussi belle qu'une divinité des nuages. Dans la superbe maison de Colombo, les propositions de mariage affluaient de toutes parts. Cependant, elle s'est éprise du parfum du danger. Ses yeux effilés se sont abaissés sur une charmante fripouille.

Une nuit, elle est sortie par la fenêtre et s'est laissée glisser dans l'arbre *neem* sur lequel son père avait guidé une épineuse bougainvillée alors qu'elle n'avait qu'un an, afin d'empêcher tout homme de grimper pour atteindre la croisée de sa fille.

Comme si ses pures pensées l'avaient nourrie, la plante avait poussé jusqu'à devenir un immense arbre flamboyant de fleurs, qui tenait lieu de point de repère, visible à des kilomètres à la ronde. Pourtant, mon grand-père n'avait pas pris en compte la détermination de sa fille.

Par cette nuit de lune, tels des crocs dénudés, les épines ont mis en lambeaux ses épais vêtements, ont arraché ses cheveux et se sont enfoncés profondément dans sa chair. Mais rien ne l'a arrêtée. En bas se trouvait l'homme qu'elle aimait. Lorsque enfin elle s'est tenue devant lui, il n'y avait pas une once de sa peau qui ne fût en feu, comme si elle était embrasée. En silence, l'ombre l'a emmenée. Cependant, à chaque pas, il lui semblait que des couteaux pénétraient dans ses pieds. Aussi, en proie à une affreuse douleur, elle a supplié son guide de la laisser se reposer. L'ombre muette l'a soulevée et l'a emportée. En sécurité à l'intérieur du cercle chaud de ses bras, elle s'est retournée pour regarder sa maison, majestueuse dans l'intensité du ciel nocturne, et a vu ses empreintes ensanglantées qui s'éloignaient de l'arbre. Les taches de sa trahison. Sachant que ces traces seraient ce qui blesserait le plus cruellement son père, elle s'est mise à pleurer.

Les amants se sont mariés au lever du jour dans le petit temple d'un autre village. Lors de l'amère querelle qui s'est ensuivie, le jeune marié, mon père, qui n'était en fait que le fils rancunier d'un domestique au service de mon grand-père, est allé jusqu'à interdire à ma mère de voir un membre de sa famille. Lorsque mon père n'a plus été que cendres grises jetées au vent, elle est revenue dans la maison familiale, mais elle n'était plus alors qu'une veuve blanchie par la perte.

Après avoir prononcé sa cruelle condamnation, mon père a emmené ma mère dans notre petit village perdu, très loin de Colombo. Il a vendu une partie de ses bijoux, acheté une terre et construit une maison où il l'a installée. Toutefois l'air pur et la félicité conjugale ne convenaient pas au jeune marié qui n'a pas tardé à s'absenter aussi souvent qu'il le pouvait. Attiré par les lumières vives des villes, séduit par les délices de l'alcool bon marché que servaient des prostituées au maquillage criard, enivré par le spectacle des tables de jeu, des cartes déployées en éventail. Après chacune de ses absences, il présentait à sa jeune épouse une nouvelle composition de mensonges qu'il avait longuement fait macérer dans l'alcool. Pour quelque obscure raison, il pensait qu'elle y avait pris goût. Pauvre mère, il ne lui restait plus que ses souvenirs et moi. Précieux biens qu'elle contemplait tous les soirs. Avec ses larmes, elle commençait par en ôter la saleté des ans, puis elle les polissait avec le chiffon du regret. Lorsque enfin ils avaient recouvré leur éclat, elle les disposait les uns à côté des autres pour que je les admire avant de les ranger soigneusement dans leur coffret d'or, à l'intérieur de sa tête.

De sa bouche émanaient les évocations d'un passé glorieux, nourri de cohortes de serviteurs dévoués, de belles calèches tirées par des chevaux blancs, et de coffres de fer remplis d'or et de somptueux bijoux. Moi qui étais assise sur le sol en ciment de notre hutte minuscule, comment pouvais-je imaginer une colline d'où s'élevait une maison si haute que l'on pouvait voir tout Colombo depuis le perron, ou une cuisine suffisamment grande pour contenir notre masure ?

Ma mère m'a raconté un jour que lorsqu'on l'a mise pour la première fois dans les bras de son père, des larmes de joie ont ruisselé sur ses joues à la vue de sa peau d'une exceptionnelle blancheur et de sa tête couverte de cheveux noirs et épais. Il a tenu le petit ballot contre son visage et, pendant un moment, il n'a pu que respirer l'odeur étrange et douceâtre de son nouveau-né. Puis il s'est dirigé à grands pas vers les étables, son *vesthi*[1] blanc claquant contre ses jambes brunes et musclées, a sauté sur son étalon favori et est parti au galop dans un nuage de poussière. Il est revenu avec les deux plus grosses émeraudes que le village ait jamais vues. Il les a offertes à sa femme : petites babioles en récompense d'un merveilleux miracle. Celle-ci les a fait monter en boucles d'oreilles serties de diamants qu'elle n'a pas quittées à partir de ce jour.

Je n'ai jamais vu ces fameuses boucles d'oreilles, mais j'ai gardé la photographie en noir et blanc prise dans un studio, d'une femme aux yeux tristes, debout, raide, devant un arrière-plan maladroitement peint représentant un cocotier au bord d'une plage. Je la regarde souvent, cette femme, pétrifiée sur un morceau de papier, longtemps après qu'elle a disparu.

Ma mère m'a dit qu'à ma naissance elle avait pleuré en constatant que je n'étais qu'une fille. Mon père, dégoûté, a dis-

---

1. Longue bande de tissu, de couleur blanche, que l'on noue à la taille et que l'on revêt le plus souvent lors des cérémonies. (Toutes les notes sont de la traductrice.)

paru pour faire macérer une autre cuvée de mensonges. Il est revenu deux ans plus tard, toujours aussi soûl. Malgré cela, j'ai gardé le souvenir lumineux d'une vie de village si heureuse et si insouciante qu'il ne se passe pas un jour de mon existence d'adulte sans que j'y songe en éprouvant une douleur d'une amère douceur. Comment pourrais-je te dire à quel point ces jours de légèreté me manquent ? J'étais alors l'enfant unique de ma mère, son soleil, sa lune, ses étoiles, son cœur. Oui, j'étais alors tant aimée et si précieuse qu'il fallait me cajoler pour me faire manger. Maman me cherchait dans tout le village, une assiette de nourriture à la main, pour me donner la becquée. Tout cela pour que l'assommante corvée du repas n'interrompe pas mes jeux.

Comment ne pas regretter ces temps où le soleil était mon compagnon de jeu, sa caresse amicale encourageant ma non-chalance et me transformant en une insouciante noix brune. Ces temps où Maman allait puiser de l'eau dans le puits derrière la maison, quand l'air était si pur que l'herbe fraîche et verte embaumait.

Un âge d'innocence où les routes poussiéreuses étaient bordées de cocotiers mollement inclinés et parcourues par quelques villageois montés sur des bicyclettes déglinguées, leurs dents tachées de rouge [1] et leurs gencives se découvrant sur un sourire candide. Un âge où le lopin de terre derrière chaque maison était un supermarché, où une chèvre égorgée suffisait à huit maisonnées parfaitement inconscientes de cette invention appelée réfrigérateur. Un temps où les mères se fiaient aux dieux rassemblés dans les nuages blancs pour veiller sur leurs enfants qui jouaient sous les cascades.

Oui, je me souviens de Ceylan comme du lieu le plus beau et le plus magique au monde.

J'ai tété le sein de ma mère jusqu'à l'âge de sept ans environ. Je jouais et je riais avec mes amies jusqu'à ce que la faim ou la soif me tiraille ; alors, je revenais à toute allure vers la fraîcheur de la maison, réclamant ma mère à grands cris. Et, indifférente à ce qu'elle était en train de faire, j'écartais sa blouse et laissais ma bouche s'arrondir autour des doux mamelons nus, d'un brun caramel. La tête et les épaules enfouies dans la chaleur de son sari de coton rêche, l'odeur particulière qui se déga-

----

1. En raison de la consommation de bétel qui rougit les dents et les gencives.

geait de sa peau, l'amour innocent du lait qui coulait dans ma bouche, le paisible bruit de la succion qui résonnait dans l'enveloppe de sa chair. Malgré leur acharnement, les années cruelles qui ont suivi ne sont jamais parvenues à me dérober la mémoire de ce goût ni de ce son.

J'ai longtemps détesté la saveur du riz ou des légumes, heureuse de vivre de lait doux et de mangues. Mon oncle travaillait dans le commerce des mangues ; des caisses remplies de fruits s'entreposaient dans la réserve, derrière notre maison. Un cornac malingre, perché sur un éléphant, les déposait, et elles attendaient là jusqu'à ce qu'un autre vienne les prendre. Mais tandis qu'elles attendaient, je m'élançais et m'asseyais au sommet de la pile, jambes croisées, sans la moindre peur des araignées et des scorpions qui y étaient tapis. Être piquée par un mille-pattes et devenir toute bleue pendant quatre jours entiers ne suffisait pas à me dissuader. Toute ma vie, j'ai été poussée par l'aveugle compulsion de parcourir pieds nus les chemins difficiles. « Reviens », me criait-on en vain. Les pieds en sang, je serrais les dents et continuais.

Sauvage et impulsive, j'arrachais de mes dents la peau de la succulente chair orange. C'est l'une des images les plus puissantes que je garde en moi. Toute seule, dans l'obscurité fraîche de notre réserve, perchée en haut des caisses de bois, le jus doux, chaud et poisseux coulant le long de mes bras et de mes jambes, je me gorgeais des monceaux de marchandises de mon oncle.

Contrairement aux garçons, à cette époque-là, les filles n'étaient pas obligées d'aller à l'école et, hormis les deux heures que je passais le soir avec ma mère qui m'enseignait la lecture, l'écriture et l'arithmétique, j'étais la plupart du temps livrée à moi-même. Jusqu'à ce qu'à l'âge de quatorze ans la première goutte de sang menstruel ne fasse soudain de moi, et à mon plus grand désespoir, une femme. Pendant la première semaine de mes règles, on m'a enfermée dans une petite pièce aux minuscules fenêtres barricadées. Telle était la coutume, car aucune famille ne voulait affronter l'éventuelle curiosité de garçons téméraires grimpant au cocotier pour épier les charmes secrets et fraîchement révélés de leurs filles.

Au cours de cette période de réclusion, on m'a forcée à avaler des œufs crus trempés dans de l'huile de sésame, accompagnés de tout un assortiment d'amères potions médicinales. Les larmes ne servaient à rien. Lorsque Maman pénétrait dans la pièce pour m'apporter ces offrandes infernales, elle était armée d'un bâton dont je n'ai pas tardé à découvrir, à ma plus grande stupéfaction, qu'elle était tout à fait disposée à l'utiliser. À l'heure du thé, au lieu de délicieux gâteaux sucrés, on me donnait une demi-noix de coco remplie à ras bord d'aubergines tendres et épicées nageant dans cette redoutable huile de sésame. « Manges-les chaudes », conseillait Maman en fermant la porte à clef. Dans un accès de défi et de frustration, je les laissais refroidir. Entre mes doigts, la chair froide et visqueuse des aubergines s'écrasait facilement, mais, dans ma bouche, elles devenaient parfaitement écœurantes. J'aurais aussi bien pu avaler des chenilles mortes. Trente-six œufs crus, pas mal de bouteilles d'huile de sésame et un plein panier d'aubergines ont dû descendre dans ma gorge avant que mon enfermement ne prenne fin. J'étais tout simplement confinée et forcée d'apprendre ces choses auxquelles une femme doit se plier. Ce fut une triste transition. Comment expliquer la perte profonde qu'a été pour moi la disparition de la sensation de la terre desséchée sous mes pieds ? Telle une prisonnière, je restais assise, pleine de nostalgie, à regarder fixement par les petites fenêtres. Mes longs cheveux emmêlés ont été peignés, nattés et transformés en un serpent lisse qui descendait le long de mon dos ; on a soudain déclaré que le soleil avait trop assombri ma peau. Mon vrai charme, a décrété ma mère, résidait dans ma peau. Contrairement à elle, je n'avais rien d'une beauté indienne dans un pays où les gens étaient couleur café, j'étais une tasse de thé très laiteux. Une couleur précieuse, prisée. Une couleur activement recherchée chez une épouse, subtilement encouragée chez une belle-fille et amoureusement adulée chez ses petits-enfants. Tout à coup, d'étranges femmes, plutôt âgées, ont fait leur apparition chez nous. On me mettait sur mon trente et un et on me faisait parader devant elles. Elles avaient toutes les yeux perçants de clientes difficiles chez un diamantaire. Sans la moindre trace de gêne, leurs regards acérés, chafouins, me dévisageaient attentivement, à la recherche d'imperfections.

Par un chaud après-midi, après que ma mère eut vigoureusement et adroitement enroulé mon corps gauche et raide dans une masse de tissu rose, décoré mes cheveux de pâles roses froissées provenant de notre jardin, je me suis retrouvée debout, l'air maussade, près de la fenêtre, tristement étonnée par la rapidité avec laquelle ma vie avait si radicalement changé. En un jour. Même pas. Et sans crier gare.

Dehors, le vent bruissait dans le citronnier, un alizé badin a pénétré dans la pièce, lutinant mes boucles contre mes tempes, soufflant doucement à mes oreilles. Je le connaissais bien, cet alizé. Il était aussi bleu et aussi joufflu que Krishna, le dieu enfant. Chaque fois que, du plus haut rocher, nous plongions dans la cascade située dans les bois derrière la maison de Ramesh, il s'arrangeait pour être le premier à toucher l'eau glacée. Parce qu'il triche. Ses pieds ne foulent jamais la mousse de velours vert sombre qui recouvre les rochers.

Il a ri à mon oreille. « Viens », a joyeusement tinté sa voix. Puis il m'a pincé le nez et s'est envolé.

Je me suis penchée à la fenêtre, tendant le cou aussi loin que je pouvais, mais, pour moi, l'éclat de l'eau et l'alizé bleu étaient perdus à jamais. Ils appartenaient à une enfant aux pieds nus qui riait dans ses vêtements sales.

Debout, à entretenir mon ressentiment et ma frustration, j'ai vu une voiture à cheval s'arrêter devant notre maison. Les roues ont grincé dans la poussière sèche. Une femme lourde, vêtue d'un sari de soie bleu foncé et de mules trop fines pour sa stature, s'est extirpée péniblement du véhicule. J'ai reculé dans l'obscurité de ma chambre pour l'observer avec curiosité. Avec une sorte de satisfaction secrète, elle a balayé de son regard sombre notre maison entourée de sa modeste enceinte. Surprise par son étrange expression, j'ai regardé cette étrangère jusqu'à ce que je perde de vue son visage rusé. Elle a disparu derrière les bougainvillées qui bordaient le chemin menant à la porte d'entrée. La voix douce de ma mère l'invitant à l'intérieur s'est glissée jusqu'à ma chambre. Je me suis blottie contre la porte pour écouter la femme qui parlait d'une façon étonnamment musicale. Elle avait une belle voix, dont la tonalité démentait les petits yeux sournois et la minceur des lèvres pincées. C'est à ce moment que ma mère m'a appelée pour que j'apporte le thé qu'elle avait préparé. À peine avais-je franchi le seuil de la pièce principale où elle recevait les invités que j'ai senti le rapide coup d'œil évaluateur de l'étrangère. Une fois de plus, il m'a semblé qu'elle était satisfaite par le spectacle qui s'offrait à ses yeux inquisiteurs. Ses lèvres se sont ouvertes en un sourire chaleureux. Si je n'avais pas surpris le regard suffisant et presque victorieux qu'elle avait jeté quelques instants auparavant sur notre pauvre maison, j'aurais pu la prendre pour l'adorable tante[1] que Maman me présentait en souriant. J'ai baissé modestement les yeux, comme on m'avait dit de le faire en présence d'adultes bienveillants et de clientes difficiles au regard aiguisé.

– Viens t'asseoir à côté de moi, a murmuré gentiment Tante Pani en tapotant le banc près d'elle.

J'ai remarqué qu'il n'y avait pas de *kum kum* sur son front, l'habituel point rouge des femmes mariées, mais le rond noir des célibataires. Je me suis avancée prudemment vers elle, de peur de trébucher dans les six mètres du lourd tissu qui tanguait dangereusement autour de moi, d'humilier ma mère et d'amuser cette étrangère sophistiquée.

– Quelle jolie jeune fille! s'est-elle exclamée de sa voix musicale.

Sans dire un mot, je l'ai regardée du coin de l'œil et j'ai éprouvé un étrange et inexplicable dégoût. Sa peau sans rides était douce et soigneusement poudrée, ses cheveux dégageaient un doux parfum de jasmin, et pourtant, dans mon royaume enchanté, j'imaginais qu'elle était une femelle serpent mangeuse de rats. Noire et chasseresse. Comme un épais goudron qui suinte des arbres, un silencieux ruban qui s'immisce dans les maisons. Elle sort furtivement une langue rose, longue et froide. Qu'est-ce qu'elle sait, la « serpente »?

Une main potelée, couverte de bagues, a fouillé dans un petit sac incrusté de perles et, d'un geste reptilien, en a tiré un bonbon enveloppé de papier. De telles friandises étaient rares au village. J'ai décidé que toutes les femelles serpents n'étaient pas venimeuses. Elle a tenu la sucrerie devant moi. C'était un test. Je n'ai pas trahi ma mère qui m'observait attentivement; je n'ai pas pris la friandise. Ce n'est que lorsque Maman a souri et m'a fait un signe de tête affirmatif que j'ai tendu la main vers l'offrande. Nos mains se sont touchées brièvement. Celles du serpent étaient froides et moites. Nos regards se sont croisés et j'ai soutenu le sien. Elle a détourné rapidement les yeux. Elle avait cédé devant mon regard. On m'a renvoyée dans ma chambre. Lorsque la porte s'est refermée derrière moi, j'ai défait le papier qui enrobait le bonbon et j'ai dégusté le cadeau illicite. C'était délicieux.

---

1. Dans toute l'Asie on donne par politesse les noms de « tante » et « oncle » à des étrangers et à des ami(e)s sans qu'on entretienne avec eux de liens de parenté.

L'étrangère n'est pas restée longtemps et Maman n'a pas tardé à me rejoindre dans ma chambre. Elle m'a aidée à accomplir l'opération complexe qui consistait à me démailloter des longs métrages du somptueux tissu qu'elle a soigneusement pliés et rangés.

— Lakshmi, j'ai accepté une proposition de mariage pour toi, a-t-elle dit au sari plié. Une très bonne proposition. Il est issu d'une meilleure caste que nous. Et, en plus, il vit dans ce pays riche qu'on appelle Malaisie.

J'étais abasourdie. Une proposition de mariage qui m'emmène loin de Maman ? J'avais entendu parler de la Malaisie. C'était à des milliers de kilomètres d'ici. Des larmes sont montées à mes yeux. Je n'avais jamais été séparée de ma mère.

Jamais.

Jamais. Jamais.

J'ai couru vers elle et j'ai amené son visage à la hauteur du mien. J'ai posé mes lèvres sur son front.

— Pourquoi est-ce que je n'épouserais pas quelqu'un qui vit à Sangra ?

Ses beaux yeux étaient embués de larmes. Comme ceux d'une mère oiseau qui voit son oisillon emporté par un prédateur.

— Tu as beaucoup de chance. Tu vas voyager dans un pays où l'argent coule à flots. Tante Pani dit que ton futur mari est très riche et que tu seras une vraie petite reine, comme ta grand-mère. Tu n'auras pas à vivre comme moi. Ton mari n'est ni un ivrogne ni un joueur comme ton père.

— Comment peux-tu supporter de m'envoyer si loin ?

J'haletais, je me sentais trahie.

Au fond de ses yeux, il y avait de la souffrance et un douloureux amour. La vie devait encore m'apprendre que l'amour d'un enfant n'égale jamais la douleur d'une mère. Cette douleur profonde, à vif, sans laquelle une mère n'est pas vraiment une mère.

— Je vais être si seule sans toi, ai-je sangloté.

— Non, tu ne le seras pas parce que ton futur mari est veuf et qu'il a deux enfants de neuf et dix ans. Tu seras en bonne compagnie et tu auras de quoi t'occuper.

J'ai froncé les sourcils. Ses enfants avaient presque mon âge.

— Et lui, quel âge a-t-il ?

– Il a trente-sept ans, a répondu Maman d'un ton brusque, en me faisant pivoter pour défaire la dernière agrafe de mon corsage.

Je me suis plantée en face d'elle.

– Mais, Ama, il est plus vieux que toi !

– Ça se peut, mais il fera un bon mari. Tante Pani m'a dit qu'il possédait plusieurs montres en or. Il a eu tout le temps d'amasser une grosse fortune. Il est si riche qu'il ne demande même pas de dot. Elle le sait, c'est son cousin. J'ai fait une terrible erreur et je veux être sûre qu'il ne t'arrivera pas la même chose. Tu vivras mieux que moi. Beaucoup mieux. Je vais tout de suite commencer à préparer ton coffre à bijoux.

J'ai regardé ma mère sans mot dire. Sa décision était prise. J'étais perdue.

Il y avait presque cinquante ans, les cinq cents lampes à huile qui brûlèrent lors du mariage de ma grand-mère avaient surpris le soleil levant pendant cinq jours de réjouissances somptueuses. Mais le mien n'a été que l'affaire d'un jour. Pendant un mois, les préparatifs ont occupé tout le monde et, malgré mes premières craintes, je me suis faite à l'idée d'un mystérieux mari qui me traiterait comme une reine. J'étais contente aussi à la perspective de régner sur deux jeunes beaux-fils. Oui, tout cela pouvait être une merveilleuse aventure. Dans les splendides images que je m'inventais, ma mère me rendait visite une fois par mois et je revenais par bateau au moins deux fois par an. Un bel étranger me souriait tendrement et m'inondait de cadeaux. Je baissais la tête devant les mille idées romantiques qui me plongeaient dans l'émoi, rougissante, et défilaient dans mon imagination d'adolescente stupide. Et, bien sûr, aucune d'elles ne mettait en scène la réalité sexuelle de mon mariage. Personne autour de moi ne parlait, ou même ne savait quoi que ce soit de ces choses. Le processus secret de la conception des bébés ne me concernait pas. Les têtes bouclées apparaîtraient en temps voulu.

Le grand jour est arrivé. Notre petite maison semblait soupirer et gémir sous le poids de ces grosses femmes d'âge mûr qui ne cessaient de tournoyer. Le parfum du célèbre curry noir de ma mère remplissait l'air. Assise dans ma petite chambre, j'étais happée par ce tourbillon d'activité. Une petite boule d'excitation grossissait dans mon ventre ; quand j'étendais mes paumes sur mes joues, elles étaient chaudes, très chaudes.

— Il faut qu'on s'occupe de toi, maintenant, a annoncé ma mère après que les mains habiles de Poonama, notre voisine d'à côté, ont enroulé, plissé et soigneusement épinglé les six mètres de mon sari rouge et or.

Pendant un long moment, Maman m'a regardée avec le plus singulier mélange de tristesse et de joie, puis elle a tamponné le coin de ses yeux noyés de larmes et, incapable de parler, a simplement incliné la tête en signe d'approbation. La femme d'un autre village, qu'elle avait engagée pour me coiffer, s'est avancée vers moi d'un air efficace. Je me suis assise sur un tabouret, pendant que ses doigts rapides passaient des rangées de perles dans ma chevelure ; elle y a ajouté une bourre de faux cheveux rêches, et elle a roulé le tout en un gros chignon rond sur ma nuque fine. On aurait dit qu'une seconde tête avait brusquement surgi derrière mon cou. Mais ma mère semblait satisfaite à l'idée d'avoir une fille à deux têtes, et je me suis tue. Ma coiffeuse a ensuite brandi un petit pot qui contenait une pâte rouge et compacte. Elle a plongé son gros index dans cette substance à l'odeur abominable et en a appliqué sur mes lèvres. J'avais l'air d'avoir embrassé un genou ensanglanté. Je me suis regardée, fascinée.

— Ne suce pas tes lèvres, a ordonné la villageoise d'un ton autoritaire.

J'ai secoué la tête d'un air solennel. Pourtant, la tentation d'enlever cette épaisse couche de peinture malodorante a persisté jusqu'au moment où j'ai vu mon futur époux. Alors j'ai oublié non seulement la gêne du fard sur mes lèvres, mais tout le reste. Le temps s'est arrêté et mon enfance s'est enfuie pour toujours, dans un hurlement d'horreur.

On m'a accompagnée, parée de bijoux, dans la pièce principale où mon futur mari attendait sur une sorte d'estrade. Lorsque nous sommes arrivées à la hauteur du second rang des invités, je n'ai pu retenir davantage ma curiosité. Avec impudence, j'ai levé la tête et je l'ai regardé. La petite boule d'excitation ludique qui avait pétillé et rebondi dans mon ventre s'est fracassée. Mes genoux ont faibli, mes pas vacillé. D'un même geste, mon escorte souriante a resserré sa pression sur mes bras. Dans ma tête en proie au vertige, j'ai entendu leurs pensées désapprobatrices : *Mais enfin, qu'est-ce qu'elle a tout d'un coup, cette fille couleur de thé ?*

Ce qu'elle avait, cette fille couleur de thé, c'est qu'elle venait de voir son mari.

Sur l'estrade, assis à m'attendre, se trouvait l'homme le plus gigantesque que j'aie jamais vu. Sa peau était si sombre qu'elle brillait comme une huile noire dans la nuit. Sur ses tempes, tel un oiseau de proie, se déployaient de grandes ailes grises. Sous son large nez, de longues dents jaunies dépassaient au point qu'il ne pouvait fermer complètement la bouche.

À la pensée que cet homme était mon mari, la peur a parcouru mon corps d'enfant. Mon rêve romantique et stupide a exhalé son dernier soupir et je me suis sentie toute petite et abandonnée. Des larmes intérieures m'ont inondée. Dès ce moment, l'amour a été pour moi le ver dans la pomme. Chaque fois que ma bouche avide rencontre son corps mou, je le détruis et lui, en retour, me remplit de dégoût. Terrifiée, j'ai cherché dans la masse confuse des visages la seule personne capable de rétablir l'ordre normal des choses.

Nos regards se sont croisés. Ma mère m'a adressé un sourire épanoui, ses yeux brillants de fierté illuminant son pauvre visage. Je n'avais pas le droit de la décevoir. Elle avait voulu tout cela pour moi. Face à notre misère noire, la richesse de mon mari l'avait complètement aveuglée. Chaque pas me rapprochait de lui. Je me suis refusée à baisser la tête comme les jeunes mariées timides. Avec un mélange de crainte et d'audace, j'ai dévisagé avec insistance mon futur époux.

Je ne mesurais qu'un tiers de sa taille.

Il m'a regardée. Il avait de petits yeux noirs. Mon regard effronté s'est emparé des minuscules perles noires. J'ai lu en elles une irritante expression d'orgueilleuse possession. Je l'ai fixé sans ciller. Ne montre aucune peur, ai-je pensé, le ventre noué par la colère. Je l'ai enfermé dans le jeu puéril de celui qui soutiendra le regard de l'autre le plus longtemps. Tandis que mes yeux dardaient les siens sans relâche, le battement des tambours et le son des trompettes se sont estompés ; les invités qui observaient la scène ne constituaient plus qu'un fond uniformément gris. J'ai perçu un changement dans le regard de mon nouveau mari. La surprise avait ravalé l'orgueilleuse possession. Il a baissé les yeux. J'avais vaincu l'hideuse bête. Il était la proie et moi, le chasseur. D'un seul regard, j'avais dompté l'animal sauvage. J'ai senti un feu parcourir tout mon corps, comme la fièvre.

J'ai cherché à apercevoir ma mère. Elle avait toujours ce même sourire fier, encourageant, qu'elle arborait au début.

Avant ma victoire capitale. Pour elle, ce moment n'avait jamais existé. Seuls mon nouveau mari et moi l'avions senti. Je lui ai rendu son sourire et, levant légèrement ma main, j'ai frappé trois fois mon médium contre mon pouce, notre signal secret : « Tout est magnifique. » En arrivant à l'estrade, j'ai laissé mes genoux fléchir sur le lit de pétales. Je percevais la chaleur qui, par vagues, émanait du corps de l'animal dompté ; il n'y avait plus rien à craindre.

Il n'a pas tourné la tête pour me regarder. Le reste de la cérémonie s'est fondu dans une brume indistincte. Il n'a plus jamais cherché l'éclat sauvage de mes yeux. Et moi, j'ai passé toute la soirée à plonger sans trêve dans la cascade fraîche depuis le plus haut rocher, derrière la maison de Ramesh.

Cette nuit-là, j'étais très paisiblement étendue dans l'obscurité quand il a enlevé mes vêtements et est monté maladroitement sur moi. Il a étouffé mon cri de douleur de sa large main. Je me souviens qu'elle sentait le lait de vache.

— Chuut... ça fait toujours mal la première fois, m'a-t-il dit en guise de consolation.

Il était doux, mais mon esprit d'enfant était bouleversé par le choc. Il me faisait ce que font les chiens dans la rue... jusqu'à ce qu'on les asperge d'eau et qu'ils se séparent contre leur gré, petits morceaux de chair rose insatisfaite et encore dilatée. J'ai concentré mes pensées en me demandant comment il pouvait si habilement et si totalement se dissoudre dans l'obscurité. Dans la nuit, ses longues dents semblaient flotter et ses yeux observateurs et humides luisaient sans expression, pareils à ceux d'un rat. Par instants, la montre en or qui avait tant impressionné ma mère brillait tel un éclair. J'ai fixé ses yeux ouverts, attentifs, jusqu'à ce qu'il cille, puis j'ai porté mon regard sur ses dents. De cette façon, tout fut très vite fini.

Assouvi, il s'est allongé sur le dos et m'a câlinée comme une enfant meurtrie. Entre ses bras, j'étais aussi raide qu'un morceau de bois. Je n'avais connu que la douce étreinte de ma mère et je n'étais pas habituée à sa rudesse. Quand sa respiration est devenue égale et ses membres lourds, je me suis dégagée petit à petit de son corps endormi et j'ai marché sur la pointe des pieds jusqu'au miroir. En proie à la confusion, j'ai regardé mon visage bouleversé et ruisselant de larmes. Que venait-il de me faire ? Est-ce que Maman savait qu'il me ferait *ça* ? Est-ce que mon père lui avait fait cette chose dégoûtante ? Il y avait toujours ce liquide collant et ce sang qui souillait mes cuisses, et un endolorissement entre mes jambes.

Dehors, à la lumière des lampes à huile, les boute-en-train les plus déterminés continuaient à rire et à boire. J'ai trouvé un vieux sari dans l'armoire. Encapuchonnée dans le long tissu, j'ai ouvert doucement la porte et me suis glissée à l'extérieur. Mes pas étaient silencieux sur le sol en ciment froid et personne n'a remarqué la fine silhouette qui se déplaçait le long du mur, étreignant les ombres silencieuses. Sans faire aucun bruit, je suis sortie par la porte arrière de la maison et, très vite, je suis arrivée au puits de Poonama. Poussée par une folle frénésie, je me suis déshabillée et, du profond trou noir creusé dans la terre, j'ai tiré un plein seau d'eau sombre et luisante. Au fur et à mesure qu'elle cascadait, glacée, le long de mon corps, je me suis mise à sangloter ; de gros sanglots irrépressibles qui me secouaient tout entière. Tremblante, j'ai versé l'eau noire jusqu'à en être transie. Lorsque toutes mes larmes ont été absorbées par la terre affamée, j'ai couvert mon corps misérable et je suis revenue vers le lit de mon mari.

Il gisait paisiblement endormi. Mes yeux ont glissé sur sa montre en or. Au moins, je vivrais comme une reine en Malaisie. Peut-être possédait-il, perchée sur une colline, une demeure si grande que notre masure tiendrait dans la cuisine. Je n'étais plus une enfant, mais une femme, et lui était mon mari. J'ai avancé une main hésitante et j'ai caressé son large front. Sa peau était douce sous mes doigts. Il n'a pas bougé. Réconfortée par la pensée d'une cuisine plus grande que la maison où je vivais, je me suis roulée en boule le plus loin possible de son large corps et j'ai sombré dans un profond sommeil.

Nous devions partir deux jours plus tard et il y avait fort à faire. C'est à peine si j'ai vu mon mari. Il était l'ombre noire qui déployait ses grandes ailes au-dessus de moi à la fin de chaque journée, masquant même l'étrange et mince rai de lumière qui d'habitude filtrait sous ma porte et veillait à ce que je m'endorme.

Le matin de notre départ, je me suis assise sur le seuil qui donnait accès à l'arrière de la maison ; j'observais le monde silencieux de ma mère. Elle nettoyait le réchaud comme elle le faisait tous les matins aussi loin que je m'en souvienne. Ce matin-là, des larmes gouttaient à son menton, dessinant de sombres points ronds sur la blouse de son sari. J'avais toujours su que je n'aimais pas mon père, par contre j'ignorais que j'aimais ma mère au point que cela me fasse mal. Je la voyais toute seule, en train de préparer le repas, de coudre, de nettoyer et de balayer, mais je ne pouvais plus rien faire pour elle. Je me suis éloignée et j'ai regardé les dernières gouttes de l'orage qui battait en retraite. Dans les bois, des centaines de grenouilles chantaient à l'unisson, suppliant les cieux de s'ouvrir à nouveau afin que les mares deviennent des piscines dignes de les accueillir. J'ai parcouru du regard tout ce qui m'était familier : le ciment lisse du sol de notre maison, les murs en bois mal montés, le tabouret où Maman s'asseyait pour me huiler les cheveux. Je me suis soudain sentie dépouillée. Qui me coifferait ? C'était presque un rituel. Ravalant mes larmes, je me suis promis de ne rien oublier de ma mère. Son odeur, le goût de la nourriture qu'elle enfournait dans ma bouche de ses doigts usés par le travail, ses beaux yeux tristes et toutes les précieuses histoires qu'elle avait gardées dans le coffret d'or de sa tête. Je me suis détournée en imaginant ce que mon grand-père, grand et fier, aurait fait de moi. Moi, si frêle.

Dans la cour, notre vache Nandi, placide et indifférente aux détails de mon départ, roulait des yeux lugubres dans le vide ; les petits poussins qui venaient d'éclore semblaient déjà à l'aise dans le rôle que la vie leur imposait. Une partie de mon être ne parvenait pas à croire à tout cela. À croire que je partais aujourd'hui, abandonnant tout ce que j'avais connu pour prendre la mer avec un homme qui m'avait dit :

– Appelle-moi Ayah.

Nous sommes arrivés au point de rencontre convenu dans le port. Fascinée, j'ai admiré le paquebot massif qui s'élevait au-dessus de l'eau, brillant d'importance dans la lumière du soleil. Prêt à traverser l'océan. Tante Pani, à qui revenait la tâche d'amener mes beaux-fils, était en retard. Le visage tiré par l'inquiétude, Ayah a consulté une fois de plus sa montre resplendissante. Au moment où les sirènes allaient retentir, Pani est arrivée dans sa voiture à cheval, mais sans les enfants.

– Ils sont très malades, ils ne sont pas en état de faire ce voyage. Je vais les garder quelques mois de plus, a-t-elle annoncé d'un ton allègre à mon mari. Dès qu'ils iront mieux, je les emmènerai moi-même en Malaisie.

Ayah a regardé autour de lui d'un air désespéré, comme un bébé éléphant égaré.

– Je ne peux pas vivre sans eux, a-t-il sangloté désespérément.

– Il le faut. Tout est réglé des deux côtés. Ils ne sont pas
très malades. Rester quelques semaines de plus avec moi ne leur
fera pas de mal. Tu sais à quel point je les aime. Personne ne
s'en occupera mieux que moi.

Pendant un moment douloureux, mon mari s'est tenu
immobile, hésitant, indécis. Autour de lui, tous le scrutaient. Le
visage impénitent de Tante Pani a rayonné de joie quand il a
soulevé la petite valise posée à mes pieds et s'est préparé à monter à bord. Aussi incroyable que cela puisse paraître, il allait
abandonner ses enfants. Il me semblait évident, comme à tous
ceux qui observaient la scène, que leur mystérieuse maladie
n'était qu'un stratagème. Pourquoi n'insistait-il pas pour que
l'on aille immédiatement les chercher ? Je l'ai suivi lentement
sans comprendre, certaine cependant que quelque chose n'allait
pas. Cette femme n'était pas quelqu'un de bien, je le sentais.
Pourtant, au fond de moi, s'est épanouie la pensée noire que
tout était peut-être pour le mieux. J'avais vu mes beaux-fils au
mariage : des répliques miniatures de leur père. Leurs visages
quelconques arboraient une expression indolente, ils se déplaçaient avec une lenteur irritante. Je n'aimais pas céder la victoire à cette Pani, mais l'appréhension de vivre avec mes
beaux-fils, ces deux garçons simplets, était la plus forte.

Je me suis retournée pour embrasser ma mère sur le front.

– Je t'aime de tout mon cœur, ai-je dit à ce front lisse.

Elle a pris mon visage entre ses deux mains et m'a regardée longuement, avec intensité, comme si elle mémorisait mes
traits. Elle savait déjà que c'était la dernière fois qu'elle me
voyait ou qu'elle me touchait. Que nous ne devions jamais nous
revoir.

Du bateau, je l'ai contemplée jusqu'à ce qu'elle ne soit plus
qu'une petite tache verte et sanglotante au milieu d'une foule de
parents éplorés.

Oh, ce voyage !

Il a dépassé en horreur tout ce qu'on peut imaginer. J'ai
déliré de fièvre pendant presque toute la traversée. La tête me
tournait, mon ventre pris de vertige se tordait, se soulevait. Parfois, je me sentais tellement mal que je souhaitais mourir. Aussi
solide qu'un roc, mon mari s'est assis à côté de moi en me
regardant d'un air impuissant tandis que je me tortillais comme

un serpent sur la petite couchette. Une odeur écœurante et rance imprégnait mes cheveux, mes vêtements, les draps de lit, mon haleine, ma peau... Tout était encrassé par l'air marin poisseux.

Une soif ardente m'a réveillée dans l'obscurité vacillante. Une main douce était posée sur mon front.

— Ama, ai-je appelé faiblement.

Désorientée, j'imaginais que Maman était venue me soigner. Mon mari m'observait fixement avec une expression des plus étranges. Déconcertée par l'intensité de son regard, je l'ai fixé à mon tour, incapable de détourner les yeux.

— Comment te sens-tu ? a-t-il demandé doucement.

Le charme s'est rompu.

— J'ai soif, ai-je dit d'une voix rauque.

Il s'est retourné et je l'ai observé, grand et agile, me verser de l'eau. Tout en buvant, je scrutais son expression, mais son visage d'ébène ne manifestait rien d'autre que de la bonté. Je me souviens de cet incident, car, pendant le reste de notre vie commune, je ne devais plus revoir cette émotion dans ses yeux.

Le ciel était d'un pur azur et la surface de l'eau un épais morceau de verre étincelant dans la clarté solaire. Enfouies au tréfonds des vertes profondeurs, gisaient, je le savais, des cités merveilleuses, mystérieuses, parées de splendides palais, de minarets éblouissants et d'exquises fleurs marines, demeures des puissants demi-dieux des histoires que Maman me racontait. Sur le pont du bateau, des centaines de personnes se pressaient contre le bastingage et regardaient intensément la terre qui s'approchait. L'air vibrait comme des milliers d'ailes en train de battre. Les ailes de l'espoir.

Sous mes yeux incrédules, le port de Penang paraissait le lieu le plus extraordinaire du monde. De ma vie, je n'avais jamais vu autant de gens grouiller et courir ainsi en tous sens, telle une colonie de fourmis sur une dune de sable. Et quel monde étrange se pressait là ! Enchantée, je suis restée bouche bée. Il y avait des marchands arabes à la peau olivâtre, vêtus de longues robes flottantes et arborant des coiffes noires et blanches. Même de loin, leur prospérité attirait le regard comme un cerf-volant rouge dans le ciel bleu. Leurs têtes enturbannées s'inclinaient vers la foule avec arrogance ; leurs doigts potelés étaient cerclés d'innombrables bagues qui chatoyaient de feux multicolores sous le soleil étincelant. Ils étaient venus faire le commerce des épices, de l'ivoire et de l'or. Le vent recueillait leur langue étrange et gutturale et la portait jusqu'à mes oreilles.

Il y avait aussi les Chinois. Yeux effilés, nez plat, déterminés. Pas un seul moment d'oisiveté. Torse nu, la peau d'un bronze profond, ils ployaient et titubaient sous les lourds sacs de jute qu'ils déchargeaient des barges et des chalutiers. Ils étaient durs à la tâche. À mes yeux novices qui avaient appris à apprécier les traits nettement dessinés et les grands yeux expressifs de ma terre natale, la platitude de leur faciès de lune m'est apparue comme l'exemple même de la difformité.

Les Malais, couleur de noix de coco mûrissante, traînaient, en une attitude légèrement servile. Il y avait dans leur visage une sorte de noblesse instinctive, et cependant ils n'étaient pas les maîtres de leur pays. J'ignorais alors que leur guerre contre l'homme blanc avait été rapidement perdue, subtilement dérobée par une violence camouflée.

Les premiers à débarquer ont été les Européens. Isolés dans les premières classes, ils paraissaient avoir si bien mangé qu'ils avaient enflé. Grands, hautains, la mise soignée, ils avançaient à longues enjambées, le soleil dans les cheveux, tels des dieux. Comme si le monde leur appartenait. J'ai trouvé fascinantes leurs lèvres beiges et distantes. Les hommes semblaient anormalement pleins de sollicitude envers les femmes qui, dédaigneuses, étroitement corsetées, munies de pitoyables ombrelles à volants dont on se demandait comment elles pouvaient les protéger, montaient, le dos raide, dans de belles voitures tirées par de luxueux attelages. J'ai vu disparaître fugitivement des poignets d'une blancheur incroyable et des mouchoirs en dentelle voletant dans l'air.

Des hommes robustes vêtus d'un pagne blanc, le visage basané, se sont avancés pour aider les passagers. Des malles métalliques, grandes comme je n'en avais jamais vues, ont été chargées sur des rickshaws[1] bâchés et leurs conducteurs, pieds nus et musclés, coiffés de grands chapeaux, les muscles saillant sous l'effort, ont convoyé bagages et passagers jusqu'à la ville.

---

1. Cyclo-pousses, moyen de transport commun dans toute l'Asie du Sud et du Sud-Est, consistant en une bicyclette munie de trois roues, à l'arrière de laquelle les passagers prennent place sur une banquette ménagée à cet effet.

J'ai ressenti une légère pression sur mon épaule et j'ai levé les yeux vers le large visage à la peau sombre de mon mari. Je devais briller de jeunesse et d'impatience car il m'a regardée avec une indulgence presque paternelle.

– Viens, Bilal nous attend, a-t-il crié par-dessus le vacarme.

J'ai suivi sa haute silhouette tandis qu'il portait sans effort tout ce que j'avais emporté. Il s'est arrêté devant une grosse voiture noire garée à l'ombre d'un arbre. Bilal, le chauffeur, était malais. Il ne parlait pas tamoul, et comme il n'a pu me soutirer un mot de malais, il m'a scrutée avec curiosité, a fait un signe de tête puis arboré un sourire contraint à l'adresse de l'enfant qui était l'épouse de son maître. Je suis montée dans la voiture aux sièges de cuir clair. Et voilà le début de ma nouvelle vie d'épouse riche, ai-je pensé, en proie à une indescriptible sensation d'aventure.

Les rues n'étaient pas pavées d'or mais recouvertes d'une épaisse couche de poussière et de saleté. Des entrepôts aux entrées surmontées de gros caractères chinois et aux toits voûtés à l'orientale somnolaient sous un soleil brûlant. De chaque côté de la rue s'alignaient des rangées d'étroites boutiques encombrées d'un merveilleux étalage de marchandises. Les produits frais débordaient de leur panier et se répandaient sur le trottoir ; de grands bocaux remplis de condiments séchés trônaient sur des marches en bois spécialement aménagées. Épiceries, échoppes de tailleur, cordonneries, boulangeries, bijouteries ne formaient qu'un long ruban de couleurs, de bruits et d'odeurs. À l'intérieur des cafés, des hommes âgés aux visages de cuir, filiformes, vêtus de shorts trop amples, paressaient, la cigarette pendant à leurs doigts jaunis par le tabac. Des chiens miteux aux museaux humides et aux yeux de charognards disparaissaient au coin des rues. Au bord de la route, sur un éventaire de fortune, des canards alignés pendaient, attachés par leurs cous brisés ; sur le sol, dans une cage en bois, d'autres volatiles, vivants, eux, gloussaient et se querellaient bruyamment. Un énorme couteau de boucher fiché dans une planche à découper jetait de folles étincelles. Des hommes que le soleil avait teintés d'un bleu nuit nettoyaient les caniveaux avec de longs balais.

Au cœur de la ville, à un feu de signalisation, deux vieilles femmes à la peau distendue et tremblotante papotaient, assises sur leurs talons à l'ombre d'un arbre. De l'autre côté de la rue, une créature plus éclatante que toutes celles que j'aurais pu imaginer est descendue d'une voiture. Elle avait une ossature très fine et le teint si clair qu'on l'aurait cru vraiment blanc. Vêtue d'un costume chinois rouge vif, elle avait attaché ses cheveux avec des peignes ornés de pierreries et des barrettes de perles en forme de pendentif. Elle avait de grands yeux en amande qui lançaient des regards obliques faussement effarouchés, et sa bouche mince avait la forme d'un petit bouton de rose. Elle l'avait maquillée d'un vif carmin qui scintillait au soleil. On aurait dit une poupée. Jusqu'à ce qu'elle s'avance d'un petit pas chancelant et que l'une de ses suivantes s'empresse de lui tendre une main ferme. Mais dans un geste d'ingratitude, la jeune femme a fait claquer son éventail sur la main serviable et s'est éloignée avec dédain. J'ai compris alors que ses pieds n'étaient pas plus gros que mon poing fermé. Et j'ai de petites mains. J'ai cligné des yeux et j'ai fixé avec étonnement ces pieds déformés, serrés dans de petites chaussures de soie noire conçues pour un enfant.

— On lui bande les pieds depuis qu'elle est toute petite, m'a expliqué mon mari dans la chaleur écrasante de la voiture.

— Mais pourquoi ?

— Pour qu'ils ne grandissent pas bêtement comme les tiens, m'a-t-il répondu pour me taquiner. En Chine, c'est la coutume de bander les pieds des petites filles. Les Chinois considèrent que c'est une chose belle et désirable. Seuls les paysans pauvres qui ont besoin d'une paire de bras supplémentaire dans les rizières ne le font pas. Dans les bonnes familles, dès l'âge de deux ou trois ans, on emmaillote les pieds des petites filles si serré que leurs os, mutilés, forment un arc très douloureux. Et pendant toute leur vie, elles paient d'une douleur inouïe ce signe de leur féminité. Une fois leurs pieds pris dans cet étau, on ne peut plus les libérer sinon, au lieu de chanceler, elles ne pourraient plus du tout marcher.

J'avais quitté pour toujours le village de mon innocence.

J'ai décidé immédiatement que les Chinois étaient une race barbare. Lier les pieds de sa propre fille au point de la faire hurler de douleur, la voir boitiller péniblement pendant des années relevait d'un cœur particulièrement cruel. Quel être au goût dépravé avait le premier rêvé d'un pied déformé ? J'ai baissé les yeux sur mes pieds robustes, chaussés de sandales brunes : ils m'ont fait plaisir. Ils avaient couru librement à travers les forêts, ils avaient nagé dans des eaux fraîches et ils n'avaient jamais envisagé la possibilité que, quelque part dans le monde, des petites filles aux pieds meurtris devaient rester assises le jour et sanglotaient doucement la nuit, impuissantes.

Notre voiture n'a pas tardé à quitter l'agitation de la ville. Le long de la route, un homme portant des vêtements maculés de boue menait un buffle par le nez. De petites huttes ponctuaient le paysage plat. Mon mari s'est adossé contre le siège et le sommeil a fermé ses petits yeux. Dans l'éblouissant soleil de midi, la route se déroulait comme un serpent gris argenté, ondulant à travers les rizières, les plantations d'épices et, par endroits, le sol orange vif des forêts vierges. De part et d'autre, s'élevaient les murs enchevêtrés d'une végétation vert sombre. Des fougères géantes allongeaient leurs frondes dans la lumière dorée ; pendues aux branches d'arbre, de pulpeuses plantes grimpantes oscillaient, emmêlées, s'efforçant d'attraper des bribes de reflets solaires moirés, tels des enfants qui tendent les bras vers un gâteau d'anniversaire. Çà et là, des pans d'écorce rêche, vieux visages plissés par l'inquiétude, jetaient des regards interrogateurs. Entre les larges feuilles plates, tout paraissait calme et paisible. Durant d'infinis kilomètres. Des mirages d'eau apparurent et disparurent sur la route. Dans la terrible chaleur, la forêt dormait sagement, mais je ne me suis pas même permis de cligner de l'œil de peur de manquer quelque chose.

Mes heures de vigilance ont été récompensées.

À l'horizon, j'ai vu d'abord un, puis deux cyclistes, puis toute une file de gens à bicyclette. Ils étaient vêtus de noir des pieds à la tête, et aucun d'eux ne semblait avoir de visage, tapis dans l'ombre projetée par leurs coiffes sombres, maintenues à l'aide de mouchoirs rouges noués sous le menton. Par-dessus cette coiffure, tous portaient d'immenses chapeaux de paille. Leurs manches noires recouvraient leurs mains. Pas un morceau de chair n'était exposé à la lumière. Sans hâte, ils approchaient.

J'ai secoué brutalement Ayah pour le réveiller.

— Quoi ? Qu'est-ce qu'il y a ? a-t-il marmonné, encore à moitié endormi.

— Regarde, ai-je crié, remplie de peur, en désignant la procession noire et menaçante qui s'avançait vers nous.

Ses yeux ont suivi mon doigt.

— Ah, elles, a-t-il soupiré, soulagé, en se recalant sur le siège d'un air ensommeillé. Ce sont les *dulang-washers*. Elles travaillent dans les mines d'étain. Elles l'extraient puis le passent dans de grands tamis. Sous tout ce tissu noir se cachent les plus belles Chinoises que tu aies jamais rencontrées. Tu devrais les voir la nuit, quand elles portent leur *cheongsam* moulant.

Le mince sillage des bicyclettes nous a dépassés. Silencieux. Inoffensif.

Ces femmes m'intriguaient. Elles se drapaient comme des momies pour conserver une peau aussi blanche que de la poudre de riz. Nous roulions dans un bruit de ferraille sur des routes faites pour des charrettes, dépassant des bourgades et des villages dolents. À un moment, Bilal a ralenti devant deux petits cochons sauvages qui, poussés par la curiosité, ont grogné et traversé la voie à toute vitesse. Des enfants nus à la peau brune couraient sur le bas-côté de la route pour nous regarder passer en agitant leurs mains avec enthousiasme. Transpirant moi-même à profusion dans les six mètres de tissu bien ancrés sur un jupon blanc lui-même fermement attaché, je les ai aimés immédiatement. La petite fille en moi aspirait à une semblable liberté. Maintenant encore, ce dont je me souviens le mieux ce sont ces enfants aux yeux de velours.

Au milieu de l'après-midi, nous avons dépassé un temple chinois aux piliers de granit. L'intérieur était d'un rouge profond et le toit de tuiles vernissées était orné de dragons de pierre magnifiquement sculptés.

Enfin nous avons atteint Kuantan, le but de notre voyage. Bilal s'est engagé sur une route pleine de nids-de-poule et jonchée de pierres blanches aux arêtes tranchantes. Une sorte de cul-de-sac. La route contournait un massif de buissons sauvages, un bosquet de bambous et un assez beau ramboutan ; elle desservait cinq maisons. La plus proche était la plus grande : la mienne, sans aucun doute. À l'ombre d'un *angsana*, se blottissaient une table et des chaises en pierre. La demeure était belle et je l'ai aimée. Dans la fraîcheur de ses murs épais, j'ai imaginé des serviteurs aux pas feutrés. Des lanternes chinoises rouges pendaient près de la porte et je me suis demandé pour quelle raison elles se trouvaient là.

Bilal a ralenti près des grandes portes noires, cependant, au moment où je me préparais à descendre de la voiture, deux alsaciens féroces se sont élancés vers nous en aboyant de manière menaçante. Bilal a contourné une large fondrière, puis il a dépassé la belle maison. À l'une des fenêtres, un petit visage brun nous a regardés passer avec une curiosité avide. Je me suis retournée vers mon mari ; il a évité mon regard interrogateur et a gardé les yeux fixés droit devant lui. Décontenancée, je me suis détournée. Nous avons avancé encore en cahotant sur cette route exécrable. Les quatre autres habitations étaient de pauvres masures en bois. Bilal s'est arrêté devant l'une d'elles construite sur des pilotis de faible hauteur.

Mon mari est descendu de la voiture et je m'en suis extirpée péniblement, chaussée de mes sandales brunes, petite silhouette chiffonnée et abasourdie. Les bagages sont sortis du coffre de la voiture et Bilal, qui n'était absolument pas le chauffeur de confiance de mon mari, nous a dit au revoir et a démarré. Ayah a fouillé dans son pantalon flottant et en a extrait un jeu de clefs. Il a souri devant mon visage déconfit.

– Bienvenue à la maison, ma chère, ma très chère épouse, a-t-il dit gentiment.

– Mais... mais...

Il avait déjà tourné les talons, marchant au grand pas de ses jambes ridiculement longues. La porte de la maison en bois s'est ouverte et l'a avalé tout entier. Pendant un moment, j'ai gardé les yeux rivés sur l'intérieur sombre, puis je l'ai suivi lentement. Je me suis arrêtée sur la première marche. Maman avait été dupée. Cette pensée m'était pénible : *mon mari n'était pas riche, mon mari était pauvre*. Pani nous avait trompées. J'étais toute seule dans un pays étranger avec un homme qui n'était pas ce qu'il était censé être. Je n'avais pas d'argent, je ne parlais pas un mot d'anglais pas plus que la langue locale, et je n'avais pas la moindre idée de ce qu'il me faudrait faire pour rentrer chez moi. Le sang battait dans mes veines.

L'intérieur était frais et sombre. La maison dormait. Doucement, paisiblement. Pas pour longtemps, ai-je pensé. J'ai ouvert les fenêtres du petit salon. L'air frais et les faibles rayons obliques du soleil couchant ont pénétré dans la pièce. Tout à coup, le fait que ce ne soit pas une grande maison et que je n'aie pas de domestiques auxquels donner des ordres n'a plus eu aucune importance. J'avais un défi à relever : faire quelque chose à partir de rien. Une tâche beaucoup plus passionnante.

Ayah avait disparu derrière la maison. Pleine de curiosité, j'ai commencé à explorer les lieux. Je marchais sur un sol en ciment et regardais les murs en bois. Le petit salon comportait deux fauteuils bancals qui semblaient bercer de vieux coussins fatigués, une vilaine petite desserte, une vieille table délabrée entourée de quatre misérables chaises. Dans la chambre, j'ai été surprise de trouver un énorme lit à baldaquin, en fer, recouvert d'une peinture argentée. De ma vie, je n'avais vu pareil lit. Il était digne d'un roi. Les rideaux décolorés étaient devenus d'un vert maladif. Le matelas rembourré de coton était bosselé, mais pour moi, il était paradisiaque. Je n'avais jamais dormi que sur une natte tressée. Une vieille armoire d'un bois très sombre, sculpté de motifs élaborés, complétait l'ameublement. Le battant gauche, surmonté d'un miroir, a grincé lorsque je l'ai ouvert. À l'intérieur pendaient des toiles d'araignée luisantes. J'y ai trouvé quelques vêtements de mon mari et quatre saris ayant appartenu à sa première épouse. J'ai déplié les saris. Ils étaient unis et ternes ; les couleurs discrètes d'une défunte. Debout devant le miroir, je me suis drapée dans l'un d'eux. Pour la première fois, j'ai pensé à cette femme. Elle avait vécu dans cette maison et porté ces vêtements. Je touchais le tissu encore frais, je le reniflais. Il sentait la terre en saison sèche. Cette senteur chaude m'a fait frissonner. Les saris me rappelaient sa présence et ses enfants que j'avais si facilement abandonnés. J'ai replacé les vêtements dans l'armoire et je l'ai refermée vivement.

Dans la seconde chambre, deux vieux lits semblaient tapis près de la fenêtre. On avait transformé une étagère en autel domestique sur lequel étaient disposées des représentations de divinités hindoues. Des fleurs fanées les couronnaient. Il n'y avait pas eu de femmes dans la maison depuis longtemps. D'un geste automatique, j'ai joint les paumes de la main en signe de respect et de prière. Deux paires de sandales d'enfants gisaient près de la porte. Deux petits visages levaient les yeux vers moi : « On n'a pas nos chaussures », murmuraient-ils tristement, le regard morne. Je me suis reculée précipitamment en fermant la porte derrière moi.

À mon grand étonnement, la salle de bains était sur la maison. Chez moi, elle se trouvait dans une sorte de petit appentis, dehors. J'ai entendu mon mari se déplacer dans la véranda. J'ai inspecté les murs gris et lisses ; j'ai ouvert un robinet de bronze et une eau belle et claire a jailli dans le profond réservoir en ciment construit dans l'un des coins. On aurait dit une sorte de puits ; il m'arrivait presque à la taille. J'étais ravie. J'ai appuyé d'un petit coup rapide sur le vieil interrupteur démodé, rond et noir, et une lumière jaune a empli l'espace minuscule et sans fenêtre. Ma nouvelle salle de bains m'enchantait. Je l'ai quittée et j'ai pénétré dans la cuisine où j'ai poussé mon premier cri de joie. Car dans l'un des recoins se trouvait le plus beau banc que j'eusse jamais vu. En bois dur, avec des pieds très joliment sculptés, il était aussi large qu'un lit d'une personne. Je l'ai examiné minutieusement, avec un réel plaisir, laissant courir mes doigts sur la surface douce et patinée, loin d'imaginer que cette pièce de mobilier me survivrait et qu'un jour le corps de mon mari défunt reposerait sur cette même surface sombre.

Par la fenêtre de la cuisine, j'ai aperçu l'aire en ciment réservée au lavage du linge ainsi qu'aux autres tâches extérieures, comme piler le grain, moudre les épices, et, au-delà, une grande cour à l'abandon où poussaient deux beaux cocotiers. Un large caniveau de mousson[1] séparait notre propriété des champs recouverts de chiendent qui s'étendaient au loin. On devinait un petit sentier qui s'enfonçait dans des bois.

Avec l'énergie de mes quatorze ans, je me suis mise à nettoyer, ranger, laver et épousseter. La maison est devenue mon nouveau jouet. Mon mari s'est assis dehors, sur la véranda, dans un fauteuil bien rembourré; il a allumé un long *cheerot*[2]. Alors que je m'affairais, pleine d'importance, l'arôme s'est glissé dans la maison. Celle-ci n'a pas tardé à être propre et bien rangée. J'ai trouvé dans la cuisine quelques ingrédients avec lesquels j'ai préparé un simple curry de lentilles et du riz.

Pendant que le repas frémissait doucement, je me suis enfermée dans ma nouvelle salle de bains, j'ai ouvert le robinet et je me suis abandonnée avec délices dans mon puits intérieur. Propre et rafraîchie, j'ai enlevé toutes les fleurs fanées de l'autel domestique. Au fond de notre cour envahie par les mauvaises herbes se trouvait un jasmin. J'ai cueilli une pleine assiette de fleurs avec lesquelles j'ai décoré l'autel. J'ai prié afin que les divinités m'accordent leurs bénédictions. Ayah est entré dans la maison et je lui ai servi le simple repas que j'avais préparé. Il a mangé de bon cœur et lentement, car c'est ainsi qu'il faisait toutes choses.

– Qu'est-ce que tu fais comme travail?
– Je suis employé de bureau.

---

1. Fossé creusé pour permettre d'évacuer le trop-plein des eaux de mousson.
2. Cigare fait de tabac très fort enroulé dans une feuille de tabac.

J'ai acquiescé d'un signe de tête, bien que cela ne signifie rien pour moi. Ce n'est que plus tard que j'ai compris le degré de servilité que recouvrait ce mot.

– D'où viennent le lit et le banc ?

– J'ai travaillé pour un Anglais. Quand il est rentré dans son pays, il me les a donnés.

J'ai hoché lentement la tête. Oui, c'était un lit et un banc d'une qualité supérieure, destinés aux gens dont les cheveux accrochaient le soleil.

Cette nuit-là, allongée sur ce lit étranger, j'ai fermé les yeux pour écouter les bruits de la nuit. Le frémissement du vent dans les bambous, le bavardage des criquets dans l'obscurité, un lémurien qui se grattait dans le ramboutan, la flûte du charmeur de serpents. La mélodie solitaire m'a rappelé ma mère, toute seule dans notre petite hutte. Demain, je lui écrirais. Je lui dirais tout depuis la femme aux pieds mutilés jusqu'aux ouvrières de la mine vêtues de noir. Je n'oublierais pas les enfants pieds nus, ni la rangée de canards aux cous brisés. Je lui raconterais tout sauf, peut-être, que sa fille avait épousé un homme pauvre. Je ne lui dirais jamais le léger tintement qu'a fait la brillante montre en or qui l'avait tant impressionnée, quand elle est tombée dans la paume ouverte de Bilal, juste avant qu'il ne fasse un petit signe de tête à mon mari, et qu'elle ne retourne à son véritable propriétaire. Dans l'obscurité, j'ai entendu le froissement des draps raidis par l'amidon et j'ai senti une main pesante se poser sur mon ventre. J'ai soupiré doucement.

Mon quartier était constitué d'un cercle de cinq maisons. La magnifique demeure que j'avais convoitée lors de mon arrivée appartenait à la maîtresse d'un très riche Chinois que l'on appelait le Vieux Soong. À côté, dans une maison similaire à la mienne, vivaient un camionneur malais et sa famille. Il était souvent parti, mais son épouse, Minah, était une femme bonne et amicale qui m'a apporté une assiette pleine de pulpe de noix de coco dès le deuxième jour suivant mon arrivée. Elle avait ce visage souriant et ouvert que l'on rencontre dans tous les *kampong*[1] malais, une silhouette à la taille de guêpe d'une profonde distinction. Elle portait cette grâce douce comme une robe longue parfaitement coupée. Il n'y avait rien de tranchant en elle.

---

1. Mot malais qui signifie « village ».

Sa voix, ses manières, ses mouvements, sa démarche, son langage, sa peau : tout était raffinement. Lorsqu'elle est repartie, je suis restée debout derrière les voiles décolorés qui protégeaient mes fenêtres à observer le léger balancement de ses hanches jusqu'à ce que la fine créature disparaisse derrière le rideau de perles de verre qui pendait dans l'embrasure de sa porte. Contre toute apparence, elle était la mère de quatre enfants. Ce n'est que beaucoup plus tard, à la fin de sa cinquième grossesse, que j'ai eu connaissance des conditions cauchemardesques d'un accouchement malais traditionnel. Quarante-deux jours d'herbes amères, un poêle brûlant, fumant, placé sous le lit pour sécher l'excès de fluide et resserrer les muscles vaginaux, un ventre obstinément serré dans un bandage de tissus, et d'impitoyables massages quotidiens effectués par de vieilles femmes ridées et monstrueusement fortes. Mais les épreuves comportent leurs récompenses. Minah en était le témoignage vivant.

Près de chez elle, se trouvait une étrange maisonnée pleine de Chinois. Toutes sortes de gens semblaient entrer et sortir de cette petite maison, et je me demandais où tout ce monde pouvait bien dormir. Parfois, l'une des femmes sortait dans l'allée, courant après un enfant en pleurs et, après l'avoir rattrapé, baissait sa culotte et lui donnait des fessées jusqu'à ce que sa peau blanche vire au rouge vif. Puis, tout en jurant et en maudissant le bambin ou la bambine, elle le laissait sangloter misérablement au bord de la route.

Une fois, ils ont puni une fillette en l'obligeant à faire le tour du pâté de maisons en courant, toute nue. Elle avait peut-être neuf ou dix ans ; j'ai éprouvé de la peine pour cette pauvre petite lorsque je l'ai vue passer comme un éclair devant ma fenêtre en reniflant, maigre et les yeux rougis. Ces gens étaient grossiers et effrontés, mais si je les haïssais avec un sentiment de vengeance trouble, c'est parce que dans le clair-obscur du crépuscule, les deux épouses du Chinois venaient fertiliser leur petit potager avec les excréments de la maisonnée. Chaque fois que le vent soufflait dans notre direction, l'horrible puanteur me donnait des haut-le-cœur et m'empêchait de manger.

À notre droite vivait un vieil ermite. Parfois, il m'arrivait de l'apercevoir, pâle et triste à sa fenêtre. À côté de lui, habitait le charmeur de serpents, un homme petit, sec et nerveux, aux cheveux d'un noir bleuté, doté d'un nez aquilin dans un visage sévère et farouche. Au début, j'avais peur de cet homme, de ses cobras danseurs et de ses serpents venimeux dont il faisait des remèdes qu'il vendait; je craignais que ses reptiles ne s'échappent et viennent se cacher sous mon lit. Sa femme était petite et mince; ils avaient sept enfants. Un jour, alors que j'étais au marché, je suis tombée sur un attroupement de curieux. Je me suis faufilée au premier rang des badauds. Au centre était assis le charmeur de serpents, en train de refermer les couvercles de ses paniers, son numéro apparemment terminé. Il a fait un signe de la main à l'un de ses fils. Un garçon qui n'avait pas plus de sept ou huit ans s'est avancé. Des mèches bouclées retombaient sur son visage, cachant des yeux vifs et rieurs. Habillé d'une chemise blanche crasseuse et d'un short kaki, il avait l'air d'un enfant des rues. Il tenait une bouteille de bière à la main. Soudain, et sans prévenir, il l'a fracassée contre le sol, a ramassé un morceau de verre, l'a porté à sa bouche et s'est mis à le mastiquer. La foule, silencieuse, retenait son souffle.

Du sang a commencé à couler de sa bouche. Il est descendu le long de son menton et s'est infiltré dans le col d'un blanc douteux avant de couler sur le devant de la chemise. L'enfant a ramassé un autre morceau de verre sur le sol sale et l'a enfourné comme le premier. Sous mes yeux horrifiés et médusés, il a ouvert grande sa bouche, découvrant une cavité remplie de sang, puis il a sorti de sa poche un petit sac en toile rouge et, tout en mâchant, a commencé à recueillir des pièces de monnaie auprès de la foule. J'ai cherché frénétiquement à me dégager de l'attroupement. Le tour de force me dépassait totalement. J'étais ébranlée et bouleversée, malade. Après cet incident, j'ai évité tout contact avec la famille du charmeur de serpents. J'étais persuadée qu'on y pratiquait la magie blanche, qu'on s'y livrait à toutes sortes de trafics. Et que dans leur maison plongée dans la pénombre gisait une présence indicible qui me donnait la chair de poule.

Je me suis assise dans la véranda et j'ai regardé le fils du charmeur de serpents courir pieds nus vers la maison du camionneur, ses boucles volant dans le vent. Je le voyais encore debout au milieu des spectateurs médusés, un mélange de verre brisé et de sang dans sa pauvre petite bouche, les yeux graves. Il m'a vue et m'a fait un signe de la main. Je lui ai répondu. L'odeur de cuisine de mes voisins a empli l'air. La douce saveur du porc revenu dans sa graisse m'a fait désirer autre chose que du riz et des légumes. Les placards étaient vides ; heureusement que Maman m'avait méticuleusement copié ses meilleures recettes ; nous vivions sur ma capacité à transformer un oignon en un plat savoureux capable de durer deux semaines. Ce jour-là pourtant, j'avais lieu d'attendre quelque chose. C'était le jour de la paie. J'attendais le retour d'Ayah, impatiente de sentir pour la première fois dans ma main l'argent de la maison. Tout comme ma mère, moi aussi, je prévoirais les dépenses et débourserais l'argent avec parcimonie. Cependant, je voulais d'abord nous offrir un bon repas, pour changer. J'ai vu Ayah s'engager dans notre chemin, son grand corps gauche juché sur la bicyclette déglinguée qu'il guidait sur les pierres éparses. Je me suis levée d'un bond.

Il a rangé son vélo sans se presser, en me souriant. Je lui ai adressé un sourire nerveux. J'avais dans ma main une lettre de Ceylan qui lui était destinée et, au moment où je lui ai tendu la missive bleu clair, il a fouillé dans sa poche pour en retirer une mince enveloppe brune. Nous avons échangé nos enveloppes puis il est passé à côté de moi et a pénétré dans la maison. Très étonnée, j'ai fixé le papier brun dans mes mains innocentes. Tout ça. Il venait de me remettre tout son salaire. J'ai déchiré l'enveloppe et compté l'argent. Deux cent vingt *ringgit*. C'était beaucoup d'argent. Je me suis immédiatement mise à dresser des plans dans ma tête. J'enverrais de l'argent à ma mère et j'en cacherais une bonne partie avec mes bijoux dans la boîte en métal carrée qui contenait jadis des chocolats d'importation. J'épargnerais tant que nous ne tarderions pas à devenir aussi riches que le Vieux Soong. J'allais nous préparer un avenir radieux. Je restais là, debout, étreignant de mes deux mains l'argent et mes rêves fabuleux, quand un homme vêtu d'une veste coupée comme celle de Nehru et d'un vesthi, chaussé de sandales en cuir, tenant un large parapluie noir dans une main, s'est engagé dans notre chemin de terre. De son autre main, il portait une mallette en cuir. Courtaud avec une grosse bedaine, il s'avançait dans ma direction avec un large sourire. Bientôt, il fut devant moi. Ses yeux ont glissé vers la liasse que je tenais dans mes mains. Je les ai baissées et son regard cupide a suivi mon geste. J'ai attendu jusqu'à ce qu'il lève enfin les yeux pour rencontrer les miens. Son visage rond débordait d'une fausse gaieté. Je l'ai détesté d'emblée.

— Mes salutations à la nouvelle maîtresse de maison, a-t-il lancé avec entrain.

42

– Qui êtes-vous ? ai-je demandé d'un ton renfrogné, avec une impardonnable grossièreté.

Il ne s'en est pas offensé.

– Je suis votre usurier, a-t-il annoncé avec un grand sourire qui a découvert des dents que le jus de bétel avait tachées d'un rouge brun. (Il a sorti de sa poche un petit carnet, a humidifié de sa langue un doigt dodu et a feuilleté les pages défraîchies.) Si vous me donnez juste vingt ringgit en signant à la date indiquée, je ne vous ennuierai plus et je me ferai un plaisir de m'en aller.

J'ai presque arraché le carnet de ses mains potelées. Stupéfaite, j'ai vu le nom de mon mari inscrit en haut à gauche, suivi d'une série de signatures apposées devant diverses sommes. Au cours du mois précédent, alors qu'il était à Ceylan à la recherche d'une nouvelle épouse, il n'avait rien payé. Les yeux de l'homme se sont illuminés quand il m'a rappelé le taux d'intérêt et les arriérés. Abasourdie, je lui ai remis les vingt ringgit dus pour ce mois, ainsi que les arriérés et l'intérêt qu'il demandait.

– Bonne journée, madame, et au mois prochain ! a-t-il gazouillé en se retournant, prêt à partir.

– Attendez ! Combien reste-t-il à payer ?

– Oh, encore cent ringgit.

On aurait dit qu'il chantait.

« Cent ringgit », me suis-je répété. Levant les yeux, j'ai vu deux autres hommes qui s'avançaient vers la maison. Ils ont fait un petit signe de tête approbateur en croisant l'usurier.

– Bienvenue à la nouvelle maîtresse de maison, ont-ils répété en chœur.

J'ai frissonné. Ce jour-là, le flot des « visiteurs » ne s'est tari que bien après le coucher du soleil. À un moment donné, il s'est même formé une queue devant la porte. Au bout du compte, il ne m'est plus resté que cinquante ringgit. Cinquante ringgit qui devaient me durer un mois entier. Gênée et furieuse, je suis restée plantée au milieu de notre piteux salon sans pouvoir rien faire.

– Je n'ai que cinquante ringgit pour tout le mois, ai-je annoncé aussi calmement que je le pouvais à mon mari qui avalait sa dernière bouchée de riz et de pommes de terre.

Deux yeux ternes m'ont regardée pendant une minute. Ils m'ont fait penser à un énorme animal, là, devant moi, d'une pesante lenteur, d'une résistance stoïque face au harcèlement ininterrompu des mouches, agitant sa queue crottée. Bête stupide.

– Ne t'en fais pas, a-t-il fini par dire calmement. Chaque fois que tu as besoin d'argent, tu n'as qu'à m'en demander. Je peux en emprunter davantage. J'ai un bon crédit.

Je l'ai regardé avec stupeur. Il m'a considérée à nouveau avec la pesanteur d'un taureau en train de ruminer. Un coup de vent soudain a soufflé dans notre cuisine une odeur d'excréments humains. Dans mon ventre, la nourriture a commencé à remonter et, quelque part dans ma tête, un martèlement s'est amorcé. Un martèlement puissant, insistant, qui n'allait jamais me quitter jusqu'à la fin de ma vie, ne me laissant que de courts répits entre de longues crises. Sans rien dire, je me suis détournée des ternes yeux noirs.

Cette nuit-là, à la lumière de la lampe à kérosène, je me suis assise en tailleur sur mon banc et j'ai dressé la liste de tous les créanciers. Les plans que j'avais échafaudés m'ont empêchée de dormir. Enfin, lorsque tous les démons nocturnes se furent envolés vers l'autre partie du monde, je me suis allongée sur le ventre et, par la fenêtre ouverte, j'ai observé l'aube rouge se lever sur l'orient du ciel. Dans ma tête, le martèlement avait quelque peu diminué. Mon plan était clair. Je me suis préparé un thé noir très fort et, assise à ma belle table, je l'ai bu lentement, à petites gorgées, tout comme ma mère et, avant elle, sa propre mère, le faisaient à la fin d'une longue journée. Avant que les oiseaux ne s'éveillent, j'ai pris un bain d'eau glacée, je me suis lavé les cheveux avec du lait de noix de coco et, vêtue d'un impeccable sari de coton, j'ai marché plus d'un kilomètre jusqu'au temple de Ganesh situé derrière l'épicerie d'Apu. Là, j'ai prié de tout mon cœur. Avec tant de sincérité que des larmes se sont échappées de mes paupières closes. J'ai supplié le seigneur Ganesh de faire en sorte que mon plan s'accomplisse et que ma nouvelle vie soit heureuse. J'ai glissé dix *cents* dans le tronc, près du dieu éléphant qui se montrait toujours clément et compatissant. Après avoir apposé de la cendre sacrée sur mon front, je suis revenue sur mes pas.

Quand je suis rentrée à la maison, mon mari venait juste de se réveiller. Le grésillement de la radio remplissait notre habitation. Je lui ai préparé un gruau de riz et du café et je me suis assise pour le regarder manger. J'éprouvais un sentiment protecteur envers lui, la maison et notre nouvelle vie commune. Après son départ, je me suis installée à la table pour écrire une lettre, une lettre très importante. Puis je suis allée en ville. Arrivée à la poste, j'ai envoyé la missive à mon oncle, le négociant en mangues. Il vivait avec sa femme à Seremban, dans un autre État de Malaisie. J'avais une proposition à lui faire. Je voulais lui emprunter la totalité de la dette de mon mari ainsi qu'une petite somme supplémentaire qui me permettrait d'attendre jusqu'à l'arrivée du prochain salaire. En échange, je lui paierais des intérêts et il garderait ma boîte à bijoux en garantie. Je savais qu'ils valaient bien plus que la somme que je lui demandais. Ma mère m'avait donné un pendentif en rubis presque aussi gros que mon petit orteil et je connaissais la valeur de cet ornement. C'était une très belle pierre dont l'intérieur luisait d'une étrange lueur chaude qui, à la lumière du soleil, exhalait un feu rouge, comme une créature vivante. La lettre postée, je me suis rendue au marché. C'était un lieu fascinant, il regorgeait de choses merveilleuses que je n'avais jamais vues à Ceylan.

Je suis restée à contempler des piles d'œufs salés et noirs. Au sommet, un ou deux œufs étaient ouverts de façon à exposer leur jaune, d'une intense couleur rouge sang. Des Chinois chaussés de socques de bois étaient accroupis sur le sol, tout occupés à vendre de petits nuages d'hirondelles[1]. Dans des cages grillagées, de gros lézards se déplaçaient en tous sens, agités de mouvements nerveux et saccadés dès qu'ils apercevaient les serpents qui ondulaient dans des cages voisines. Des corbeilles tressées contenaient toutes sortes de produits frais ; des marchandes malaises aux dents en or proposaient de tendres œufs de tortue dans des paniers en fil de fer.

Dans un coin, une vieille Chinoise tout juste capable de marcher vendait en clopinant d'étranges concombres de mer, couleur de boue, aux formes bizarrement vrillées, des algues raides et noires, et toute une panoplie de créatures indescriptibles nageant dans des seaux en bois remplis d'eau. Des chasseurs-cueilleurs mâchant du bétel attendaient patiemment, assis derrière des piles de racines sauvages et des ballots de feuilles médicinales entre lesquels se débattaient de petits animaux sauvages. De leurs mains, ils tenaient par la queue jusqu'à quatre à

---

1. Les salanganes sont une espèce d'hirondelles vivant en Malaysia. Leurs nids, qu'elles font avec des algues, ont l'aspect de petites boules vaporeuses. C'est un mets très recherché en Chine et en Asie du Sud-Est.

cinq serpents vivants qui se tortillaient ou s'étiraient de tout leur long sur le trottoir. Les gens achetaient ces minces reptiles multicolores pour préparer des médications. Il y avait aussi des cuves remplies de nouilles jaunes et des rangées de canards rôtis pendus par leurs cous gras d'où gouttait encore de la graisse. Les grenouilles constituaient la vraie surprise : blanches et dépouillées, elles gisaient, pattes écartées, sur des billots de bois. Mais, ce jour-là, je ne me suis pas attardée. J'avais une mission.

J'ai acheté rapidement un tout petit morceau de viande, des légumes, un sac de fruits de tamarinier et un grand chapeau à large bord de dulang-washer, le tout pour cinq *cents*; puis je suis allée sur la jetée pour me procurer une poignée de crevettes. Maman avait une recette particulière pour les préparer et j'étais sûre de la réussir. Tête penchée en avant, totalement perdue dans mes pensées grandioses d'un avenir glorieux, je suis revenue sur mes pas. Devant moi, s'étendait mon ombre longue et impatiente. J'étais tellement absorbée par l'exécution de mes plans si soigneusement élaborés que j'ai sursauté quand une autre ombre s'est jointe à la mienne. J'ai levé la tête et j'ai découvert le visage qui m'avait fixée si curieusement depuis la fenêtre ouverte de la maison du Vieux Soong. Il m'a adressé un sourire timide et hésitant. Deux longues nattes noires terminées par des nœuds roses et puérils battaient contre chacune de ses deux joues. La jeune femme avait le même âge que moi. Deux yeux d'un noir de jais brillaient sur sa face ronde.

J'ai appris plus tard que Mui Tsai, Petite Sœur, était une malheureuse esclave domestique. Timidement, je lui ai rendu son sourire. J'avais trouvé une amie ; pourtant c'était le début d'une amitié perdue. Si j'avais su alors ce que je sais maintenant, je l'aurais chérie davantage. Elle fut la seule véritable amie que j'aie jamais eue. Elle a essayé de me parler, mais le malais était encore pour moi un étrange mélange de sons et nous n'avons réussi à communiquer que par une série de gestes fort compliqués. J'ai décidé de demander à Ayah de m'apprendre à parler cette langue. Nous nous sommes séparées devant la porte de sa maison. Je l'ai vue s'engouffrer à l'intérieur avec son panier rempli des provisions qu'elle avait achetées au marché.

Dès mon retour, j'ai inspecté la cuisine et j'ai fini par trouver un vieux couteau, long et rouillé, qui dans ses beaux jours avait probablement servi à ouvrir les noix de coco. Puis j'ai passé l'épais jupon que l'on porte sous le sari et j'ai enfilé par-dessus une vieille chemise usée qui appartenait à mon mari. Les manches recouvraient largement mes mains, ce qui me convenait parfaitement. Je me suis entouré la tête d'un grand mouchoir d'homme que j'ai noué sous le menton. Je me suis coiffée de mon nouveau chapeau de dulang-washer et, contente d'être ainsi protégée du soleil brûlant, je suis sortie dans le jardin. Je me suis attaquée aux hautes herbes folles et aux mauvaises ronces qui me griffaient les mains jusqu'au sang. Des épineux foisonnaient sur chaque mètre carré, mais ma détermination était inébranlable. Je ne me suis arrêtée que lorsque le jardin a été entièrement dégagé et le sol dur retourné et attendri par mon couteau à la lame recourbée. Mon dos me faisait atrocement mal et certains muscles, cachés dans des endroits jusque-là silencieux, hurlaient de douleur. Cependant j'éprouvais du plaisir, le véritable plaisir du travail bien fait.

Quand je suis enfin rentrée dans la maison, la sueur ruisselait et dégoulinait en minces filets le long de mon corps. Après une douche froide, j'ai apaisé l'enflure de mes mains avec de l'huile de sésame puis je me suis mise à préparer à manger. De la viande marinée dans des épices et un *sambal*[1] ; puis des aubergines cuites dans un peu d'eau avec du curcuma et du sel, auxquelles j'ai ajouté du lait de coco, des pommes de terre revenues avec un peu de poudre de curry, et enfin des oignons et des tomates que j'ai mélangés avec du yoghourt frais. Ce repas digne d'un roi quasiment prêt, j'ai entrepris de nettoyer la maison. Alors que j'humais avec délices les arômes de la viande en train de cuire, j'ai découvert une lettre déchirée à l'intérieur d'une boîte à tabac d'Ayah. Je savais que je ne devais pas le faire, mais je n'ai pu m'en empêcher. J'ai recueilli les fragments dans ma main et, en les disposant à plat sur le lit, j'ai lu la lettre arrivée hier et destinée à mon mari.

Cher Ayah,
Le village est plus pauvre que jamais, mais je n'ai aucun espoir de partir et de réussir comme tu l'as fait. Cette terre appauvrie est le lieu où le bûcher funéraire qui consumera mes vieux os illuminera les cieux, un bref instant. Les deux dernières semaines ont été un joyeux bienfait pour moi car j'ai appris à aimer tes deux enfants comme s'ils étaient ceux de ma propre chair. Au moins, je ne mourrai pas seule.

---

1. Sauce très épicée, à base de lentilles et de légumes parfumés au tamarin, qui sert d'accompagnement à divers plats de riz, de légumes ou de viande.

J'espère que dans les jeunes bras de ton nouveau bonheur tu n'as pas oublié tes responsabilités. Les enfants grandissent vite et ont besoin de chaussures, de vêtements neufs ainsi que d'une bonne nourriture. Comme tu le sais, je suis seule et je n'ai pas de mari pour m'épauler; de plus j'ai deux jeunes bouches affamées à nourrir. J'espère que tu vas vite envoyer de l'argent car ma situation devient de plus en plus difficile.

Je me suis arrêtée de lire. Le reste de la lettre de Tante Pani s'est brouillé. Mes jambes se sont dérobées sous moi et je me suis assise lourdement sur le lit. J'ai compris pourquoi elle était venue me voir ce jour-là, le regard calculateur de ses yeux sournois, et la répulsion instinctive que j'avais éprouvée en la saluant. Elle avait voulu garder les enfants comme source de revenus pour ses vieilles années. Elle était venue chez une pauvre femme chercher une épouse docile, facile à manipuler. À cet instant, j'ai eu l'impression de la haïr. Comme sa voix insidieuse était détestable ! Elle s'imaginait donc qu'elle pouvait se servir de mon mari pour s'enrichir ? Je bouillais de colère. C'est à peine si j'avais eu un bon repas depuis le jour de mon mariage et pendant les huit mois prochains, si mon plan se réalisait comme je l'avais prévu, je devrais économiser pour joindre péniblement les deux bouts, sans parler d'envoyer de l'argent. Et si on ne lui envoyait rien ? Cela lui servirait de leçon. Mais dans ma tête s'est formée l'image de deux petits enfants, les yeux vides et désespérés, la peau sombre et tendue sur de larges pommettes. Images mêmes de l'innocence et de la stupidité. Leurs dents semblaient tellement s'ennuyer d'être plantées dans des têtes si vides, qu'elles dépassaient de leur bouche, formant deux rangées jaunes et inégales qui fixaient le monde extérieur. De toute évidence, ils n'étaient rien d'autre que les esclaves d'une femme rusée. Je ne voulais pas vivre avec eux : telle était la vérité, aussi horrible qu'elle me fasse paraître.

J'ai fermé les yeux. Je faisais l'expérience d'une cuisante défaite. Cette femme s'était magistralement servie de moi. Sans ses mensonges éhontés, je serais toujours à la maison avec ma mère tant aimée.

Il fallait que nous lui envoyions de l'argent. Nous n'avions pas le choix. C'est alors qu'est intervenue la magie de la jeunesse. Comme le printemps effleure les jeunes feuilles sur les branches rabougries, la jeunesse a décidé que mon plan pouvait aller jusqu'à inclure une pension pour les enfants. Ma mère et moi avions souffert parce que mon père ne se souciait pas de

48

nous envoyer de l'argent. Je ferais mieux que lui. Nous ne mangerions pas de viande jusqu'à ce que nos dettes soient réglées. Nous vivrions des légumes de notre petit potager et des œufs que pondraient nos poules lorsque le poulailler serait aménagé. Quand je suis rentrée dans la cuisine pour remuer la viande, mes pas avaient retrouvé leur dynamisme.

Ce soir-là, mon mari est revenu avec de l'argent liquide qu'il avait emprunté à l'usurier afin de l'envoyer à ses enfants, un cadeau pour moi enveloppé dans du papier journal et un morceau de bois qu'il allait sculpter. Il a déposé le cadeau près de moi, sur mon banc, et a attendu. J'ai jeté un œil à son visage inquiet de ma réaction, puis au cadeau dont je ne voulais pas ; j'ai eu envie de hurler de frustration. À ce train-là, nous ne sortirions jamais de la fosse aux serpents de nos dettes. Comment expliquer que je préférais me priver de nourriture pendant un mois plutôt que de supporter une file d'usuriers devant notre maison les jours de paie ? J'ai inspiré profondément, mordu ma langue et défait la ficelle. Le papier s'est déchiré et la rancune a fondu dans ma gorge. Il contenait la plus jolie paire de sandales à hauts talons que j'aie jamais vues, dorées et ornées de perles de couleur. Dans un geste proche de la vénération, je les ai déposées sur le sol en ciment gris. Elles étaient sans conteste la plus belle chose que je possédais et, ravie, j'ai glissé mes pieds entre les fines lanières dorées. Les sandales m'allaient parfaitement. Il me faudrait un certain temps pour m'habituer aux talons, mais j'adorais ma nouvelle acquisition superflue.

— Merci, ai-je murmuré, la tête baissée en signe d'humble gratitude.

Mon mari était un homme bon ; mais c'était quand même moi qui décidais. Je lui ai servi le repas somptueux que j'avais préparé et ensuite je lui ai exposé mon plan. Il a écouté en silence. Puis, inspirant profondément tout en le regardant droit dans les yeux, je lui ai annoncé que désormais c'était moi seule qui paierais les notes. Il disposerait d'une petite somme pour acheter le journal ou une tasse de thé à la cantine de son bureau, et il ne devrait plus emprunter d'argent ; il lui faudrait également me faire part de tout ce qui concernait la santé de nos finances. Il a fait un signe de tête approbateur et m'a caressé doucement la tête de sa grande main, cependant ses yeux exprimaient un grand bouleversement :

— Comme tu veux, mon épouse chérie, a-t-il fini par dire.

– Et encore une chose. Est-ce que tu m'apprendras le malais ?

– *Boleh.*

Il m'a souri. Je connaissais ce mot. Il signifiait « oui ». Je lui ai rendu son sourire.

– *Terima Kasih.* Merci, en malais.

À la fin de la semaine, j'avais fini de planter mon potager. Un homme qui habitait en face, en bordure de la route principale, m'avait construit un poulailler que j'ai peuplé de petits poussins jaunes. Comme je reprenais mon souffle, coiffée de mon chapeau de dulang-washer, évaluant avec fierté mon nouvel arpent de terre cultivée, mon oncle, le négociant en mangues, est arrivé en gémissant sous le poids d'un énorme sac de fruits. À la vue de son visage brun si familier, j'ai essuyé hâtivement des larmes de joie et j'ai couru étreindre sa silhouette rondelette. J'ai compris à quel point j'étais seule. Il avait apporté l'argent que je lui avais demandé, rejetant avec un grand rire cordial mon idée de garantie. « Ridicule ! » Après son départ, j'ai avalé six mangues d'affilée puis, sans savoir pourquoi, je suis allée vers le poêle et j'ai ramassé quelques morceaux de charbon que je me suis mise à triturer machinalement.

C'est alors que j'ai su que j'étais enceinte.

Les semaines furent absorbées par les privations. Mon petit lopin prospérait. Je pouvais sentir la peau soyeuse de la nouvelle récolte de gombo, admirer le rouge vif de mes piments en forme d'œil d'oiseau et m'enorgueillir de l'éclat mauve de mes aubergines. Mon poulailler a été un succès avant même que mon ventre n'occupe l'espace devant moi. J'étais heureuse et satisfaite. Je gérais bien les dettes et j'avais même commencé à économiser une modeste somme que je cachais dans le sac de riz.

La nuit, lorsque toutes les voix humaines s'étaient tues, que les assiettes étaient lavées, les lumières éteintes et le voisinage endormi, étendue sur le lit, je demeurais éveillée. Le sommeil refusait de se poser ne serait-ce qu'un moment sur mes paupières. Il croisait ses bras et, de loin, me regardait d'un air moqueur. Aussi passais-je de nombreuses heures allongée sur le dos à regarder fixement par les fenêtres le ciel nocturne rempli d'étoiles, à mémoriser le malais, à rêver avec impatience au bébé à naître. J'imaginais un chérubin aux boucles splendides et au regard étincelant. Dans mes songes diurnes, je le voyais avec de grands yeux éveillés d'où fusait une intelligence vive, mais dans mes cauchemars, un petit enfant maigre et émacié, aux yeux ternes et clos, à la peau luisante et tendue me regardait d'un air suppliant. Mendiant un peu d'amour. Je me réveillais en sursaut : la culpabilité d'avoir abandonné mes beaux-fils, petite araignée velue dans mon cœur. Prise au piège, solitaire, elle levait parfois ses effrayantes pattes avant et frappait doucement. Mon jeune cœur tressaillait de honte. Je me levais avant l'aube et prenais un bain avant de me rendre au temple. Je faisais des offrandes et je priais ardemment afin que mon enfant ne ressemble en rien à l'orphelin de mes cauchemars.

Mon mari faisait preuve d'un tel empressement à mon égard que cela me donnait envie de hurler. Il prenait de mes nouvelles matin et soir avec inquiétude et attendait ma réponse avec anxiété. Comme si j'avais pu dire autre chose que « ça va » !

Un jour, il a apporté à la maison un fruit étrange que l'on appelle durian. Je n'avais jamais vu de fruit ainsi recouvert de longues épines et d'apparence si menaçante. Un durian qui tombe d'un arbre sur la tête d'un homme peut le tuer, m'a-t-il dit. Je n'ai eu aucune peine à le croire. Il a ouvert soigneusement le fruit en pressant la peau hérissée qui a découvert des rangées de graines recouvertes de chair. Je suis tombée immédiatement amoureuse du goût crémeux de cette chair dorée. Je pouvais en avaler cinq ou six d'affilée.

À mon huitième mois de grossesse, je parvenais à peine à m'extirper péniblement du lit pour aller m'allonger sur le banc de la cuisine, dur et frais. Par la fenêtre, l'encre de la nuit malaise pénétrait dans la pièce et m'effleurait de sa caresse humide et lourde. Parfois, mon mari venait et me regardait de son air inquiet en s'enquérant de mon état. Je ravalais alors ma vilaine bouffée d'irritation en me rappelant qu'il était un homme bon.

Du moins n'avais-je pas à souffrir les terribles douleurs de Mui Tsai. Elle aussi était enceinte. Son ventre s'arrondissait à travers la légère blouse au col montant qu'elle ne quittait jamais et qui indiquait son rang de Petite Sœur. Elle nouait ses amples pantalons noirs sous le doux arrondi. Dans les ombres projetées par la lampe à huile, son histoire était suffisamment pathétique pour que le Désespoir lui-même se lamente.

Tout avait commencé en Chine, dans un petit village, quand sa mère était morte subitement d'une étrange fièvre. Mui

Tsai avait huit ans. En moins d'un mois, une nouvelle mère vêtue de soie est venue vivre auprès d'elle et de son père. Signe de bon augure selon la tradition chinoise, une petite bouche rouge s'épanouissait sur son visage pâle et rond. Les Chinois prisent particulièrement les jeunes mariées qui ont une petite bouche, estimant que les femmes qui ont de grandes bouches sont de funeste présage. Ils prétendent qu'une épouse dotée d'une telle disgrâce avale son mari et provoque sa mort prématurée.

La bouche de la nouvelle mariée était donc rassurante, mais, ce qui a fait fondre le père de Mui Tsai comme un gros morceau de beurre clarifié a été ses pieds bandés. Car ils étaient plus petits que ceux de sa fille de huit ans. La mère de Mui Tsai avait eu un cœur trop tendre pour bander les pieds de son enfant.

Impuissante devant les exigences des tâches ménagères quotidiennes, la jeune épousée restait assise au milieu d'une pièce où brûlait de l'encens. C'est Mui Tsai qui s'acquittait des corvées domestiques et, après de longues et laborieuses journées, elle devait aussi enlever les bandages contraignants de sa belle-mère et lui faire prendre un bain de pieds dans une eau chaude et parfumée. Un spectacle qui était interdit aux hommes et surtout au mari, car à moins d'être recouverte par de délicates petites chaussures, cette difformité était insoutenable. Tordus, bleus, exhalant des odeurs de chair en décomposition, ces pieds avaient le pouvoir de repousser le plus ardent des prétendants. Chaque jour, il fallait rogner les peaux mortes et cisailler les ongles incarnés avant de bander à nouveau ces membres hideux avec des pétales de rose.

Pendant trois ans, Mui Tsai a fait le ménage, la cuisine et les courses pour sa nouvelle mère. À treize ans, le regard de cette femme, jusqu'alors empreint d'une aversion mal dissimulée, est devenu calculateur. La sœur de Mui Tsai venait juste d'avoir huit ans et pouvait succéder à son aînée dans les tâches domestiques. Si Mui Tsai restait à la maison, il faudrait la marier et cela signifierait lui attribuer une dot. Un matin, alors que le père de Mui Tsai était parti travailler, la belle-mère a fait revêtir à la jeune fille ses plus beaux habits et l'a priée de s'asseoir dans le salon. Elle a fait savoir sur la place du marché que sa belle-fille était à prendre ; un marchand est venu à la maison. Elle lui a vendu Mui Tsai. Un document légal et irrévocable a été établi sur un fin papier rouge. Dès l'instant où les douces mains blanches de sa belle-mère ont signé le papier, Mui Tsai est devenue la propriété exclusive du marchand. Jusqu'à la fin de sa vie, elle n'aurait aucune possibilité d'exercer le pouvoir de sa volonté.

Le marchand aux yeux durs et aux longs ongles jaunes l'a payée, et elle a été emmenée avec pour seuls biens les vêtements qu'elle portait. Il l'a enfermée dans une cage qu'il a entreposée dans une pièce. À côté d'elle, se trouvaient d'autres cages renfermant des jeunes filles accroupies et effrayées. Mui Tsai a vécu ainsi pendant des semaines. Une servante renfrognée passait les bols de nourriture et prenait les seaux d'excréments par le même trou ménagé dans la cage. Dans cette pièce obscure, elle a crié et gémi de peur et de maladie avec ses compagnes d'infortune. Elles ont été entassées sur une jonque à destination de l'Asie du Sud-Est. Le vieux bateau a tangué furieusement sur la mer de Chine méridionale déchaînée par les vents violents de la mousson. Des jours durant, les misérables enfants ont hurlé de terreur. La douleur insupportable du mal de mer les a persuadées qu'elles allaient toutes périr dans l'océan et devenir ces poissons à la chair blanche qu'elles avaient étourdiment consommés au cours de leur vie. Elles ont survécu miraculeusement. Encore chancelantes du terrible voyage, elles ont été promptement expédiées à Singapour et en Malaisie où elles ont été vendues avec un joli profit comme prostituées ou esclaves domestiques.

Le Vieux Soong, le nouveau maître de Mui Tsai, a payé pour l'acquérir la somme royale de deux cent cinquante ringgit. Elle allait être le cadeau de sa nouvelle et troisième épouse. C'est ainsi que la petite Mui Tsai est arrivée dans la belle demeure au bout de notre cul-de-sac. Pendant les deux premières années, elle a accompli toutes les tâches ménagères et vécu dans une pièce minuscule à l'arrière de la maison. Le maître, qui jusque-là passait son temps à caresser de ses mains grassouillettes les cuisses d'ivoire de sa femme et à s'amuser à lui tendre du bout de ses baguettes des morceaux de nourriture qu'elle recevait de ses lèvres boudeuses, s'est mis à sourire à Mui Tsai de façon malsaine. Au moment où je me suis installée dans le quartier, il a commencé à la suivre de ses yeux avides avec une intensité repoussante.

En allant au marché, je le voyais parfois, assis dans son salon, sous la fraîcheur du ventilateur, en train de lire un journal chinois en transpirant abondamment, son maillot de corps de grande taille étiré sur son ventre proéminent. Toute cette graisse bien ficelée me rappelait son insatiable penchant pour la viande de chien. Il rapportait souvent chez lui la chair de petits chiots enveloppée dans du papier brun ciré. Le cuisinier en faisait un ragoût arrosé d'un coûteux ginseng spécialement importé de Chine continentale.

Chaque soir, le maître se livrait au même jeu. Couvrant sa bouche de ses deux mains potelées, il se curait les dents tandis que ses yeux embrasés, tels des doigts charnus, parcouraient le jeune corps de la servante. Détournant soigneusement le regard, Mui Tsai faisait semblant de ne rien remarquer. Mais elle ne comprenait pas que c'était précisément le rôle qu'il voulait lui faire tenir. Jouer la répugnance. L'épouse, les yeux baissés, ne voyait rien. Assise dans ses magnifiques vêtements, elle s'appuyait des deux coudes sur la table, attendant patiemment l'arrivée de chaque nouveau plat ; lorsqu'il était là, ses baguettes s'agitaient comme du vif-argent, embrochant les morceaux de choix avec une adresse infaillible. Puis elle savourait cette part de roi avec une séduisante délicatesse.

Le Vieux Soong n'a pas tardé à trouver des occasions de laisser ses doigts effleurer accidentellement la Petite Sœur de sa femme et, une fois, sa grosse main a remonté le long de sa cuisse alors qu'elle servait la soupe. Le potage s'est renversé sur la table. L'épouse ne voyait toujours rien. « Stupide gaspilleuse ! » a-t-elle murmuré d'un air irrité devant son bol rempli d'une tendre chair de cochon de lait.

— Dis-lui, implorai-je Mui Tsai.

— Comment le pourrais-je ? Il est le maître de maison, a-t-elle murmuré atterrée.

Comme les assiduités du Vieux Soong devenaient de plus en plus hardies, Mui Tsai s'est mise à déserter sa chambre la nuit. Elle n'y dormait que lorsque le maître était chez l'une de ses épouses. Quand il rendait visite à sa troisième épouse, Mui Tsai se recroquevillait sous l'un des lits de la vaste demeure. Elle a réussi ainsi à échapper pendant des mois à l'étreinte moite de son maître. Elle venait souvent dans ma cuisine en passant par la fenêtre et nous restions toutes les deux assises sur mon banc à évoquer le pays de notre enfance jusqu'aux petites heures du matin.

Je ne pouvais admettre que ce que subissait Mui Tsai était autorisé par la loi ; j'étais déterminée à le dénoncer. Il fallait faire quelque chose pour mettre fin à ses souffrances. J'en ai parlé à Ayah. Il travaillait dans un bureau ; il connaissait sûrement quelqu'un qui pourrait nous aider. Mais il a secoué la tête. La loi ne pouvait rien faire tant que l'esclave domestique n'était pas maltraitée.

– Mais sa maîtresse la gifle et la pince. Ce sont des mauvais traitements, non ?

Il a de nouveau secoué la tête et a prononcé des mots qui résonnaient bizarrement dans sa bouche épaisse, comme des étrangers frustes qui pénètrent dans un temple avec leurs chaussures.

– Premièrement, ce n'est pas considéré comme un mauvais traitement. Et deuxièmement, même s'il ne vient pas lui-même encaisser le loyer, M. Soong est notre propriétaire. Il possède toutes les maisons qui se trouvent au bord de notre route.

– Oh, ai-je murmuré.

Le problème me dépassait complètement.

Une nuit, alors que la lueur spectrale de la lune argentait les arbres, la maîtresse de Mui Tsai lui a demandé de venir dans sa chambre. Elle voulait un massage. Mon amie a passé ses fermes mains brunes sur le dos à la peau douce et blanche. Sans ses vêtements, il devenait évident que l'épouse du Vieux Soong grossissait inexorablement. La faute en était à la dextérité de vif-argent avec laquelle l'aigle choisissait les meilleures parts.

– Je te laisserai masser le maître ce soir. Il est très fatigué et tes mains font merveille, dit-elle en rajustant sa tenue de satin.

Comme si tout avait été prévu d'avance, le maître, vêtu de ses robes de soie jaune brodées de dragons noirs, a pénétré dans la pièce. Sa longue tunique a bruissé contre ses cuisses flasques. Mui Tsai s'est figée. Les yeux de sa maîtresse n'ont pas croisé ceux du maître ; au lieu de cela, la troisième épouse a lancé à Mui Tsai un lourd regard d'avertissement et lui a ordonné d'un ton irrité :

– *Ai Yah*, ne fais pas tant d'histoires !

Lorsque le son de ses délicates sandales a décru sur le sol en mosaïque, le maître s'est assis sur le dessus-de-lit légèrement froissé. Mui Tsai, agenouillée sur le sol, le regardait d'un air incrédule. Après des mois de regards appuyés, le jeu était sur le point d'être gagné. Le vainqueur attendait son dû dans sa tenue de soie. Lorsqu'il a allongé le bras pour éteindre la lampe de chevet, sa tunique s'est ouverte sur son gros ventre dur. Son visage luisant éclairé par la lune a soudain ressemblé à un masque. Mui Tsai était terrorisée. Ivres du plaisir défendu, les yeux excités de son maître, enfouis sous les pâles replis de chair, brillaient sauvagement. Le vieillard empestait l'alcool. Mui Tsai a ressenti le premier relent du dégoût.

— Viens, viens, ma chérie, l'a-t-il doucement invitée, en tapotant le lit à côté de lui.

Mui Tsai connaissait ses pensées comme si elle les lisait : *Cette fille ne sera pas une grande beauté, mais dans le premier éclat de la jeunesse, elle est incontestablement jolie ; en outre, une vierge me donnera la vitalité dont j'ai besoin. C'est toujours bon pour un homme de mon âge de boire la première gorgée de l'essence d'une fille.* La pureté et l'innocence de Mui Tsai étaient semblables à une fleur attendant d'être cueillie. Et le Vieux Soong était le maître du jardin où elle poussait.

Il lui a lancé un sourire d'encouragement et s'est déshabillé, révélant son corps replet.

Pauvre fille. Figée d'horreur, elle était encore en train de fixer cette espèce de ver niché entre les jambes de son maître lorsqu'il a recouvert sa frêle silhouette de sa chair blanche. Une chose dure a pénétré douloureusement en elle puis, à sa grande surprise, les chairs flasques et moites de l'homme ont tressailli tout autour d'elle. Il a grogné comme un sanglier et poussé un gémissement contre son oreille jusqu'à ce que, d'un coup, il s'effondre de tout son poids sur elle. Écrasée, elle cherchait son souffle. Le Vieux Soong a roulé sur le côté et, d'une voix haletante, a demandé à boire.

C'était fini. Hébétée, Mui Tsai a rajusté son pantalon et est allée chercher de l'eau pour le maître. Des larmes lui piquaient les paupières et son menton tremblait de l'effort qu'elle faisait pour ne pas pleurer. Quand elle est revenue avec l'eau, il l'a fait se dévêtir complètement. Tout en buvant, les deux fentes noires de son visage la détaillaient avec une intensité revêche. Elle a senti sa passion visqueuse suinter le long de son corps et descendre à l'intérieur de ses cuisses ensanglantées. Elle s'est tenue nue et vide dans la pâle lumière de la lune jusqu'à ce qu'il étende sa grosse main vers elle et la fasse à nouveau basculer. Lorsqu'il s'est endormi en ronflant bruyamment, Mui Tsai a fixé sans les voir les ombres au plafond quand, dans un sursaut, elle s'est surprise à scruter le visage dégoûté de sa maîtresse.

L'épouse était entrée dans la pièce si furtivement que Mui Tsai n'avait pas entendu le bruit de ses pieds nus sur le sol.

— Lève-toi, espèce de garce, a-t-elle sifflé.

Ses yeux jaloux ont parcouru le jeune corps allongé sur son lit. Humiliée, Mui Tsai a essayé de couvrir ses seins.

— Lève-toi et cache ton corps de femelle en chaleur. N'essaie pas de t'endormir à nouveau dans mon lit, a-t-elle encore craché.

Mui Tsai est sortie en titubant derrière la maison pour se laver. Elle est restée allongée, éveillée et honteuse, dans sa petite chambre jusqu'au matin. Après cet épisode, le maître a eu souvent besoin de massages. Il fallait parfois le masser deux fois dans la même nuit. Mui Tsai entendait le claquement sourd de ses pas et le craquement de sa porte qui s'ouvrait dans l'obscurité. L'espace d'une seconde, dans la lumière secrète de la lune, elle entrevoyait la somptuosité de sa robe jaune. Puis, la porte se refermait et, dans la noirceur de sa petite chambre sans fenêtre, elle n'entendait plus que le bruit étouffé des sandales de soie sur le sol en ciment et la respiration haletante. Une main glacée de sueur s'abattait sur sa poitrine menue. En un instant, elle se retrouvait enveloppée de chairs froides et moites ; ses narines remplies d'une mauvaise haleine chaude. Les étranges tressaillements recommençaient.

Mui Tsai n'a pas tardé à attendre un enfant.

Le maître en était très heureux car ses trois épouses étaient stériles. On murmurait depuis longtemps qu'il en était responsable, mais il était maintenant évident que les vieilles harpies étaient à blâmer. En proie à une joie extatique, il a ordonné que l'on nourrisse Mui Tsai avec les meilleurs plats afin que sa semence devienne forte et vigoureuse. On a contraint la maîtresse à se montrer gentille envers Mui Tsai, bien qu'au fond de ses yeux bridés se cachât une cruelle jalousie. Souvent, Mui Tsai mettait de côté pour moi les plantes très coûteuses et terriblement amères qu'on lui faisait prendre.

— Pour que le bébé soit fort, disait-elle de sa voix heureuse et chantante.

Un matin, le maître est arrivé en annonçant que la première épouse souhaitait rencontrer l'arbre fertile qui avait donné vie à la semence de son mari. La maison du Vieux Soong s'est mise à déborder d'une furieuse activité. On a préparé des mets de choix, lavé et poli les sols, nettoyé la plus belle porce-

laine. Mui Tsai a découvert une grosse femme aux joues encadrées de plis de chair molle, les yeux minuscules et sagaces, le
nez plat et retroussé avec arrogance.

— Avez-vous mangé ? s'est-elle enquise, conformément aux
règles de la politesse chinoise.

Le ton de sa voix était brusque. Bien qu'empreint de fierté,
son visage avait connu le chagrin. Chagrin d'être supplantée
dans le cœur de son mari; chagrin de ne pouvoir porter
d'enfant.

— Oui, elle a très bon appétit, s'est empressée de répondre
la maîtresse de Mui Tsai.

— Dans combien de mois naîtra le bébé ? a demandé la
première épouse d'un ton royal.

— Trois mois. Reprenez un peu de thé, Sœur Aînée,
répondit la troisième épouse avec l'humble politesse d'emprunt
requise pour l'occasion.

Elle s'est levée avec grâce pour la servir. La première
épouse a acquiescé d'un signe de tête.

Elle a rendu plusieurs visites à Mui Tsai. Elle s'asseyait toujours avec elle sous l'arbre d'Assam. Elle était gentille et semblait réellement préoccupée par la venue du bébé pour lequel
elle manifestait un intérêt grandissant. Elle a même apporté des
cadeaux à la future maman : des vêtements d'enfant de marque
étrangère, très chers. Les visites de cette dame d'âge mûr faisaient plaisir à Mui Tsai. C'était un honneur que d'être acceptée par la première épouse. Peut-être sa chance allait-elle
tourner. Peut-être les choses seraient-elles différentes lorsque le
bébé serait né. Elle serait la mère de l'héritier de la grande fortune du maître.

Une foire est arrivée en ville et s'est installée sur le terrain
de football, près du marché. Mui Tsai et moi nous sommes
esquivées au plus fort de la chaleur, alors que la troisième
épouse, engourdie par un déjeuner trop lourd, somnolait sous le
tournoiement du ventilateur.

L'entrée coûtait vingt cents. Une suave odeur d'œuf et de
gâteau de noix se mêlait aux relents de graisse des beignets de
poisson frits. Par ce chaud après-midi, la scène de fortune où, la
nuit, de charmantes jeunes filles s'asseyaient en rang, attendant
d'être choisies par un timide jeune homme qui payait cinquante
cents pour le plaisir d'une danse avec l'élue de son cœur, était
déserte.

« Venez voir l'extraordinaire femme-python ! » proclamait une grande affiche représentant un gigantesque serpent enroulé autour d'une jolie fille aux yeux violemment soulignés de crayon noir. Nous avons payé dix *cents* pour entrer dans la tente. À l'intérieur, on étouffait. Une ampoule nue était allumée dans l'air suffocant. Dans une cage de fer, une Malaise maussade et plus très jeune était assise, jambes croisées, sur un lit de paille. Elle tenait dans ses mains un serpent de taille ordinaire qu'elle a essayé d'enrouler autour de son corps. Mais le reptile fainéant s'est contenté de sortir sa langue avant de se glisser à nouveau sur la paille. Déçues et ruisselantes de chaleur, nous sommes parties en vitesse.

Dehors, nous avons acheté du jus de noix de coco glacé et Mui Tsai m'a persuadée de faire la queue devant la tente d'un diseur de bonne aventure chinois. On nous a remis des billets rouges numérotés. La tête de Mui Tsai a effleuré les clochettes accrochées aux rabats de la tente et nous avons gloussé encore de rire en pénétrant sous le vélum brun.

Derrière une table pliante, un vieux Chinois avec une barbiche clairsemée souriait d'un air énigmatique. Il avait la peau très jaune et des paupières presque creuses. D'un geste de la main, il nous a désigné des chaises. Embarrassées, nous nous sommes assises en faisant discrètement glisser sur l'herbe nos petits sacs qui contenaient le jus de noix de coco ; ses yeux fixes ont arrêté net nos gloussements. Sur une sorte de haut pupitre étaient disposés un petit autel rouge, des bâtonnets d'encens en train de se consumer et une petite statue en bronze.

Il a levé sa main droite et dit :

– Laissons les ancêtres parler.

Les clochettes ont tinté doucement dans le vent.

Impassible, il a pris tout d'abord les mains de Mui Tsai qu'il a pressées entre ses paumes ridées tout en inspirant profondément. Mui Tsai et moi avons haussé les épaules en nous faisant des grimaces pour soulager la soudaine tension qui venait nous oppresser.

– De la douleur, beaucoup de douleurs. Beaucoup, beaucoup de douleurs, a-t-il crié d'une voix rauque.

Dans le calme de la tente, ce cri nous a fait tressaillir.

– Vous n'aurez pas d'enfants que vous puissiez appeler vôtres, a-t-il ajouté d'une voix étrange.

L'air a paru s'immobiliser. J'ai senti Mui Tsai se figer. Comme si ses petites mains l'avaient brûlé, l'homme les a relâchées brusquement. Puis il a tourné ses yeux inquisiteurs sur moi. Prise au dépourvu, j'ai glissé machinalement mes mains dans les siennes, ouvertes pour les recevoir. J'ai senti une peau sèche comme du cuir se refermer sur mes doigts moites. Il a fermé les yeux. Dans la chaleur étouffante, il était aussi immobile qu'une statue.

— De la force. Trop de force. Vous auriez dû naître sous la forme d'un homme. (Il s'est arrêté et a froncé les sourcils. Derrière leurs paupières closes, ses yeux allaient et venaient frénétiquement.) Vous aurez de nombreux enfants, mais vous ne connaîtrez pas le bonheur. Méfiez-vous de votre fils aîné. Il a été votre ennemi dans une vie antérieure et il reviendra pour vous punir. Vous connaîtrez la douleur d'enterrer un enfant. Vous attirerez à vous un objet ancestral de grande valeur. Ne le gardez pas et n'essayez pas d'en tirer profit. Il appartient à un temple.

Il a lâché mes mains et ouvert des yeux inexpressifs. Il nous a regardées d'un air absent. Bouleversées et effrayées, nous nous sommes levées. J'avais la chair de poule. La touffeur devenait intenable.

Nous sommes sorties en titubant, oubliant nos petits sacs dans l'herbe. J'ai regardé Mui Tsai : elle avait les yeux agrandis par la peur et tenait ses mains arrondies sur son ventre. Bien qu'elle fût enceinte de sept mois, il n'était pas aussi protubérant que le mien. Dans son ample *samfu*[1], elle trompait facilement son monde.

— Écoute, c'est un charlatan, c'est évident! ai-je affirmé vaillamment. Pourquoi dit-il que tu n'auras jamais d'enfant alors que tu es déjà enceinte? On a gaspillé de l'argent. Il n'a raconté que des bêtises!

— Oui, tu as raison. Ce doit être un charlatan. Un épouvantable escroc qui prend plaisir à effrayer les jeunes femmes.

Nous sommes rentrées chez nous sans ajouter un mot. J'essayais d'oublier le vieil homme aux lèvres presque immobiles, mais ses sinistres paroles étaient gravées dans ma mémoire comme la malédiction d'un étranger. En un geste protecteur, je posais mes mains sur mon ventre arrondi. Il était ridicule de penser que mon fils aîné qui n'était pas encore né, et que j'aimais tant déjà, pourrait devenir mon ennemi.

---

1. Tunique chinoise que l'on porte sur un pantalon ample.

Je n'avais jamais entendu pareilles sottises.

Et la vie a continué. Peu à peu, la sculpture en bois de mon mari s'est transformée en un visage ovale. Au début, je la regardais tous les jours, puis, parce que l'œuvre progressait très lentement, ma nature impatiente a repris le dessus et je n'y ai plus prêté attention.

Un lourd après-midi, j'étais assise sur le sol frais de la cuisine, occupée à vider des anchois. Ils étaient bon marché et on en trouvait partout. Anchois au curry, aubergines aux anchois, lait de noix de coco aux anchois : j'ajoutais ces petites spirales parfumées dans tous les plats. Quoi qu'il en soit, cet après-midi-là, Mui Tsai est apparue à la fenêtre de ma cuisine, les yeux agrandis et les mains vibrantes d'excitation.

– Viens vite voir le python.

– Où ?

– Derrière la maison de Minah.

Nous nous sommes précipitées. Dans les buissons, assez loin du logis de Minah, trois petits garçons serrés les uns contre les autres montraient du doigt quelque chose sur le sol desséché, les yeux brillants de peur et d'excitation. Bien qu'il fût conscient de notre présence, le python, lourd et lové, semblait incapable de bouger. Le soleil ainsi qu'un repas très copieux l'avaient alourdi et engourdi. Dans une tête en forme de diamant, des yeux orange nous observaient d'un air malveillant.

Il était énorme et magnifique.

Si beau que je voulais le garder. Je n'avais absolument pas peur des serpents.

Dans un brouhaha d'appels pressants, des hommes sont arrivés et ont réduit sa tête en bouillie. Son corps épais et brillant s'est contorsionné et tordu de douleur avant de laisser échapper la vie. Ils ont déployé le cadavre et l'ont mesuré en utilisant comme règle la longueur comprise entre l'extrémité de leurs doigts et leur coude. Le reptile mesurait plus de trois mètres et demi de long. Puis ils lui ont ouvert le ventre et ont découvert une chèvre ensanglantée, à moitié digérée et broyée au point qu'elle en était presque méconnaissable. Totalement fascinée, j'ai fixé l'absurde masse de chairs violacées et mutilées, recouverte d'un liquide stomacal visqueux d'où dépassaient, incongrus, un sabot et une corne. Une étrange pensée m'est venue à l'esprit. Mon ventre n'allait pas tarder à devenir plus gros que ça. Il s'arrondissait à une allure qui m'alarmait. Au neuvième mois, j'étais si forte et si mal à l'aise que j'avais la certitude que j'allais éclater à tout moment tel un melon trop mûr.

Les vrais douleurs ont commencé. Les eaux sont sorties de moi comme de l'alcool de riz bon marché dans un lupanar bondé. J'ai ressenti des picotements dans la nuque. Le moment était venu.

Oh, mais j'étais courageuse ! J'ai appelé mon mari pour qu'il fasse venir l'accoucheuse. Pendant quelques secondes, il m'a fixée d'un regard vide, puis il s'est retourné et a quitté la maison en courant. Je me suis tenue à la fenêtre et ai observé sa bicyclette qui prenait de la vitesse en zigzaguant dangereusement sur le chemin empierré.

Dans la cuisine, j'ai sorti deux serviettes propres et de vieux sarongs impeccables. J'ai fait bouillir de l'eau dans un grand récipient. De l'eau immaculé pour laver mon fils. J'ai baissé la tête et ai prié une nouvelle fois pour avoir un fils. En attendant l'arrivée du bébé, je me suis assise sur mon banc et ai déplié une ancienne lettre de ma mère.

Mes mains tremblaient. Surprise, je les ai regardées fixement. Je pensais que j'allais me conduire en femme adulte, calme. Sept feuilles de papier fin ont frémi. La petite écriture nette de ma mère a tremblé et s'est brouillée sous mes yeux.

Une douleur m'a parcourue comme un déchirement. Ma main a été prise de secousses. Sept pages minces comme du tissu et remplies des attentes, des espoirs, des prières, de l'amour et des souhaits de ma mère ont murmuré doucement avant de s'éparpiller sur le sol de la cuisine.

Très vite, les assauts sont devenus violents. Mais j'étais toujours calme. Ma mère elle-même aurait été fière de moi car je mordais de toutes mes forces dans un morceau de bois, étouffant mes cris de telle sorte que mes voisins ne verraient ni n'entendraient rien. Et très vite je serais debout sur la véranda, le ventre plat et le bébé dans les bras. Tout le monde s'en émerveillerait. Mais, sous l'effet d'une autre crampe, vive comme l'éclair, j'ai agrippé mon ventre, en proie à une douleur désarmante. Des gouttes de sueur ont perlé à mon front et sur ma lèvre supérieure. Puis une autre crampe. Subite.

— Ganesh, je vous en prie, aidez-moi, ai-je prié, les dents serrées.

La peur était pire que la douleur. Peur pour le bébé. Peur que tout tourne mal. Un autre spasme brutal et j'ai cédé à la panique. J'ai imaginé que je me trouvais dans un petit temple de Ganesh, sans âme qui vive, sonnant la cloche pour le plaisir du dieu [1]. Je l'ai furieusement secouée jusqu'à ce que mes mains soient en sang.

— Oh, Seigneur Ganesh, vous qui écartez les obstacles, faites que mon enfant soit sain et sauf, l'ai-je longtemps supplié.

J'ai senti la poussée aiguë du bébé en moi; des larmes chaudes se sont écrasées au bord de mes paupières bien fermées.

J'ai maudit la lenteur de mon stupide mari. Où était-il? Je l'imaginais assis dans un fossé quelque part. Le bébé bougeait, pressé, impatient et dangereusement vulnérable. Une douloureuse pression montait entre mes hanches et une terreur dévastatrice, nouvelle, bouillonnait dans ma tête.

Le bébé venait. Il n'y avait pas d'accoucheuse et le bébé venait. Sans que j'aie vraiment eu le temps de la voir arriver, je me trouvais dans l'œil d'une tempête. Le bâtonnet de bois est tombé de ma bouche. Les contours de la pièce s'assombrissaient.

Ganesh m'avait abandonnée.

J'étais sûre que j'allais mourir. D'un seul coup, j'ai oublié les voisins ainsi que l'idée séduisante d'apparaître soudainement sur la véranda, le ventre plat et mon bébé dans les bras. J'ai oublié d'être fière et courageuse. L'orgueil, telle la rude enveloppe d'une noix de coco, se fracasse en de multiples éclats lorsqu'on le jette à toute volée sur le dur ciment de la douleur.

La sueur et la terreur ignorent l'orgueil. Accroupie comme un animal effrayé, j'ai ouvert la bouche pour hurler sauvagement, mais une soudaine et déchirante douleur m'a coupé la respiration. J'ai senti le sommet de la tête du bébé.

— Pousse. Tu n'as qu'à pousser, a dit la voix morne de l'accoucheuse dans ma tête.

Avec cette voix, tout a paru très simple. Facile. La tempête s'est apaisée subitement. C'était magique.

— Pousse. Tu n'as qu'à pousser.

J'ai agrippé les deux extrémités du banc, inspiré profondément et commencé à pousser. J'ai poussé, poussé. La tête est venue dans ma main. J'ai maintenant oublié l'effrayante lutte

---

1. Selon la tradition hindoue, le fidèle qui pénètre dans un temple fait tinter une cloche qui se trouve toujours à l'entrée du sanctuaire. Le sens principal de ce geste est d'attirer l'attention de la divinité sur soi.

solitaire, cependant je me souviens de l'instant extraordinaire où j'ai tenu le bébé entier et violacé dans mes mains ensanglantées. J'ai posé la petite chose recouverte d'une gelée visqueuse sur le dessus de mon ventre et l'ai regardée avec un émerveillement mêlé de stupéfaction.

— Ô, Seigneur Ganesh, vous m'avez donné un garçon.

Je haletais de bonheur. Comme si mes mains l'avaient déjà fait des milliers de fois, elles ont attrapé le couteau qui se trouvait près de la planche à découper. Ce matin-là, j'avais coupé un oignon en tranches et l'ustensile était encore maculé de jus. Je l'ai maintenu fermement dans ma main et ai tranché le cordon ombilical. Il pendillait; le bébé s'était détaché de moi.

Les yeux encore bien serrés, il a ouvert sa petite bouche et s'est mis à hurler. Son mince filet de voix m'a traversée tout entière. J'ai ri de joie.

— Tu ne pouvais pas attendre, n'est-ce pas? ai-je demandé, totalement éblouie.

J'ai regardé cette petite créature édentée, en proie à une colère ridicule; j'ai pensé qu'il était la plus belle chose que j'avais jamais vue. La maternité avait éventré mon corps et m'avait montré son cœur qui battait à tout rompre. J'ai su dès cet instant que, pour cet étranger ridé, je pourrais arracher la tête des lions, arrêter les trains de mes mains nues et gravir des sommets enneigés. Comme dans une mauvaise comédie, Ayah et l'accoucheuse, essoufflés, sont apparus dans l'embrasure de la porte. J'ai adressé un large sourire à leurs visages ébahis.

— Vous pouvez rentrer chez vous, ai-je dit avec fierté à l'accoucheuse, en pensant aux quinze ringgit que je venais d'économiser en me passant de ses services.

D'un mouvement impatient, je me suis détournée de leurs visages ingrats afin de m'imprégner de la beauté de ma nouvelle et merveilleuse création. Cependant, au moment où je souhaitais qu'ils s'en aillent, un poing dur est venu s'abattre contre mon bas-ventre, redoublant mon supplice au point que j'ai failli lâcher mon précieux paquet. L'accoucheuse s'est précipitée vers moi. Avec savoir-faire, elle a saisi mon bébé et l'a déposé sur la pile de serviettes propres. Puis elle s'est penchée sur moi. Ses mains s'affairaient avec rapidité et précision.

— Allah, soyez miséricordieux! a-t-elle prié à mi-voix avant de se retourner vers mon mari en murmurant : Il y a un autre bébé dans son ventre!

64

Et c'est ainsi qu'est née la jumelle de mon fils. Elle est sortie de moi en glissant, tout simplement, et a été accueillie par les bras tendus de l'accoucheuse. La sage-femme était une vieille Malaise du nom de Badom que Minah nous avait recommandée. « Ses mains font merveille », avait-elle assuré. Rien n'était plus vrai. Je n'oublierai jamais la force qui, comme un fleuve en crue, coulait dans ses mains nerveuses. Elle savait tout ce qu'il était nécessaire de savoir sur les mères et les bébés. Son crâne ratatiné recelait une science détaillée de tout ce qui faisait la vie. Depuis les concombres défendus, les fleurs réduites en poudre afin de resserrer les entrailles jusqu'aux potions magiques d'herbes et d'orties bouillies destinées à rendre au corps distendu sa fraîcheur première.

Elle a déposé dans mes bras deux splendides bébés.

Mon fils était exactement ce que j'avais espéré. Un don des dieux. Toutes mes prières exaucées sous la forme de fines boucles noires et d'un hurlement cordial, parfaitement modulé qui proclamait sa santé. Pourtant c'est ma fille qui m'a arraché un cri d'admiration. Il faut dire combien elle était exceptionnelle. Son teint était clair au-delà de tout ce que j'aurais pu imaginer. Lorsqu'elle m'a remis le petit paquet dans les bras, Badom a levé ses sourcils clairsemés et s'est exclamée d'une voix stupéfaite :

– Mais, elle a les yeux verts !

Au cours de toutes ses années d'accoucheuse, elle n'avait jamais vu cela.

J'ai contemplé avec stupéfaction sa peau rose et le début d'une couverture de cheveux raides et brillants. Ce ne pouvait être que le sang de Mme Armstrong qui coulait dans ses veines : ma célèbre arrière-grand-mère à qui l'on avait demandé d'offrir un petit bouquet de fleurs à la reine Victoria dont elle avait serré la main gantée, il y avait tant d'années de cela. J'ai regardé la petite créature au teint clair qui reposait dans mes bras et ai décidé que tous les noms dont mon mari et moi avions discuté pendant des heures étaient désormais inutiles. Je l'appellerai Mohini.

Mohini était la tentatrice céleste des anciennes légendes, d'une beauté si exceptionnelle qu'il suffisait à un dieu de boire par inadvertance une gorgée de l'immensité limpide de ses yeux pour qu'il oublie tout. Selon les histoires que racontait ma mère, les dieux se noyèrent un à un dans le désir impatient de la posséder. J'étais trop jeune alors pour savoir qu'une beauté hors du commun était une malédiction. Le bonheur refuse de partager le même lit que la beauté. Maman m'a écrit que ce n'était pas un nom qui convenait à une fille. Il portait malheur. Je sais maintenant que j'aurais dû l'écouter.

Je ne peux pas décrire ces premiers mois. C'était comme marcher dans un jardin secret et découvrir des centaines de fleurs magnifiques, fraîchement écloses ; des couleurs, des senteurs nouvelles et des formes merveilleuses. Elles remplissaient mes jours. Du matin au soir, j'étais heureuse. J'allais me coucher le sourire aux lèvres, stupéfaite de la beauté de mes enfants, et je rêvais que je passais mes doigts sur leur peau soyeuse avec une crainte révérencieuse.

Ma Mohini était la perfection même, du sommet de sa petite tête jusqu'à ses minuscules orteils. Lorsque nous sortions en famille, les gens la dévisageaient. Ils me regardaient, moi, si ordinaire, puis le père, si laid, et je décelais l'envie qui faisait pousser des racines acérées dans leurs cœurs mesquins. J'ai pris très au sérieux la responsabilité de la beauté de ma fille. Je lui donnais des bains au lait de noix de coco et je frottais sa peau avec des morceaux de citron. Une fois par semaine, j'écrasais des fleurs d'hibiscus dans de l'eau chaude jusqu'à ce qu'elle prenne l'exacte couleur de la rouille puis j'y plongeais son petit corps qui se tortillait de plaisir. Mohini barbotait, riait et me jetait au visage de pleines poignées d'eau rougie. Je ne vous dirai pas davantage jusqu'à quels extrêmes j'allais pour protéger sa peau d'un blanc de lait.

Il était impossible d'aimer une enfant davantage. Son frère l'adulait. Alors qu'ils n'avaient aucune ressemblance physique, il existait entre eux un lien particulier et invisible. Leurs yeux se parlaient. Leurs visages se comprenaient. Quelque chose d'indicible. Ils ne terminaient pas les phrases l'un de l'autre ; c'étaient plutôt les pauses qu'ils partageaient. Comme si, dans ces moments de pur silence dérobés au monde extérieur, ils communiquaient à un niveau différent, plus profond. Si aujourd'hui je ferme les yeux, je les vois encore assis l'un en face de l'autre en train de piler du riz dans le mortier de pierre. Sans parler. Sans avoir recours aux bavardages. Lui manœuvrait le lourd pilon et, de ses mains nues, elle jetait le riz dans la cavité de la pierre. Silencieux, en accord parfait, comme s'ils n'étaient qu'une seule et même personne. J'aurais pu les observer pendant des heures.

Quand ils étaient seuls, sans autre compagnie qu'eux-mêmes, une immobilité les entourait, un cercle magique, « nous », qui excluait le reste du monde. Je me souviens qu'à certains moments les regarder provoquait un sentiment de malaise.

Si j'étais immodérément fière de ma fille, son père vénérait le sol même qu'elle foulait. Elle faisait trembler son âme et le ravissait si profondément qu'il en était confondu. Nouveau-née, elle était si petite qu'elle tenait tout entière dans ses grandes mains déployées en corbeille ; c'était une sensation qu'il n'a jamais oubliée. Il lui était si difficile de croire que pareille merveille était sortie de ses reins qu'il se tenait debout des heures durant à la regarder dormir. Si les vêtements de Mohini étaient mouillés par la transpiration, il allait jusqu'à se lever deux ou trois fois dans la nuit pour la changer, avec une extrême délicatesse. Souvent, le matin, je trouvais ses petits habits empilés au pied de son hamac en tissu.

À la moindre chute, à la moindre blessure, il la soulevait de ses mains larges et prévenantes et la berçait lentement dans ses bras ; les larmes de la fillette se reflétaient dans ses yeux. Combien il a souffert lorsqu'elle est tombée malade ! Il l'aimait tant que la moindre de ses douleurs était comme une terrible épine profondément incrustée dans son cœur simple.

Quand elle était toute petite, elle passait la plupart de ses moments de veille sur les genoux de son père, tous deux écoutant la radio. Elle restait assise des heures entières à tourner une mèche de ses cheveux épais dans ses doigts si clairs, sans jamais soupçonner que c'était là un tour de magie qui avait le pouvoir de transformer de doux géants en babillards idiots.

J'ai appelé mon petit garçon Lakshmnan. Premier-né, splendide, éveillé, et incontestablement mon préféré. Tu sais, bien que Mohini fût au-delà de tout ce que j'avais pu espérer, elle était imméritée. J'ai toujours eu le sentiment que d'une certaine façon j'avais volé dans le jardin d'autrui, que j'avais cueilli sans demander la permission la plus grande et la plus belle fleur. Mohini n'avait rien de moi ni de son père. Et même lorsque je la berçais dans mes bras, j'avais l'impression de l'avoir empruntée, que quelqu'un allait frapper à ma porte pour la réclamer. Je bridais donc un peu mon sentiment à son égard. J'étais impressionnée par la perfection de sa beauté, mais je ne pouvais pas l'aimer comme j'aimais Lakshmnan.

Ah, lui, je l'aimais à la folie. Comme je le chérissais! Dans mon cœur, j'ai édifié un autel uniquement consacré à son rire. Je me reconnaissais dans ses yeux vifs. Quand je le maintenais pour prévenir ses coups de pied, son petit corps robuste serré contre le mien, sa peau avait exactement la même teinte que la mienne, à tel point que personne ne pouvait dire où il commençait et où je finissais. Une couleur thé au lait.

Mui Tsai a donné naissance à son bébé. Elle est venue chez moi en cachette, tard dans la nuit, alors que le voisinage était endormi, afin de me montrer comme il était beau. Pour avoir cet enfant, elle avait prié au temple rouge, près du marché. Il était très gros, très blanc de peau, avec une tignasse de cheveux noirs. Exactement l'enfant pour lequel elle avait prié.

— Tu vois, le diseur de bonne aventure avait tort, ai-je paradé, pleine de joie, cachant le soulagement que j'avais éprouvé en apprenant que son fils était né vivant et en bonne santé.

Si le diseur de bonne aventure s'était trompé pour Mui Tsai, alors il n'était qu'un charlatan et ses prédictions n'étaient que cruels mensonges pour moi aussi. J'ai mis mon doigt dans la paume de l'enfant qui l'a agrippé dans sa petite main, refusant de le lâcher.

— Regarde comme il est fort, l'ai-je complimentée.

Elle a approuvé d'un geste lent de la tête, comme si elle craignait qu'un orgueil excessif ne provoque les dieux. Pourtant j'ai perçu sa félicité. À la lumière de la lampe à huile, sa peau paraissait lumineuse comme si on avait allumé une ampoule dans son crâne. Mais il ne faut jamais se vanter de sa chance. Telle était la croyance. Cela portait malheur, avait-elle dit une fois. Aussi, lors de cette heureuse nuit, elle a embrassé le bébé endormi tout en se plaignant sans conviction que le symbole de santé qu'elle tenait entre ses bras était trop malingre. Lorsqu'elle est partie en serrant très fort son précieux ballot contre sa poitrine, j'étais heureuse pour elle. Elle avait enfin quelque chose qui lui appartenait en propre.

Un mois plus tard exactement, ce qui correspondait à la fin de sa période de relevailles, son maître a confié le bébé à sa première femme. Mui Tsai était trop bouleversée par la trahison pour protester. Totalement effondrée et incapable de s'y opposer, il ne lui restait plus qu'à accepter le traditionnel *ang pow*, le petit paquet rouge contenant le billet de cinquante ringgit, raide et bien plié, en échange de l'enfant.

– Comment a-t-il osé? Est-ce qu'une mère n'a aucun droit? ai-je demandé, horrifiée.

Elle m'a expliqué d'un ton las que c'était simplement le fait d'une autre coutume chinoise, établie de longue date, qui autorisait la première épouse à exiger le premier-né de toute femme ou concubine secondaire.

– C'est un grand honneur quand une première épouse demande le fils d'une Mui Tsai. Je pense que c'est très bien pour l'enfant. Il aura une vraie place dans la famille sans que cela ne soulève de questions, a tristement ajouté Mui Tsai.

Elle avait le cœur brisé; dans son crâne, la lumière vive venait de s'éteindre.

Médusée, je l'ai contemplée. C'était tout simplement monstrueux.

Elle a continué à venir s'asseoir avec moi, certaines nuits, lorsqu'elle ne pouvait plus supporter les appels solitaires du lémurien près du ramboutan; elle a continué à passer par la fenêtre avec la même agilité qu'avant, mais tout était différent. La jeune fille rieuse et espiègle avait disparu. C'était une jeune femme abattue qui s'asseyait dans ma cuisine, comme un jeune chiot que l'on aurait fouetté pour une raison qu'il ne comprenait pas. Parfois, elle revivait le moment où le bébé lui avait été enlevé.

– Qu'est-ce que tu espères? Avoir un rang plus élevé que la première épouse? avait dédaigneusement grondé sa répugnante maîtresse.

Elle me regardait courageusement et m'assurait qu'elle ne souhaitait nullement cela. Bien sûr qu'elle savait où était sa place! C'était une petite Mui Tsai. Pauvre Mui Tsai. J'avais mes deux bébés tandis qu'elle savait seulement qu'une autre femme berçait son enfant. Parfois, lorsqu'elle regardait les jumeaux endormis, respirant doucement dans leurs couvertures de coton, des larmes amères, incontrôlées, ruisselaient sur son visage. Elle reniflait bruyamment, s'essuyait du revers de sa manche et déclarait d'une petite voix résignée :

– C'est la volonté des dieux.

Un jour, elle a de nouveau été enceinte. Jubilant de cette seconde preuve de sa fertilité masculine, le maître s'est empressé de promettre que cette fois-ci elle pourrait garder le bébé. La première épouse n'est jamais venue rendre visite à Mui Tsai, ce que mon amie a pris pour un indice réconfortant.

Lorsque les jumeaux ont eu un an et demi, j'ai cessé de leur donner le sein et je suis à nouveau tombée enceinte. Mui Tsai et moi étions à nouveau réunies; nous avons joué à l'échiquier chinois en pouffant de rire à la lueur incertaine de ma lampe à kérosène. Certains après-midi, pendant que sa maîtresse dormait, elle s'asseyait sur le rebord de ma fenêtre et nous rêvions ensemble. Rêves inaccessibles où nos enfants exerceraient de hautes fonctions. D'autres fois, elle m'aidait à déterrer les arachides. Puis nous lavions les graines pour en ôter la boue et nous les faisions bouillir pour les manger toutes chaudes. C'est à ce moment-là qu'elle a pris l'habitude de soupirer en déclarant de manière théâtrale que ses moments les plus heureux étaient ceux qu'elle passait dans ma cuisine. Au fur et à mesure que le terme de sa grossesse approchait, elle est devenue de plus en plus agitée. Au plus profond d'elle-même, les os de ses ancêtres s'entrechoquaient pour lui rappeler la prédiction du vieux Chinois. Toute une lignée de défunts se tenaient debout, bras tendus, la vouant à rester sans enfant. Le maître avait-il fait une fausse promesse ?

Elle se réveillait souvent la nuit, le cœur battant la chamade. Elle se levait et marchait autour de son lit, cherchant dans la nuit d'encre la lumière de ma lampe à kérosène. Et si elle voyait la petite lueur, elle poussait un soupir de soulagement, fermait doucement sa porte et me rejoignait. Très alourdie par sa grossesse, elle passait par la fenêtre basse de ma cuisine. Voix douce et vague du passé, je l'entends encore me dire :

– Lakshmi, tu es ma lumière dans la nuit.

J'étais toujours contente de voir son visage rond. Parfois nous discutions à voix basse, d'autres fois, nous partagions simplement le silence. Quand je songe à cette époque-là, je comprends à quel point elle était précieuse. Si seulement j'avais su alors ce que je sais maintenant, j'aurais murmuré à son oreille que je l'aimais. Je l'aurais assurée qu'elle était ma meilleure amie. Je voudrais lui avoir dit : « Tu es ma sœur, et c'est ta maison. » Peut-être étais-je trop jeune, trop absorbée par l'égoïsme des soins maternels que je prodiguais à mes enfants. Je tenais notre intimité pour acquise et n'en doutais pas un seul instant. Parfois, sans raison apparente, elle éclatait en sanglots et s'exclamait, d'une voix si pitoyable :

– Je suis née sous une très mauvaise étoile.

Mui Tsai a donné naissance à un autre garçon. Elle disait que sa tête était couverte de cheveux noirs. Et qu'il lui souriait. Le premier jour, elle l'a tenu contre sa poitrine. Le second jour, sa maîtresse est entrée dans sa chambre. Une lueur malveillante est passée dans son regard lorsqu'elle a appris à Mui Tsai que le bébé de la première épouse était mort un mois plus tôt et qu'il était de son devoir de se sacrifier pour cette femme en proie au chagrin. Le choc d'apprendre que son premier fils était mort a été plus terrible que d'accepter d'abandonner son second enfant. En un geste de profond désarroi, Mui Tsai a secoué la tête et tendu son petit ballot à l'odeur si douce à sa maîtresse. Au fond d'elle-même, elle savait que son premier fils était mort d'avoir eu le cœur brisé de chagrin.

Son visage était gris, mais ses yeux secs, lorsque la méchante femme a eu l'effronterie d'ajouter :

– Tu es jeune et très fertile. Ton ventre portera de nombreux fils.

– Vous me les prendrez tous ? a demandé Mui Tsai d'un ton si bas que la troisième épouse ne l'a sûrement pas entendue.

Deux mois plus tard, Anna, teint caramel et yeux ronds comme des soucoupes, est arrivée dans mon univers. La malaria m'abrutissait de fièvre ; j'avais chaud, j'avais froid. Les nuits étaient les pires moments. Tout d'abord venait le délire, suivi de tremblements incontrôlables, puis de suées. Le jour, affaiblie et enveloppée dans une brume de quinine, je laissais mes enfants dans les bras de Mui Tsai. Pendant dix-sept jours, Ayah a été une ombre mouvante et les enfants de petits points lumineux bruissant d'anxiété près de mon lit. Je sentais parfois les lèvres fraîches et fermes de mon mari sur ma peau moite et froide ; à d'autres moments, des petits doigts curieux tâtaient mon visage. Mais je préférais me détourner et plonger dans la clémence de l'obscurité. Quand la fièvre a disparu, je n'avais plus de lait et, sous ma peau, mes seins n'étaient plus que de minuscules cailloux. Lorsque je les palpais, je les trouvais durs et douloureux. Je me sentais faible ; je pleurais souvent. La seule personne capable de m'arracher un sourire était mon Lakshmnan adoré.

Je regardais la petite Anna et j'avais pitié d'elle. Pauvre enfant ! Elle n'a même pas eu droit au lait maternel. Mais elle était un beau, très beau bébé aux immenses yeux brillants. Cette fois encore je me sentais soulagée : elle aussi avait échappé à l'hérédité de mon balourd de mari. Allongée sur le lit, j'observais Ayah qui la soulevait avec précaution, comme s'il avait peur de la laisser tomber ou de la blesser.

Mui Tsai était totalement éprise de ma nouveau-née. Face à Anna, elle réagissait comme elle ne l'avait jamais fait avec Lakshmnan ou Mohini. Elle lui reconnaissait un charme et trouvait à s'émouvoir des détails les plus ténus.

– Regarde sa petite langue. Elle est si jolie, s'exclamait-elle.

Et son visage rond s'illuminait d'un ravissement sincère. Un jour, en revenant du marché, je l'ai trouvée en train de donner le sein à Anna. Elle a levé les yeux d'un air coupable.

– Excuse-moi, mais elle pleurait de faim.

En un éclair, j'ai compris pourquoi Anna détestait le lait en boîte. Les oreilles brûlantes, j'ai écouté l'explication de Mui Tsai. Comment son lait s'était tari quand on lui avait enlevé l'enfant ; comment le premier cri d'Anna avait soudainement rempli ses seins, mouillant son corsage devant mon mari gêné et la plongeant dans l'embarras.

Évidemment. Cela ne m'était jamais venu à l'esprit auparavant, pourtant c'était bien elle qui avait nourri Anna pendant les dix-sept jours où j'étais restée au lit, délirante de fièvre. Ce n'est qu'avec la plus grande difficulté que j'ai réussi à surmonter ma répugnance instinctive à l'idée que quelqu'un d'autre que moi avait donné le sein à mon enfant. Je me suis dit que c'était la terrible perte subie qui lui avait permis de prendre une telle liberté. Je comprenais. En tout cas, c'est ce dont je me suis persuadée. Je voulais me montrer magnanime. Elle avait tant souffert. Elle avait nourri mon enfant : où était le mal ? Mes seins demeuraient desséchés tandis que les siens étaient pleins. Ainsi, c'étaient les petits seins à peine formés de Mui Tsai que la petite bouche rose d'Anna avait tétés. Étrange chose que la maternité. Elle donne et prend tant. J'aurais dû lui en être reconnaissante, mais je ne l'étais pas. Même si je n'ai pas protesté, je n'étais pas suffisamment généreuse pour laisser passer l'incident.

J'ai édifié un mur entre nous deux.

Ce n'était pas un mur très haut, cependant chaque fois que la pauvre petite voulait s'approcher de moi, elle devait l'escalader. Aujourd'hui, je regrette de l'avoir construit. J'étais la seule amie qu'elle ait eue et je lui ai tourné le dos. Il est trop tard maintenant. Je dis à mes petits-enfants de ne jamais bâtir de mur, parce qu'une fois que l'on commence à en édifier un, il devient infranchissable. C'est dans la nature des choses.

Quand Mohini a eu trois ans, elle a attrapé un rhume. En moins d'une semaine, le refroidissement s'est transformé en effrayants râles asthmatiques. Toute petite et sans défense, Mohini s'asseyait sur mon grand lit argenté et tentait laborieusement de respirer, ses beaux yeux emplis de peur et sa bouche réduite à une effroyable ligne bleue. Dans sa poitrine minuscule, j'entendais le bruit de crécelle. Ayah en pleurait.

J'ai essayé tous les remèdes traditionnels que je connaissais et toutes les recettes que les femmes du temple m'ont conseillées. J'ai frotté sa poitrine malade avec du baume du tigre, maintenu son corps fiévreux au-dessus de vapeurs d'herbes âcres et introduit de force dans sa gorge les petites pilules noires de la médecine ayurvédique. Puis son père a fait le voyage en car jusqu'à Pekan pour acheter des pigeons verts. Ils étaient ravissants dans leur cage, à roucouler et à incliner leurs jolies petites têtes. J'ai dû pourtant les piéger sous la paume de ma main et leur trancher la tête. Mohini a mangé leur chair violacée, coupée en cubes et rôtie avec des clous de girofle et du safran. La première épouse de l'incohérente maisonnée chinoise a apporté un paquet plat enveloppé de papier journal contenant des insectes séchés. Un examen minutieux a révélé des punaises mortes, des fourmis, des abeilles, des cafards et des sauterelles imbriqués dans un imbroglio des pattes. Ils étaient si parfaitement secs qu'ils cliquetaient les uns contre les autres, crissant contre le papier dans lequel ils étaient arrivés. Je les ai cuits dans de l'eau jusqu'à ce que le mélange brun réduise et je l'ai versé dans la bouche de la pauvre enfant. Aucun remède ne l'a guérie.

Il y avait ces heures particulièrement effrayantes, au milieu de la nuit, lorsque le manque d'oxygène lui donnait une couleur d'un vilain bleu. Dans notre hôpital rudimentaire, un médecin lui a prescrit de petits comprimés roses qui l'ont fait frissonner et trembler de tout son corps. Ces tremblements m'ont effrayée davantage que le bruit de crécelle que faisait le serpent à sonnettes dans sa poitrine. Deux jours atroces se sont écoulés. Anéanti et impuissant, Ayah a enfoui sa tête dans ses mains, comme un vieillard. La radio s'est tue. Il se sentait coupable. C'était lui qui l'avait emmenée se promener; c'était en sa compagnie qu'elle avait été mouillée quand il s'était soudain mis à pleuvoir.

J'ai été tentée de le lui reprocher, mais il n'y avait personne à blâmer. C'est moi qui lui avais demandé de sortir les enfants. J'ai prié. J'ai passé des heures à genoux sur le sol froid du temple ; je me suis prosternée, je me suis roulée par terre pour prouver ma profonde dévotion. *Je ne suis qu'un insecte. Dieu qui êtes bon, aidez-moi, je vous en prie.*

Lors du troisième après-midi, Mui Tsai a fait irruption dans ma cuisine pour me faire part de l'idée la plus absurde que j'aie jamais entendue. J'ai arrêté de remuer les lentilles qui cuisaient dans le yoghourt et, agrippant mon ventre qui s'arrondissait, j'ai écouté, à moitié choquée, à moitié curieuse, les explications rapides et impatientes qui jaillissaient de sa petite bouche. J'ai secoué ma tête avant même qu'elle ait terminé. « Non », ai-je dit, mais ma voix manquait de conviction. En vérité, j'étais prête à tout essayer. Je voulais juste être convaincue.

Elle n'a pas perdu de temps.

— Ça marchera, a-t-elle insisté avec force.

— C'est une idée répugnante. Pouah ! Qui peut bien avoir des idées aussi dégoûtantes ?

— Ça marchera. Essaie, je t'en prie. Le *sinseh*[1] de mon maître est très très bon. Il vient directement de Shanghai.

— C'est impossible. Comment pourrais-je lui faire ça ? Elle est déjà à peine capable de respirer. Elle va mourir étouffée !

— Tu dois le faire. Tu veux qu'elle guérisse ?

— Bien sûr, mais...

— Eh bien, alors essaie.

— C'est un rat ordinaire ?

— Non, bien sûr que non. C'est un rat aux yeux rouges, spécialement élevé pour ça. Et quand il vient de naître, il n'a pas de pelage. Il est tout rose et pas plus grand que mon doigt.

— Mais elle doit l'avaler vivant ?

— Dans les premières minutes qui suivent sa naissance, il ne bouge pas. Mohini peut l'avaler avec du miel. Ne lui dis pas ce que c'est.

— Tu es sûre que ça va marcher ?

---

1. Médecin chinois qui pratique une médecine traditionnelle mêlée de sorcellerie.

– Oui, en Chine, beaucoup de gens l'ont fait. Le sinseh est très intelligent. Ne t'inquiète pas, Lakshmi. Je demanderai à ma maîtresse de nous aider.

– Combien de rats doit-elle avaler ?

– Un seul. D'accord ? a-t-elle dit très vite.

Mais la petite Mohini n'a jamais eu à avaler le rat vivant de Mui Tsai. Son père s'y est opposé. Pour la première fois depuis que je le connaissais, ses petits yeux noirs ont brillé de colère.

– Personne ne donnera un rat vivant à manger à ma fille ! Foutus barbares, a-t-il tonné, furieux, avant de rentrer dans la chambre pour voir Mohini et réintégrer son personnage chantonnant et babillard.

Ayah haïssait les rats. Leur simple vue, même de loin, le révulsait profondément. Sans aucune raison apparente, Mohini a commencé à se rétablir. En quelques jours, sa santé s'est améliorée et je n'ai eu recours aux rejetons du rat aux yeux rouges, spécialement élevé à cet effet, que bien des années plus tard.

Sevenese est venu au monde sur le coup de minuit. Quand il est né, le charmeur de serpents jouait de la flûte et les notes douces et solitaires qui ont accompagné sa naissance ont résonné comme le présage de l'étrange personne qu'il est devenu. L'accoucheuse a enveloppé le petit bébé rouge foncé dans une serviette propre et me l'a présenté. Sous sa peau transparente, le sang battait à travers un réseau d'infimes veines vertes. Lorsqu'il a ouvert les yeux, ils étaient sombres et étrangement vifs. J'ai poussé un soupir de soulagement. Il ne ressemblait pas à mes beaux-fils.

Enfant, Sevenese avait un sourire vainqueur et, à tout moment, une réponse insolente sur le bout de la langue. Avec sa tête aux cheveux bouclés et sa moue espiègle, il était irrésistible. Au début, j'étais fière de sa vivacité d'esprit. Très jeune, il était déjà attiré par tout ce qui était insolite. La maison du charmeur de serpents, qui se trouvait dans le tournant de la route, l'attirait comme un aimant. Après que je lui ai interdit de s'y rendre, il s'éclipsait en cachette pour y passer des heures, tenté et tourmenté par les charmes et les potions étranges. Je le voyais dans la cour et, l'instant d'après, il avait disparu dans cette horrible maison. Il y avait en lui quelque chose d'inachevé, d'absent ou de différent qui l'incitait à chercher sans trêve sans jamais trouver. Souvent, la nuit, il accourait dans la cuisine, réveillé par des rêves morbides qui me donnaient la chair de poule. D'énormes panthères rugissantes aux yeux flamboyant d'une lueur orange bondissaient de sa poitrine et se repaissaient de son visage. Une fois, il m'a vue morte, gisant dans une boîte. Des pièces de monnaie étaient posées sur mes paupières closes[1]. Des enfants qu'il ne connaissait pas tournaient autour de moi, des bâtons d'encens allumés à la main. De vieilles femmes chantaient des chants de dévotion d'une voix rauque. Mohini, devenue adulte, un enfant sur les genoux, pleurait dans un coin. Lorsqu'il a rêvé de ma mort, Sevenese n'avait jamais assisté à des funérailles hindoues ; pourtant il a décrit la scène avec des détails si vraisemblables que j'en ai eu le dos glacé. Il mentait aussi de façon éhontée.

Un jour, alors que je revenais du jardin à l'improviste, Anna avait à cette époque deux ans et demi, je me suis arrêtée soudain. Anna était profondément enfouie à l'intérieur du samfu aux motifs bleus et blancs de Mui Tsai. Je suis restée immobile, stupéfaite, car j'avais imaginé que Mui Tsai avait cessé de nourrir Anna depuis très longtemps. Ce secret équivalait à une trahison. J'estimais qu'il n'était pas normal qu'à son âge ma petite fille soit encore nourrie au sein. La colère est montée de la boue noire de mon ventre. Un ressentiment rouge feu m'a fait oublier que j'avais tété le sein de ma mère jusqu'à l'âge de sept ans. Des mots menaçants, cruels, se sont formés dans ma gorge. J'ai ouvert la bouche, puis me suis aperçue soudain que Mui Tsai, qui ne m'avait pas vue, fixait l'horizon au loin, des larmes silencieuses roulant le long de ses joues creusées par le chagrin. Son déchirement était tel que je me suis détournée et me suis mordu les lèvres. Le sang battait très vite dans mes veines. Elle était toujours mon amie. Ma meilleure amie. J'ai ravalé mon poison.

Debout derrière la porte de la cuisine, j'ai inspiré profondément et ai appelé Anna d'une voix aussi naturelle que possible. Elle est arrivée en courant, le visage baigné d'innocence. Il n'y avait aucune trahison de sa part. Dans ma poitrine, je sentais encore s'étirer l'étrange et hideuse bête de la jalousie. C'est une chose impitoyable. Je ne saurai jamais pourquoi on la garde si près de nos cœurs. Elle fait mine de pardonner, mais elle ne

---

1. Selon les rites de crémation hindous, on dépose des pièces de monnaie sur les paupières des défunts afin de leur assurer la prospérité dans leur vie prochaine.

76

pardonne jamais. La jalousie, insensible aux loups que Mui Tsai avait vus tapis, aux aguets, dans son avenir voué à la destruction, et indifférente aux noirs corbeaux du désespoir qui traçaient des cercles au-dessus de sa tête, murmurait à mon oreille qu'elle n'aspirait qu'à me voler mon enfant. J'ai tenu la petite Anna serrée contre moi. Elle a déposé un baiser humide sur ma joue.

– Tante Mui Tsai est là, dit-elle.

– Très bien, ai-je répondu avec entrain.

Mais depuis ce moment-là, j'ai répugné à laisser Anna seule avec Mui Tsai.

Le temps s'est consumé comme des bâtons d'encens allumés, déposant de fines cendres blanches sur mon corps qui se transformait. J'avais presque dix-neuf ans. Une femme. Les maternités avaient élargi mes hanches ; mes seins étaient doux et pleins de lait. Mon visage aussi changeait. Des pommettes sont apparues. Un nouveau sentiment d'assurance avait pénétré mes yeux et s'y était installé. Les enfants grandissaient vite, remplissant la maison de rires et de cris puérils. J'étais heureuse. C'était un bonheur que de s'asseoir dehors le soir et de les regarder jouer ; de voir les carrés de tissu blanc que j'utilisais comme couches, les petites chemises de Lakshmnan et les minuscules robes de Mohini onduler dans le vent. Je cajolais cette idée qui me disait que j'avais tiré une blanche farine d'un sac à charbon. Tous mes enfants étaient beaux et l'affliction que mes beaux-fils supportaient patiemment semblait les avoir épargnés.

Mui Tsai coupa ses longs cheveux à hauteur des épaules. Nous étions toutes les deux à nouveau enceintes. À cette époque, tout manque de vigilance dans l'obscurité débouchait sur des années de responsabilité et de douleurs. Les grands yeux ronds de bébé Sevenese observaient Mui Tsai qui avait la démarche lourde d'un condamné.

Cette fois, le maître avait fait une promesse définitive. « Il a l'air sincère », affirmait Mui Tsai. Je ne pouvais rien faire, rien dire. Ses yeux ternes me regardaient avec une expression vide que je ne lui avais jamais vue auparavant. Elle ressemblait à un petit animal, les pattes piégées dans une mangrove. Même dans les ombres projetées par ma lampe à huile, j'ai vu ses cris pitoyables et silencieux briller dans son regard. Avant, nous parlions de tout. Rien n'était trop vaste pour demeurer secret. Maintenant, il y avait mon mur mesquin et silencieux, et son malheur, sa solitude. J'avais ma nichée d'enfants ; elle avait les visites de son maître et ses grossesses volées.

Mais nous sommes toujours amies, me répétais-je, refusant obstinément de démolir le mur. Les jours qui ont suivi son accouchement, je laissais brûler ma lampe à kérosène tard dans la nuit et je m'asseyais près de la fenêtre, tendant l'oreille pour entendre le bruit de ses pas et sa voix chantante murmurer : « Tu ne dors pas ? » Des semaines s'écoulèrent sans qu'apparaisse son visage rond. Dans mon cœur, je savais ce qui s'était produit.

Un jour, ma grossesse était alors très avancée, je l'ai aperçue de ma véranda, assise sur l'une des chaises de pierre verte, les coudes reposant sur la table massive. La tête penchée, elle fixait le sol. Ses cheveux raides retombaient en avant, masquant son visage. Je me suis hâtée lourdement vers le mur qui entourait la propriété du Vieux Soong et l'ai appelée. Elle a tourné la tête avec lassitude. Pendant un moment, elle n'a fait que me fixer. En cet instant, j'ai eu l'impression que je ne la connaissais pas, que je ne l'avais jamais connue. Alors, elle s'est levée comme à regret et s'est avancée vers moi.

— Qu'est-ce qui s'est passé ? ai-je demandé.

— La seconde épouse a pris le bébé, a-t-elle déclaré d'une voix éteinte. Mais le maître a dit que je pourrais garder le prochain. Où est Anna ?

Une trace d'émotion est passée sur son visage.

— Viens la voir. Elle grandit très vite.

— Je viendrai bientôt, a-t-elle répondu d'une voix douce, dans un pâle sourire. Tu ferais mieux de partir avant que ma maîtresse ne te voie. Au revoir.

À l'une des fenêtres, le rideau s'est relevé d'un coup sec avant de retomber. Avant que j'aie pu lui dire au revoir, Mui Tsai s'était déjà détournée et marchait vers la maison. Je ne me suis pas inquiétée longtemps à son sujet parce que, cet après-midi-là, on m'a prévenue que mon mari avait eu un accident. Alors qu'il se rendait à la banque en bicyclette, une moto l'avait percuté. Il avait été emmené inconscient à l'hôpital : j'ai encaissé la nouvelle comme s'il s'agissait d'un objet solide. Une pierre brune et érodée, dans le lit d'une rivière qui s'amenuise. Lisse et fade, mais résistante.

Pourtant, cette pierre pesait lourd dans mon ventre lorsque les enfants et moi avons pris un taxi pour nous rendre à l'hôpital. J'étais malade de peur. La perspective de les élever seule, sans soutien, s'ouvrait devant moi comme un immense trou noir. J'ai mené les enfants vers la salle des urgences et les ai fait asseoir dans la salle d'attente, entre une femme qui gémissait et un homme souffrant d'éléphantiasis. Tandis qu'ils observaient la jambe affreusement boursouflée du pauvre homme, j'ai parcouru un long couloir. Le corps inerte d'Ayah gisait sur un étroit chariot placé contre le mur. J'ai couru vers lui, mais plus j'approchais, plus j'avais peur. Une profonde entaille lui avait ouvert le crâne comme une noix de coco et du sang rouge s'échappait en gargouillant, poissant ses cheveux, s'écoulant sur sa chemise et formant une flaque sous sa tête. De toute ma vie, je n'avais jamais vu autant de sang. Sur son visage ensanglanté, les quatre dents de devant manquaient, celles-là mêmes qui avaient tant retenu mon attention lors de notre mariage. Un trou plus noir que son visage me fixait. Mais le véritable choc a été sa jambe. L'os s'était cassé net et dépassait des chairs roses. J'ai failli m'évanouir à la seule vue de la plaie. J'ai dû m'appuyer contre le mur pour rester debout. Ainsi soutenue, j'ai appelé mon mari par son nom, mais il était inconscient.

Des infirmiers sont arrivés en courant et ont poussé le chariot dans la salle des urgences. Hébétée, je suis restée appuyée contre la paroi. Mes genoux faiblissaient. Dans mon ventre, le bébé donnait des coups de pied et j'ai senti des larmes se former derrière mes paupières. Je regardais le banc et les enfants tranquillement assis qui me fixaient de leurs grands yeux effrayés. Je leur ai souri et me suis avancée vers eux. Ils se sont blottis contre moi.

Lakshmnan a posé ses bras minces autour de mon cou.

— Ama, on peut rentrer à la maison maintenant ? a-t-il murmuré d'une petite voix.

— Bientôt, ai-je dit d'un ton étranglé, en pressant si fort son petit corps qu'un gémissement s'est échappé de ses lèvres.

Nous avons attendu plusieurs heures.

Lorsque nous sommes partis, il faisait nuit et nous n'avions pas de nouvelles d'Ayah. Il était toujours inconscient. Dans le taxi, les jumeaux m'ont regardée d'un air solennel. Anna s'est endormie en suçant son pouce et bébé Sevenese faisait des bulles. Je les ai observés et j'ai eu l'impression de me jeter dans un puits avec eux. Je trébuchais seule dans un tunnel totalement obscur, les voix des enfants se répercutant tout autour de moi.

Je les ai fait dîner et les ai mis au lit. J'étais trop bouleversée pour manger. Je me suis assise sur mon banc à fixer les étoiles. « Pourquoi moi ? me suis-je répété. Pourquoi, Dieu adoré, élevez-vous tant d'obstacles sur mon chemin ? » Cette nuit-là, j'ai attendu Mui Tsai mais elle n'est pas venue et sa présence m'a cruellement manqué.

Le lendemain matin, lorsque les enfants se sont réveillés, je leur ai donné à manger puis nous sommes allés à l'hôpital. Une forme grise, inconsciente, enveloppée dans un bandage, gisait sur un lit. J'ai ramené les enfants à la maison pour déjeuner et, incapable de refaire le trajet vers l'hôpital, je me suis assise et j'ai pleuré. Le soir, j'ai emmené les enfants au temple. J'ai déposé bébé Sevenese sur le sol froid et placé les autres en rang devant moi. Nous avons prié ensemble.

— Ganesh, je vous supplie de ne pas nous abandonner, pas maintenant. Regardez-les ! Ils sont si innocents, si jeunes. Rendez-leur leur père, ai-je imploré.

Il n'y a pas eu d'autres nouvelles le lendemain. Ayah était toujours inconscient.

En regardant mes poignets, je me suis aperçue que quelqu'un avait enfilé les bracelets de verre du tourment et de la peur à mes poignets [1]. Ils attrapaient la lumière et scintillaient de loin. Distraite par leur tintement sourd, j'ai fait l'impensable. J'ai cessé de manger. J'avais oublié le petit être qui était en moi. Pendant quatre jours, j'ai affamé mon bébé innocent. Le cinquième jour, désorientée, je me suis réveillée sur mon banc ; j'avais mal dans tout le corps.

J'ai observé mes enfants prenant leur petit déjeuner préféré, une sorte de bouillie sucrée faite de racines violettes. Quand on a peur et qu'on est seule, le spectacle d'enfants en train de manger est déchirant. Ils mâchonnaient la bouche ouverte, la bouillie gluante et violette malaxée par leurs petites langues roses. Des bavures mauves tombaient sur la chemise blanche de Sevenese. Ils étaient si jeunes et si vulnérables. J'en étais malade. Le lendemain, j'allais avoir dix-neuf ans. Des larmes me picotaient les paupières, brouillant l'image de mes

---

1. Selon la tradition hindoue, une femme mariée porte des bracelets de verre, en général de couleur rouge. Elle ne les enlève que lors du décès de son mari.

enfants, leur joyeux gâchis et leurs petites dents blanches. J'ai compris que tous les rêves et les espoirs que j'avais si soigneusement nourris se mouraient. J'ai observé la chair de mes rêves se desquamer. C'était une vision effrayante. Lorsque j'ai détourné les yeux de cet horrible spectacle, j'ai vu mon destin ricaner dans un coin, mes rêves incorporels emprisonnés dans la malle en fer de la fatalité.

La peur a explosé et est devenue violence.

Je me suis précipitée vers l'autel de Ganesh. J'ai trempé un doigt tremblant dans le bol d'argent rempli de kum kum et ai dessiné un cercle rouge irrégulier qui recouvrait presque tout mon front.

— Regarde, regarde, ai-je crié à la représentation de Ganesh, j'ai encore un mari.

Il me fixait calmement. Aussi loin qu'il m'en souvienne, tous les dieux que j'avais priés me fixaient avec la même expression de satisfaction intérieure qu'ils arboraient depuis toujours. Et j'avais toujours pris ce demi-sourire pour une douce munificence. Les violentes émotions qui me traversaient ont réveillé ma rage.

— Prends-le donc, s'il le faut. Fais de moi une veuve le jour de mon anniversaire, ai-je lancé, pleine de défi.

La rage déformait ma voix, je tentais d'effacer le point rouge sur mon front.

— Vas-y, ai-je hurlé sauvagement, mais ne crois pas que je vais noyer mes enfants dans un puits ni baisser les bras et mourir. Je continuerai. Je les nourrirai et j'en ferai des hommes et des femmes dont tu seras fier. Alors vas-y. Prends cet homme inutile. Prends-le s'il le faut vraiment.

Au moment où ma bouche se refermait sur ces mots durs et ignobles, et je jure que c'est la vérité, quelqu'un m'a appelée de l'extérieur de la maison. À la porte se tenait une femme que j'avais connue au temple et qui faisait le ménage à l'hôpital. Elle était venue me dire que mon mari avait repris connaissance. Il avait demandé des nouvelles des enfants et de moi.

Je l'ai fixée, perplexe. Une messagère de Dieu ? Puis j'ai vu ses yeux passer rapidement sur le barbouillage rouge de mon front et je me suis rappelé que je ne m'étais pas lavée depuis trois jours.

— Permettez-moi de prendre une douche rapide, lui ai-je dit, le cœur battant à tout rompre.

Des hyènes se sont approchées de moi à pas feutrés, portant des guirlandes de fleurs dans leurs cruelles mâchoires. Dieu avait exaucé mes prières. Il m'avait entendue. J'étais étourdie de joie. Dieu m'avait simplement éprouvée ; il avait joué avec moi comme je le faisais avec les enfants.

Je me suis versé un seau d'eau froide sur la tête et, tout à coup, ma respiration s'est bloquée. Peut-être était-ce le choc de la fraîcheur sur mon corps affaibli ou le fait que je n'avais presque rien mangé depuis plusieurs jours : mes poumons se sont figés. Ils refusaient de laisser passer l'air. Mes genoux ont fléchi sous mon poids ; je me suis affaissée sur le sol mouillé, mes mains frappant contre la porte. La messagère de Dieu est accourue à mon secours. L'horreur se reflétait dans ses yeux. Une femme nue et au terme de sa grossesse, les lèvres bleuies, l'expression crispée, se tordait de douleur sur le sol d'une salle de bains. J'ai perdu toute vision claire des choses, mais je me souviens très distinctement que la bordure du sari vert citron de la messagère a viré au vert bouteille au moment où le tissu est entré en contact avec l'eau. Elle m'a soulevée avec difficulté, haletant sous l'effort. Mes bras mouillés glissaient de ses petites mains. Terrifiée à l'idée que j'allais mourir, je me suis appuyée contre les murs gris, suffoquant comme un poisson hors de l'eau, quand, de façon inexplicable, les muscles de ma poitrine se sont relâchés et les étroits cercles d'acier qui me comprimaient se sont desserrés. Peu à peu, j'ai pu prendre de petites inspirations. La messagère a couvert mon corps avec une serviette et, lentement, j'ai appris à respirer normalement comme tous les enfants de Dieu. Soudain, mes petits ont fondu sur moi en sanglotant et en poussant des cris.

Quelques jours plus tard, nous avons ramené mon mari à la maison. Puis, après quelques semaines, il a pris un pousse-pousse pour aller travailler. Les choses sont peu à peu rentrées dans l'ordre, excepté certaines nuits fraîches où ma respiration se faisait légèrement sifflante.

La naissance de Jeyan a été un grand choc. Il avait de petits yeux ternes dans un grand visage carré et des membres tristement malingres. J'ai embrassé doucement ses paupières humides comme la rosée, à demi fermées sur ses yeux minuscules ; j'espérais que tout se passerait pour le mieux tout en sachant déjà qu'il n'irait jamais bien loin. La vie le traiterait avec le même mépris qu'elle avait réservé à son pauvre père. J'ignorais alors que j'allais être l'instrument dont se servirait le destin pour tourmenter mon propre fils. Dieu a jugé bon de ne libérer dans sa tête que quelques mots, séparés de longs intervalles de silence. Il n'a parlé qu'à l'âge de trois ans. Il se déplaçait de la même façon qu'il pensait. Lentement. Il me rappelait mes beaux-fils que j'avais si bien réussi à oublier. Parfois, il m'arrivait de me demander avec un sentiment de culpabilité si le terrible choc que j'avais éprouvé dans la salle de bains ou les bracelets de verre qui m'avaient incitée à ne plus manger étaient responsables de son état.

Mohini le trouvait adorable. Elle berçait son corps inerte et sombre dans ses bras si clairs en lui disant qu'il avait la peau aussi belle que le bébé Krishna[1]. Il la fixait avec curiosité. Il était observateur. Comme un chat, il vous suivait des yeux tout autour de la pièce. Je me demandais ce qui se passait dans sa tête. À la différence de mes autres enfants, il refusait de sourire. Les chatouilles ne déclenchaient chez lui que les brefs glapissements de rire involontaire, et sourire est un art qui lui a échappé.

Huit mois après la naissance de Jeyan, Mui Tsai a eu un autre bébé. Le minuscule nouveau-né a pleuré jusqu'à devenir écarlate. C'est alors que la première épouse est venue le réclamer. Elle avait besoin d'un petit compagnon pour son premier enfant qui, en l'absence de frères et sœurs, devenait trop gâté et si turbulent qu'elle avait du mal à se faire obéir.

Décembre est arrivé, m'apportant non seulement ses habituelles pluies de mousson, mais aussi un nouveau bébé. Badom qui, une fois encore, m'avait aidée à accoucher, a fait preuve de rapidité et de sens pratique.

– Il vaut mieux manger moins de crevettes qui sont si chères et commencer à mettre de l'argent de côté pour la dot des filles, m'a-t-elle conseillé en faisant cliqueter les clefs attachées à la ceinture de son jupon.

Ma pauvre fille avait la couleur et la texture du chocolat amer. Même tout bébé, Lalita était particulièrement laide. Les dieux devenaient négligents dans l'attribution de leurs dons. Tout d'abord pour Jeyan et maintenant avec cette petite qui me

---

1. Selon la mythologie hindoue, le dieu Krishna (nom qui signifie « noir » en sanskrit) est le plus souvent représenté avec une peau bleu foncé ou noire.

regardait de ses yeux chagrins et décolorés de vieille femme comme pour dire : « Ah, pauvre idiote, si seulement tu savais ce que je sais. » Comme si ma Lalita avait déjà la certitude que le malheur s'abattrait sur son visage plat.

J'ai décidé que ma nichée était au complet. La coupe était pleine. Plus de moments d'inadvertance. Les mois n'ont pas contribué à étoffer Lalita. Ses membres, maigres jusqu'à l'émaciation, dessinaient de paisibles moulinets autour de son corps. Elle était aussi calme que son père. Son affection ne se manifestait jamais avec exubérance, mais je pense qu'elle aimait tendrement Ayah. Elle voyait dans les yeux de son père le pardon inconditionnel de toutes ses imperfections. D'une exceptionnelle timidité, il était impossible de la provoquer ; elle vivait dans son propre monde de fantasmagories. Elle passait des heures dans le petit potager à retourner des feuilles et des pierres, à scruter ce qu'il y avait dessous et à chuchoter des secrets aux choses imperceptibles qu'elle découvrait là. Lorsqu'elle a grandi et que ses amies invisibles l'ont désertée, la vie s'est montrée très ingrate envers elle. Elle a supporté tout ce qu'elle lui infligeait sans protester. Oui, sans un murmure.

Quand Jeyan a eu un an et demi, las de ramper, il a voulu se redresser, mais ses jambes maigres étaient trop faibles pour soutenir son poids. Maman m'a conseillé de creuser un trou dans le sable et de l'y maintenir debout. Ainsi enterrées, ses jambes s'affermiraient et se fortifieraient. J'ai creusé un trou d'environ quarante-cinq centimètres juste devant la fenêtre de la cuisine de façon à pouvoir garder un œil sur lui pendant que je préparais la cuisine. Le matin, je le mettais dans la cavité que j'avais aménagée et l'y laissais des heures d'affilée. Mohini venait souvent s'asseoir à ses côtés pour lui tenir compagnie. Peu à peu, ses jambes ont pris des forces, et, un jour, il a pu se tenir sur ses deux pieds.

Quand Lakshmnan et Mohini ont eu six ans, ils ont commencé à aller à l'école. Le matin, ils allaient à l'école publique où ils apprenaient l'anglais, et l'après-midi dans un autre établissement où on leur enseignait à lire et à écrire le tamoul. Lakshmnan devait porter des culottes bleu marine et une chemise blanche à manches courtes ; Mohini une robe chasuble bleu foncé sur un corsage blanc. Des chaussettes et des chaussures en toile blanche complétaient l'ensemble. Main dans la main, ils marchaient à mes côtés. À les voir, ainsi, fébriles et excités, mon cœur se gonflait de fierté. Première journée d'école. Premier jour pour moi aussi. Je n'y étais jamais allée ; j'étais si heureuse de donner à mes enfants ce que je n'avais pas eu. Nous sommes partis de bonne heure et avons fait un détour par le temple. Dans la fraîcheur du matin, nous avons déposé les livres de classe sur le sol près de l'autel afin qu'ils soient bénis, Lakshmnan a fait sonner la cloche et j'ai cassé une noix de coco pour invoquer les bénédictions du dieu.

J'avais vingt-six ans et Lalita quatre ans, quand est arrivée une carte envoyée par mon oncle, le négociant de mangues. Sa fille allait se marier et nous étions tous invités au mariage. Mon mari avait épuisé tous ses jours de congé et ne pouvait donc pas venir. J'ai emporté mes plus beaux saris, mes bijoux, mes sandales aux perles de verre dorées, mes enfants et leurs plus jolis habits.

La même voiture noire et rutilante qui était venue nous prendre, Ayah et moi, au port de Penang est venue nous chercher. Mais Bilal avait pris sa retraite. Le nouveau chauffeur, vêtu d'un uniforme kaki, a souri de toutes ses dents, a porté la main à sa casquette en signe de salutation, et a enfourné nos sacs dans le coffre de la voiture. Avec un sentiment de nostalgie, je suis montée à l'intérieur du véhicule, capitonné de cuir. J'étais enfant à mon arrivée et, maintenant, les petits corps débordants de papotages excités que j'avais conçus dans mon ventre se frottaient et se cognaient contre moi. Dans la fraîcheur de l'air matinal, le passé a brièvement miroité. Je me souvenais de la femme aux pieds déformés et de la procession de dulang-washers comme si une vie s'était écoulée. Comme mon existence avait changé ! À quel point les dieux s'étaient-ils montrés généreux à mon égard ? À l'extérieur de la fragile bulle de mes pensées, les enfants se querellaient, se disputant pour s'asseoir près de la fenêtre. Ma main s'est machinalement élevée pour repousser d'une chiquenaude les doigts de Sevenese qui pinçaient la peau foncée de Jeyan.

Anna a été très malade en voiture et Lakshmnan, royalement installé sur le siège avant, la fenêtre baissée et le vent balayant ses cheveux bouclés, se tortillait, en proie à un mélange de curiosité et de répugnance. Dans le rétroviseur avant, j'ai surpris les yeux du chauffeur posés sur Mohini ; la contrariété m'a fait sursauter. Je devais la marier au plus vite. La responsabilité d'une très belle fille pèse lourdement sur la tête des parents. Elle n'avait que dix ans et elle attirait déjà trop de regards adultes. Parfois, lors de mes nombreuses nuits sans sommeil, je me réveillais, préoccupée par ce souci. Il y avait dans ma cuisine des esprits amicaux qui murmuraient la prudence à mon oreille. J'aurais dû les écouter. Faire davantage attention. Laisser dorer sa peau blanche au soleil. Porter de mes propres mains la lame de rasoir de son père sur son fin visage.

Une vraie surprise m'attendait à la résidence de mon oncle. Il vivait sur une colline – les collines étaient généralement réservées aux Européens – et il habitait dans une immense maison de deux étages aux pièces majestueuses, aux vérandas soutenues par des colonnes et au toit couronné d'un impressionnant fronton. Elle avait été bâtie, m'a expliqué plus tard mon oncle avec fierté, dans le style Régence anglais de John Nash. Je l'écoutais avec la crainte révérencieuse d'une paysanne tandis qu'il m'apprenait avec emphase que les lignes architecturales du style palladien anglo-indien de sa maison étaient associées à l'humanisme, aux idéaux de rang, de prestige et d'élégance.

La troisième surprise, totalement inattendue, a été le sentiment que ma tante, que je n'avais jusqu'à ce jour jamais vue, me détestait. Je l'ai senti à son sourire dès qu'elle a ouvert la porte. J'en suis restée bouche bée, cependant cette impression s'est dissipée quand mon oncle s'est avancé pour me serrer très fort dans ses bras. Il a regardé Mohini avec une admiration stupéfaite et secoué la tête de droite à gauche en signe d'approbation devant la haute taille et la robustesse de Lakshmnan. Mais c'est Anna qui l'a fait pleurer quand elle a solennellement levé les yeux pour le regarder. Anna était petite pour son âge. Elle avait des yeux qui vous suppliaient de la prendre dans vos bras, et des joues comme des pommes qui vous donnaient envie de mordre dedans.

– Regarde-moi ce visage, s'est-il exclamé en la soulevant et en lui pinçant les joues. C'est l'image vivante de ma mère !

Il a essuyé les larmes aux coins de ses yeux. Puis il s'est agenouillé sur le sol, a embrassé Jeyan et Sevenese et nous a priés d'entrer. Il n'a pas eu d'autre choix que d'ignorer Lalita qui, dans un moment de timidité aiguë, s'était cachée dans les plis de mon sari.

Le sol en pierre, les larges vérandas et les profonds auvents s'harmonisaient parfaitement pour créer un intérieur d'une merveilleuse fraîcheur. En regardant autour de moi, impressionnée par l'opulence de la pièce, mes yeux se sont posés sur des objets luxueux provenant du monde entier. Magnifiques figurines de jade dans des vitrines en verre, somptueux mobilier anglais, superbes tapis persans, splendides miroirs français aux cadres dorés et fauteuils recouverts de brocart. Ce lieu ressemblait à un repaire de voleur. En fait, mon humble oncle était très riche. J'ai alors pris conscience qu'il n'était pas un modeste négociant en mangues ; j'ai découvert plus tard qu'il s'était lancé dans le commerce de l'étain et du caoutchouc. Ce qui expliquait les nombreux camions à l'extérieur de sa maison.

Ma tante nous a montré une grande pièce avec une porte aux volets fermés qui ouvrait sur un balcon. Celui-ci surplombait un très coquet petit village minangkabau[1]. Malgré la défiance que m'inspirait ma tante, j'étais tout excitée à l'idée de notre séjour et du somptueux mariage qui allait se dérouler. On avait invité cinq cents personnes et la salle de réception de la municipalité avait été retenue pour l'occasion. Depuis deux jours, se déroulaient des préparatifs de grande envergure. Quand nous nous sommes aventurés enfin dans les cuisines, vingt et un gâteaux et d'innombrables sucreries étaient disposés sur de grands plateaux alignés le long d'un mur. Une assemblée de femmes en sari bavardaient en découpant la pâte de biscuits et de sablés qu'elles faisaient revenir. Dans de grands chaudrons en fer, toutes sortes de currys aux légumes cuisaient à petit feu. J'ai baissé les yeux sur mes ouailles et ai été épouvantée de voir les petites mains rondouillettes de Sevenese qui enfournaient à toute vitesse des douzaines de minuscules sucreries rondes.

Le lendemain, j'ai revêtu mes enfants de leurs nouveaux vêtements, satisfaite de constater que toutes ces heures volées à la nuit, passées à couper et à coudre d'invisibles et minuscules points, avaient abouti à un tel résultat. Ce n'était pas souvent que je voyais mes enfants si bien habillés. Mes trois filles portaient la même tenue vert et or. Anna avait l'air adorable et Lalita mignonne, mais Mohini était une splendide sirène aux yeux lumineux et pétillants. Lorsque nous avons descendu les escaliers, j'ai surpris un frémissement de rage et de froide jalousie sur le visage fardé de ma tante ; j'ai éprouvé une fierté perverse à l'idée que mes enfants chatoyants, innocents, aient un tel pouvoir.

---

1. Ethnie venue de l'ouest de Sumatra et principalement établie dans la province de Negri Sembilan.

Ça a été un moment grandiose, un extraordinaire déploiement de richesse. L'immense sol de la mairie avait été décoré des traditionnels *kolum* aux motifs complexes que des femmes avaient soigneusement dessinés à l'aide d'un mélange d'une fine farine de riz et d'eau. Sous un plafond où étaient accrochées des centaines de feuilles de noix de coco jaune pâle, tressées de manière à former une gracieuse natte, et des guirlandes de feuilles de manguier qui ondulaient comme autant de petits drapeaux verts, les femmes, vêtues de coûteux saris de soie brodés de fils d'or, étaient assises en groupes colorés et bavardaient malgré le tintamarre des tambours et la fanfare des trompettes. Cinquante bananiers chargés de fruits verts se dressaient de part et d'autre de l'allée que la jeune mariée allait emprunter. Beau et fier, le fiancé se tenait à l'extrémité du passage. Lorsque la timide mariée est arrivée à la porte de la mairie, elle étincelait comme une déesse portée en procession lors d'un jour de fête. Que son père fût riche ne faisait aucun doute. Des chaînes ruisselaient de son front, pendaient en lourdes tresses d'or autour de son cou et se hérissaient de pierres étincelantes qui enserraient sa taille. Le jeune marié était assis, juché sur une estrade, l'air important et content de lui-même.

Après l'échange des anneaux et des guirlandes et une fois noué le *thali*, la lourde chaîne d'or, les préparatifs du grand festin ont commencé à l'autre bout de la salle. Des gamins portant des piles de feuilles de bananier ont eu tôt fait de former sur le sol de la grande salle de longues rangées de feuillage vert. Les invités se sont nonchalamment engagés dans ces allées et se sont assis par terre, jambes croisées, chacun devant une feuille de bananier. Quand tous les hôtes ont été assis, dos à dos, les serveurs sont arrivés avec de grands seaux en aluminium débordants de nourriture qu'ils ont distribuée à la louche dans les feuilles de bananier. Le vacarme des voix humaines a diminué et, bientôt, nous n'avons plus entendu que des bruits de mastication. Nous avions le choix entre du riz jaune, du riz blanc et une grande variété de plats végétariens. Ensuite, il y a eu une sorte de bouillie sucrée, des *kaseri* et des *ladhu*[1].

Sous une tente verte à l'extérieur de la grande salle, on avait dressé une table spéciale recouverte d'une nappe blanche, de fleurs et d'assiettes, où ont pris place les invités européens qui

---

1. Friandises à base de miel, de lait et de sucre de palme.

arboraient tous la même expression de bienveillance royale mais inaccessible. Je les ai observés attentivement. Ils donnaient l'impression d'être une race orgueilleuse dont la présence constituait une faveur. Voire un acte de charité. Ils mangeaient avec des couteaux et de petits instruments en forme de fourche. C'était fascinant de les regarder.

On a jeté de nombreux regards obliques sur Mohini, certains admiratifs, d'autres envieux, d'autres encore spéculatifs, lourds de projets pour des fils en passe de se marier. Ça a été une journée passionnante, pleine de pompe et de magnificence. Malheureusement, en fin d'après-midi, Mohini est tombée malade. Nous nous sommes précipités dans la voiture de mon oncle, mais avant même d'arriver chez lui, elle était brûlante de fièvre et des crampes d'estomac la faisaient gémir.

Mon oncle a voulu appeler un médecin, toutefois ma tante, toujours aussi implacable, a fait claquer sa langue en signe d'irritation, puis a envoyé une servante chercher de l'huile de *margosa*[1]. Menachi était une vieille femme ratatinée, aux épaules étroites et aux membres squelettiques. Ses yeux noirs bordés d'épais cils parfaitement recourbés étaient tout ce qui restait de sa beauté. J'ai toujours aimé scruter le visage des personnes très âgées, et le sien était exceptionnel. Un livre qui racontait une multitude d'histoires. Ses rides : des pages fascinantes à tourner. Elle se tenait sur la pointe des pieds pour verser l'huile de margosa dans la bouche de Mohini car elle avait presque la même taille que ma fille.

— Elle sera fraîche comme une rose demain matin, a déclaré ma tante.

Les cils démesurés de la vieille femme se sont abaissés vers le sol en signe de soumission, mais, dès que la silhouette enveloppée de pourpre et d'or a quitté la pièce en se dandinant, la vieille femme s'est glissée vers moi.

— C'est le mauvais œil, ce n'est pas une indigestion, a-t-elle dit d'un air farouche.

Elle m'a expliqué que trop de gens avaient posé leur regard sur la beauté de ma fille en nourrissant des pensées envieuses, et celles-ci avaient fini par l'affecter. Ses yeux profonds enfoncés dans leurs orbites me pressaient de la croire. Ses cils soyeux ont battu quand elle a ajouté que le regard de cer-

---

1. Huile extraite du fruit de l'arbre neem et qui a de nombreuses propriétés médicinales.

taines personnes était si démoniaque qu'il pouvait tuer sur-le-champ. Si elles admiraient une plante, le lendemain celle-ci se flétrissait, puis mourait. Elle avait déjà vu ça.

Comme une serre, sa main s'est emparée de mon poignet. Il était vrai que, pour écarter le mauvais œil, les gens apposaient un point noir sur le visage de leur bébé afin de déparer sa parfaite beauté et de le protéger des regards envieux. Mais Mohini n'était plus un bébé. Confondue, j'ai regardé la vieille femme.

– Que dois-je faire ?

Elle est sortie devant la maison et a ramassé une petite motte de terre. Puis elle s'est éloignée et a recueilli deux nouvelles mottes de terre. Chaque fois qu'elle en arrachait une, elle marmonnait une prière à voix basse. De retour dans la chambre, elle a malaxé les trois mottes et y a ajouté du sel et quelques piments séchés. Puis elle a tenu le mélange dans ses paumes ouvertes en corolle et demandé à Mohini de cracher trois fois dedans. Mohini, que l'huile de margosa n'avait pas guérie, se tenait le ventre.

– Que ces yeux-ci, ces yeux-là, et les yeux de tout ceux qui se sont posés sur cette jeune fille soient consumés par le feu, a psalmodié la vieille femme en mettant le feu à sa mixture.

Nous avons fait cercle autour d'elle et regardé la préparation s'enflammer. Les piments et le sel ont émis un sifflement et crépité avant de brûler en dégageant une flamme bleu-clair. Quand le feu s'est éteint, la vieille femme s'est tournée vers Mohini et lui a demandé simplement :

– Comment te sens-tu ?

À ma grande surprise, Mohini n'avait plus de douleur ni de fièvre. Pleine de gratitude, j'ai remercié la petite vieille qui a secoué la tête avec modestie.

– Votre fille est une reine. Ne laissez pas trop de regards indiscrets se poser sur elle, a-t-elle conseillé en passant avec déférence sa main ridée sur les épais cheveux brillants de Mohini.

On était le 13 décembre 1941, j'étais en train de préparer les bagages pour rentrer à la maison quand mon oncle, en proie à une intense panique, est entré en courant dans notre chambre. D'une voix bouleversée, il m'a dit que les Japonais avaient envahi la Malaisie. Alors que nous festoyions, ils avaient bombardé les Américains à Pearl Harbor et débarqué à Penang. Il semblait que ces grands gaillards de soldats anglais que l'on imaginait invincibles avaient fui, nous abandonnant à un sort incertain. Un torrent de postillons s'échappait de sa bouche au fur et à mesure que mon oncle décrivait la foule qui s'était rassemblée sur la place du marché de Penang comme un troupeau d'animaux. Les gens avaient levé les yeux vers les oiseaux métalliques et regardé avec une crainte innocente ces bêtes étincelantes lâcher leurs bombes sur leurs visages tournés vers le ciel. Ils les avaient observés sans la moindre méfiance, croyant que ces avions étaient ceux des puissants Britanniques venus à leur rescousse. Et enfin, leurs visages éperdus, affolés alors qu'ils ramassaient parmi les ruines les membres tranchés, écrasés des victimes.

La guerre. Qu'est-ce que cela signifiait pour ma famille ? Sur le visage terrifié et luisant de sueur de mon oncle, j'ai lu toutes les horribles réponses à ma question.

— Ils ne vont pas tarder à arriver ici. Il faut commencer à cacher le riz et toutes les choses précieuses...

Nous avons entendu un rugissement dans le ciel. Ce n'était qu'un avion qui volait à basse altitude, mais mon oncle a sursauté et dit d'une voix blanche, chargée d'un lourd pressentiment :

— Ils sont là.

Les routes étaient bloquées. Voyager était impossible. Les enfants et moi devions rester.

La maison était belle, il y avait toujours une excellente nourriture à table, mais j'étais l'invitée indésirable de ma tante. Mon oncle n'était presque jamais là, courant d'une réunion à l'autre pour rencontrer ses confrères qui risquaient de subir de lourdes pertes. Pendant deux semaines, ma tante a nourri silencieusement la mystérieuse haine qu'elle me portait. Ignorer la cause de cette hostilité me rendait impuissante. Un jour pourtant, alors que je pénétrais dans la cuisine, j'ai aperçu le coup d'œil qu'elle m'a jeté avant de se retourner et de faire remarquer à l'une de ses servantes :

— Certaines personnes prétendent vous rendre visite pendant deux jours et finissent tranquillement par rester des mois.

J'avais déjà fait mes valises quand nous avions appris que les routes étaient bloquées et que personne ne pouvait plus voyager. Elle le savait. Elle avait vu les bagages. Je n'avais pas prévu l'invasion japonaise. J'ai décidé de l'affronter.

Je me suis avancée vers elle.

– Pourquoi me détestez-vous à ce point ? ai-je calmement demandé.

– Parce que tu as emprunté de l'argent à mon mari et que tu n'as pas payé d'intérêts, a-t-elle sifflé avec haine en approchant son visage moite tout près du mien.

Si près que j'ai vu les pores de sa peau, le mécontentement réprimé dans le rictus de ses lèvres et que j'ai senti l'odeur de l'avarice.

Ma bouche s'est ouverte puis refermée. J'étais abasourdie. Mes yeux incrédules se sont détournés de son visage ordinaire que le hérissement de la colère rendait grotesque. Loin de sa bouche avide, d'un rouge cerise incongru, loin de ses yeux furieux maquillés de bleu canard. La chaleur m'est montée au visage comme si elle m'avait surprise en train de voler l'un de ces trésors cadenassés dans les vitrines. Mes yeux qui roulaient de fureur dans leurs orbites se sont posés sur une statue en bois, grandeur nature, d'une danseuse balinaise. Les traits délicats de son visage souriant étaient magnifiquement sculptés dans une ébène robuste, sa coiffe de joyaux très élaborée ravissait l'œil et témoignait du talent du sculpteur. Je songeais aux nombreux camions garés sur le côté de la maison et aux sacs de riz empilés les uns sur les autres, jusqu'à atteindre le haut plafond de la maison palladienne.

Comment cette femme pouvait-elle vivre dans cette splendide demeure regorgeant de richesses dont la plupart des gens ne font que rêver, être servie par une domesticité qui était aux petits soins pour elle et rester uniquement préoccupée par quelque chose d'aussi mesquin que l'intérêt d'un prêt fait de nombreuses années auparavant à une parente en difficulté ? Jusqu'où peut aller l'avarice de l'âme humaine ?

– J'avais proposé à votre mari de payer un intérêt, mais il a refusé, ai-je finalement répondu.

La chaleur de mes joues a diminué. J'ai éprouvé une colère froide mêlée d'une grande tristesse pour mon oncle. Je n'aurais souhaité à personne de vivre avec une telle créature, et surtout pas à mon oncle préféré. J'ai décidé de partir le jour même, quitte à faire toute la route à pied jusqu'à Kuantan en portant mes enfants sur le dos. Peut-être n'était-ce pas qu'une affaire d'argent ? Peut-être ma tante jalousait-elle l'affection évidente et authentique que nourrissait mon oncle pour mes enfants et moi ? Mais j'étais très fière à cette époque. Je savais que je ne resterais pas un moment de plus qu'il n'était nécessaire pour organiser le voyage de retour. Quand mon oncle est rentré, je lui ai fait part de ma décision. Aucun de ses arguments n'a réussi à me faire changer d'avis et, à contrecœur, il a pris des dispositions pour que nous repartions par bateau. Cela signifiait un périple long et difficile, peut-être même dangereux, pourtant je suis restée inflexible. Mes lèvres s'étaient serrées en un pli mince.

Les enfants ont poussé des cris de joie, incapables de refréner leur excitation à la perspective d'une traversée en bateau. Ils ont imaginé des histoires de tigres rugissants et d'éléphants domptés qui nous sauvaient grâce à la force de leur trompe. Mes lèvres pincées n'ont pas atténué leur enthousiasme. Lorsque nous sommes partis, la femme de mon oncle n'est même pas sortie pour nous dire au revoir et je n'ai eu de ses nouvelles qu'après que les Japonais eurent emporté tous les beaux objets que contenait sa maison. À cette époque-là, mon oncle avait perdu toute sa fortune. Il avait trop investi dans le caoutchouc dont le prix s'était effondré. Réduite à la misère, ma tante m'a écrit pour me réclamer les intérêts. Je lui ai envoyé l'argent immédiatement.

Menachi est sortie de la maison pour nous remettre un insecticide qu'elle avait préparé, à base de bouse de vache brûlée. J'ai saupoudré les enfants de cette cendre grise et nous nous sommes mis en route, accompagnés d'un homme dont mon oncle avait loué les services.

Le voyage a commencé à l'orée fétide et moisie d'une forêt.

Ce n'était pas l'endroit romantique que j'avais imaginé. Tout autour de nous, dans l'obscurité verte et oppressante, des choses s'enroulaient, s'étendaient, surgissaient. Des lianes pendaient, épaisses et enchevêtrées, frôlant mes épaules avec insistance comme si elles n'aspiraient qu'à planter leurs petits drageons pointus dans ma peau. Après tout, le sang est le meilleur des engrais.

Comme les colonnes de la maison de mon oncle, les troncs des arbres s'élançaient lisses et droits sur plus d'une trentaine de mètres sans donner naissance à une seule branche, jusqu'à ce qu'ils atteignent l'air et la lumière. Là, ils s'épanouissaient dans les cieux.

Nous avons entendu un profond rugissement. La jungle jouait avec le son ; elle le canalisait au cœur de son enchevêtrement de lianes et de plantes rampantes, jusqu'à ce que, parvenu à nos oreilles, il devienne assourdissant. Le guide a affirmé que c'était le rugissement d'un tigre ; un frisson de peur a traversé la file des enfants comme une rafale de vent parcourt un champ d'herbes à éléphant. Notre sursaut de terreur a amusé l'homme qui a fini par nous rassurer : le tigre était trop loin pour que l'on s'inquiète réellement. Il n'a pas forcé l'allure et, lentement, notre peur de voir des rayures orange et noires se faufiler tel un éclair dans la végétation a diminué d'intensité.

L'air humide plaquait les vêtements contre notre peau et pénétrait profondément dans nos gorges. Nous avions l'impression d'inhaler de la vapeur. Fatigués, nous avancions péniblement dans la senteur puissante de la terre et des feuilles en décomposition. Les moustiques geignaient tristement comme un écho foisonnant à l'extérieur du cercle odorant de l'insecticide de Menachi. De temps à autre, le guide tailladait une branche ou une liane. Hormis cela, nous avons progressé sans encombre.

Nous sommes arrivés bientôt sur la berge où nous attendait notre bateau. Le fleuve était large et le courant rapide. J'ai prié Ganesh, le dieu qui écarte les obstacles, avec ferveur :

– Que le fleuve n'emporte aucun de nous. Dieu-Éléphant que nous aimons, conduisez-nous sains et saufs à la maison.

Puis nous sommes montés à bord avec circonspection.

Notre batelier était un aborigène. Il avait des traits puissants et irréguliers ; sa tête était recouverte de petites boucles d'un châtain miellé. Une vie passée au soleil avait brûlé sa peau, lui donnant une teinte acajou foncé. Assis, immobile, il semblait participer de ce bateau ; il dirigeait le vieil esquif bruyant comme s'il était une extension de lui-même. Son corps était maigre et d'apparence misérable, mais l'homme avait un tempérament égal et plein de bonne humeur. À un moment, alors qu'il essayait d'attraper et de couper un gros régime de bananes presque mûres qui pendait au bord du fleuve, l'embarcation s'est immobilisée dans une boue gluante. Après avoir déposé les fruits jaunissants au fond de la cale, l'homme s'est glissé dans la vase jusqu'à la poitrine et a poussé le bateau afin de le dégager. Puis il a sauté dedans aussi lestement qu'un dauphin, et nous a adressé un large sourire qui a découvert ses gencives pourpres.

Il était le dépositaire de nombreuses histoires extraordinaires. Dans l'une d'elles, il était question d'une ancienne ville khmère enfouie dans les profondeurs du lac Cini, en amont, sous des couches de limon. Il a évoqué d'une voix mélodieuse la légende de ces habitants khmers qui avaient inondé leur ville pour repousser une attaque, mais qui avaient péri au cours de la dernière bataille, laissant leur cité disparaître peu à peu, ensevelie.

De ses lèvres épaisses et caoutchouteuses le batelier nous a raconté la mystérieuse légende d'un monstre vivant au fond du lac Cini. Doté d'une tête surmontée de cornes aussi grosses que celle d'un rhinocéros, il avait un corps gigantesque dont les ondulations faisaient naître des vagues qui renversaient les bateaux comme un rien. Le monstre aurait remonté le fleuve Cini pour se jeter dans le Pahang, suivant la route fluviale que nous empruntions. Nous étions médusés, mais plus tard, lorsque nous avons pénétré dans les eaux agitées, les enfants ont hurlé d'une peur bien réelle, convaincus que le monstre se trouvait sous l'embarcation et qu'il tentait de s'assurer un repas.

Plus tard, un oiseau d'un orange iridescent, d'une étonnante beauté, s'est posé sur une branche en surplomb et a contemplé son reflet dans l'eau. Nous avons dépassé un arbre immense aux branches majestueuses sur lesquelles gambadaient une bande de singes gris-brun, pas plus gros qu'un rat. Le batelier a coupé le moteur. Un autre silence a répondu à ce brusque silence. Ils se sont figés, nous observant en train de les observer, leurs innombrables petits yeux luisant comme du marbre mouillé. Puis, dans un clapotement sourd, l'un d'eux s'est laissé glisser dans l'eau et s'est mis à nager vers nous. D'autres ont suivi ; multiples clapotements sourds. L'eau n'a pas tardé à grouiller de ces petites créatures.

Les enfants étaient muets de fascination et de peur secrète. Les singes allaient-ils les mordre ? Allaient-ils voler, griffer ? J'ai jeté un regard inquiet au batelier qui m'a rassurée d'un sourire. Il avait manifestement fait cela auparavant. Il a sorti un petit couteau de sa poche et détaché une grappe du régime de bananes, en recouvrant promptement le reste des fruits d'un sac brun. Il a tendu une banane à chaque enfant.

Le premier singe à atteindre le gouvernail était sans doute le chef de la tribu. Ses poils collaient à son petit corps agile. Ses gros yeux ronds nous ont scrutés rapidement et avec intérêt. Il était tellement mignon ! De minuscules pattes noires sont sorties de l'eau pour saisir la banane que tendait Lakshmnan, et l'ont épluchée avec une dextérité étonnante, avant de jeter la peau dans l'eau. Pendant un moment, l'épluchure qui s'enfonçait a ressemblé à une pâle fleur jaune. En trois bouchées, le fruit a disparu dans la petite gueule qui la mâchonnait à toute vitesse. Le singe a allongé sa patte pour réclamer davantage tandis que ses yeux ronds et rusés ne quittaient pas nos visages. Mohini a tendu sa banane et un autre animal tout près d'elle s'en est emparé immédiatement. Ils ont tous commencé à monter dans le bateau. Il n'y a eu bientôt plus de bananes visibles à bord. Mouillés et curieux, ils se sont mis à bavarder et à se quereller tout en s'installant sur le gouvernail. Leurs adorables petites têtes considéraient nos mains vides avec voracité. Je suis sûre d'avoir décelé une certaine spéculation dans le regard du chef de bande. Comme s'il savait qu'il y en avait davantage sous le sac. D'autres singes ont traversé à la nage, par petits groupes, formant des taches brunes. Dans l'eau, ils étaient silencieux et rapides. Et, soudain, ils semblaient être des centaines à s'approcher du bateau. Ces petites créatures soyeuses et inoffensives m'ont fait alors l'effet d'une épidémie de peste qui se répandait. Et moi, j'étais une mère accompagnée d'enfants en bas âge qui ne savaient pas nager.

— Allons-nous-en ! ai-je crié au batelier.

Sans crainte ni hâte, il a remis le moteur en marche et toutes les petites créatures sont tombées avec un ensemble plein de grâce dans l'eau violacée. Nous les avons observées qui regagnaient la terre à la nage. Elles n'ont pas tardé à disparaître de notre vue, cachées par le feuillage vert, pour réapparaître comme des fleurs brunes sur les larges branches des arbres immenses. J'ai compris alors la nature inoffensive de ces beaux singes et je me suis sentie privilégiée de les avoir vus.

Plus d'un kilomètre après les avoir quittés, le fleuve s'élargissait soudain en une vaste avenue de lianes en pleine floraison. Ces plantes drapées de fleurs s'épanchaient sur les arbres denses qui s'arc-boutaient au-dessus du fleuve et descendaient jusqu'à la surface de l'eau. Partout, dérangés par notre présence, de merveilleux papillons orange et noir, aux ailes frangées, prenaient leur envol dans un nuage de couleurs féeriques.

Le voyage s'est enfin achevé.

Kuantan était étrangement silencieuse. La guerre était arrivée. Ayah se tenait sur le seuil de la porte, les mains dans les poches de son pantalon. À son visage nerveux, j'ai su qu'il était arrivé quelque chose.

— Qu'est-ce qui se passe ? ai-je demandé en me détachant de Lalita qui s'agrippait à mon cou comme un petit babouin. Je l'ai posée à terre.

— La maison a été pillée, a-t-il dit d'une voix sombre.

Je suis passée devant lui et j'ai pénétré à l'intérieur. Il ne restait plus rien. Les casseroles, les poêles, les vêtements, les tables, les chaises, l'argent, les lits des enfants, y compris leurs vieux matelas rembourrés, les motifs de fleurs encadrés que j'avais passés des nuits à broder : tout était parti. Jusqu'aux rideaux usés que je voulais remplacer. Il ne nous restait plus que ce que j'avais emporté pour le mariage. Dieu merci, j'avais pris tous mes bijoux, mes quatre plus beaux saris et les meilleurs vêtements des enfants. Notre maison avait été complètement dépouillée à l'exception de notre lit en fer et de mon banc, trop difficiles à transporter.

Ce n'étaient pas les soldats japonais qui étaient responsables. Non, ils étaient venus un peu plus tard et avaient soigneusement sélectionné ce qu'ils avaient pris dans les autres maisons puisque celle-ci était déjà vide. C'étaient les conducteurs de pousse-pousse qui vivaient de l'autre côté de la grande route. Une colonie indienne de travailleurs très pauvres amenés d'Inde pour exécuter les travaux les plus durs : poser les rails de chemin de fer, recueillir le caoutchouc des arbres. En Inde, ils étaient intouchables ou appartenaient aux plus basses castes : celles des chrétiens convertis. Au fil des années, de nos regards désapprobateurs, protégés par le masque de la supériorité, nous les avions regardés s'enivrer, jurer et pester, battre régulièrement leurs femmes, et, au moins une fois par an, produire un nouveau petit voyou aux pieds nus qui faisait intrusion dans notre monde irréprochable et sûr. Ils venaient de prendre leur revanche. Ils avaient dû observer notre maison et remarquer qu'Ayah travaillait à l'extérieur toute la journée ; ils s'étaient donc servis. Mes économies étaient enterrées dehors dans une boîte en fer ; je me suis précipitée. Pour constater avec soulagement que le sol n'avait pas été retourné.

Anna

Des souvenirs ? Oui, j'en ai. Mais ils sont précieux et lointains, comme des papillons. De minuscules et magiques parcelles de poudre colorée, aérienne, avec lesquelles avait joué l'étrange enfant du temps. Personne n'ose lui dire : « N'y touche pas sinon la poudre de leurs ailes s'évanouira et ils disparaîtront pour ne plus jamais voler. »

J'ai des souvenirs d'événements particuliers qui, à mon sens, n'ont pas pu se produire. Peut-être ai-je rêvé, mais dans le réceptacle de ma mémoire, j'ai gardé l'image claire de moi-même en train de téter, pelotonnée dans le giron de Mui Tsai. Des larmes ruissellent sur son visage triste et tombent sur mes cheveux. Bien sûr, cela n'est jamais arrivé, pourtant la précision de cette image m'a souvent laissée perplexe.

Le papillon qui a les plus grandes ailes et les meilleures, je l'appelle Maman. Quand j'étais petite, elle était la grande lumière de notre maison. Sans aucun doute, la plus puissante influence sur nos vies. Dès l'instant où, de retour de l'école, je pénétrais dans la maison, je la sentais dans l'air. Je la humais dans la nourriture qu'elle avait préparée, je la voyais dans les fenêtres qu'elle avait ouvertes et je l'entendais dans les anciennes et douces chansons tamoules qu'elle écoutait à la radio. Avant que je n'atteigne l'âge d'aller à l'école, je la suivais silencieusement dans toute la maison, inquiète devant ce dos sans cesse en mouvement. Le matin, dès que Papa était parti, elle tripotait le plus gros bouton de la radio, faisant avancer la petite aiguille rouge sur le cadran d'un jaune terne. En se déplaçant, celle-ci faisait des bruits sinistres et désespérés, cisaillait les voix qu'elle rencontrait au passage, jusqu'à ce que Maman l'arrête au bon endroit et qu'une musique heureuse et des voix suaves remplissent la pièce. Alors seulement, elle commençait les infinies tâches domestiques.

Je n'oublierai jamais l'époque où elle est partie deux jours pour rendre visite à une amie. C'était comme si elle avait emporté avec elle l'essence même de notre famille. Dans le soleil de l'après-midi, la maison était vide et désertée. De retour de l'école, je suis restée sur le seuil de la porte et j'ai su alors ce que j'éprouverais si elle mourait soudainement. Comme un coup porté à mon ventre, j'ai compris que ses mains fortes et pleines d'assurance étaient à elles seules l'amour, le rire, les beaux vêtements, les compliments, la nourriture, l'argent et le pouvoir d'aviver l'éclat du soleil dans nos vies. Cependant, après ce terrible événement, si sa puissante volonté s'est élevée, ce n'a pas été pour apporter des cieux lumineux et des journées ensoleillées, mais des nuages sombres, des orages bleus et des tempêtes de colère.

La vérité est qu'elle occupait le centre, tel un gigantesque chêne, et que nous tournions en silence autour de ses branches majestueuses, comme les figurines peintes d'un manège hanté. Nous tous. Papa, Lakshmnan, Mohini, Sevenese, Jeyan, Lalita et moi. Toutes les décisions, majeures ou insignifiantes, étaient déposées sur un large plateau que l'on plaçait à ses pieds, et cet esprit incroyablement vif et rapide qui était le sien choisissait, en fonction de ce qu'elle estimait être le meilleur pour nous. Et elle ne voulait que le meilleur. Et rien d'autre.

À dix-neuf ans, Maman a sacrifié sa vie pour nous et s'est arrogé le droit de vivre à travers nous. Elle nous a insufflé son énergie bouillonnante. Nous poussant à des limites impossibles à atteindre. Voulant pour nous ce qu'elle n'avait jamais eu ou n'avait jamais été. Et il y avait tant de choses qu'elle n'avait jamais eues et tant d'autres qu'elle n'avait jamais été. Mon père était son principal obstacle. Elle se mettait souvent en colère contre lui.

Je suppose que c'était parce qu'il semblait satisfait de son travail sans avenir, alors qu'autour de lui tous ses collègues obtenaient de l'avancement et rapportaient davantage d'argent à la maison. Elle n'a jamais pu lui pardonner son cœur plein de bonté qui se refusait à voir en l'homme un être corrompu, mesquin et cupide. Mon père voulait aider toute âme qui croisait son chemin.

Un jour, il est revenu à la maison avec l'un de ses innombrables amis qui avaient besoin d'emprunter un peu d'argent. Ils sont arrivés avec une reconnaissance de dette signée, prêts à expliquer à Maman les termes du remboursement. La répétition de ce scénario connu l'écœurait tellement qu'elle ne s'est même pas donné la peine d'écouter. Des grandes mains de Papa, elle a pris le document et, stupéfaits, la bouche grande ouverte, ils l'ont regardée déchirer les feuilles de papier soigneusement signées en petits morceaux qu'elle a jetés en l'air.

– L'argent de mon mari est destiné à ses enfants. Tout l'argent que nous avons est pour nos enfants, a-t-elle déclaré avant de disparaître dans la cuisine avec un sourire triomphant.

C'est ce même sourire qu'elle a adressé à M. Vellupilai, notre maître d'école. Il ignorait que cette expression cachait une tendance presque obsessionnelle à vouloir le meilleur à tout prix, au point qu'elle était prête à nous sacrifier tous dans ce but. Face à cette grandiose perspective, notre bonheur ne comptait pas. M. Vellupilai était venu nous dire que Lakshmnan était suffisamment intelligent pour sauter la neuvième et passer directement en huitième si Maman le désirait. Elle a observé l'homme moustachu manger ses biscuits en forme de coquillage, fait un signe de tête poli et approuvé sa suggestion. Mais dès que sa digne silhouette a disparu, elle a mué, comme un serpent, et est devenue un animal totalement différent. Me prenant sous les aisselles, elle m'a soulevée du sol et, en proie à une excitation incontrôlable, elle m'a fait tournoyer sans trêve. Incapable de se contenir, elle m'a jetée en l'air et rattrapée au vol, les yeux débordants de joie et les lèvres relevées en un arc-en-ciel inversé et rieur.

Être meilleur, plus intelligent et plus audacieux était capital. L'échec était un chien mal élevé qui vivait dans la maison des autres. Et lorsque nous échouions, ce qui arrivait souvent, elle le prenait comme un affront personnel. La triste et indéniable réalité était qu'à nous tous nous n'arrivions pas à totaliser ni les compétences ni l'intelligence qu'elle possédait dans un seul de ses petits doigts. Aucun de nous n'avait hérité de ses talents. Réalité qui ne tarda pas à nous apparaître, ainsi qu'à elle. Au fil des années, elle est devenue une femme malheureuse et inconsolable et elle nous a rendus, à son tour, tous malheureux.

Mais tout d'abord, laisse-moi raconter les moments heureux. Laisse-moi évoquer l'époque d'avant le partage du ciel bleu. Lorsque les gens admiraient la façon dont Maman se lovait autour de sa famille et nous donnait à tous une parfaite apparence. Cela fait tellement longtemps que je me demande si cette époque a vraiment existé ; pourtant oui, tout cela est bien arrivé. C'était avant l'occupation japonaise, quand Lakshmnan revenait à la maison avec des chocolats enveloppés dans un papier vert, provenant des camps de l'armée britannique situés près de chez nous. Aujourd'hui, le meilleur chocolat suisse ne peut égaler ces simples tablettes que mon frère rapportait comme de précieux trophées que Maman divisait en parts égales entre nous. Je savourais si longtemps l'odeur chaude de mon carré qu'il fondait entre mes doigts avant que je ne consente enfin à ce qu'il achève ses jours en une douce pâte onctueuse dans ma bouche.

– Viens ici, mon garçon, appelaient les soldats anglais, grands et costauds, s'adressant à Lakshmnan.

D'un geste affectueux, ils ébouriffaient ses cheveux et lui apprenaient un anglais qu'on ne nous enseignait pas à l'école.

– Foutu con, disait mon frère en revenant à la maison.

– Poutu con, répétait Maman.

– Noonnn, foutu con.

– Poutu con, répétait consciencieusement Maman, et nous qui écoutions sans mot dire au fond de la pièce, commencions à entendre l'irritation monter dans sa voix.

– Oui, très bien, finissait par concéder mon frère.

Ces moments-là ont été les plus heureux de mon enfance. Quand ma mère aussi était profondément heureuse. Quand elle riait la bouche grande ouverte, les yeux pétillants comme le scintillement des étoiles la nuit. À cette époque, tout ce que Lakshmnan disait et faisait apportait un sourire de fierté et de joie dans son cœur.

Je me souviens d'une terreur folle, un après-midi, lorsque des touffes de cheveux de Lakshmnan sont restées dans la main de ma mère alors qu'elle était en train de les huiler. Elle a passé à nouveau sa main sur sa tête et d'autres mèches sont restées attachées à ses doigts. Des plaques de peau nue défiaient ses yeux redoutables.

– *Aiyoo*, qu'est-ce qui se passe ? a-t-elle demandé d'une voix horrifiée.

Lakshmnan a regardé les touffes de cheveux l'air inquiet. Lui aussi avait très peur. C'était peut-être une terrible maladie ?

— Est-ce que je vais mourir ? a-t-il soufflé avec cette faculté étrange qu'ont les hommes d'exagérer le moindre mal ou la maladie la plus bénigne.

Mohini se tenait debout, les bras croisés en signe d'inquiétude ; Jeyan regardait la scène fixement et sans mot dire, tandis que Lalita suçait son pouce. Maman a inondé Lakshmnan de questions. Au terme de quelques brèves réponses, elle a découvert qu'il avait ramené à la maison un sac de farine de *ragi*[1] sur sa tête. Maman faisait pousser du ragi dans notre potager derrière la maison, récoltait les graines, puis Lakshmnan les portait au moulin pour les moudre. Lorsque mon frère était allé récupérer la farine, elle était encore chaude. La chaleur du sac avait provoqué la chute de ses cheveux par touffes entières. Une fois éliminée la coupable raison, des rires de soulagement ont volé dans le soleil de l'après-midi. Maman tour à tour grondait, riait et embrassait les petites tonsures de mon frère qui souriait avec hésitation, ne sachant pas trop s'il avait eu tort ou raison. Puis Maman nous a préparé des petits gâteaux cuits à la vapeur et fourrés de sucre brun et de haricots verts. Nous avons eu trois gâteaux au lieu de deux et Lakshmnan en a eu cinq au lieu de trois. Tels ont été les après-midi ensoleillés dont je me souviens, avant que mon frère ne devienne un raté cruel et sadique.

Chaque soir, toute la famille priait. Nous nous tenions devant l'autel qui arrivait à la hauteur des yeux de Maman et, les mains jointes, nous priions avec ardeur. Sur les images aux couleurs vives, je ne réussissais à voir que les têtes des dieux. Nous avions tous une divinité favorite.

Maman et moi invoquions Ganesh, le Dieu-Éléphant. Les prières de Mohini allaient à Saraswati parce qu'elle voulait être intelligente et que Maman lui avait dit que cette déesse régnait sur l'éducation. À cette époque, Mohini voulait devenir médecin.

Lakshmnan priait avec déférence la déesse Lakshmi pour devenir très riche quand il serait grand. Cette divinité dispensait l'opulence à ses fidèles. Les usuriers portaient alors sur leur poitrine une représentation de Lakshmi ornée de fleurs. Sur notre autel, représentée dans un cadre bleu, elle portait un sari rouge, et de la paume de l'une de ses multiples mains pleuvaient des pièces d'or.

---

1. Éleusine maltée.

Sevenese priait le seigneur Shiva parce qu'il était le destructeur qui s'était fait un collier d'un cobra noir. Il était également le plus puissant des dieux. Si on l'invoquait avec suffisamment d'ardeur, il exauçait le vœu. Une fois accordé, il ne pouvait être révoqué par quiconque ; pas même par le seigneur Shiva. Sevenese, fortement impressionné par cette information, avait donc commencé à prier Shiva. Par rapport à nous tous, il a toujours été très étrange.

Je n'oublierai jamais le jour où il a pénétré dans la maison, un long bâton lisse à la main.

– Regardez tous ! a-t-il appelé.

Et sous nos yeux, il a desserré son étreinte : le bâton rigide s'est mis à bouger et est redevenu le serpent brun et ondoyant qu'il était. Lorsqu'il a été satisfait de l'émoi qu'il avait provoqué, Sevenese a enroulé calmement la créature autour de sa main comme une écharpe, et s'est éloigné vers la maison du charmeur de serpents. Il a eu une sacrée veine que Maman ne le voie pas.

Le petit Jeyan priait le seigneur Krishna parce que le bon cœur de Mohini lui avait soufflé dans l'oreille qu'il était aussi beau et sombre de peau que le dieu lui-même. Je ne sais pas quel dieu invoquait Lalita. Peut-être n'avait-elle pas de divinité préférée. Je crois que je ne lui prêtais pas grande attention. C'était Mohini qui faisait grand cas d'elle.

Tous les matins, nous chantions chacun à notre tour un hymne de dévotion à notre divinité favorite, puis Maman faisait sonner une petite cloche en bronze, allumait du camphre en l'honneur des dieux et frottait nos fronts avec de la cendre sacrée tout en y apposant un frais petit point de pâte de santal. Papa ne se joignait jamais à nos prières. Il fumait un cheeroot, assis sur sa chaise en osier. « Dieu est en soi-même », affirmait-il.

Parfois, quand je me remémore ce temps-là, je pleure les jours innocents où Papa avait une silhouette de géant qui pouvait tenir nos petites fesses dans sa large paume et nous faire sauter en l'air au-dessus de sa tête. Et là-haut était le lieu le plus sûr et le meilleur de tout l'univers. Tout cela se passait avant que je ne commence à avoir pitié de lui. C'était l'époque où un feu sombre brillait d'une vive lueur dans ses yeux quand il regardait Maman sourire de fierté et de joie. L'époque où il transformait un morceau de bois en la plus belle sculpture que j'aie jamais vue.

Pendant des années, je me suis assise à ses côtés, jambes croisées à même le sol, à l'observer en train d'étudier le buste de la statue qu'il sculptait ; puis il en extrayait amoureusement un minuscule copeau. Et lorsque c'était enfin fini, tout le monde s'accordait à dire que c'était une véritable œuvre d'art. C'était davantage que du génie. C'était de l'amour.

Papa avait saisi Maman comme aucun d'entre nous ne l'avait jamais vue, comme lui seul la connaissait. Une jeune fille inondée de soleil, venue d'un petit village appelé Sangra, avant que la vie ne l'ait touchée. Puis un jour, en quelques minutes, Maman a transformé des années, des centaines d'heures de labeur minutieux et d'amour en échardes acérées. Je me souviens du jour où son corps fou de rage a détruit le buste. À la fin, de rancuniers éclats de bois dur gisaient éparpillés. En colère.

Lorsque je songe à mon père maintenant, je n'éprouve que du regret. Un profond regret. Car il a sans doute été l'être le plus gentil que la terre ait jamais porté, mais aussi le plus malheureux. Quand j'étais très jeune, avant que Maman ne m'ait appris à avoir honte de lui, je l'aimais énormément. Je me souviens qu'il rentrait à la maison avec de petites grappes de bananes qu'il achetait avec son misérable salaire mensuel. C'était notre rituel. Il s'asseyait dans sa chaise, sur la véranda, et pelait les bananes une à une de ses longs doigts sombres. Il portait à sa bouche toutes les fibres jaunes et filandreuses qui se détachaient à l'intérieur de la peau.

– C'est le meilleur, insistait-il généreusement, en nous donnant toute la richesse du fruit jaune clair qu'il partageait entre Mohini, Lalita et moi, solennellement assises à ses pieds.

Je n'étais alors qu'une enfant, cependant je comprenais parfaitement que mon père, grand et silencieux, aime davantage ma sœur aînée, à tel point qu'il aurait joyeusement mis sa main au feu si elle le lui avait demandé. Il nous aimait tous, mais il la préférait. Je me suis demandé s'il y avait dans mon cœur cette hideuse part de rivalité fraternelle, mais je ne le pense pas parce que gagner l'amour de mon père importait peu. Car celui qui réussissait à être l'objet de l'attention de Maman était le vainqueur.

Vêtues de robes identiques, nous nous tenions debout devant Maman, dans l'attente de son approbation. Avec le même degré de satisfaction, elle réajustait un nœud de ruban, remettait en place une mèche de cheveux, et cela suffisait à me convaincre qu'elle m'aimait autant que ma sœur. Inutile de dire que Mohini avait l'air tout à fait différente de moi, même si nous portions la même robe. Les gens la regardaient fixement, surtout les hommes ; des regards gênants. Personne ne croyait que nous étions sœurs. Ils examinaient ses yeux d'un vert chaud avec un étonnement où se mêlait parfois une pointe de concupiscence.

Je me souviens d'un jour où je me tenais debout près du miroir pendant que Maman la coiffait. Je l'observais en train de huiler et de peigner sa chevelure jusqu'à ce qu'elle devienne un serpent noir et brillant qui retombait en ondulant sur le léger renflement de ses fesses. Mes cheveux ont toujours été fins et beaux ; aussi, lorsque les Japonais sont arrivés, à ma grande horreur, Maman s'est emparée des ciseaux. Elle m'a ordonné de rester debout dans la cour et s'est mise au travail. Quand elle eut terminé, mes mèches longues et légères formaient des taches noires sur le sol. Le visage ruisselant de larmes, j'ai couru vers le miroir. Elle ne m'avait pas laissé plus de cinq centimètres de cheveux sur la tête. On m'a envoyée à l'école vêtue de culottes courtes et d'une chemise de garçon. Les jours suivants, je me suis calmée en constatant qu'à l'école plus de la moitié des filles s'étaient transformées en garçons.

M. Vellupilai a recomposé consciencieusement les registres de l'école en fonction de ces changements. Dans ma classe, Mei Ling a été l'unique fille à ne pas changer d'identité. Sa mère lui a permis de rester fille et elle est devenue la préférée du professeur japonais. Elle était la seule à ne pas être obligée de boire la cuillerée obligatoire d'huile de castor tous les matins, après le rassemblement des élèves. Cependant, un jour, pendant la récréation, il l'a fait venir dans une salle de classe vide et il l'a violée. Je la revois encore, les lèvres tremblantes sur son visage livide et hébétée, lorsqu'elle en est sortie en titubant. Sa ceinture qui était faite du même tissu que son uniforme était légèrement de travers. Je savais, bien sûr, qu'être violée était la suprême catastrophe, mais je n'avais aucune idée des conséquences d'une telle chose. Je me souviens d'avoir pensé que cela avait un rapport avec les yeux. Parce que, ce matin-là, ses yeux paraissaient agrandis et meurtris. Et pendant longtemps, j'ai pensé qu'être violée, c'était être blessée aux yeux. Pas étonnant que Maman cache Mohini et ses yeux magnifiques. En fait, M. Vellupilai est lui-même venu à la maison pour conseiller à Maman de ne pas envoyer Mohini à l'école.

— Trop belle, a-t-il dit en toussant dans un grand mouchoir brun et blanc.

M. Vellupilai a déclaré qu'avec tant de Japonais dans les parages, il ne pouvait garantir qu'il ne lui arriverait rien. Entre deux bouchées de gâteau à la banane, il lui a appris que des instituteurs japonais allaient arriver à l'école. « Grossiers et vulgaires. » Il ne pourrait exercer aucun contrôle sur eux ; il ne fallait pas oublier qu'ils avaient violé la moitié de la Chine. Mohini ayant atteint un âge délicat, il ne pouvait être certain qu'il ne lui arrive rien, a-t-il conclu avec tact. En fait, ses véritables paroles furent : « Je ne mettrais pas un chat et une soucoupe de lait dans une pièce fermée à clef. »

On n'a pas eu besoin de le dire deux fois à Maman. Mohini a pu garder son épais serpent de cheveux, mais elle est devenue prisonnière de la maison. Elle était notre secret. Elle a cessé d'exister au-delà de notre porte d'entrée. Nous ne parlions jamais d'elle. Elle était comme le coffre de lingots d'or enterré dans le jardin et que toute la famille protège par le mensonge. Personne n'a vu sa beauté s'épanouir. Elle n'allait même pas sur la véranda ni ne sortait dans notre petit jardin pour prendre l'air. Pendant trois ans, elle a été si bien cachée que même les voisins ont oublié son apparence. Maman avait peur qu'on révèle son identité aux soldats japonais pour obtenir une faveur, ou par simple jalousie. Les temps étaient durs et les amis rares.

Je me souviens d'un jour où Maman coiffait Mohini, assise sur les marches de la porte arrière de notre maison. Comme des vagues de soie noire d'une infinie pureté, ses cheveux retombaient le long de son dos. Au moment où Maman tordait la soie noire de ses deux mains, j'ai aperçu le fils du charmeur de serpents dans le soleil étincelant. Le gamin était manifestement allé chasser des souris vivantes ou de petits serpents pour nourrir ses cobras ; c'est par mégarde qu'il était tombé sur notre précieux trésor. Il s'est tenu, figé dans l'accablante chaleur, pris dans les rets de sa propre découverte. Ses vêtements tachés et en lambeaux pendaient sur son corps nerveux, couleur de bronze ; sa main musclée tenait un panier fermé. Il ne portait pas de chaussures et il avait les cheveux sales, mais dans l'éclat du soleil, ses yeux ressemblaient à des trappes noires et insondables dans un visage pétrifié. Le brusque mouvement de tête que j'ai fait a attiré l'attention de Maman qui s'est tournée instantanément pour cacher Mohini de son corps.

— Va-t'en, a-t-elle glapi avec dureté au garçon.

Il a continué à la fixer un moment, hypnotisé par la splendide chevelure, la blancheur laiteuse, et soudain, comme il était apparu, il s'est évanoui dans les vagues de chaleur jaunes. J'ai regardé le visage de Maman et j'y ai décelé la peur. Ce n'était pas la peur de l'étrange magie du charmeur de serpents ni l'éveil reptilien du désir qui avait chatoyé dans les yeux du jeune homme, mais la peur de l'exceptionnelle beauté qui parait le visage de ma sœur. Mohini ressemblait au magnifique quetzal qui s'envole droit depuis le faîte des arbres, décrit des cercles en chantant, puis descend en chute libre, se laissant tomber dans l'espace, ses plumes iridescentes flottant au vent telle la queue d'une comète. Maman a été la propriétaire de cet oiseau resplendissant. Que pouvait-elle faire d'autre que d'encager cette beauté hors du commun ? Et Mohini est demeurée l'oiseau prisonnier de Maman jusqu'au jour où elle s'est envolée à jamais.

Je nous revois revenant toutes les deux de l'école, habillées de la même manière, côte à côte dans le soleil, en train de lécher des boules de glace trempées dans du sirop. Nous devions les manger très vite pour qu'elles ne fondent pas dans nos mains. Il ne fallait à aucun prix le dire à Maman parce que Mohini souffrait d'épouvantables crises d'asthme et ne devait rien ingérer de froid. Aussi engloutissions-nous à toute vitesse ces friandises par une chaleur torride. C'était très grave, l'asthme de Mohini. Quand il pleuvait, ou même s'il bruinait un peu, Maman venait nous chercher à l'école avec un grand parapluie noir et toutes les trois nous rentrions à la maison, Mohini sous le grand parapluie, moi sous une petite ombrelle en papier brun ciré qui dégageait une forte odeur de vernis, et Maman sous la pluie. Je pense qu'elle aimait secrètement la sensation des grosses gouttes chaudes qui tombaient sur sa tête. Quand nous arrivions à la maison, une tasse de jus de gingembre, fraîchement pressé et affreusement âcre, nous attendait immanquablement. Maman faisait bouillir de l'eau qu'elle versait sur le jus, remplissant toute la cuisine de puissantes vapeurs de gingembre. Nous faisions fondre une cuillerée de miel sauvage brun foncé dans l'infâme mélange. Puis Maman nous tendait la tasse remplie de ce liquide chaud et écœurant et nous regardait boire jusqu'à ce que nous l'ayons complètement vidée. En proie à une crainte presque révérencieuse, j'observais Mohini qui l'avalait d'un coup. Sur le toit, la pluie tambourinait avec insistance. Je crois qu'à cette époque je l'aimais énormément.

Je me souviens aussi de Mui Tsai. Douce petite Mui Tsai tyrannisée. Je crois qu'elle était vraiment très attachée à Maman qui, elle, était si farouchement déterminée à ce que sa pierre tombale imaginaire porte l'épitaphe *À ma mère bien-aimée* qu'elle ne voyait même pas son amie qui lui quémandait un peu d'amour. Ses yeux étaient résolument fixés sur l'horizon lointain où tous ses enfants seraient les brillants exemples d'une bonne éducation. Pauvre Mui Tsai. Elle avait souvent l'air triste ; mais c'était avant qu'elle ne soit totalement brisée. Ils l'ont cassée comme un jouet, son maître et sa maîtresse. Elle n'a plus été jamais triste. Je pense que son esprit a sombré. Elle est partie pour un lieu où elle avait beaucoup d'enfants qu'elle pouvait tous garder.

L'ombre allongée de Mui Tsai sur le mur de la cuisine, tard dans la nuit, compte parmi les meilleurs souvenirs que j'ai gardés d'elle. Un rendez-vous secret à la lumière vacillante et mystérieuse de la lampe à huile de ma mère. Chaque fois qu'un cauchemar me réveillait en sursaut au milieu de la nuit, je me faufilais dans la cuisine, vers cette lueur chaleureuse. Et je trouvais là Maman et Mui Tsai, assises jambes croisées sur le banc, qui parlaient à mi-voix ou jouaient aux échecs chinois. Je m'avançais en souriant vers les bras tendus de Mui Tsai et je m'endormais sur ses genoux. Elle éveillait en moi la même pitié secrète que j'éprouvais à l'égard de ma jeune sœur, Lalita.

Je me souviens de la naissance de ma petite sœur. Une misérable petite enfant enserrée dans un ballot. Elle avait des yeux très rapprochés sur un large visage et la peau plus foncée que nous tous. Mon père devait lui mordiller les oreilles pour la faire rire. Elle était très calme. Elle était comme lui, tu sais. Elle lui ressemblait. Maman admettait ouvertement qu'elle ne voulait qu'aucun de ses enfants ressemblât à Papa. Elle disait que les fils de son premier mariage étaient les créatures les plus tristes qu'elle ait jamais vues. Quand elle a regardé pour la première fois les yeux ternes de Lalita, elle a pensé qu'elle pourrait la changer par la seule force de sa volonté. Changer le cours de la nature. Elle n'était qu'un bébé. On pouvait changer les bébés.

Mais plus ma sœur grandissait, plus elle ressemblait à Papa. En désespoir de cause, Maman, jambes étendues sur le sol, s'est mise à bercer ma sœur si calme en lui chantant : « Qui va épouser ma pauvre fille, ma pauvre petite fille ? » Si vous aviez entendu l'angoisse qui perçait dans ces simples mots, vous en auriez tiré la conclusion que de beaux enfants inspirent aux parents de la fierté et des enfants laids font surgir en eux un puissant mouvement d'amour protecteur. Un besoin de compenser le désintérêt de la société. La nature a refusé à ma sœur la beauté, mais ma mère a poussé si loin cet amour protecteur qu'involontairement elle lui a interdit toute possibilité de se marier. Je sais que ce n'est pas bien de ma part, pourtant je ne peux me débarrasser de l'idée que ma sœur n'a jamais réussi à se marier *à cause* de Maman. De la puissance de sa volonté quand elle chantait sans trêve ce triste couplet. Si Maman m'entendait, elle serait très en colère. Elle dirait qu'elle a vraiment fait de son mieux. Que personne d'autre qu'elle n'aurait mis autant de détermination à trouver un mari convenable pour ma sœur. Peut-être serait-elle flattée que je pense qu'elle était puissante au point de pouvoir changer le cours du destin de Lalita rien qu'avec ses petites chansons.

Mes premiers souvenirs cohérents datent de l'époque où nous sommes allés à la cérémonie de mariage de ma tante à Seremban. Au cours de ce séjour, ma grand-tante et ma mère se sont brouillées pour un motif insignifiant, mais Maman en a été si vexée que, pour ne pas rester une minute de plus sous le même toit que ma grand-tante, nous avons dû revenir en bateau en suivant le cours du dangereux fleuve Pahang. Pendant des années, la seule chose que ma mère a consenti à nous dire était que cette femme la détestait. Elle ne nous en a jamais révélé la raison.

Lorsque nous avons regagné notre maison vide et pillée, Maman a dû dépenser plus de la moitié de ses économies pour remplacer tout ce qui avait été volé. Il faut reconnaître qu'elle a su accepter le désastre sans se laisser abattre. En fin de matinée, elle était déjà allée au marché pour faire des provisions et, plus tard, elle a réussi à remplacer la plupart de notre mobilier en achetant des meubles qui avaient été pillés. À la fin de cette année-là, les économies de ma mère n'étaient plus que de simples morceaux de papier. Si les Japonais nous ont rendus tous très ingénieux, Maman s'est révélée une force invincible. Comprenant que son argent était désormais inutile, elle a envoyé Lakshmnan, plus agile qu'un singe, grimper au plus haut cocotier pour attacher dans ses branches la petite boîte métallique contenant son argent et ses bijoux. De temps à autre, il grimpait à toute vitesse pour vérifier que le trésor était toujours là. Recouverte d'excréments d'oiseaux, la petite fortune de Maman est demeurée intacte pendant des années.

L'avance japonaise a rendu ma mère plus entreprenante que jamais, car elle avait aussi le sens des affaires. Elle avait remarqué qu'on ne trouvait plus de lait condensé et que le petit éventaire qui vendait du café sur la route menant au bureau de Papa ne servait plus qu'une sorte de breuvage noir sans sucre. Il y avait un marché pour le lait de vache. Aussi a-t-elle vendu son plus gros rubis pour acheter des vaches et des chèvres. Tous les matins, avant le lever du soleil, elle les trayait et Lakshmnan allait vendre le lait aux petits éventaires de la ville. Le jour, Maman le laissait fermenter, et le soir, les femmes du temple venaient chez elle avec des récipients vides afin de recueillir le yoghourt délayé dans un peu d'eau. Elles appelaient ce laitage *mour*.

J'avais douze ans et je me souviens de nos vaches comme d'énormes bêtes aux corps pesants et aux pis lourds. Elles me regardaient avec des yeux limpides et mélancoliques qui me contraignaient, à cause d'un sentiment de culpabilité, à essayer de m'en faire des amies, mais elles étaient vraiment trop stupides pour qu'on puisse se lier d'amitié avec elles. Elles n'avaient pas la moindre lueur de reconnaissance dans les yeux et, hormis une triste soumission, on ne pouvait glaner d'elles aucune autre expression. Leur queue en permanence maculée de bouse séchée, elles s'étaient résignées à leur existence épouvantable et malodorante.

Chose curieuse, quand je me remémore l'occupation japonaise, je pense à nos vaches. Elles sont entrées dans nos vies au début de l'occupation et ont toutes été vendues lors du départ des Japonais. Alors que Maman a également eu des chèvres, des dindes et des oies, ces animaux ne m'ont fait aucune impression. Lalita, elle, donnait une bouillie de soja et d'épinard aux dindes et aux oies jusqu'à ce qu'elles soient assez grosses pour être vendues ; puis elle les a pleurées quand un commerçant chinois les a achetées.

Plus qu'à toute autre chose, j'associe l'occupation japonaise à la peur. Cette forme de peur aiguë, d'une odeur et d'un goût très particuliers. Métalliques et d'une étrange douceur. Lakshmnan et moi, nous avons vu notre première tête décapitée en allant au marché. Elle était fichée sur un bâton planté au bord de la route. Sur une page arrachée à un cahier d'écolier on avait inscrit le message : « Traître ». Nous avons ri devant la tête. Elle paraissait drôle tant que nous étions sûrs qu'elle n'était pas réelle. Comment pouvait-elle l'être puisque aucune goutte de sang ne tombait du cou tranché ni de la large entaille sur la joue gauche ? Mais lorsque nous nous sommes approchés, nous avons constaté qu'elle était bel et bien réelle. Les mouches étaient réelles. L'odeur douceâtre et fétide qui l'entourait était forte et persistante. Une peur comme je n'en avais jamais ressenti m'a frappée au ventre. J'ai craint immédiatement pour la vie de mon père alors même que mon frère m'assurait qu'ils ne décapitaient que les Chinois soupçonnés d'être communistes.

Quelques mètres plus loin, devant nous, ce n'était pas une tête mais un corps tout entier qui était embroché sur un bâton planté en terre. J'ai senti les pas de mon frère vaciller. Il a serré ma main jusqu'à la broyer. Mais il est comme ma mère : il ne se laisse pas abattre facilement. Nous avons poursuivi notre chemin. J'aurais préféré n'avoir jamais avancé. Si le Chinois ressemblait à un faux mannequin pas très crédible, le second personnage m'a donné des cauchemars qui ont perduré des années.

C'était une femme. Les paroles de réconfort de mon frère qui m'avait assuré qu'ils ne décapitaient que les hommes se sont révélées mensongères. Non seulement c'était le cadavre d'une femme, mais elle était enceinte. Ils lui avaient ouvert le ventre et un fœtus mauve parfaitement formé pendait de manière obscène de l'ouverture béante. Le visage de la femme était horrible à voir. Ses yeux exorbités semblaient horrifiés de nous voir contempler son ventre déchiré et sa bouche pendait, ouverte, comme si elle allait crier de démence. De grosses mouches bleues bourdonnaient autour de la puanteur de son ventre ouvert. Elle tenait de sa main inerte une pancarte qui disait : « Voilà comment on traite les familles communistes. » On aurait dit que les Japonais avaient pour les Chinois une haine très particulière qui allait au-delà de la guerre. Nous avons marché en silence.

Après qu'ils eurent pris son cinquième enfant, Mui Tsai errait en traînant les pieds comme un fantôme amer. Au fond d'elle-même, elle était brisée, ensanglantée, mais aux yeux du monde extérieur, elle était jeune et jolie. Elle était parfaite pour les soldats japonais. Ils ont trouvé en elle leur femme de réconfort[1]. Et abusé d'elle tant qu'ils ont pu. Ils faisaient la queue. Un par un, ils l'ont prise sur le sol de la cuisine, sur le lit du Vieux Soong, sur la table en bois de rose où mangeaient quotidiennement le maître et la maîtresse. Chaque fois qu'ils venaient, ils prenaient leur repas sur la table, et leur plaisir là où ils le trouvaient. Notre Mohini et Ah Moi, notre voisine, lui ont dû leur virginité. Quand le général Ito et ses hommes arrivaient en voiture dans notre voisinage, la première ruée était pour la maison du Vieux Soong. Chez lui, ils trouvaient tout ce qui était nécessaire à la satisfaction de leurs instincts. Il y avait toujours une nourriture qui leur était familière et qu'ils appréciaient ; il y avait toujours une jeune fille au teint clair qui satisfaisait tous leurs besoins. La femme de personne ; la fille de personne. Parce qu'ils avaient Mui Tsai, ils ne se sont pas donné la peine de rechercher les autres fleurs soigneusement cachées. Sans doute ont-ils deviné qu'il y avait, dissimulées dans le quartier, des adolescentes en âge de leur servir, mais pour l'instant Mui Tsai faisait l'affaire.

Maman et Lakshmnan avaient aménagé une cachette secrète pour Mohini et, dans une moindre mesure, pour moi également si l'occupation devait se prolonger très longtemps. Transformée en garçon, j'étais encore en sécurité pour plusieurs années, bien qu'avec les Japonais on ne puisse être sûr de rien. Maman disait que la guerre réveillait la bête tapie en l'homme. Le soldat laisse sa compassion chez lui. Le rencontrer en terre ennemie, c'est se retrouver face à face avec un énorme lion aux yeux jaunes. Implorer ou raisonner ne servent à rien. Il vous assaillira. La cachette était un trou qui avait été adroitement découpé dans les lattes de plancher de la maison. Il menait tout droit à une cavité qui avait juste assez d'espace pour contenir Mohini, moi, et un jour peut-être Lalita.

Maman avait démantelé le vieux poulailler, entouré les pilotis d'un grillage et rassemblé nos poulets dans leur nouvel abri sous la maison. Elle misait sur l'espoir que même le plus

---

1. Expression pudique qui désignait toutes les femmes, coréennes, malaises ou autres, que les soldats japonais enlevèrent brutalement et systématiquement pour servir de prostituées dans les maisons closes militaires, entre 1895 et 1945

zélé des serviteurs de l'empire hésiterait à l'idée de se souiller de fiente de volaille à la seule fin de fouiller ce petit espace où l'on ne pouvait pénétrer qu'en rampant. La trappe était dissimulée sous un énorme coffre de bois que Grand-Mère avait envoyé de Sangra. L'entrée de la cachette était totalement invisible. C'était une astuce ingénieuse et, bien que les Japonais aient ouvert les armoires et scruté tous les recoins, ils ne l'ont jamais trouvée. Peut-être manquaient-ils de détermination ? Mui Tsai avait déjà émoussé leurs besoins avant qu'ils ne pénètrent chez nous.

Un jour, Maman a essayé de leur faire plaisir en leur donnant à manger. À peine avaient-ils goûté la première bouchée des plats qu'elle leur avait offerts qu'ils ont immédiatement recraché en la regardant avec une rage meurtrière comme si elle leur avait servi une nourriture épicée pour les ridiculiser. Elle s'est inclinée très bas en leur demandant pardon. Ils ont frappé sa tête inclinée. Parfois, ils la regardaient avec une expression étrange en lui demandant où elle avait caché ses filles. Debout à côté d'elle, dans mes vêtements de garçon, je la sentais trembler contre moi. Une fois, le général Ito s'est approché tout près et lui a posé la même question avec un sourire si entendu qu'on aurait dit qu'un voisin nous avait trahis. Mais ils ne faisaient que nous sonder ; nous poussions un soupir de soulagement quand leur camion s'éloignait.

Mohini a rempli sa chambre secrète de petits oreillers brodés et de livres. Elle en a fait un lieu charmant. Comme nous n'avions pas le droit de bavarder à l'intérieur, nous nous blottissions l'une contre l'autre en écoutant en silence le bruit sourd des lourdes bottes sur les lattes de bois au-dessus de nous. Au début, nous avions très peur dans notre cavité secrète, mais, au fil du temps, nous nous sommes détendues, et nous avons appris à pouffer de rire tout doucement, nos mains pressées contre la bouche, à la pensée des soldats au-dessus de nos têtes, en train de chercher en vain notre cachette. J'étais si fière de cet abri que je savais qu'ils ne le trouveraient jamais. Et j'avais raison.

C'est Papa qu'ils ont trouvé.

Petit Sevenese a rêvé qu'il voyait Papa tomber dans un énorme trou creusé dans le sol ; ses lèvres saignaient abondamment. Maman ignorait le sens de ce songe, mais elle s'est rendue au temple, a fait une donation et récité des prières.

Deux nuits plus tard, alors que le rêve était oublié, ils sont arrivés. Il faisait nuit noire. Dans le ciel, la lune n'était qu'une forme effilée et les dieux n'avaient jeté qu'une poignée d'étoiles dans le vide obscur. Je le sais parce que, dans les heures qui ont suivi, je suis restée assise, hébétée, enveloppée par l'obscurité, à regarder le ciel. Le voisinage était endormi, seule Maman était encore éveillée. Elle était assise dans la cuisine en train de coudre. Dès le premier crissement de pneus sur la route, elle s'est piqué le doigt. L'espace d'une seconde, elle a fixé le petit point rouge qui s'était formé, mais avant même qu'ils aient arrêté leurs camions et sauté de leurs véhicules, elle nous avait tirées du lit, Mohini et moi, et mises en lieu sûr dans notre cachette secrète. Puis elle a soufflé la lampe à kérosène et s'est tenue debout derrière les rideaux du salon. Ils étaient équipés de torches et portaient des baïonnettes. Elle les a regardés disparaître dans la maison du camionneur.

Quelques minutes plus tard, ils sont ressortis en tenant l'homme au bout de leur baïonnette. Dans la lumière des phares, il avait l'air ahuri. Ils ont poussé brutalement son corps à demi vêtu dans leur camion. De l'intérieur de la misérable maison de l'homme, ont retenti des sanglots et des gémissements. Les cris terrifiés de ses enfants ont déchiré la nuit. Les soldats sont restés debout un moment à discuter dans leur langue gutturale. Ce n'étaient pas Ito et ses hommes. Eux, ils étaient prévisibles. Nous les haïssions, mais ils étaient devenus les personnages familiers d'une terreur encore contrôlable. Ces hommes-là avaient l'air beaucoup plus menaçants. Ils ne cherchaient pas un repas gratuit ou une paire de jambes écartées. Ils recherchaient quelque chose de beaucoup plus important. Maman les observait ; le groupe s'est défait et deux hommes se sont avancés à grands pas vers notre maison. Des coups secs et rudes ont martelé notre porte d'entrée. Leurs torches ont éclairé brièvement le visage de Maman avant qu'ils ne la repoussent brutalement sur le côté. Le rayon lumineux est tombé sur Papa qui était planté comme un piquet près de la porte de la chambre. Ils l'ont saisi immédiatement et l'ont fait sortir tambour battant. Face aux cris pitoyables de ma mère, ils arboraient un visage impassible.

Mon père s'est retourné pour nous regarder, mais ne nous a fait aucun signe d'au revoir. Il n'y avait pas d'émotion sur son visage. Lui aussi était hébété.

Ils ont roulé dans la nuit pendant quarante-cinq minutes. Le camionneur assis en face de Papa s'est mis à sangloter. À l'arrière du camion ouvert, mon père qui ne portait qu'un maillot de corps et le bas de son pyjama a commencé à trembler. Ils ont été emmenés dans une plantation de caoutchouc, jusqu'à une élégante maison en pierre de style colonial. Dans la faible lueur lunaire, la demeure non éclairée paraissait fantomatique. De l'une des fenêtres ouvertes du premier étage, à travers le gonflement des rideaux blancs, s'échappait de la musique classique, belle et arrogante.

Ils leur ont fait descendre des escaliers en les poussant de la pointe de leur baïonnette jusqu'à une pièce souterraine. De l'eau gouttait du plafond et ruisselait sur les murs. Quand il a passé ses mains sur les parois, mon père s'est aperçu qu'elles étaient recouvertes d'un velours de mousse verte. Le bruit de leurs pas et de leur respiration résonnait durement dans les couloirs. Les prisonniers ont franchi en trébuchant un long corridor avant d'être jetés dans de minuscules cellules. La porte s'est refermée derrière mon père avec un bruit métallique. Privée de la faible lueur jaune de la lanterne du ravisseur, la pièce a été plongée dans des nuages d'encre noire. Deux petits points orange sont apparus devant ses paupières. Le bruit décroissant des lourdes bottes ne lui a apporté aucun soulagement. Il faisait froid et humide. Il a frissonné, écouté. Des bottes approchaient. En cadence, dures. Elles sont passées. Dehors, un chien a aboyé. Tout près, des gouttes d'eau tombaient.

À genoux et en s'aidant de ses mains, mon père a exploré la pièce. Les murs mal équarris s'effritaient ; le sol était en pierre dure. La cellule était nue. Mais soudain il a entendu le bruit d'une course précipitée. Il s'est carré immédiatement dans un coin et, pétri de peur, il a fixé l'obscurité. C'était un rat. Il a entendu ses pattes griffues racler le ciment froid. Un bruit ténu. Ses cheveux se sont dressés sur sa tête. Il détestait les rats. Il supportait les serpents, tolérait les araignées, comprenait la nécessité des grenouilles visqueuses et allait même jusqu'à fermer les yeux sur l'existence des cafards, mais il détestait les rats. Oh, mon Dieu, et cette horrible petite queue lisse ! Il a dégluti sous l'effet d'une crainte nerveuse. Il a entendu à nouveau la petite course précipitée et a serré son poing. Dans le noir, les dents du rat se sont aiguisées, allongées. De toutes ses forces, il s'est préparé à abattre son poing serré sur ce corps chaud et doux. Oui, du sang écœurant giclerait, et alors il n'aurait plus rien à craindre. Il s'est souvenu qu'il était pieds nus. Il a entendu à nouveau les bottes qui martelaient le couloir. Ce bruit l'a terrifié. Il a senti sa bouche se dessécher.

Il n'avait pas peur des Japonais. Il n'y avait rien à craindre. Il n'avait rien fait de mal. Plus que n'importe qui d'autre, lui n'avait pas à avoir peur.

IL N'AVAIT PAS PEUR.

C'était le rat qu'il craignait. Il se le répétait sans cesse. Il n'avait rien à craindre. Il devait se concentrer sur le rat qui risquait de grignoter ses orteils. Il a cru sentir une épée fendre l'air dans un sifflement, tout près de son cou. Il a fait un brusque mouvement de la tête. Il a vu sa tête voler loin de l'épée étincelante. Du sang giclait de son cou, comme une pluie rouge. *Arrête ça*, s'est-il dit dans l'intolérable obscurité. Il a chassé loin de son cerveau enfiévré le visage jaune qui avait brandi l'arme invisible.

C'est alors qu'il a entendu très distinctement un hurlement. Un cri déchirant et rauque. Il s'est immobilisé, écoutant attentivement dans le noir. Le hurlement ne s'est pas répété. Il a essayé de déglutir, mais il n'avait plus de salive. Il a senti tout à coup le frôlement d'un pelage raide sur sa jambe gauche. Sa main s'est abattue lourdement et a heurté le sol dur. Le rat était rapide. Il avait détalé un peu plus loin. Il se moquait de lui.

La porte s'est ouverte et une lumière vive a éclairé son visage. Il a poussé un cri et levé les mains pour se couvrir les yeux. La soudaineté de cet éclat était intolérable, comme des couteaux enfoncés dans ses yeux. Il a senti la peur. Il n'y avait pas eu de bruit de bottes.

Derrière la lumière vive, deux ombres se sont détachées de l'obscurité, et sont apparues à ses côtés. Deux jeunes Malais. De leurs mains douces, ils l'ont aidé à se redresser. Ils avaient le regard vide ; il ne servait à rien d'implorer leur aide. Ils l'ont conduit à travers le couloir sombre, aux murs suintants, dégageant une forte odeur d'urine. Il a compris alors qu'il y avait beaucoup de portes closes de chaque côté du corridor. Il n'a presque rien entendu, à l'exception d'un profond soupir, derrière l'une des portes. C'était le souffle désespéré de quelqu'un qui n'avait plus aucun combat à livrer, plus aucun espoir.

Puis il s'est retrouvé tout seul dans une petite pièce dépouillée. Il a entendu la clef tourner derrière lui. Éclairées par une ampoule nue, se trouvaient une table en bois et deux chaises. Sur la table étaient posés une grande cruche à eau et un verre vide. Il les a contemplés fixement, comme hypnotisé par la vue de l'eau. Elle paraissait claire, douce, merveilleusement fraîche, avec des glaçons luisants qui flottaient doucement à la surface. C'était si étrange de trouver la seule chose dont il avait tant besoin dans cette pièce dépouillée, avec son ampoule nue, qu'il s'est senti mal à l'aise. Il a considéré l'unique verre sur la table. Il pouvait sans doute boire une petite gorgée rapide, personne n'y verrait rien... Il a regardé autour de lui. Les murs étaient épais et massifs. Il a attendu encore cinq minutes. Personne n'est venu.

Il a soulevé la cruche et bu une gorgée. Le liquide est demeuré une seconde à peine sur sa langue desséchée avant qu'il ne le recrache. L'eau était si salée qu'elle en était imbuvable. Il a alors vraiment eu peur et a vu les saletés qu'il avait faites par terre. Qu'est-ce qu'il lui avait pris ? C'était un piège et il était tombé dedans. Il y avait sûrement quelqu'un qui l'observait par le trou de la serrure. Il s'est mis à trembler des pieds à la tête. En toute hâte, il a enlevé avec maladresse son maillot de corps blanc et s'est mis à éponger le sol. Après avoir séché le ciment, de ses mains tremblantes, il a renfilé son maillot. La clef a tourné dans la serrure. Elle s'est ouverte et un homme au masque extraordinaire a pénétré dans la pièce. Papa a été tellement surpris qu'il en a eu le souffle coupé et a fait malgré lui un pas en arrière. Il l'ignorait à cette époque, mais il contemplait la perfection d'un masque de nô japonais. L'homme portait une ample robe aux manches beaucoup trop longues. Il s'est incliné poliment à la manière japonaise. Papa lui a rendu son salut. Lorsque l'homme bougeait sa tête, le masque semblait s'animer. Sous la lumière du plafond, la peau du masque avait l'air douce et veloutée comme celle d'une fille. Papa fixait ce visage immobile d'un regard absent. Chaleureux, lisse et innocent, un beau jeune homme, ou une belle jeune fille, lui souriait. Sous la douce arcure des sourcils, dans les orbites vides, les yeux étaient indistincts mais vivants. Noirs et vivants. Mon père se tenait debout au milieu de la pièce, intimidé et troublé par le masque.

– L'armée impériale se réjouit de vous accueillir ici en tant qu'hôte d'honneur, a déclaré l'étranger masqué d'une voix très douce.

Pendant un moment grisant, parfaitement heureux, mon père a été certain qu'il s'agissait d'une terrible erreur. L'armée japonaise n'avait aucune raison de l'accueillir comme invité. Il était un petit employé insignifiant, à l'intelligence si défaillante qu'il n'avait même pas été promu une fois dans sa vie. Il avait échoué à tous les examens qu'il avait passés ! Ils pouvaient demander à sa femme, à ses enfants, aux voisins. Ils le lui diraient franchement. Ce n'était qu'une erreur d'identité. L'homme que recherchait l'armée impériale était de toute évidence quelqu'un d'important, capable de servir leur cause. Mon père a ouvert la bouche pour parler, mais l'étranger poli lui a désigné du doigt la cruche d'eau posée sur la table et lui a demandé d'une voix légèrement irascible :

— Voulez-vous boire quelque chose ?

À ce moment-là, mon père a su que ce n'était pas une erreur.

L'étranger a versé soigneusement un verre d'eau qu'il a tendu à mon père.

— Asseyez-vous, a-t-il dit en tirant l'une des chaises.

Les longues manches de soie se sont relevées sur son bras, révélant des mains d'une difformité étrange, effrayante, et d'un blanc anormal, pareil à celui de la peau du ventre d'un margouillat. Elles étaient d'une laideur inconcevable. Les extrémités de ses doigts étaient étrangement spongieuses. Mon père a réprimé un frisson. Il n'avait jamais rien vu de semblable. Il a senti une peur soudaine étreindre son cœur et compris pourquoi l'homme portait des manches aussi longues. Il a commencé alors à s'interroger avec horreur sur ce qui justifiait le masque.

Ça ne pouvait pas lui arriver à lui. Il n'était qu'une personne ordinaire, normale, sans aucune ambition ni affiliation politique. Il était un homme content de s'asseoir sur sa véranda en fumant un chéerot et de prendre ses enfants sur ses genoux en écoutant la radio.

Le masque l'a observé avec une expression de satisfaction. Mon père s'est senti déconcerté. Un masque n'a pas d'expression. Puis il a paru flotter vers lui jusqu'à n'être plus qu'à quelques centimètres de son visage. Les orbites vides et indistinctes sont soudain devenues d'insondables petits trous d'une effroyable cruauté. Leur opacité et leur froideur amusée avaient quelque chose de fascinant. La lueur opaque dans les yeux de l'homme masqué a fait comprendre à mon père qu'il avait répété cette scène maintes fois dans le passé et qu'il en avait joui chaque fois. Papa le fixait intensément, hypnotisé et incrédule, presque grisé par l'exquise beauté du masque, par le mal qui gisait dans ses minuscules fentes. Le renflement des lèvres rouges, sensuelles et humides, était presque sur lui quand le charme a soudain été brisé. Reprenant son souffle, horrifié, Papa s'est rejeté en arrière. Cet homme incarnait le mal.

– Buvez, buvez, s'est écrié le masque avec effusion, alors que des yeux froids considéraient avec amusement le maillot de corps mouillé.

Mon père a senti ses cheveux se hérisser de dégoût.

– Buvez, a vivement exhorté le masque nô, avec plus d'insistance cette fois-ci.

Mon père a avalé une grosse gorgée d'eau salée. Elle a brûlé sa gorge endolorie. L'homme s'est avancé aussitôt pour remplir le verre. Puis il s'est mis à parler. Il parlait d'une voix basse et mon père, ébahi, vêtu de son maillot de corps mouillé, le verre d'eau à moitié plein à la main, devait parfois tendre l'oreille pour l'écouter. Ce que lui a dit l'homme aux robes amples s'est transformé immédiatement en un souvenir vague et indistinct. Papa se souvenait seulement de cette impression incroyable : le masque semblait changer. Il paraissait tantôt mélancolique, tantôt vif et heureux. Une fois coléreux. Il se souvenait aussi de sa voix. De par sa douceur même, elle inspirait la terreur à mon pauvre père et, bien sûr, il se souvenait des injonctions murmurées avec tant de douceur : « Buvez, buvez. »

Lorsque leur conversation a été terminée, mon père a bu toute la cruche d'eau salée. Il avait de douloureux maux de ventre et il brûlait d'une soif dévorante. Les deux Malais l'ont raccompagné dans sa cellule. Il y a trouvé une autre cruche d'eau salée et une sorte de bouillie insipide de riz et de déchets de légumes. Un jour ou plus s'était écoulé. Ses lèvres avaient commencé à se craqueler. Quelque part, un robinet gouttait. Il en sentait la fraîcheur dans sa bouche. Dans l'obscurité de la pièce, il songeait au sang du rat. Après tout, c'était liquide, non ?

Le temps passait. Quand ils sont venus à nouveau le chercher, deux soldats l'ont interrogé sur un communiste dont il n'avait jamais entendu parler. Ah Peng... Ah Tong... Tout cela était très vague.

– Je ne connais pas ces hommes.

Ils l'ont giflé à toute volée.

– Il ne s'agit pas d'eux, mais de *lui*, l'ont-ils corrigé en colère. N'essaie pas de nous avoir.

– Oui, oui, lui. *Lui*, pas eux, s'est écrié Papa, sous le coup de la douleur.

– Tu nies qu'il soit venu se réfugier dans ton quartier ?

– Il est peut-être venu, mais pas chez moi.

– Chez qui alors ?

– Je ne sais pas.

– Tâche de savoir... Tu sais qui on recherche.

Et les questions ont continué, sans trêve. Elles laissaient entendre que mon père avait abrité un communiste recherché et qu'il mentait. Les deux soldats l'ont battu.

– Avoue ! a hurlé une voix si près de son oreille qu'elle a retenti comme une explosion assourdissante qui ne cessait de résonner profondément dans son crâne.

Soutenant sa tête entre ses mains, il a donné de nombreuses réponses qui se sont toutes révélées insatisfaisantes. Avec un petit instrument en bois d'apparence tout à fait anodine, les soldats ont entaillé sa peau entre chaque doigt. Mon père s'est évanoui. La douleur était insupportable. Ils lui ont jeté un seau d'eau à la figure. Quand il est revenu à lui, ils étaient en train de lui arracher un ongle. Comme la cruauté leur allait bien. L'ongle rose est parti avec une giclée de sang et un petit morceau de chair qui lui était resté attaché. Ils avaient fait si vite qu'il a fallu quelques secondes à mon père pour comprendre ce qui venait de se passer. Stupéfait, il a fixé de ses yeux fous son doigt ensanglanté. Oui, il était lent à comprendre, mais est-ce que ça n'était pas une sorte de plaisanterie ? Est-ce que tout cela lui arrivait vraiment, à *lui* ?

Les deux soldats ont souri avec mépris devant l'animal qui se tordait sur le sol. Lentement, l'éclair de douleur s'est fondu en une souffrance lancinante. Papa a inspiré profondément et s'est risqué à regarder son doigt mutilé. La blessure semblait plus importante que la douleur qui devenait supportable. Il a levé les yeux vers les visages brutaux et tannés des soldats.

– Presque plus mal ? lui a demandé le soldat qui se trouvait le plus près de lui.

D'une poigne vicieuse, il s'est emparé de sa main et l'a plongée dans une cruche d'eau salée. C'est à ce moment-là qu'il s'est mis à crier comme un possédé. Il n'avait jamais connu une telle douleur. Comme une flamme, elle est montée dans son bras, a explosé dans ses nerfs avec le craquement sec de l'éclair.

– Je ne le connais pas. Je ne le connais pas. Oh, mon Dieu, je jure que je ne le connais pas. Seigneur Ganesh, protégez-moi. Je vous en supplie. Emmenez-moi loin d'ici. Emmenez-moi. Maintenant.

Il a perdu connaissance. Quand il est revenu à lui, deux gaillards malais le tiraient dans le couloir. Comme dans un brouillard, il a vu deux autres Malais sortir d'une des portes qui s'échelonnaient le long du corridor. Une Chinoise avançait vers eux en trébuchant. Elle était nue à partir de la taille. Ses tresses emmêlées tombaient sur ses épaules ; elle avait des yeux vitreux et sans expression. Dans la faible lumière du couloir, son visage était d'un blanc crayeux. Malgré lui, ses yeux se sont abaissés. Il a soudain compris ce qu'il voyait. Elle saignait abondamment. Le sang ruisselait à l'intérieur de ses cuisses et maculait le sol. Il a tout d'abord pensé qu'ils l'avaient blessée au plus intime d'elle-même, puis il a compris qu'elle avait ses règles. Et, curieusement, l'impudeur de cette femme qui nageait dans son sang, l'a effrayé plus que tout ce qu'il avait vu jusque-là. C'est alors qu'il a basculé.

– Oh, non, non, non ! Qu'est-ce qu'ils vous ont fait ? a-t-il sangloté comme un enfant, pleurant sur elle comme si elle faisait partie de sa famille.

Mais, comme si le chagrin qu'il lui témoignait était invisible, elle a continué à marcher, le visage vide, tel un robot ou une personne déjà morte, vers la pièce où l'attendait l'homme au masque.

Ils ont jeté mon père sur le sol de pierre froid, avec sa douleur brûlante, une cruche d'eau salée et le rat pour toute compagnie. Il s'est traîné dans son coin, vaincu et épuisé. La tête lui tournait, décrivant d'étroits cercles vertigineux. Il a fini par comprendre pourquoi les cadavres exposés tout autour de la ville, affaissés dans leurs liens devenus trop lâches, avaient les doigts noircis. Le soleil de l'après-midi desséchait la peau et brûlait le sel dans les blessures.

Il s'est réveillé en hurlant. Son doigt était en feu. Il n'a pas reconnu le son rauque de son propre cri. Quelque chose rongeait son doigt. Le rat était en train de dévorer sa chair. Il a dégagé sa main d'un mouvement brusque. Il a ressenti un éclair de douleur dans l'obscurité, mais le rat avait si faim que, téméraire, il a refusé d'abandonner son repas. Mon père s'est débattu frénétiquement, en proie à une folie presque hystérique ; il a frappé sa main contre le sol dur jusqu'à ce qu'il parvienne à la dégager et que le bruit de course précipitée s'éloigne de lui. Les élancements dans son bras se sont faits violents. Il s'est mis à sangloter doucement. L'odeur de sa propre urine remplissait la pièce.

Les jours ont passé. Il a perdu le fil du temps. Tout n'était plus qu'une brume indistincte. Il se sentait plus mal qu'un animal en cage. Sa main était agitée de petits mouvements convulsifs. L'eau salée avait crevassé ses lèvres qui saignaient. Il a passé son doigt sur les énormes croûtes rêches avec l'horreur d'une personne qui découvre des sangsues sur son corps. Il est resté allongé des heures dans le noir le plus total, à écouter le rat qui courait. Quand le bruit se rapprochait, il tapait du pied, frappait du poing et martelait le sol jusqu'à ce que le son s'éloigne aux extrémités de la cellule. Il avait honte de constater que ses geôliers l'avaient si vite réduit à cet état inhumain. Il s'était toujours considéré comme un homme digne, pourtant...

Enfin, un jour, la porte s'est ouverte à nouveau et on l'a ramené dans la pièce où il avait rencontré le masque nô, cette pure incarnation du mal qu'il dissimulait.

Il y avait une cruche d'eau bien en évidence devant lui. À sa vue, ses jambes ont cédé sous lui et ses mains se sont portées instinctivement à sa bouche. Les crevasses étaient profondes et saignaient constamment. Chaque mouvement de ses lèvres déclenchait une douleur insupportable. Il tremblait du tréfonds de son être.

L'homme vêtu de robes a pénétré dans la pièce, s'est avancé vers la table et a versé l'eau dans le verre. Il l'a tendu à mon père.

Le masque était une véritable œuvre d'art. Il commençait à ressembler à une personne que connaissait mon père. Peut-être que Papa était en train de devenir fou. Il a baissé les yeux vers l'eau qu'on lui tendait. La glace a tinté dans le verre. Elle avait l'air merveilleusement fraîche. Mon père a eu envie de vomir. Il a secoué la tête tout en sachant que son regard était plein d'une abjecte supplique.

— Je vous en supplie, je n'en peux plus, a-t-il murmuré entre ses lèvres serrées et raides.

Ces paroles l'ont fait saigner à nouveau. Était-ce son imagination ? Était-il possible qu'un masque ait l'air déçu ?

— L'armée impériale n'a plus besoin de vous. Vous mourrez avant l'aube, a annoncé d'une voix douce le bourreau masqué avant de boire une longue gorgée d'eau.

Puis il a quitté la pièce. L'eau ne devait pas être salée. Mon père s'est jeté sur la cruche, mais deux soldats ont enfoncé la crosse de leurs fusils dans son corps penché en avant.

Tard dans la nuit, quatre soldats ont entassé dix hommes dans un camion. Une musique classique emplissait l'air frais de la nuit. Mon père était certain que c'était l'homme au masque qui écoutait une si belle musique. Il s'y connaissait en belles choses, ça se voyait rien qu'à la façon dont il transformait sa brutalité en art. Un par un, les hommes sont montés dans le véhicule. Leurs visages étaient desséchés, leurs lèvres ensanglantées.

Notre voisin camionneur s'est assis à côté de mon père. Hébété, il regardait fixement dans le vide. Ils ont conduit les prisonniers au cœur d'une forêt et se sont arrêtés dans une clairière. Une peur nouvelle est descendue sur eux; ils se sont regardés. Les soldats leur ont ordonné de descendre du camion, ont mis des pelles dans leurs mains tremblantes et, au lieu de leur enjoindre de creuser, les ont sommés de combler un profond trou oblong. La profondeur et l'obscurité les ont empêchés de voir les visages déformés par la terreur et la chair infestée de vers, mais ils ont senti l'odeur. L'odeur de l'homme en décomposition.

Papa a regardé autour de lui. Dans la lumière des phares, ils avaient tous l'air fous et désespérés. L'odeur intolérable, les pensées atroces, le murmure des prières et parfois un rire dément. Ils ressemblaient à des hommes qui avaient senti le souffle froid et doux de la mort sur leur cou. Ils ont comblé le trou. Puis on leur a ordonné d'en creuser un autre, de la même largeur et de la même longueur que le précédent. La lueur des phares leur a révélé d'autres endroits d'une largeur et d'une longueur identiques, fraîchement recouverts de terre. L'idée même en était insupportable. Deux heures durant, peut-être plus, ils ont creusé. C'était une tâche lente, épuisante, et pourtant aucun d'eux ne souhaitait qu'elle se termine. Plus que toute autre chose, dans la chaleur de cette nuit, il y avait la peur de ces mots : « Arrêtez. Ça suffit. »

Bientôt, je serai mort, a pensé mon père avec un calme soudain.

Papa m'a dit qu'il avait vu la Mort. La Mort si proche sous les traits d'un jeune enfant si adorable qu'il s'en est approché et l'a embrassée sur les lèvres.

– Viens jouer avec moi, l'a invité l'enfant.

– ARRÊTEZ. Ça suffit. Debout devant le trou, a ordonné une voix forte.

Bientôt, il ne serait plus, et cette pensée était étrangement agréable. Il était conscient de l'échec de sa vie ; la mort venait de l'inviter avec tant de charme. Il a fait ses calculs. Mohini serait bientôt mariée et moi-même, je serais assez intelligente pour me construire une vie convenable. Bien sûr, tout irait bien pour les garçons. Il a éprouvé un petit pincement de douleur pour la pauvre Lalita, mais sa mère, cette femme admirable, cette épouse modèle, prendrait soin de la petite fille.

Épuisés, les hommes se sont alignés. Certains se sont mis à sangloter, d'autres à supplier de leurs lèvres ensanglantées. Le sang ruisselait le long de leur menton. Les soldats étaient impassibles. Mon père a regardé les petits orifices noirs des mitrailleuses japonaises.

En vérité, à cet instant, le jeune enfant a souri à mon père.

Un léger sourire a arrondi à son tour la bouche de Papa. Il était prêt.

Soudain, les détonations et les éclairs des mitrailleuses ont déchiré l'air. Une cuisante douleur a brûlé l'épaule de mon père au moment où il est tombé en avant. L'homme qui était à côté de lui a agrippé son ventre à deux mains et s'est affalé sur lui. Ils se sont effondrés dans la fosse en un enchevêtrement de bras et de jambes nauséabond. À quelques centimètres de son visage, dans la lumière froide de la lune, Papa a vu le visage de notre voisin, masque blême au regard fixe, et il a su que la Mort était un enfant cruel et insensible. D'autres corps sont tombés au-dessus d'eux. Il a senti les soubresauts et les convulsions de ceux qui affrontaient la Mort. Il n'a rien dit quand du sang chaud a coulé sur son visage. Il a retenu au fond de sa gorge serrée tous ses hurlements de terreur. Par-dessus les cadavres, il a entendu les soldats parler dans leur langue agressive et gutturale. Ils se tenaient debout à regarder le trou. Ils ont tiré quelques balles au hasard. Les corps se sont contractés violemment. Mon père a ouvert sa bouche toute grande, mais ça a été pour remplir d'air ses poumons brûlants. Il n'était peut-être pas un homme très intelligent, mais il connaissait la valeur du silence.

Les phares se sont éloignés d'abord, puis le bruit du camion a disparu dans nuit. Il faisait noir, si noir dans la fosse que mon père a pensé qu'il ne reverrait jamais la lumière. Il a attendu que les soubresauts cessent, car il n'aurait pas enjambé un corps en proie à l'agonie. Les cadavres étaient lourds du sommeil de la mort. Des bras, des jambes, des têtes l'enserraient de toutes parts. On aurait dit qu'ils voulaient qu'il reste avec eux dans la fosse noire. Cette nuit-là, il s'est hissé au-dessus des neuf autres corps. Ça a été horrible. Il a réussi à s'extirper de la tombe. Épuisé, il s'est assis un instant au bord de la fosse qu'il avait creusée. D'un air absent, il a regardé autour de lui. La lune lui souriait tristement et, pour la première fois depuis qu'on les avait amenés dans cet endroit, il a entendu les bruits de la forêt, l'incessant bourdonnement des insectes. Un moustique l'a piqué. Il s'est donné une tape dans le cou et est parti d'un rire dément. Il était encore vivant. Il y avait de doux nuages gris dans le ciel et une brise légère soufflait. Il était brisé et en sang, mais il avait dupé le charmant enfant. Papa avait vu l'éclair de colère dans ses doux yeux limpides.

— Peu importe, a-t-il dit à la charmeuse petite moue : Neuf sur dix, c'est quand même du beau travail.

Il a sauté à nouveau dans la fosse pour prendre une paire de chaussures à un mort, puis il s'est avancé dans la nuit. Il est resté dans la jungle en suivant de près les traces de pneus. D'ici un ou deux jours, elles le ramèneraient en ville, mais, dans la lumière grise de l'aube, il a compris avec horreur qu'il était complètement perdu.

Mon père est revenu à la maison presque deux semaines après avoir été pris. Il avait perdu un tiers de son poids. Il dégageait la même odeur que le chat du voisin qui avait rampé sous les feux de bois pour mourir et que l'on avait découvert au bout d'une semaine. Sa peau était couverte de plaies envenimées et de piqûres. Elle collait à sa large ossature comme un élastique. Dans la jungle, il avait rampé, escaladant d'énormes troncs abattus, couverts de mousse visqueuse et de champignons, glissant et dérapant dans la boue noire, respirant l'odeur âcre des feuilles pourries qui formaient un tapis profond de plusieurs dizaines de centimètres. Et pendant tout ce temps, il n'a cessé de nourrir de son sang des nuées de moustiques géants, des sangsues, des mouches, des puces, des fourmis volantes, et seul le ciel sait quelles autres créatures Dieu jugea bon d'envoyer dans la plus noire des nuits.

Papa me dit que, la nuit, les produits chimiques libérés par la décomposition de la végétation transformaient les feuilles pourrissantes et les arbres déracinés recouverts de champignons et de lichens, qui s'étendaient comme une longue tache sombre sur le sol de la jungle, en un phosphorescent ballet de formes étranges et infinies. Glacé de peur, il s'asseyait, entouré du magnifique déploiement des lumières incandescentes qui se mouvaient à ses pieds, écoutant attentivement le pas feutré d'un tigre, sachant pertinemment qu'avec ses pattes capitonnées l'animal pouvait marcher silencieusement dans les sous-bois sans déranger la moindre tige de fougère. Le félin aux lèvres d'un noir goudron et aux dents étincelantes apparaîtrait simplement devant lui.

Mon pauvre père. Dans la chaleur humide, la chair à vif de sa blessure le brûlait jour et nuit et commençait à sentir mauvais. Il l'a recouverte de feuilles. Tous les matins, à l'aube, il léchait la rosée déposée sur les feuilles douces qu'il trouvait avant d'avancer en trébuchant aussi loin que ses jambes le portaient. Une fois, dans la lumière tachetée, il a failli mettre le pied sur un énorme scorpion bleu nuit qui traversait nonchalamment le sentier, sa queue venimeuse recourbée au-dessus de sa tête.

C'est à peine s'il s'arrêtait.

Un jour, il a plu à verse. Les pistes qu'il suivait se sont transformées en fleuves de boue rouge. Un autre jour, il a fait si chaud que de la vapeur s'élevait des feuilles en décomposition sur le sol de la jungle. Une autre fois, il a sursauté, très étonné de découvrir dans la boue des fondrières géantes et de voir des troncs d'arbres éclaboussés d'une vase noire : des traces d'éléphants. Il les a suivies pendant un moment, mais elles ne menaient nulle part.

Il lui a fallu un certain temps avant de comprendre qu'il n'avait fait que décrire des cercles. Immédiatement, la paranoïa s'est emparée de lui. La certitude que la jungle le *voulait* s'est insinuée dans son corps découragé. Chaque silhouette, chaque forme lui apparaissait comme une manifestation de cette faim collective ; jusqu'aux plantes rampantes qui pendaient des branches d'arbre et le caressaient avec une telle envie qu'elles laissaient sur son visage d'humides traînées vertes.

Il était assis sur une bûche en train d'observer une araignée aux pattes poilues, aussi grande que la paume de sa main, qui remontait le long d'une plante charnue, lorsqu'il a senti une sorte de chatouillement sur son avant-bras nu. Un asticot dansait. Alors qu'il le regardait avec surprise, un second est tombé à côté du premier. Il a fixé les deux asticots blancs et brillants en train de gambader sur sa chair jusqu'à ce qu'un troisième les rejoigne. Il a tourné lentement la tête vers son épaule blessée et purulente et, bien qu'il ait d'emblée deviné qu'elle n'était plus qu'une masse de vers grouillante, il n'a pu réprimer un sifflement de répugnance et de dégoût. Il a pris alors conscience que sa main était devenue insensible. *Ils sont en train de me dévorer vivant*, a-t-il pensé. Et il a plongé dans le plus profond désespoir.

Il s'est dit que l'enfant de la mort, doré et vindicatif, jouait avec lui dans la chaleur étouffante. Mais il se trompait : le bel enfant s'était complètement désintéressé de lui. Les larves n'ont mangé que le pus et la peau morte et ont disparu ensuite, ne laissant qu'un trou propre et béant dans son épaule. Un argus a voleté dans les fougères géantes, si près de ses mains qu'il s'est penché pour l'attraper. Ce qu'il aurait fait de l'oiseau s'il s'en était emparé est toujours resté un mystère pour moi, parce que Papa ne pouvait même pas tuer une mouche qui pénétrait dans sa bouche. La question ne s'est pas posée puisqu'il n'a réussi qu'à tomber à plat ventre sur le fertile sol noir. Au-dessus de lui, un martin-pêcheur à l'éclatant poitrail orange est passé comme un éclair, mais Papa n'a vu qu'une vague forme bleu et orangé, car il devenait dangereusement faible.

Il savait qu'il ne pourrait pas continuer très longtemps.

Il a enfin trouvé des traces humaines : les arbres étaient marqués. Au comble de la joie, il a suivis les entailles. Elles menaient à un luxuriant massif de bananiers sauvages qui lui a permis de se nourrir pendant quelques jours. Puis il a connu à nouveau la faim. Jusqu'à ce qu'il se trouve devant un extraordinaire tapis de fruits mûrs, au pied d'un bosquet de manguiers sauvages.

Assis sur ce tapis jaune, il a dévoré dix, quinze, peut-être vingt fruits. Ça a été un délice incomparable. Il a emporté autant de mangues que son maillot de corps, transformé en sac, pouvait en contenir.

Puis, comme par magie, la jungle a fait place à deux rangées symétriques d'arbres à caoutchouc. Il s'est avancé en rampant comme un chat en chasse, s'arrêtant derrière chaque arbre, s'attendant à tout moment à voir surgir un soldat japonais. Un impénétrable visage jaune, qui enfoncerait profondément sa baïonnette dans son ventre plissé. Mais il n'a rencontré personne. Après un moment de marche, le bourdonnement incessant de millions d'insectes, les cris perçants des oiseaux et des singes ont cessé ; la plantation de caoutchouc était plongée dans un silence de mort. Il a marché jusqu'à un ancien chemin de terre qui l'a mené à une petite cabane. Deux Indiens étaient en train de traiter des feuilles de caoutchouc brut au *toddy*[1]. Papa a voulu les interpeller ; seul un faible gémissement est sorti de ses poumons. Il a ouvert la bouche pour appeler d'une voix plus forte, mais ses jambes se sont dérobées sous lui et il a été englouti par l'obscurité.

Les Indiens étaient des hommes bons. Ils l'ont ramené chez nous. Je n'ai jamais vu quelqu'un d'aussi froidement efficace que Maman. Elle n'était ni effrayée ni dégoûtée par l'état de Papa. Les odeurs, les blessures, les entailles, les bleus, les chairs déchirées, la peau enflée et luisante. Elle a brûlé des morceaux de vieux chiffons au-dessus du réchaud et frotté le corps de mon père avec les extrémités des tissus calcinés. Papa a gémi de soulagement lorsque le carbone a pénétré dans ses blessures. Elle a fait bouillir des feuilles d'arachide et baigné son visage enflé avec cette décoction. Elle a nettoyé et pansé ses plaies. Puis elle s'est appliquée à régénérer l'homme brisé qui ne l'avait pas reconnue sur le seuil de la porte.

Des semaines durant, Papa est resté allongé dans le grand lit de fer, forme ratatinée, recouverte d'une solution iodée. La maladie avait rendu sa peau terreuse et moite. Il réclamait à boire nuit et jour. Le seul nom qui lui venait aux lèvres était celui de ma mère ; la seule personne qu'il reconnaissait quand il ouvrait ses yeux à demi, c'était encore elle. Parfois, il étendait la main pour toucher le visage de Mohini et des larmes silencieuses ruisselaient le long de ses joues. Ses lèvres qui avaient paru inguérissables se cicatrisèrent, mais son corps, ravagé par la malaria, s'agitait et se retournait comme s'il était impossible que cesse jamais la guerre en son esprit.

– Enlevez ce masque. Ne lui donne pas ma quinine, criait-il dans son délire. Ferme vite les portes. Cache les enfants.

« Ils sont morts dans la boue, hurlait-il, en tremblant si violemment que le grand lit tressautait.

Le premier samedi qui a suivi son retour, Maman est revenue du marché avec un paquet emballé dans une feuille de

---

1. Boisson alcoolisée obtenue à partir de la sève de divers palmiers.

papaye vert foncé qu'elle a ouvert sur la planche à découper. Il contenait un morceau de viande de crocodile d'un rouge criard.

– C'est bon pour la cicatrisation des plaies, a-t-elle expliqué. C'est un homme si grand qu'il en faut beaucoup pour le remplumer.

Elle a préparé la viande avec des herbes. Je l'ai observée nourrir Papa. Avec la cuillère, elle rattrapait les morceaux qui glissaient sur son menton. Chaque jour, pendant des semaines, elle a défait des emballages de feuilles de papaye et préparé la viande rouge vif qui se trouvait à l'intérieur.

Jour et nuit, elle restait à son chevet. Tantôt elle le réprimandait, tantôt elle lui chantait des chansons qu'elle ne lui avait jamais chantées jusque-là. Peut-être l'aimait-elle, après tout. Peut-être était-elle simplement d'une nature susceptible. Je la revois maintenant, délicate silhouette assise près du lit où gisait la forme sombre de mon père, entourée par les ombres du soir. Calée sur le seuil de la porte, j'écoutais avec un respect mêlé d'admiration ses chants enfouis au plus profond d'elle-même. Je me souviens d'avoir pensé que Maman était comme un océan ; si profonde et si pleine de choses inconnues que je craignais de n'en voir jamais le fond. J'ai souhaité être un courant qui deviendrait fleuve pour un jour me jeter en elle.

Puis, un matin, mon père s'est relevé et a demandé une banane.

Fascinés, nous nous sommes tous agglutinés autour de lui pour le regarder manger tout seul. Notre père, violacé et meurtri, était un héros. Il ne réussissait qu'à esquisser de très faibles sourires qui disparaissaient à peine formés. Il a demandé à Lakshmnan d'apporter près de son lit le bloc de bois qu'il avait mis de côté depuis des années. Il s'est mis à façonner un masque. Peu à peu, a pris forme un visage lisse d'une incroyable beauté, aux sourcils arqués et aux lèvres pleines et sensuelles. Le masque glabre, au sourire doux, gisait près du lit ; Papa le regardait souvent. Puis, une nuit, nous avons tous été réveillés par des coups et des hurlements de colère. Nous nous sommes précipités et nous l'avons trouvé debout au milieu de sa chambre, appuyé contre le lourd mortier en bois de Maman. Le masque, brisé en mille morceaux, gisait sur le sol en fragments épars. Pendant quelques secondes, Papa nous a regardés comme s'il ne nous reconnaissait pas, puis il s'est effondré comme une masse, secoué de sanglots.

Le lendemain, alors que je me tenais sur le seuil de la porte à le regarder manger sa soupe d'alligator, il m'a fait signe d'entrer. Il a tapoté de la main le matelas à côté de lui. J'ai grimpé sur le lit et posé ma tête sur son ventre. Il a commencé à me raconter l'histoire de son épreuve. Chaque mot a brûlé dans ma mémoire. Après tout, c'est *moi* qu'il avait choisie pour relater son incroyable odyssée.

Il s'est vite rétabli. Bientôt, il a marché autour de la maison. Mais il a commencé à oublier les détails qu'il avait forgés pour toujours dans ma mémoire. Avec les années, le masque et l'enfant de la mort ne sont plus devenus qu'un souvenir aussi ténu que la plus légère des brumes.

Jeyan

Afin de fortifier mes jambes malingres, on a assigné à Mohini la tâche de m'accompagner dans les bois derrière la maison, de remonter le petit ruisseau et, parfois, d'aller jusqu'au cimetière chinois de l'autre côté de la route principale. Nous marchions main dans la main ; ma sœur avançait bruyamment et d'un pas pesant, chaussée d'une paire de ridicules et inconfortables socques de bois rouges qu'affectionnaient en ce temps-là les Chinoises. Moi, je la suivais dans mes solides chaussures que Maman avait payées très cher. Au cours d'une de ces promenades, un éclair de lumière bleue dans le cours d'eau a attiré le regard de ma sœur. Elle est entrée dans le ruisseau, tout habillée, avec ses socques rouges, et est revenue les yeux brillants. Elle tenait serré dans sa main un cristal d'un bleu fabuleux. Ça a été le début de l'époque la plus heureuse de ma vie. Quand le sol est devenu une matrice cristalline d'une infinie fertilité. Nous trouvions partout des pierres d'une stupéfiante beauté : dans la boue, le long de la route, sous les maisons, sur les berges lorsque Maman allait acheter du poisson, et sur les rochers près du marché. Nous les nettoyions soigneusement et, une fois par semaine, nous les portions au professeur Rao.

Le professeur Rao était une relation de Papa, un gemmologue d'un certain renom. Il nous avait montré des manuscrits imprimés, jaunis, importantes communications qu'il avait écrites pour la Société de gemmologie de Londres. C'était un homme raffiné et un spécialiste de l'histoire indienne. Sur sa tête poussaient des cheveux d'un blanc très pur. Son fils, dont il était très fier, faisait des études de médecine en Angleterre.

Chaque fois qu'il en avait l'occasion, il lui envoyait pieusement, par l'intermédiaire d'amis et de relations, des grappes de bananes vertes. Il nous lisait souvent les lettres de ce garçon enjoué et intelligent.

Le professeur Rao a été le premier à nous recommander de nous promener avec un silex dans notre poche. Chaque fois que nous trouvions une pierre ou une roche, nous la heurtions contre le silex et, si elle produisait une étincelle, cela signifiait qu'on pouvait en obtenir un beau brillant en la polissant avec de la paille de fer. C'est ainsi que Mohini et moi avons rempli presque à ras bord une vieille caisse en bois de pierres et de roches de couleurs vives et merveilleusement lisses. À mes yeux d'enfant, cette boîte fermée, placée sous notre maison, paraissait le plus somptueux trésor, pareil à la collection professionnelle de roches, cristaux, fossiles et pierres précieuses du professeur. Trésor pareil à ses demi-sections de géodes lisses, pierres ovoïdes dont l'épaisse coque consistait en strates et en volutes nées du refroidissement de la croûte terrestre et dont les magnifiques cavités étaient remplies de cristaux du pourpre le plus profond. Trésor pareil aussi aux cavités de ses améthystes, qui auraient pu facilement contenir ma tête. Trésor pareil enfin, et j'en étais certain, à son *lingam* d'une hauteur hors du commun, tourmaline noire en forme de phallus, considéré par les Hindous comme le symbole du seigneur Shiva. Trésor pareil, ai-je encore pensé, à ses blocs d'ambre dans lesquels avaient été piégés des insectes vivants.

Je m'étendais dans notre jardin, sur un tapis de feuilles vertes et jaunes, à l'arrière de la maison, sans éprouver la moindre envie pour ses coquillages de Paua, ses conques géantes et ses arbres de corail auxquels étaient encore attachées de précieuses perles. Quand je regarde maintenant le contenu de notre boîte, elle me donne envie de pleurer. Je n'y vois plus qu'une caisse pleine de roches poussiéreuses. Triste souvenir d'une époque innocente, temps heureux où l'on pouvait passer des heures sous la maison à polir soigneusement une pierre pour découvrir ses entrailles orange. Un temps aussi fugace et fragile que les ailes d'un papillon, d'un irréel bleu azur sur un fond topaze, gisait dans ma paume enchantée.

Chaque semaine, nous laissions nos sandales devant la maison du professeur Rao et montions la brève volée de marches qui menait à la caverne d'Ali Baba. Sur le seuil, il nous accueillait, vêtu d'un *dhoti*[1] blanc, les mains jointes en bouton de lotus, le plus noble geste de bienvenue chez les Indiens. Au-dessus de ses yeux qui brillaient de mille vertus, son front haut portait l'empreinte des pas de la divinité, un U tracé avec de la cendre sacrée.

— Entrez, entrez, nous disait-il, manifestement ravi de voir son auditoire.

Dans la fraîcheur de sa maison, nous ouvrions nos poings serrés pour offrir à son examen attentif nos pierres toutes chaudes. Il s'en emparait gravement à l'aide d'une pince à épiler et, muni d'une loupe, il les examinait une à une. Bien que je sois à peu près certain que Mohini et moi lui remettions la plupart du temps de la pacotille, le professeur disposait méticuleusement notre récolte sur un plateau avant de s'engouffrer dans une petite pièce où il gardait des poisons achetés à l'étranger qui lui servaient à identifier les rocs et les minéraux. Il en ressortait avec des bouteilles signalées par une tête de mort, puis il déposait soigneusement une goutte de liquide incolore sur nos trésors. Nous le regardions faire sans ciller. Et pendant quelques instants envoûtants, nos pierres grésillaient, fumaient, se piquetaient de taches de rousseur ou s'éclairaient des couleurs les plus étincelantes.

Ensuite, son épouse, une femme renfrognée, nous servait un thé très sucré accompagné de son excellent gâteau marbré. Dans la cuisine, elle écoutait de frivoles chansons d'amour tamoules, mais, dans le salon, le professeur Rao n'admettait que l'austère musique classique de Thiagaraja qui remplissait la pièce. Tandis que nous grignotions le gâteau découpé en tranches fines, il ouvrait sa boîte d'argent divisée en petits compartiments. Elle renfermait du *pan*, mélange de feuilles de bétel, de chaux éteinte, de noix d'arec, de noix de coco parfumée, de cardamome, de clous de girofle, de graines d'anis et de safran. Le raffinement avec lequel il prenait une pincée de l'exacte quantité de chacun de ces ingrédients relevait du pur yoga ; ses longs doigts de pianiste pliaient la feuille d'un vert vif de façon à lui donner une forme pyramidale qu'il fermait en la perçant d'un seul clou de girofle.

Une fois le pan dans sa bouche, il faisait revivre pour nous les tourments d'une huître irritée ou la vie du magma bouillon-

---

1. Large bande de tissu, généralement blanc, passée entre les jambes et nouée autour des reins.

nant à des centaines de kilomètres sous nos pieds. Doucement, sa voix nous emportait sous l'écorce terrestre où des diamants avaient vécu des millions d'années, mais aussi dans de grandes salles décorées de marbre vert de Sparte, de marbre jaune de Namibie et des fresques de Méléagre et Antiménès. Aux murs somptueux étaient accrochées des lampes à huile et des couronnes de feuilles et de violettes au doux parfum. À ce moment-là, le professeur Rao introduisait l'hôte, un Romain décadent, qui avait choisi une insolite série de mets pour la seule raison qu'ils étaient rares et chers et qu'il était un insatiable gourmet. Des esclaves disposaient sur une longue table de banquet des plats d'argent remplis de fauvettes, de perroquets, de tourterelles des bois, de flamants, d'oursins, de marsouins, de langues d'alouette, d'intestins de truie stérile, de sabots de chameau, de crêtes de coq, de brochettes de chevreau, d'huîtres grillées et de grives surmontées d'un jaune d'œuf.

– Remarquez qu'ils mangeaient avec leurs doigts. Comme nous, disait le professeur.

Remplis d'un sentiment de crainte révérencieuse, nous observions le va-et-vient des musiciens, des poètes, des avaleurs de feu et des danseuses jusqu'à ce que le second service soit terminé et que l'hôte, plein de fierté, lève une coupe incrustée d'améthystes, en commandant d'une voix forte :

– Que l'on serve les boissons !

Alors les esclaves laissaient tomber un morceau d'améthyste dans la coupe d'argent de chaque invité, car *améthystos*, en grec, signifie « qui préserve de l'ivresse ».

C'est à travers les yeux du professeur Rao que nous avons observé les eunuques de la cour des anciennes dynasties chinoises se consacrer à deux tâches essentielles : alimenter le flot constant de jeunes concubines et préparer la nourriture de l'empereur dans des bols en jade afin de conserver à leur maître toute sa vigueur.

Après le gâteau, nous suivions le professeur dans sa vitrine. Il faisait coulisser les portes et un autre monde apparaissait devant nos yeux.

– Maintenant, voyons. Vous ai-je déjà montré mon crabe en pierre ? disait-il en déposant dans nos mains d'enfants un énorme crabe fossilisé d'un poids considérable.

Un à un, tous ses trésors quittaient leur abri de verre pour parader devant nous. Émerveillés, nous effleurions des morceaux de bois pétrifiés, de blocs de jais et des rosaires issus des larmes de Shiva.

Il déballait avec soin des pierres noires et rondes fendues en leur milieu comme une noix, révélant en leur centre sombre des ammonites de mer fossiles, recroquevillées et fermées comme un secret. Il les avait trouvées sur les pentes de l'Himalaya.

— Il n'y avait pas de chaîne de montagnes jusqu'au moment où l'Inde s'est séparée d'un immense continent appelé Gondwana et s'est heurtée au Tibet, surélevant les fonds marins.

C'est ainsi qu'il nous expliquait l'existence mystérieuse des ammonites de mer au sommet d'un versant montagneux.

Mais, pour moi, le titre de gloire incontestable de la collection de cristaux du professeur Rao demeurait un crâne en cristal d'un Indien Cherokee. Le professeur nous a raconté que ces Indiens croyaient que leurs crânes chantaient et parlaient ; ils les lavaient régulièrement avec du sang de daim et s'en servaient ensuite comme remède et comme oracle. Les couleurs du prisme enfouies au plus profond de la pierre en faisaient un très bel objet. Lorsqu'à l'intérieur du crâne les couleurs se ternissaient, le professeur l'enterrait une nuit entière ou l'exposait à l'orage ou à la pleine lune.

À chacune de nos visites, il plaçait un morceau de cristal dans notre main droite et nous demandait de placer la gauche légèrement au-dessus.

— Fermez vos yeux et laissez votre cœur murmurer au cristal : je t'aime, nous conseillait-il.

Je tenais le cristal comme il l'avait indiqué, fermais les yeux, mais mon esprit agile détalait instantanément vers la dernière tranche de gâteau marbré dans l'assiette, attendant impatiemment le moment où le professeur dirait : « Maintenant, ouvrez les yeux. »

— Qu'avez-vous vu ? demandait-il avec une impatience fébrile.

Je ne voyais rien d'autre que des taches vertes sur l'écran orange de mes paupières, mais Mohini, exaltée par l'expérience, parlait d'éclairs de lumière, de joie courant dans ses veines comme de l'eau de pluie et d'algues visqueuses poussant sur son corps.

Parfois, elle avait l'impression que la pierre qu'elle tenait dans sa main vibrait, respirait et bougeait.

— Ce sont des souvenirs prisonniers du cristal, s'écriait le professeur d'un ton triomphant.

Un jour, il nous a réservé une surprise. Un arc-en-ciel s'était formé sur la pointe de l'une des facettes du bloc de cristal que Mohini avait tenu dans ses mains la semaine précédente. Émerveillés, nous regardions fixement l'arc-en-ciel parfaitement formé. Était-il possible que Mohini l'ait fait apparaître ?

— Oui, absolument, a affirmé le professeur Rao, rayonnant. Une pierre ressemble à un enfant en état de choc. Tu l'as apaisée et elle a réagi.

Après cela, lors de chacune de nos visites, il a demandé à Mohini de toucher et de jouer avec ce cristal. De tous ceux qu'il possédait, c'était le seul à s'être épanoui en arc-en-ciel.

Lors de notre dernière visite chez le professeur Rao, quelques semaines avant que les Japonais n'envahissent la Malaisie, il a ouvert une boîte d'allumettes. À l'intérieur, niché sur un lit de coton, se trouvait quelque chose qui ressemblait à une énorme goutte d'huile d'un vert très clair. Le professeur a pris la goutte solide dans ses mains, l'a tenue contre la lumière et a juré que c'était là la plus parfaite émeraude qu'il ait jamais vue. Elle n'avait pas de prix. Même à l'état brut, sa taille et sa beauté étaient si évidentes que l'ouvrier qui avait extrait la pierre l'avait avalée pour la vendre illégalement.

— C'est toute ma vie, a déclaré le professeur Rao avec fierté. (Mais quand il l'a replacée dans sa modeste cache, sa voix est devenue singulièrement douce.) Mohini, ma chère enfant, elle me rappelle toujours tes yeux ; elle t'appartiendra quand tu épouseras mon fils.

Il avait raison. L'émeraude était semblable aux yeux de ma sœur.

Le souvenir des yeux de Mohini remonte à l'époque où j'étais bébé. Des gemmes étincelantes. Des gemmes de rire. Comme elle riait !

Je me souviens de sa danse.

Je la regardais danser à la lumière de la lune. Lorsque les vaches dormaient à l'étable, je m'asseyais sur le petit tabouret dont Maman se servait pour la traite et je l'observais, si différente sous l'éclat argenté de la lune, si belle. Ses yeux magnifiques, étranges et allongés, à l'intérieur des bords noirs soulignés de khôl dont Maman était prodigue.

136

« *Tai, tai, Taka Taka tei, tei, Taka, taka*[1]... » Sa voix claire résonne comme le battement des mains de jeunes enfants. Elle arc-boute son corps, dessine des mouvements rapides dans l'air ; ses mains, pareilles au ventre pâle d'une truite de rivière sautant hors d'un courant sombre, balaient majestueusement l'obscurité ; ses talons martèlent le sol, au rythme de sa voix ; ses bracelets de chevilles chantent dans la nuit d'argent.

« *Tai, tai, Taka Taka tei, tei* », chante-t-elle tandis que ses doigts se déploient comme des éventails. Ses mains volent dans la nuit et cueillent des fruits enchantés. Elles les effleurent légèrement, les disposent dans un panier de fils d'or tissés et les offrent à la Grande Déesse. Puis ses doigts s'abaissent jusqu'à toucher ses pieds qui, fins pinceaux, de ceux qu'on fait avec la queue d'écureuil, sautillent et se précipitent en avant, dessinant une silhouette sur le sol. Un paon orgueilleux, un tigre rugissant, un daim effarouché. Il fait toujours trop sombre pour voir. Ses yeux jettent de rapides regards de côté, à gauche, à droite, de nouveau à gauche. Le tableau est parfait. Ses pieds se meuvent très vite, ses talons frappent le sol, décrivent un cercle gracieux autour de la silhouette qu'elle a dessinée. Et lorsque le cercle se referme, je sais que son voyage touche à sa fin.

« *Ta Dor, Ta Dor, Ta Dor, Ta, Ta.* » Je la regarde élever ses bras jusqu'à la lune et tourner sur elle-même de plus en plus vite ; les clochettes attachées à ses bracelets de chevilles résonnent avec démence jusqu'à ce que, étourdie et hors d'haleine, elle s'effondre sur le sol. Son corps aux douces courbes à terre, elle incline son visage étincelant vers moi et demande :

– Alors, est-ce que je m'améliore ?

Pour quelque étrange raison, elle me rappelait Siddhi, cette femme merveilleuse qui incarne la séduction des pouvoirs mystiques : si belle, des yeux si sublimes, et cependant rejetée avec mépris par les dieux.

L'espace de ces quelques secondes irréelles, dupé par la lumière de la lune et l'extase de sa danse, j'oubliais que ce n'était pas un mystérieux être céleste qui haletait dans notre petite cour, mais ma sœur, la personne la plus courageuse que j'aie jamais connue. D'une manière qui pour Maman était de la

---

1. Mode de scansion rythmique chanté, consistant en onomatopées codifiées qui indiquent le tempo. Le danseur peut les chanter lui-même ou écouter le chanteur qui le guide.

faiblesse, et pour Papa le signe d'un cœur tendre. Comment puis-je expliquer le feu qui brûlait en elle quand elle était témoin d'une injustice ? Peut-être le comprendras-tu si je te raconte le dîner d'anniversaire de Maman.

Papa avait épargné pendant un an sur son misérable salaire afin d'offrir à sa femme et à ses enfants un repas digne d'une reine. Maman aurait refusé une telle extravagance si elle en avait eu connaissance, mais Papa avait préparé ses plans en cachette. Il avait tout commandé à l'avance, payant le repas par versements ridiculement bas, bien avant la date anniversaire. Toute la famille s'est assise autour d'une grande table ronde. Sont arrivés tout d'abord des crabes aux piments, suivis de mouton cuit dans du lait de chèvre, puis les nouilles crémeuses, le *char kueh teow*[1], les calamars au sambal, les soles à la pâte de gingembre, les brochettes de sucre de canne enrobées d'une pâte de crevettes et ainsi de suite, jusqu'à ce que la table soit recouverte de plats fumants.

— Bon anniversaire, Lakshmi, a murmuré Papa.

Un sourire s'est dessiné sur son visage. Maman n'a fait qu'approuver d'un signe de tête. Peut-être était-elle contente car elle nous a souri, mais quand elle a commencé à remplir un bol de riz frit pour Lalita, une plainte a déchiré l'air. Une vieille mendiante pleurait bruyamment parce qu'un commerçant essayait de la chasser à coups de balai. C'est ainsi que les choses se passaient à cette époque. Il fallait battre les mendiants pour les écarter.

Tout le monde observait la scène, certains avec tristesse, d'autres soulagés que la vieille femme malodorante ne vienne pas à leur table gâcher leur appétit délicat. Mais Mohini n'était pas de ceux-là, non. Les yeux débordant de larmes, elle s'est levée d'un bond et a bondi sur le commerçant.

— Comment osez-vous battre Grand-Mère ? a-t-elle hurlé.

Ébahi à la vue de cette enfant qui volait vers lui animée d'une telle colère, l'homme a arrêté son bâton à mi-course. Parfaitement accoutumée à être battue, la vieille femme, la mâchoire béante, s'est arrêtée de gémir. Mohini a passé son bras autour de sa taille et l'a amenée à notre table pour qu'elle mange avec nous. Ma sœur n'avait pas encore dix ans.

---

1. Fruits de mer épicés.

Sa présence imprègne mes tout premiers souvenirs. Depuis le trou creusé dans le sol où me mettait quotidiennement Maman pour fortifier mes jambes, je levais les yeux et je la regardais. Interprète d'histoires dans lesquelles elle incarnait tous les rôles. Courant de-ci, de-là, faisant des grimaces et contrefaisant sa voix, elle voletait autour de moi comme un joyeux papillon. Il semble qu'à cette époque elle me consacrait tout son temps. Elle avait dû voir dans mes petits yeux suppliants, et comprendre sans qu'on le lui dise qu'il n'y aurait pas d'amour à venir pour la pauvre et laide créature que j'étais. Qu'il n'y avait dans ma bouche aucun de ces mots attendrissants que tous les enfants prononcent pour se faire aimer, mais une paresseuse limace en guise de langue. Mohini s'est engagée à m'aimer de tout son cœur.

Elle se consacrait à moi tous les matins lorsque la maison se vidait de ses occupants. Après que Papa était parti au travail, Anna et mes frères à l'école et Maman au marché, Lalita dans son sillage. Maman devait emmener Lalita avec elle, sinon la petite s'effondrait sur le sol et versait des larmes amères jusqu'à son retour, comme si elle avait manqué beaucoup plus qu'une simple promenade. Aussi me retrouvais-je assis, jambes croisées près de la fenêtre de la cuisine, baignant dans une flaque de soleil pâle, tandis que Mohini tirait et tordait mes cheveux en jolies bouclettes tout en me racontant les histoires de Krishna, le dieu bleu.

— Quand il était un bébé, assis dehors, sa mère le vit manger une poignée de sable. Elle sortit en courant pour lui ôter le sable de la bouche. Mais lorsqu'elle ouvrit sa mâchoire, elle y découvrit le monde entier.

J'étais assis, les doigts de Mohini dans mes cheveux, son haleine chaude sur ma tête, et j'enviais l'enfant espiègle et adoré qui vola du babeurre, cacha, par plaisanterie, les vêtements de jeunes baigneuses, tua de ses mains nues un énorme cobra et soutint le mont Govardhan pour abriter un troupeau de vaches d'une terrible tempête envoyée par le jaloux Indra[1].

Je rêvais que, de la fenêtre d'un palais, je regardais une génération de *gopi*, vachères au teint clair, en train de cueillir des boutons de lotus dans un étang vert; chacune d'elles priait

---

1. Ces différents épisodes font référence à la geste épique du dieu Krishna, telle qu'elle est relatée dans le *Bhagavata-Purana*, ainsi que dans de nombreux poèmes, danses et drames indiens.

secrètement afin de m'épouser. Je rêvais d'un possible mariage avec Ratha, celle qui avait la peau la plus claire.

– Un jour, ta Ratha viendra, aussi douce qu'une fleur de moutarde, et j'appliquerai la pâte de santal et le kum kum sur son front, me taquinait Mohini.

J'arborais toujours la mine dégoûtée de circonstance[1], mais je la croyais de tout mon cœur.

Tels sont mes plus heureux souvenirs. Que puis-je me rappeler d'autre ? Les années se sont écoulées à la merci de professeurs cruels. Ils épinglaient mes cahiers sur mon dos pendant les récréations de telle façon que tous les élèves puissent partager l'étendue de mon idiotie. Ils me tapaient sur les doigts et jetaient mon travail par la fenêtre. « Nul », déclaraient-ils. On aurait dit qu'ils ne pouvaient imaginer l'étendue de ma bêtise. Ils m'insultaient et me reléguaient dans un coin de la classe. Sur les terrains de jeux, dès qu'ils m'apercevaient, des enfants que je ne connaissais même pas scandaient : « *Kayu balak, Kayu balak* », « Ouh l'idiot, ouh l'idiot ! Il est bête comme ses pieds ».

Oh, j'ai pleuré, car mes oreilles n'avaient pas de couvercles.

J'étais si désespéré que je m'humiliais pour gagner le droit d'entendre un mot gentil, une parole de bienvenue ou une conversation pendant les récréations. Je portais les cartables des autres ; pour les amuser, je faisais le tour du terrain de jeu en marchant à reculons et j'aboyais comme un chien. Mais avec le temps, j'ai découvert que ce n'est pas ainsi que l'on se lie d'amitié. Alors j'ai appris à m'asseoir seul au bout du terrain de jeu ; tournant le dos aux rires des gamins, mes petits yeux face à la route, je mâchais lentement ma nourriture.

« *Kayu balak, Kayu balak* », chantaient les enfants heureux dans mon dos.

Les professeurs continuaient à me réprimander, à incriminer mon écriture. Pourtant je n'y pouvais rien. Je ne parvenais plus à contrôler ma main, elle était devenue insensible comme un morceau de bois. Des larmes s'échappaient de mes paupières, mais leurs visages furieux refusaient de s'adoucir. Comment pouvais-je leur expliquer que lorsque j'ouvrais un livre de lecture, des poissons bleu foncé nageaient sur les eaux blanches de la page et m'empêchaient de distinguer les mots clairement ? Comment

---

1. Dans les cultures asiatiques, il est considéré comme inconvenant de se réjouir ouvertement d'une perspective de mariage.

pouvais-je additionner correctement les chiffres s'ils gambadaient et jouaient comme des singes-araignées sur mon cahier ? Et donc comment aurais-je pu même leur parler de ma main insensible comme du bois ?

De nombreuses années après le départ des Japonais, après qu'ils eurent dévasté nos vies, je me demandais si je ne m'étais pas assoupi sur un tapis de feuilles lustrées, dans le jardin derrière la maison, et si je n'avais pas rêvé d'une peinture de Basohli parsemée de fragments d'aile de coccinelle aussi scintillants que des émeraudes. Se peut-il qu'une époque si heureuse, si civilisée, ait existé dans ma vie ?

Je suis allé rendre visite au professeur Rao. Il est venu à la porte, presque chauve, ses deux mains jointes formant un lotus ridé. J'avais gardé le souvenir d'un homme plus grand, plus resplendissant, au sourire empreint de ravissement.

— Bonjour, Papa Rao, ai-je dit, revenant instinctivement à mon enfance.

Il a souri tristement. Il a étendu ses mains pour toucher mes cheveux, huilés et rejetés en arrière.

— Les boucles, a-t-il soupiré d'un ton désolé.

— Elles étaient ridicules. Mohini est en train de...

Ma voix s'est éteinte.

— Bien sûr, a-t-il acquiescé d'une voix morne, en me faisant pénétrer chez lui.

Le lieu était silencieux, plus petit que dans mon souvenir et étrangement mort. On n'entendait même plus les chansons d'amour doucereuses de Mme Rao s'échapper de la cuisine. J'ai perçu ses pas en train de se déplacer dans une autre partie de la maison ; des mouvements lourds et laborieux.

— Où sont les géodes, les grottes des améthystes, le crâne, les peintures ? ai-je demandé brusquement.

Il a levé la main droite puis l'a laissée retomber d'un geste las le long de son corps.

— Les Japonais... Ils ont tout volé. Il leur a fallu trois hommes pour porter ma grotte en cristal.

— Même votre crabe en pierre ?

— Même mon crabe en pierre. Mais regarde : ils n'ont pas touché à mon lingam. Ils n'en ont pas compris la valeur, ces brutes.

Il s'est éloigné pour caresser l'arrondi de la pierre d'un noir intense. Quelque chose s'est passé en moi.

– Est-ce que votre fils est revenu ?

– Non, a-t-il dit si brusquement que j'ai su qu'un désastre impensable s'était produit.

« Écoutons un morceau de Thiagaraja, a-t-il suggéré en se retournant vivement pour cacher sa douleur.

Dès le premier son pur des cordes de la vina, il a laissé retomber sa tête entre ses mains. Des larmes silencieuses ont coulé sur son dhoti blanc, faisant apparaître à travers le tissu mouillé sa maigre peau brune.

– Papa Rao, me suis-je écrié, bouleversé.

– Chut, écoute, a-t-il soufflé d'une voix étouffée.

Il n'y avait pas de gâteau marbré ni de thé sucré. Je suis resté assis, pétrifié dans mon siège, jusqu'à ce que s'éteigne la dernière note du raga Bhairav et que le professeur Rao se soit suffisamment ressaisi pour être capable de redresser la tête et de m'adresser un timide sourire. Lorsque je me suis levé pour partir, il a mis le précieux lingam dans ma main.

– Non, ai-je dit.

– Je ne vais pas tarder à mourir, a-t-il répondu. Personne d'autre ne l'aimera autant que toi.

Tristement, j'ai emporté la pierre noire à la maison. Les Japonais n'en avaient pas voulu. Ils n'en avaient pas reconnu la beauté. C'était un rebut, comme moi. Je suis allé sous notre maison et je me suis assis sur la caisse pleine de pierres sans valeur et polies avec amour, tout en songeant aux lèvres tremblantes de Papa Rao. Des larmes ont surgi. J'ai tenu le lingam noir dans la paume de ma main droite, la gauche recouvrant légèrement l'extrémité arrondie. Puis j'ai fermé les yeux et, pour la première fois, mon cœur a murmuré avec sincérité :

– Cristal, je t'aime.

Pendant un court moment, il y a juste eu l'écran orange de mes paupières et les familières taches vertes, jusqu'à ce que, tout à coup, un éclair se produise, au coin de mes paupières comme le soleil sur l'eau. Puis j'ai senti mon cœur battant prendre une profonde inspiration avant de se calmer un peu. Soudain, quelqu'un qui comprenait ma véritable nature m'a pris dans ses bras et m'a bercé. Un sentiment de paix m'a gagné. La pierre me réconfortait et, peu à peu, j'ai compris que je n'avais jamais été destiné à naître sous la forme d'un être humain. J'aurais pu être heureux en étant un rocher. J'aurais été content d'être une immense paroi rocheuse au sommet d'une montagne ou un simple bloc de cristal lumineux sous le soleil froid. Sur le mont Everest.

Je me serais perché très haut, au-dessus du monde, iné-branlable et sûr de ma valeur, observant au fil des ans l'inanité des allées et venues de la race humaine en proie à l'illusion. Sur ma main de granit, j'aurais porté une montre en bois ; les jours et les nuits seraient passés tandis que les aiguilles gelées de ma montre seraient restées immobiles. Mais je ne suis pas un cristal étincelant ni un rocher escarpé surplombant une belle falaise. Je le vois sur le visage de ma mère. Mon destin n'est pas d'être admiré par l'humanité ; elle ne jettera pas sa vie à mes pieds à la seule fin de me connaître, de se reposer un instant sur mon som-met. Je suis un cancre au visage carré sculpté dans un granit hiératique. Le rire et la passion des autres gens sont sources d'envie dans mon cœur solitaire.

Je fixe d'un air absorbé le cadran de ma montre en bois, tandis qu'autour de moi les gens se déplacent à toute vitesse. Quand je lève les yeux, le moissonneur d'âmes est déjà passé et les gens que j'aimais ont disparu pour toujours ; de nouveaux petits êtres ont surgi comme les graines du sol. Si tu me regardes, tu ne vois qu'un homme prisonnier de tâches subal-ternes ; mais garde-toi de me prendre en pitié, car, tout comme la terre, je vivrai au-delà des vaines allées et venues de l'homme. Tu verras.

Sevenese

Ce n'est que lorsque j'ai découvert l'amour secret de Raja, le fils aîné du charmeur de serpents, pour ma sœur, que j'ai pris conscience de sa véritable beauté. C'était en 1944 et j'avais douze ans. J'ai couru à la maison si vite que le vent sifflait à mes oreilles et que les pans de ma chemise blanche claquaient dans l'air. Je suis passé comme un éclair devant Papa qui somnolait sur la véranda, la bouche à moitié ouverte, et me suis dirigé vers la cuisine. Mohini a levé les yeux d'un bol rempli de pâte de *chapatti*[1] brune et m'a souri. J'ai regardé avec intensité l'explosion d'étoiles dont ses yeux étaient le théâtre. En vérité, elle était une créature extraordinaire. Ça a été une révélation que de prendre soudain conscience qu'elle n'était pas seulement la main qui disposait minutieusement dans mon assiette de petits tas de curry autour d'un monticule de riz, ni la main si douce qui administrait le rituel honni du bain d'huile hebdomadaire; celle de Maman étant beaucoup plus rude.

J'ai regardé la profondeur des petites paillettes brunes et vertes de ses yeux magnifiques et j'ai senti une lueur chaude se répandre en moi à l'idée que la tournure romantique et totalement inattendue que prenaient les événements servait parfaitement mes plans. Je me souviens d'avoir joint les mains et récité une prière à Dieu pour le remercier d'avoir doté ma sœur d'une beauté susceptible d'attirer l'attention de Raja, car aussi loin qu'il m'en souvienne, Raja était quelqu'un que j'idolâtrais et dont j'aspirais ardemment à devenir l'ami.

---

1. Sorte de pain rond et plat à base de farine de blé ou de riz.

Pour les autres, son visage renfrogné et son allure volontaire incarnaient les sons et les cris étranges, qui, au milieu de la nuit, provenaient de la maison du charmeur de serpents. On parlait de démon et de magie noire. On parlait même de fantômes et d'esprits revenant du monde des défunts. Les gens les craignaient, lui et son père ; moi pas.

Depuis le jour où j'ai découvert chez eux que le crâne menaçant appartenait à Raja, j'ai été obsédé par le besoin d'en savoir plus. Pendant des années, j'avais joué avec Ramesh, son frère cadet, tout en fixant l'inaccessible et haute silhouette de Raja dans le lointain. Tout ce qui le concernait était source de mystère pour moi et je nourrissais à son égard une intense curiosité. Ses jambes puissantes, couleur d'argile, ses vêtements raides de crasse, ses mèches sales aux nuances de bronze, et cette odeur animale particulière, sauvage mais pas désagréable, qui émanait de son corps par vagues. Bien sûr, l'histoire sanglante dont se rappelait Maman, d'un petit garçon aux cheveux bouclés mâchant des morceaux de verre sur la place du marché, élevait à mes yeux l'étendue de ses pouvoirs maléfiques à des hauteurs insoupçonnées.

Empli d'un respect craintif, je l'observais de loin en train de s'occuper de ses ruches derrière leur maison. Je n'oublierais jamais le jour où Ah Kow, un autre voisin, a jeté une pierre sur l'une des ruches ; l'essaim tout entier s'est élevé dans un noir nuage de colère, grondant comme une cascade. Même les soldats japonais avec leurs longs fusils ont attendu devant la maison qu'on leur remplisse les pots de miel auxquels ils avaient droit. Raja, lui, se montrait déterminé et intrépide ; il a plongé sa main dans l'essaim bourdonnant pour y voler le précieux miel. Les abeilles le piquaient parfois mais, imperturbable, il retirait calmement leur dard noir de son visage enflé. Un jour, il est même allé jusqu'à laisser un essaim s'approcher si près de son visage qu'il y a formé une répugnante barbe jaune et noir. Pour mon plus grand plaisir.

Avant que Raja n'entre dans ma vie, j'étais boy-scout le jour, voleur de fruits le soir et terroriste affilié à un gang lors de certains week-ends. Ramesh, le frère de Raja, Ah Kow et moi appartenions à une bande de garçons qui faisait les quatre cents coups dans les vergers et livrait de féroces bagarres contre les bandes rivales. Il m'est difficile de croire aujourd'hui qu'on se battait à coups de chaînes de bicyclette, de bâtons et de pierres. On se rassemblait à la périphérie de la vieille place du marché et on chargeait l'ennemi en hurlant sauvagement. Beaucoup de sang coulait, jusqu'à ce que les habitantes du quartier, des Chinoises mal coiffées et vêtues de samfu mal ajustés, surgissent en nous maudissant et en nous menaçant de leur balai. Elles nous frappaient à la tête et réussissaient parfois à saisir par l'oreille ceux d'entre nous qui étaient trop absorbés par la bagarre. On préférait tous recevoir cent coups de chaîne de vélo plutôt que de subir un tel traitement. De leurs voix stridentes et vulgaires elles hurlaient dans nos tympans :

– Démons, démons, espèce de petits garnements... Attends un peu que je le dise à ta mère.

C'était la suprême insulte. Le reste de la bande n'avait plus d'autre choix que de laisser tomber ses phrases assassines et ses regards incendiaires et de déguerpir au plus vite. C'était une bonne rigolade, ces bagarres, même si elles étaient rares.

La plupart du temps, on se contentait de voler des pastèques dans les petits vergers et d'emporter les plus grosses et les meilleures. On traînait les lourds fruits verts en un endroit sûr et on se goinfrait de leur chair rouge jusqu'à ne plus pouvoir bouger. Puis on se couchait par terre, jambes et bras écartés, comme des étoiles de mer échouées, gémissant d'aise sous le ciel bleu. Un jour, alors qu'on dérobait des pastèques dans un champ, un homme à demi vêtu est sorti en courant d'une cabane abandonnée. Il nous a menacés du poing en criant :

– Hé, espèce de goinfres. Revenez ici.

Un garçon de la bande a glapi d'horreur en comprenant tout d'un coup que le carré de pastèques qu'on était en train de piller appartenait à son oncle. L'homme nous a poursuivis sur une bonne distance en nous maudissant et en jurant en chinois.

Parfois, on grimpait aux arbres fruitiers et on s'asseyait entre les branches pour manger des mangues ou des ramboutans. On en avalait à en être malades. Mais le propriétaire d'un verger a acheté un gros chien de garde noir. Je dois dire qu'il nous impressionnait. Mais, un jour, on lui a lancé une telle volée de fruits verts sur le museau qu'il s'est enfui aussi vite qu'il a pu, la queue rabattue entre les pattes et la langue comme une écharpe. Il n'est plus jamais revenu. Ce n'est que lorsque nous avons appris que la pauvre bête avait été empoisonnée qu'il nous est venu à l'esprit que d'autres avaient trouvé le même filon que nous.

Au moins une fois par semaine, on se cachait derrière la grande boulangerie chinoise, au centre de la ville, dans l'espoir de voler des beignets à la noix de coco. Au moment où les livreurs chargeaient leurs camionnettes pour approvisionner les cafés, on faisait main basse sur une bonne quantité de gâteaux. Quand on les enfournait dans la bouche, ils étaient encore délicieusement chauds.

C'est au cours d'une de ces rapines audacieuses qu'on a compris pourquoi le café-restaurant situé derrière la boulangerie proposait les poulets au riz le meilleur marché de tout Kuantan. On pouvait alors y faire un repas correct pour vingt *cents*. Jour et nuit, des clients s'empiffraient autour des tables rondes. Cachés derrière les poubelles, nous avons découvert une série de cages abritant des poulets malades ou morts. De malheureuses volailles faméliques, les yeux mi-clos, déplumés, se balançaient et titubaient comme des ivrognes sur les carcasses de leurs compagnes. Un jeune Chinois avec un bec-de-lièvre les plongeait dans une grande marmite d'eau bouillante et les plumait avant de les balancer dans un récipient en fer-blanc. De temps à autre, un cuisinier acariâtre vêtu d'un short noir crasseux et d'un maillot de corps blanc sortait pour se gratter. Il fumait une cigarette tout en pestant puis saisissait par le cou quelques poulets à la peau dûment frottée qu'il emportait dans le cubicule qui lui tenait lieu de cuisine. Du restaurant provenaient des rires sonores et les appels des clients qui commandaient l'un de ces délicieux poulets au riz.

À d'autres moments, on traînait dans les petites ruelles pour essayer de surprendre une prostituée en pleine action. Elles étaient pour la plupart laides et rébarbatives, et outrancièrement maquillées. Elles se tenaient dans les venelles, par petits groupes colorés, les yeux amers et expérimentés, les lèvres gourmandes et exagérément boudeuses. Une éternelle cigarette à la bouche, elles s'appuyaient contre les murs sales et, si elles nous surprenaient à les épier, elles nous jetaient des pierres avec une étonnante méchanceté.

Le sexe était un véritable objet de curiosité ; toutefois, Ramesh et moi, on n'a réussi à observer l'acte lui-même qu'une seule fois. C'était tard le soir et elle était très jeune. Elle avait des lèvres rouge vif et des cheveux d'un noir de jais. On s'est cachés derrière les poubelles nauséabondes qui débordaient de déchets pourrissants et, les yeux écarquillés, on a observé fixement l'homme et la fille. Il a paru marchander et a même fait mine de partir, mais elle lui a souri, tendu une main très blanche et l'a regardé d'un air enjôleur. Il a fouillé dans la poche de sa chemise et en a retiré de l'argent qu'il a mis dans sa main. Puis très vite, ils se sont retrouvés en pleine action. C'était plutôt sordide et bien loin de la chose mystérieuse que j'avais imaginée. L'homme a déboutonné son pantalon qui est tombé en accordéon sur ses talons. Ses mains dures ont agrippé la chair blanche et douce des fesses de la fille. Nullement troublé par le fait que son derrière, mince et ridé, était exposé à la vue de tous, il a enfoui son visage dans l'épaule gauche de sa partenaire et s'est mis à pomper énergiquement. Chaque fois qu'il la pénétrait d'un mouvement brusque, elle criait d'un air extatique : « Ouaa, ouaa, ouaa ! » Mais sur son visage poudré, rehaussé de fard à joue, ses yeux vitreux avaient roulé vers le ciel. Plus haut et plus loin que les caniveaux nauséabonds et les herbes d'un vert rouillé qui s'acharnaient à pousser entre les fissures près de l'égout. Loin des marches de pierre ébréchées et de la peinture écaillée des murs, par-delà les fenêtres bien fermées qui lui disaient qu'elle était une putain, au-delà du toit de tuiles couvert de mousse, vers un coin de ciel vespéral d'un orange orgastique. Il n'y avait sur son visage ni plaisir ni ennui ; aucune émotion. Juste une bouche très rouge qui criait : « Ouaa, ouaa, ouaa ! »

Dans mes culottes courtes un petit serpent a jeté sa mue, grossi et durci. Dès que l'homme eut fini, il a cessé de pousser des grognements, remonté son pantalon, l'a rajusté à une vitesse surprenante et a disparu. La fille a sorti de son sac à main un mouchoir sale et froissé et s'est essuyée rapidement. Sa façon de faire témoignait d'une longue pratique. Elle ne portait pas de sous-vêtements. Son bas-ventre était blanc, plat, triangulaire et couvert de poil noirs et bouclés. Elle a lissé ses courts vêtements de style occidental, rejeté d'un geste vif ses cheveux noirs pardessus son épaule et s'est éloignée en trottinant sur ses talons démesurément hauts. On a écouté leur claquement résonner dans la ruelle déserte jusqu'à ce que la silhouette soit avalée par l'une de ces portes anonymes qui s'ouvraient à l'arrière des maisons.

Je suis sûr que cette première rencontre avec la sexualité a eu un profond impact sur moi. Elle a teinté l'idée que j'en avais d'une coloration négative. L'ennui total de la jeune fille et ses lèvres rouges miroitent devant mes yeux comme un mirage dans le désert. À genoux, je rampe vers cette image pour me retrouver dans la mauvaise ruelle, dans la mauvaise chambre d'hôtel avec la mauvaise prostituée. Je reconnais que c'est l'ennui de la prostituée qui m'attire et m'excite. La récompense est de parvenir à provoquer une certaine animation sur un visage las. Cela m'a aiguillonné pendant des années. Même après avoir compris la vérité de ces âmes vidées, j'ai vécu pour le fantasme créé par cette bouche rouge dans la venelle, tant d'années auparavant. Je payais le double quand elles réussissaient à feindre la jouissance, quand elles ne demandaient pas : « Combien de temps ? » Et elles-mêmes, inépuisable armée de jupes courtes et de cuisses lisses, n'omettaient jamais rien, puisant dans leur répertoire admirable de grognements convaincants, de profonds gémissements de gorge et de halètements agonisants. Oui, j'ai gâché ma vie dans les bordels, à la recherche de cette fille de la venelle : mais n'est-il pas étrange qu'au terme de tant d'années je la voie encore si distinctement ? Les aiguilles de ses talons à jamais enterrées dans la peau de papayes pourrissantes, un nuage de mouches s'élevant autour de ses chevilles, ses jambes légèrement fléchies. « Ouaa, ouaa, ouaa », crie-t-elle, ses yeux roulant à la rencontre du ciel vespéral. Et à ce moment, dans mon fantasme, elle me regarde droit dans les yeux et gémit d'un plaisir inattendu.

Une fois toutes les deux semaines, l'après-midi, Ramesh et moi, on revêtait l'uniforme mauve de boy-scout, avec le foulard, et on allait à pied à l'école. On nous y enseignait l'obéissance, la serviabilité, l'importance du sérieux et de la bonté, et la droiture. On nous remettait des cartes de travail bleues rectangulaires, dont le recto portait l'emblème de l'établissement. On était ensuite séparés par groupes de deux et envoyés dans les proches quartiers huppés. On s'arrêtait devant les portails, le gardien nous ouvrait et on frappait à la porte d'entrée et, avec un sourire éblouissant, on demandait en chœur :

– Tante, est-ce que vous n'auriez pas un petit travail pour nous ?

Immanquablement, il y en avait. On lavait les voitures, nettoyait les garages, tondait les pelouses, taillait les haies, balayait les caniveaux, rassemblait les ordures en tas et les brûlait. Puis on faisait signer nos cartes et on touchait cinquante *cents* ou un ringgit. À la fin de la journée, on était censés remettre cet argent au chef des scouts, mais Ramesh et moi avions des cartes en double exemplaire, donc pour chaque ringgit gagné, nous en gardions un.

À cette époque, on pouvait acheter des cigarettes à l'unité. Le vendeur vous regardait de haut en bas, mais, en fin de compte, il finissait par privilégier son commerce. Tant qu'on le payait, il gardait ses opinions pour lui et se concentrait sur son boulier. Au début, on se glissait dans les bois, derrière la maison de Ramesh, exhalant des centaines d'anneaux de fumée dans l'air humide, écoutant le craquement des petits sangliers sauvages qui fendaient les buissons. Lorsqu'on est devenus plus courageux, on a émigré en ville. En fin de soirée, on s'asseyait côte à côte sur le bord de la route, près du cinéma, à fumer et à regarder les filles passer, les jambes pendant négligemment dans la canalisation profonde qui collectait les eaux de mousson. Lorsque les vents de mousson soufflaient et que les pluies drues s'abattaient pendant des jours d'affilée, l'eau charriait d'étranges choses. Un buffle mort qui tanguait, rigide ; un long serpent emporté par le courant, qui se débattait férocement ; un grand fauteuil à bascule en rotin, broyé par le flux ; des rats placides, qui nageaient comme des chiots ; des bouteilles, des excréments et, un jour, ce qui est devenu la poupée favorite de Lalita. Elle mesurait trente centimètres de long, avait des cheveux blonds et bouclés, de beaux yeux bleus et une petite bouche rose pâle. Une petite Européenne gâtée avait dû la jeter à l'eau dans un accès de colère. Les pluies de décembre n'étaient pas encore arrivées ; aussi, lorsqu'elle a flotté près de moi avec ses yeux ronds et fixes dans le courant qui ondoyait doucement, je l'ai attrapée et l'ai ramenée à la maison où Lalita, le regard brillant et incrédule, lui a ouvert tout grands ses bras.

Je dois dire pourtant que fumer au bord de la canalisation présentait davantage de danger que fumer dans les bois. Maman avait des espions partout. On pouvait escompter que toute femme en sari rapporte scrupuleusement le moindre de nos gestes en l'embellissant de multiples péripéties. J'avais pu en constater les conséquences lors de l'une des escapades de Jeyan. Pauvre garçon. Lorsqu'il arrivait à la maison, Maman l'attendait, bouillonnant de colère. Le plus navrant, c'est qu'il se conduisait rarement comme un chenapan. Mais le malheureux se faisait toujours prendre.

Parfois, on faisait semblant d'être malades et on manquait l'école pour aller au cinéma. Un jour, alors qu'on était debout, en train de faire la queue pour voir un nouveau film osé, intitulé *Les Ravages de la boisson*, on a été tout surpris d'y reconnaître notre maître d'école. Il se cachait derrière un pilier, ses yeux globuleux jetant de rapides coups d'œil inquiets autour de lui. C'était un homme d'une méticulosité telle que ses sécrétions ne pouvaient que le rendre malade. Si on n'avait pas vu le billet d'entrée flotter doucement entre ses doigts moites, on se serait esquivés. Mais, après tout, il n'était pas là pour nous surveiller. Inconfortablement coincé dans sa chemise blanche raidie par l'amidon et son pantalon noir démodé, il suintait l'embarras par tous les pores de sa peau dont chacun était strictement respectueux de la loi. Est arrivé le moment redouté et hilarant où nos regards se sont croisés. Tout en lui s'est figé, sauf un tic de frayeur qui a violemment agité sa moustache sur un côté de son visage. Il est précipitamment entré dans la salle obscure en agrippant son billet. Pendant des jours, je me suis demandé s'il allait le dire à Maman. Mais il semble que la honte fait bon ménage avec la peur du scandale.

Certains jours, rien ne pouvait dissiper le vent d'ennui qui soufflait mollement sur notre ville minuscule où rien ne semblait jamais devoir arriver. Quand aller au fleuve, de l'autre côté de la bourgade, observer les hommes nus attraper des alligators et des tortues ne nous suffisait plus, on devenait sanguinaires et on partait chasser le lézard à la fronde. La meilleure fronde de nous tous était Ismail, le fils cadet de Minah. Il tuait les petits reptiles avec une passion qui est devenue légendaire. En bon musulman, il mettait un point d'honneur à en abattre autant que son habileté le lui permettait. Car ce fut un lézard qui dévoila aux ennemis de Nabi Mohammed[1] l'endroit où il se cachait; il détruisit en effet la toile qu'une fidèle araignée avait soigneusement tissée sur l'ouverture de la grotte afin d'en cacher l'entrée. À l'issue d'un massacre, quand Ismail s'arrêtait pour allumer une cigarette, il avait amassé une grotesque pile d'une quinzaine de cadavres. Étendu à l'ombre d'un angsana, fixant les pans de ciel bleu à travers les feuilles, j'enviais secrètement Ismail, en me demandant comment grossir mon modeste tas. Il ne m'est jamais venu à l'esprit qu'à des milliers de kilo-

---

1. L'une des appellations du prophète Mahomet, le terme *nabi* signifiant « prophète » en arabe.

mètres de là, les soldats nazis étaient en train de réfléchir aux moyens d'éliminer des milliers de Juifs. Allongés dans l'ombre de ces après-midi étouffants, la guerre semblait bien loin. Mais quand elle est arrivée, ça a été si rapide que l'on n'a pas eu le temps de s'y préparer.

Les Japonais ont débarqué à Penang le 13 décembre 1941.

Après avoir vu des films sur les bombes « fabriquées au Japon » qui se désagrégeaient en faisant un léger plouf et avoir ri à l'idée de soldats aux jambes arquées et aux yeux qui louchaient trop pour faire mouche, nous avons été frappés de stupeur quand, soudain, ils ont pris le contrôle total du pays. Qui étaient ces nains asiatiques capables de mettre en fuite les puissants Anglais en une nuit ? Ils sont arrivés à Kuantan. Dans le sillage des voix râpeuses et profondes de l'homme blanc, de son uniforme resplendissant des couleurs royales et de ses bottes bien cirées, le premier soldat japonais que nous avons vu semblait chétif et fruste dans ses vêtements mal ajustés. Il avait le faciès d'un paysan, portait une sorte de casquette de tissu ordinaire, pointue, avec des rabats qui pendaient le long de son cou, et, attachés à sa ceinture, une gourde et une boîte en fer-blanc contenant du riz, du poisson salé et du soja. Ses courtes jambes étaient chaussées de brodequins en grosse toile, aux semelles de caoutchouc ; les orteils étaient répartis en deux sections de telle sorte que le gros orteil était séparé des autres ; les jambes de son pantalon étaient rentrées dans ces chaussures qui paraissaient si bien adaptées. Ainsi paré contre l'horreur boueuse des conditions tropicales, il faisait figure de piètre héros. Son fusil et sa longue baïonnette étaient aux yeux de la bêtise et du romantisme de notre jeunesse les seuls traits qui le rachetaient.

– Mais ils te ressemblent, ai-je murmuré, perplexe, à Ah Kow, la première fois que nous avons vu un groupe de soldats en ville.

Ramesh a acquiescé d'un signe de tête, mais Ah Kow leur a jeté un regard plein de haine. Une haine justifiée, car ils ont déchiré sa famille. Nous les avons vus remonter la rue jusqu'à ce qu'ils disparaissent. Des hommes interchangeables dans des uniformes interchangeables qui émettaient des sons rauques et gutturaux et déboutonnaient effrontément leurs pantalons en public pour laisser échapper un jet d'urine jaune. Comment de tels hommes avaient-ils pu vaincre les Britanniques ? Ces gens qui vivaient dans d'éminentes demeures avec des domestiques et des chauffeurs à leur service, qui ne mangeaient que des mets de choix. Et leurs enfants, bien trop intelligents pour le système éducatif local, retournaient dans leur terre natale après s'être tannés sous notre soleil. Combien de fois m'étais-je tenu tête baissée, ratissant humblement les feuilles dans leurs arrière-cours, tout en écoutant subrepticement ces enfants privilégiés rire et parler avec cet accent particulier et hautain qui était le leur.

— Au fait, on t'appelle comment ? demandaient-ils avec curiosité, les cils terreux et les yeux plus bleus que le ciel.

Personne n'avait jamais douté qu'ils étaient les descendants du plus prestigieux peuple du monde, du plus grand empire que l'histoire ait jamais connu. Dans l'esprit du colonisé, servir une telle race était un honneur, et il semblait carrément impossible de les imaginer pilonnés par un peuple asiatique chargé d'une mission aussi féodale que celle des envahisseurs japonais. Leur mission n'allait pas plus loin que le désir de livrer Singapour à leur empereur comme cadeau d'anniversaire, le 15 février 1942. Et la Malaisie était un panier de matières premières qu'il fallait prendre en chemin.

La guerre a paru s'être terminée avant même d'avoir commencé, mais ce n'était que le début d'une morne routine, de la détresse, de l'indicible cruauté d'une occupation qui allait durer trois ans et demi.

Nous sommes rentrés de Selemban et avons trouvé la maison vidée par le pillage, à l'exception du grand lit de fer de mes parents et du banc massif de la cuisine. Tout le reste était parti. Il n'y avait même pas une natte où dormir. Tous les huit, nous avons passé une nuit inconfortable sur le grand lit. Nous nous sommes réveillés à l'aube et je me souviens que Maman, Lakshmnan et moi avons couru au marché dans l'obscurité, tenant de grands sacs vides bien serrés dans nos mains.

Le marché était méconnaissable. Loin d'être une scène de guerre, il regorgeait de marchandises comme une foire dominicale. Les habitants, qui, d'habitude, marchandaient des chiots, des chats et de la volaille, se bousculaient pour attraper des pots de confiture ou de condiments. De vieilles Chinoises se battaient pour des boîtes de sardines, et même des sardines de la Manche, du pâté de viande, des pommes de terre, des pommes et des poires en conserve ; elles se disputaient des betteraves, des jus de

153

fruits en boîte, des sacs de sucre, des médicaments et des vêtements volés aux maisons et aux entrepôts britanniques abandonnés. Nous avons rempli nos sacs à ras bord. Nous avons agrandi le trou dans lequel nous enterrions le gingembre afin de lui conserver sa fraîcheur et nous y avons caché nos nouvelles réserves.

C'était avant que n'arrive la première vague de soldats, dans leurs camions ouverts, brandissant la menace de la décapitation en représailles du grave crime de pillage. C'était dur, mais d'une efficacité instantanée. Il est difficile de trouver un moyen de dissuasion plus convaincant que de jucher des têtes sur des piquets. Cependant ce nouveau décret a soulevé un problème. Comment cacher des choses qui de toute évidence ne vous appartenaient pas et qui néanmoins s'empilaient jusqu'au sommet de votre toit ? Pendant plus d'une semaine, jour et nuit, ont brûlé d'immenses feux. Les pillards ont empilé devant leurs maisons *attap*[1], qui n'avaient même pas l'électricité, réfrigérateurs, ventilateurs électriques, grille-pain, pianos étincelants et des ensembles entiers de meubles magnifiques auxquels ils ont mis le feu. Nous avons regardé les chaises, les tables, les tapis persans et les lits flamber en crachant des milliers d'étincelles. Ça a été pour Maman une véritable aubaine. Lakshmnan et elle ont parcouru les lieux où vivaient les serviteurs des grandes maisons européennes, et ont choisi les meubles qu'elle voulait parmi les immenses bûchers qui n'avaient pas encore été allumés.

Avec l'occupation japonaise, les choses ont radicalement changé dans notre quartier. En l'espace d'une nuit, les filles se sont transformées en garçons et les jeunes filles se sont purement et simplement évanouies. Papa a perdu son travail, Ismail son père, et Ah Kow, son frère qui avait rejoint le Parti communiste malais. Il est parti vivre avec les gens des collines, ainsi qu'on les appelait, dans un camp dénommé Plantation numéro six, près de Sungei Lembing, où leurs principaux efforts semblaient consister à tendre des embuscades aux patrouilles japonaises.

Les Japonais n'ont pas perdu de temps. Ils se sont mis en tête de nous faire progresser de quelques kilomètres dans leur culture, leur moralité et leur mode de vie si étrangers pour nous. Comme si se tenir au garde-à-vous et chanter leur hymne national tous les jours avant l'exercice matinal, ou forcer les enfants à apprendre le

---

1. Maisons traditionnelles en bois, sur pilotis et recouvertes d'un toit de palmes tressées.

japonais, pouvait susciter en nous un quelconque amour pour leur horrible drapeau (que l'on a immédiatement assimilé à une serviette hygiénique souillée) ou pour leur lointain empereur. Il est étonnant de penser qu'ils n'ont pas compris que si l'on s'inclinait très bas à la vue d'un uniforme japonais dans la rue, ce n'était pas par respect mais par crainte d'être giflé à toute volée. Chaque jour, sur le chemin de l'école, on passait devant une sentinelle qui nous fixait d'un regard sévère, son visage rébarbatif gonflé d'importance. Il était évident qu'elle prenait le plus grand plaisir à punir quiconque omettait de se courber comme il convenait devant le symbole de l'empereur. Longue vie à l'empereur ! Dans les rues, des soldats debout sur le toit de cars faisaient pleuvoir des prospectus de propagande.

Cachés derrière les poubelles, on n'écoutait plus le bavardage oisif des prostituées, mais le lourd bruit des pas japonais, quand, en plein jour, dans les quartiers les plus dangereux de la ville, les soldats poursuivaient des gens essoufflés jusque dans les petites ruelles.

Plusieurs fois, à l'école, on a entendu des avions voler très bas et la sirène retentir. On se jetait alors sur le sol où on restait jusqu'à ce que la sirène s'arrête et que les lumières reviennent. Je me souviens d'avoir vu une fois une vache anéantie par une bombe. Elle avait un regard fixe et vitreux ; un pan entier de son corps raidi et boursouflé avait disparu. On s'est approchés d'elle en se pinçant le nez, suffisamment près cependant pour observer l'importante partie à vif qui découvrait tout son estomac. Elle était assaillie par les mouches ; Ismail a vomi, mais le reste du groupe était complètement fasciné par ce spectacle de mort.

Il y a des moments de la vie qui restent gravés à jamais. La première fois que Raja a daigné me parler a été l'un de ceux-là.

Dans l'éclatante lumière du soleil, une ombre noire s'est abattue sur moi. Quand j'ai levé les yeux, j'ai vu les siens baissés sur mon corps affalé au sol, en train de soigner mes genoux égratignés et mes paumes ensanglantées. Avec le soleil derrière lui, il avait l'air d'appartenir à une race supérieure de guerriers. De ses longs doigts raides s'écoulait une encre jaune. Il s'est agenouillé auprès de moi, a passé son liquide magique sur mes genoux et mes mains à vif, et la douleur cuisante a disparu. De ses mains puissantes, il m'a relevé.

– Donc, c'est toi le garçon qui vit au numéro trois.

Je n'avais jamais entendu sa voix. Elle était profonde et douce. Incapable de parler, je hochai la tête, stupéfait. C'était lui le garçon intrépide qui nageait dans le fleuve, de l'autre côté de la ville, là où chassaient de longs alligators souriants aux mâchoires garnies de dents ivoire. Pendant la saison sèche, lorsque le fleuve prenait une couleur marron et que la boue séchait sur son corps, il revenait à grands pas chez lui, arborant sur sa peau des formes d'un jaune poussiéreux semblables à des cartes géographiques, qui lui donnaient une apparence reptilienne.

Il a ébauché un lent sourire. Je me souviens d'avoir alors pensé qu'il était sauvage ; sauvage comme les cobras noirs qu'il domptait et que son charme faisait danser. Quand vous regardiez dans ses jeunes yeux, ils semblaient pareils à de calmes miroirs ; mais si vous osiez vraiment plonger dans leurs profondeurs, vous pouviez voir d'anciens feux brûler à l'intérieur. Je croyais les avoir regardés de suffisamment près. J'imaginais que j'y avais vu tout ce qu'il y avait à voir. Je m'en veux encore de n'avoir pas regardé plus attentivement. Là où d'autres ont contemplé de puissants brasiers destructeurs, entretenus par des forces sombres et innommables, je n'ai vu qu'une petite flamme amicale rampant furtivement vers moi. Tout comme l'eau n'aspire qu'à l'horizontalité, je convoitais son monde dangereux. Un monde fascinant où une seconde chance était une prestigieuse illusion créée par un long ennemi sombre ondulant dans l'herbe. Raja était un sorcier versé dans la magie noire et l'animal même que je désirais ardemment imiter.

Un jour, je lui ai demandé :

— Est-ce qu'un charmeur de serpents peut être mordu par ses serpents ?

— Oui. S'il le veut.

J'avais l'habitude de m'asseoir pour regarder Raja manger. Il dévorait comme un loup, les épaules voûtées, une dure lueur de suspicion dans les yeux tandis que ses dents acérées déchiraient la nourriture. Je n'ai pas tardé à manger comme lui, ce qui irritait profondément ma mère. Ce fut toujours sa plus grande faiblesse : aucun sens de l'humour. À peine rentré de l'école, j'engloutissais mon repas et je me précipitais chez lui. Raja n'allait pas à l'école, n'y était jamais allé et ne le désirait pas. Il était foncièrement sauvage. Hormis son amour secret et interdit pour ma sœur, il n'y avait pas la moindre once de douceur en lui. Il était manifeste qu'elle l'obsédait totalement. Comme les mortels serpents qu'il charmait, il passait des heures à ramper silencieusement sur le ventre, dans les buissons, derrière notre maison, dans l'espoir de l'apercevoir ; il guettait avec avidité la moindre information qui émanait d'elle. Ce qu'elle mangeait, ce qu'elle faisait, à quelle heure elle s'endormait, ce qui la faisait rire, sa couleur préférée. En mon humble petite personne, toujours sur le point de s'endormir, se trouvaient tous les renseignements qu'il attendait avec impatience. Chaque parole que je prononçais était dévorée avec une avidité embarrassante. Plus je parlais, plus il s'enfonçait profondément dans le puits de l'amour. Son visage fondait devant mes yeux, tout comme les bougies de cire d'abeille que sa mère fabriquait et faisait brûler dans leur maison. Un petit sourire s'esquissait maladroitement sur son visage inculte et ses paupières de bronze s'abaissaient légèrement sur ses yeux sombres. Il ne savait ni lire ni écrire, il était vêtu de haillons, mais à l'intérieur de la coquille dure de son corps une ardente passion bouillonnait dangereusement.

J'étais jeune alors et ignorant des choses de l'amour. Sa passion n'était pour moi qu'un tremplin qui me rapprochait de lui. Je ne voyais aucun mal à encourager ce que je considérais plutôt comme une attachante tendresse pour ma sœur. Je constatais simplement que je gagnais de l'importance à ses yeux. Le destin, ai-je pensé, m'avait offert la possibilité d'avoir un certain ascendant sur lui. Quelque part en moi, j'ai dû savoir qu'aucun mariage n'était possible entre la Mohini de Maman et mon héros en guenilles. Toutefois, pour ma défense, on peut se demander comment un enfant aurait pu savoir que l'amour risquait d'être si dangereux. J'ignorais totalement qu'il pouvait tuer.

Raja a fait disparaître la routine et l'ennui cuisant de l'occupation japonaise. Il a changé le fil de mon enfance. Assis sur des bûches sous les imposants arbres neem couverts de mousse, nous échangeâmes des histoires. Il se penchait en avant et écoutait attentivement les miennes ; puis il me racontait les siennes. Et celles qui évoluaient à l'intérieur de sa tête bouclée étaient d'une nature surprenante. Des histoires africaines. Des vieillards aux cheveux crépus qui annonçaient à la porte de la hutte du sorcier :

– Je suis venu manger la chèvre noire.

De vieilles femmes qui pouvaient se jeter du sable dans les yeux ; des poulets qui absorbaient les mauvais esprits lorsqu'ils possédaient les hommes.

— De wo afokpa. Me le bubu de tefea n'u oh ! Enlève tes chaussures, tu souilles l'aire sacrée !

Je regardais fixement son visage, captivé par le pouvoir magique de cette langue étrangère. Pendant des heures, je restais assis, pieds nus, à fixer ses yeux incandescents, à écouter cette voix profonde, d'une douceur funèbre. Dans l'air immobile de l'après-midi, il faisait surgir d'effrayants djinns, si grands que leurs têtes disparaissaient dans les nuages ; d'autres fois, il tissait en souriant un monde où un bâton déposé dans un pot de terre pouvait se transformer en une belle petite fille. Parfois, je fermais les yeux, et sa voix faisait courir des corps d'ébène brillants dans le soleil brûlant d'Afrique, les faisait miroiter parmi les arbres argentés sous la lumière de la lune. Je regardais ses pieds nus et poussiéreux dans le sable, et lorsque mes yeux remontaient le long de son corps, je contemplais de multiples visages féroces qui se penchaient en même temps dans un abreuvoir et buvaient à larges traits un lait rougi par le sang d'un taureau. De ses lèvres d'un brun rougeâtre, il mettait en scène une circoncision publique et d'étranges rites d'initiation où dansaient des vierges nubiles et des jeunes gens, tourbillonnant de plus en plus vite autour d'un feu vaudou orange jusqu'à ce qu'ils sortent de leur corps et s'observent en train de se prendre et d'être pris.

Comme une armoire vide accueille les vêtements d'un étranger, j'accueillais avec joie ces immémoriales histoires de lions transformés en homme, de serpents sacrés envoyés dans les rêves des malades pour lécher leurs blessures et les guérir, celle de Musakalala, le crâne qui parlait. Mais je crois que mon récit préféré était celui de Chibindi et des lions. Laisse-moi réfléchir un instant, afin que je puisse une fois encore goûter la saveur de cette époque très lointaine. Une saveur que j'ai oubliée depuis longtemps et dont j'ai la nostalgie.

Il y a très longtemps, sous un arbre neem qui n'existe plus, abattu pour faire place à un grand hôtel international avec piscine, boîte de nuit et prostituées alignées le long du bar, Raja incarnait Chibindi le Grand, un chasseur dont le chant magique domptait les lions.

— Siinyaama, Oomu kuli masoonso, Siinyaama. Oh, toi qui manges de la viande. Il n'y a que de l'herbe sèche dans ce sac. Oh, toi qui manges de la viande.

Sous l'arbre neem, tout autour de nous, des lions rugissants s'immobilisaient puis se mettaient à danser au son de sa mélodie magique. Juchés sur leurs pattes arrière, ils se pavanaient et tournoyaient sur eux-mêmes, leurs queues battant l'air d'un côté, puis de l'autre. Ces grands chats ronronnaient de pur plaisir. Ils auraient déchiqueté Raja s'il n'avait chanté de sa belle voix puissante. Plus sa voix se faisait forte et plus vite les grands chats faisaient tournoyer leurs corps fauves.

Chibindi scandait son chant en tapant du pied ; sa main devant lui, à hauteur de son épaule, il leur faisait signe de se dresser et de se baisser, comme un dompteur qui cherche à faire danser ses bêtes. Les sauvages félins ne tardaient pas à oublier leur avidité pour la chair humaine.

Évoquer Chibindi me rappelle des souvenirs. De tristes souvenirs. Et pourtant je vois bien Raja maintenant, debout sous l'arbre neem, martelant le sol sec de ses pieds nus, ses bras ondulant frénétiquement. Il m'avait oublié.

Un jour, Raja a accepté de m'enseigner les secrets du charmeur de serpents, ce qui m'a plongé dans une profonde exaltation. Ces secrets se transmettaient de père en fils au fil des générations. Mon rêve devenait réalité. Je pouvais soudain nouer des serpents autour de mon cou, comme le seigneur Shiva. Le venin, ai-je appris, était la chose la plus précieuse que l'homme possède, et la peur, la plus précieuse que possède le serpent. La crainte est l'odeur que recherche le serpent lorsqu'il sort et darde sa langue. Il n'attaque que lorsqu'il la sent. Raja a déclaré que cela faisait longtemps qu'il avait extirpé la peur qui l'habitait ; il l'avait dotée de magnifiques crocs acérés, de longues griffes, il avait insufflé l'agilité dans ses membres engourdis et lui avait ordonné d'attendre, assise à ses côtés.

– Cette nuit, ce sera la pleine lune, m'a-t-il dit un après-midi. La lumière de la lune excite les serpents. Ils sortent pour danser. On se retrouve cette nuit au cimetière chinois ?

Ses yeux, à la fois jeunes et vieux, me questionnaient, me jaugeaient.

Au début, j'ai secoué la tête à regret, tout en souhaitant ardemment être capable d'y aller. Une fois suffirait, me suis-je dit. Il avait tant à m'enseigner, tant à me montrer. Mais il y avait toujours le spectre de Maman, son ombre attendant dans la cuisine comme un tigre accroupi jusqu'à ce que la première lueur du matin se glisse doucement à travers les fenêtres ouvertes. J'ai toujours été étonné qu'elle dorme si peu. Ses nuits ne devaient pas durer plus de deux ou trois heures. Néanmoins, un après-midi, sous l'arbre neem, j'ai simplement acquiescé.

— D'accord, ce soir au cimetière chinois.

Il s'est avéré en fait étonnamment facile de sortir par la fenêtre de ma chambre, de me laisser tomber sur un gros bidon placé dessous et de m'éclipser sans bruit. Près de la maison du charmeur de serpents, Raja m'attendait dans l'ombre. Au moment où je passais, une main a brusquement surgi et m'a tiré dans l'obscurité. Il a mis un doigt sur ses lèvres.

Il était mon tabou, mais j'étais son secret.

Une âcre odeur d'oignons écrasés émanait de sa silhouette sombre. Il se déplaçait sans provoquer le moindre souffle d'air ; il ne portait pas de chemise. Autour de son cou, attachée à une cordelette jaune, pendait une amulette d'or en forme de corne. Elle scintillait dans la nuit. Elle était destinée à le protéger du venin de cobra. Le serpent sur le point de cracher son venin recherche la lueur qui brille dans l'œil de son ennemi afin d'y lancer son poison mortel et de l'aveugler tout en restant à une distance prudente. Une amulette étincelante distrait alors l'attention du cobra qui dirige son venin sur elle.

Raja tenait dans sa main un bâton fourchu et un sac en jute. Je frémissais d'excitation. Le sang battait à mon cou. Quelles aventures s'ouvraient à moi ?

— Enlève ta chemise et ton pantalon, a-t-il murmuré tout contre mon oreille.

D'une boîte en fer-blanc rouillé, il a retiré un âcre mélange, la forte odeur que j'avais remarquée auparavant. Il a badigeonné vigoureusement mes membres nus avec cette sorte de pommade qui avait la consistance du yoghourt. Ses mains étaient fermes et sûres.

— Les serpents détestent cette odeur, a-t-il expliqué, son haleine chaude contre ma peau.

Je me tenais tranquillement debout tandis qu'il me prodiguait ses soins.

— Le cimetière est le meilleur endroit où les attraper, m'a-t-il chuchoté.

Les volailles et les petits cochons de lait que les Chinois déposaient en offrande sur les tombes pour apaiser leurs ancêtres attiraient de nombreux serpents. Manger la nourriture offerte aux défunts était considéré comme un acte néfaste, aussi ni les ivrognes ni les gens très pauvres ne venaient voler ce somptueux banquet pourtant à leur portée. Les serpents festoyaient donc, grossissaient et se multipliaient. Raja évoquait

160

d'une voix basse et pleine d'excitation un splendide cobra qu'il avait failli attraper la dernière fois qu'il s'était rendu au cimetière. C'était le plus grand qu'il avait jamais vu. Ce devait être en effet un reptile tout à fait remarquable car les yeux de mon ami ont scintillé dans la nuit. J'ai remis mes vêtements en toute hâte, en songeant avec inquiétude à Maman et à la puissante odeur qui me recouvrait maintenant de la tête aux pieds.

— Comment ça se fait que tu ne t'enduises pas le corps de ce truc qui sent si mauvais ? ai-je murmuré en fronçant le nez de dégoût.

Il a ri doucement tout en se frottant vigoureusement les mains avec des herbes écrasées.

— Parce que je *veux* qu'ils viennent à moi.

On a pris un raccourci qui passait derrière sa maison, traversé le champ, puis le petit bois où j'avais passé des heures à essayer de faire de parfaits anneaux de fumée et, enfin, on a dépassé la rangée de boutiques. Le cimetière s'étendait sur quelques collines assoupies. Même de loin, la vue de ces monticules herbeux baignés d'une lumière vert pâle dans le ciel nocturne et constellés de pierres tombales blanches m'a rempli d'un mauvais pressentiment. Pourtant j'ai suivi Raja qui, plein d'assurance, traversait les hautes herbes à grandes enjambées.

Sous la pleine lune, parmi les tombes, les pomelos ronds ressemblaient à des orbes fantomatiques. L'odeur des fleurs déposées sur les tombes remplissait l'air. Cependant, cet air parfumé était lourd et anormalement calme. Rien ne bougeait. Depuis ce moment, j'ai toujours pensé qu'un cimetière malais ou chrétien pouvait être un lieu paisible la nuit, mais qu'il en allait tout autrement des sépultures chinoises. Loin d'être un lieu de repos, c'est un endroit où les esprits encore affamés de désirs mondains attendent que leurs proches viennent brûler des maisons de papier regorgeant de meubles et de serviteurs, de grosses voitures garées devant. Ils allaient même jusqu'à brûler des effigies en papier d'une épouse favorite ou d'une concubine parée de bijoux et de robes luxueuses, des liasses de faux billets à la main. Cette nuit-là, j'avais conscience que ces esprits affamés, impatients, me suivaient de leurs yeux agités d'un désir jaloux. J'avais l'impression de sentir mes cheveux se détacher soudain de ma peau. Une petite araignée endormie, appelée peur, s'est brusquement réveillée et s'est mise à ramper lentement dans mon ventre.

Les tablettes recouvertes d'idéogrammes chinois et entourées de photographies des défunts paraissaient d'un blanc irréel sur le feuillage sombre. Un petit garçon aux yeux limpides m'a regardé tristement au moment où nous sommes passés devant sa tombe. Une jeune femme aux lèvres minces et cruelles m'a adressé un sourire d'invite; il m'a semblé qu'un homme incroyablement vieux me suppliait, dans un hurlement silencieux, de le laisser reposer en paix. Où que je tourne la tête, des visages fermés me fixaient d'un air maussade. Nos bruits de pas étaient calmes dans l'air immobile, empli de sifflements. J'ai regardé Raja.

Ses épaules étaient tendues, mais ses yeux, vifs et alertes. Son bâton fourchu sondait le sol devant lui, émettant une sorte de murmure entre les buissons. Une ou deux fois, il m'a fait remarquer un corps qui se glissait, une queue qui disparaissait dans les broussailles. Mon Dieu, l'endroit regorgeait de serpents. Il s'est arrêté soudain près d'un arbre immense.

– Il est là, a-t-il chuchoté.

J'avais peur. Mes yeux ont regardé dans la direction qu'il fixait. Sur le sol, un monstrueux cobra était enroulé autour des racines à l'air libre d'un grand arbre. Son corps épais luisait dans la nuit argentée comme une luxueuse ceinture impeccablement cirée. La longue ceinture a sifflé et s'est déroulée lentement.

– Maintenant, je peux l'attraper, mais je veux d'abord te montrer quelque chose.

Très doucement, Raja s'est agenouillé. J'ai avalé ma salive et me suis reculé d'un pas, prêt à fuir lâchement.

Le serpent était conscient de notre présence. Il a commencé à remuer son corps lustré dans un effleurement d'écailles, avec une précision silencieuse, tandis que, sous sa peau, ses muscles étaient fermes et assurés. Soudain, dans le mouvement de ses écailles noires, j'ai vu ses yeux froids nous observer. L'impulsion de courir a été si forte que j'ai dû serrer les dents et les poings pour éviter de me couvrir de honte.

De la poche de son pantalon, Raja a sorti une petite fiole. Avec des gestes lents, il s'en est enduit les mains. L'odeur était légèrement aromatisée. Puis il s'est mis à chanter doucement. Le cobra s'est redressé soudainement comme s'il venait de sentir un danger mortel.

J'étais pétrifié.

Devant moi luisaient les splendides membres renflés de Raja. Chaque atome de son corps était immobile. Il écoutait. Tout en lui, jusqu'à sa peau, est devenu un prolongement de ses oreilles. Un silence mortel a paru descendre sur le cimetière. Au bout d'un moment, il n'y a plus eu que Raja, le serpent et moi ; seules remuaient les lèvres de Raja. Il chantait. Le cobra a déployé son capuchon, haussé la tête et est demeuré si parfaitement immobile qu'il aurait pu passer pour une magnifique sculpture sur bois. Contre les ombres de l'arbre, ses yeux brillaient d'un éclat extrêmement vif. Inquiétant et sur ses gardes, il a planté son regard impassible dans celui de Raja. Raja s'est arrêté de chanter et s'est relevé avec une extrême lenteur. Il a avancé vers le cobra et allongé le bras.

J'étais cloué sur place, retenant mon souffle. Le capuchon noir et brillant s'est rapproché de sa main tendue. Il est devenu complètement fou, ai-je pensé. Mais, à ma grande surprise, le cobra a dardé sa langue fourchue contre sa main puis y a frotté sa tête comme un majestueux chaton ensommeillé, avant de dérouler son corps épais. En une danse sensuelle, il s'est élevé au-dessus de la paume ouverte de Raja jusqu'à se trouver au niveau de ses yeux. Ils se sont fixés l'un l'autre. Mon ami s'était mué en une statue de bois. Des secondes, peut-être des minutes ont passé. Aucun de ses muscles ne bougeait. Le temps s'est arrêté. Le monde a cessé de tourner afin que Raja puisse maîtriser ce serpent. Beaucoup d'années se sont écoulées depuis cette nuit-là, pourtant cette scène demeure la chose la plus extraordinaire que j'aie jamais vue. Cette nuit-là, Raja a incontestablement été le maître.

Tel un éclair noir, Raja a fait un mouvement rapide comme la foudre et le cobra, stupéfait, s'est rejeté en arrière et a ouvert sa bouche d'un rouge sombre. D'une poigne de fer, Raja avait déjà saisi les deux côtés de sa tête dans sa main. J'ai aperçu les crochets luisants et le liquide incolore qui s'en est échappé. D'un seul coup, la créature dupée s'est tordue comme une forcenée. Raja a maintenu la tête du reptile au-dessus de la sienne, tel un trophée, tout en évaluant sa prise. Le long corps s'est enroulé, claquant en vain contre l'ossature haute et svelte du jeune homme. Puis il est rentré dans le sac où il s'est calmé aussitôt.

– Je garde ce cobra pour moi. Il est trop long pour rentrer dans un panier et trop lourd pour être porté jusqu'au marché, a dit Raja d'un ton plein de satisfaction.

Comme je l'enviais, cette nuit-là !

— Viens, il faut que tu retournes te coucher.

Nous avons traversé la forêt d'un pas rapide. Lorsque nous avons dépassé les bois, il s'est retourné vers moi.

— Tu vas lui dire ? Est-ce que tu vas lui dire que j'ai dompté le roi des serpents ? a-t-il demandé d'une voix frémissante d'une calme fierté.

— Oui, ai-je menti en sachant que je ne raconterais jamais mon aventure à quiconque dans ma famille. Je serais instantanément séquestré à la maison pour toujours. On me ferait éplucher des pommes de terre ou couper des oignons toute la journée dans la cuisine.

Désormais, je ne pouvais plus me passer de Raja. Il y a des après-midi de cela, j'étais sous l'arbre neem à écouter des histoires pour enfants. La poussée d'adrénaline qui avait inondé mon corps lorsque je regardais Raja et le monstrueux serpent en train de se fixer l'un l'autre sous la lumière de la lune m'avait rendu dépendant. J'en voulais plus. Il était clair que le frère de Mohini méritait davantage. J'ai supplié, j'ai enjôlé, j'ai soudoyé.

— Montre-moi encore quelque chose, ai-je imploré. (Je n'ai pas ménagé mes efforts.) Les Japonais vont bientôt partir et Mohini ira au temple à pied. Je peux organiser une rencontre. (Mon mensonge éhonté a transformé ses yeux noirs en braises étincelantes.) Mon père écoute la BBC et il dit que les Allemands ont déjà perdu la guerre. Les Japonais ne vont pas tarder à quitter le pays. Ils sont quasiment vaincus.

Il m'a regardé attentivement et un éclair imperceptible a traversé son visage fermé. L'espace d'un moment, il m'a semblé qu'il savait que mes promesses étaient fausses et mon amitié creuse, puis ses yeux ont pris une expression vide.

— Oui. Je vais t'en montrer plus, a-t-il fini par dire.

Il m'a emmené dans une maison déserte et en ruine de l'autre côté de la forêt. Sur une simple pression de son doigt, la porte à moitié pourrie s'est ouverte toute grande. L'intérieur était sombre et frais, mais calme, très calme. On avait l'impression que la jungle en prenait possession, qu'elle s'y immisçait lentement. Des racines couleur de sable avaient fracassé le sol en ciment et des herbes sauvages poussaient dans les fissures des murs. Il y avait des trous béants dans le toit ; des coins défoncés du plafond, des racines d'un rose pâle s'échappaient en spirales ; au milieu de la pièce, une simple ampoule électrique pendait, accrochée à une poutre en bois, créant une atmosphère extrêmement inquiétante. Je frissonnais sous ma chemise. J'étais content que Raja soit avec moi.

Nous nous sommes assis jambes croisées sur le sol craquelé, entre les grosses racines. Il a sorti une petite bouteille de la pochette en tissu attachée à sa taille et en a retiré le bouchon. Il s'en est immédiatement dégagé une âcre odeur. J'ai plissé le nez de dégoût, mais il m'a assuré que ce n'était que du jus de racine et d'écorce d'arbre et qu'une seule gorgée me ferait découvrir un autre monde. Il a commencé à édifier une inégale pyramide de bois et d'herbes à même le sol. Quand il a eu réussi à faire prendre un petit feu jaune à partir de brindilles sèches, il s'est tourné vers moi et m'a tendu la bouteille. Son visage était absolument inexpressif. J'étais sûr qu'il s'agissait d'une sorte de test ; hésiter aurait révélé mes doutes et ma peur. J'ai pris la bouteille de sa main et j'en ai bu une bonne rasade. Dans ma bouche le mélange m'a paru épais et huileux. J'avais la chair de poule.

— Regarde le feu. Regarde-le jusqu'à ce qu'il te parle, a-t-il ordonné.

J'ai fixé les flammes à m'en brûler les yeux. Le feu est demeuré résolument muet.

— Pendant combien de temps encore ? ai-je demandé alors que des larmes commençaient à me brouiller la vue.

— Regarde dans le feu, a-t-il dit, sa bouche tout près de mon oreille.

Je pouvais sentir son odeur, cette odeur animale si particulière, le parfum d'un être qui sait se débrouiller tout seul dans une nature sauvage.

À force de fixer les langues de flammes jaunes et orange qui dansaient, j'ai commencé à avoir des vertiges, mais, chaque fois que je voulais me détourner, une voix ferme ordonnait :

— Regarde dans le feu.

Au moment où la brûlure de mes paupières est devenue intolérable, le feu a bleui. Les contours étaient verts et le centre turquoise comme les uniformes des filles de l'école secondaire.

— Le feu est bleu et vert, ai-je dit.

Je n'ai pas reconnu ma voix, elle m'a paru très lointaine. Dans ma bouche, je sentais ma langue épaisse et pâteuse. J'ai cillé très vite, plusieurs fois. Le feu brûlait d'un bleu vif.

— Maintenant, regarde-moi, a décrété Raja.

Sa voix résonnait comme un murmure ou un sifflement. Ma tête a roulé sur ma poitrine ; mes yeux lourds se sont posés sur mes mains. En proie à un sentiment proche de l'émerveillement, j'ai remarqué que leur peau était devenue transparente. Je pouvais réellement voir le sang battre et courir dans mes veines. En état de choc, je les ai fixées lorsque j'ai vu le sol. Il bougeait.

— Oh! ai-je fait d'une voix pâteuse, en me retournant vers Raja.

— Formidable, non? m'a-t-il dit dans un large sourire.

J'ai acquiescé en lui rendant son sourire. J'avais onze ans et le secret des racines et des écorces d'arbre m'avait défoncé. C'est alors que j'ai remarqué que Raja changeait. J'ai scruté son visage.

— Alors? À quoi je ressemble?

Face aux flammes du petit feu, ses yeux étaient fébriles. Il ressemblait à un animal sauvage.

Pas très sûr de ce que je voyais, j'ai cligné les yeux et secoué la tête. J'ai regardé le feu. Il brûlait à nouveau d'une lueur jaune et j'avais l'ardent désir de l'atteindre, de le toucher, de le tenir et d'y pénétrer. Si seulement il était plus grand, ai-je pensé, je pourrais me tenir debout à l'intérieur du brasier. Cette pensée m'a fait frissonner et, d'un mouvement d'une frustrante lenteur, je me suis concentré à nouveau sur Raja. Il m'a fallu un certain temps avant de me débarrasser du flou qui embuait les contours de ma vision. Des pensées se sont formées dans ma tête et des mots ont surgi de nulle part. C'étaient les miens et pourtant je me suis demandé comment j'avais pu les prononcer. Je me suis surpris à demander :

— Je peux toucher le feu?

— Ne regarde plus le feu. Dis-moi à quoi je ressemble, a insisté Raja. Est-ce que j'ai l'air d'un serpent?

N'avait-il pas l'air de le souhaiter? Y avait-il quelque avantage à abonder en son sens? J'étais en proie à la confusion. J'ai secoué faiblement ma tête qui s'est balancée sur mon cou comme un ballon rempli d'eau. Mon corps était le théâtre d'étranges sensations. Mon sang battait d'une façon qui n'était pas désagréable. Quand je fermais les yeux, un arc-en-ciel se déployait dans mes paupières closes.

J'ai ouvert les yeux en souriant; Raja se tenait devant moi. Son regard étincelait sauvagement et ses dents semblaient longues et féroces. Son visage avait quelque chose de sauvage et d'insolite. Pendant un instant je n'ai rien pu faire d'autre que le fixer, en état de choc. Puis j'ai fermé les yeux. Je n'étais plus du tout excité, mais rempli d'un très mauvais pressentiment. De l'eau est venue clapoter sur les parois du ballon. Il me fallait réfléchir, seulement ma tête était alourdie par cette eau qui, à l'intérieur, bruissait de toutes parts. Raja était en train de se transformer en une effrayante créature. Il n'était plus Chibindi, le dompteur de lions dansants, mais quelque chose de démoniaque et d'affreux que je ne reconnaissais pas. Une chose que je n'avais jamais soupçonnée. Pauvre petite Mohini.

— À quoi est-ce que je ressemble ? a-t-il demandé encore.

Sa voix avait également changé. C'était celle que j'avais perçue auparavant dans le cimetière. Je l'avais entendue surgir d'entre les racines noueuses d'un grand arbre dans le silence des tablettes en pierre blanche. C'était un sifflement très bas.

— Non, tu n'as pas l'air d'un serpent, ai-je articulé, la langue pâteuse. (J'avais trop peur pour le regarder en face.) Je veux rentrer à la maison.

Mon cœur cognait dans ma poitrine.

— Non, pas maintenant. L'effet ne va pas tarder à se dissiper et tu pourras rentrer chez toi.

Je me suis mis à trembler de peur. Raja et moi sommes restés silencieux. Je n'osais pas parler. Je le sentais respirer près de moi ; je gardais les yeux baissés sur le sol mouvant. C'était comme si le ciment était un fin tissu de coton au-dessous duquel un million de fourmis grouillaient, pullulaient. Je sentais la présence de Raja ; je me refusais à tourner la tête pour voir la bête à côté de moi. J'étais sous l'emprise d'une drogue toute-puissante. Quel voyage ! Aucune autre réalité n'existait que celle que je sentais et voyais à ce moment-là. Trop jeune pour savoir que j'étais la proie d'hallucinations, terrifié, j'ai fixé le sol. Une vie entière est passée, mon cœur battant comme un tambour africain, à attendre le moment où la dangereuse créature allait se jeter sur moi.

Enfin, Raja a lancé :

— Allons-y. (Sa voix était sourde. Il avait l'air déçu.) Viens.

Je l'ai dévisagé. Ses yeux ternes et comme morts sur son faciès légèrement triangulaire m'ont fait reculer de terreur. Oui, il avait l'air d'un serpent. Il était devenu serpent. J'ai tâté mon visage pour voir si moi aussi j'étais devenu un reptile. Sous mes mains, il bougeait. J'ai hurlé d'horreur. Mes dents se sont mises à claquer dans ma bouche engourdie. J'étais en train de me transformer en serpent. Des pensées folles ont jailli en moi. Il m'avait emmené ici pour me métamorphoser en serpent ; il pourrait me garder dans un panier et me faire danser au son de sa stupide petite flûte. Éperdu, j'ai poussé de longs sanglots.

Quand son visage s'est approché tout près du mien, j'ai fermé les yeux et prié Ganesh. Puis la voix de Raja a été dans mon oreille.

— La magie est trop forte pour toi. Ne t'inquiète pas, dans quelques minutes tout redeviendra normal. Viens, on va marcher ensemble. Il commence à faire nuit.

J'ai ouvert les yeux. Il ne m'avait pas blessé. Hébété, je l'ai observé en train d'éteindre le feu. Il s'est avancé pour m'aider à me relever. Nous avons progressé tous les deux ; je me suis appuyé lourdement à son bras. Je ne voulais pas le regarder.

— L'air frais te fera du bien.

Sa voix crissait toujours comme du papier de verre, mais maintenant que nous étions dehors, je me sentais mieux. Plus en sécurité. C'était le soir et les gens se promenaient lentement, riaient et parlaient à voix basse. Leurs voix me paraissaient très lointaines.

— Ne t'en fais pas, tout va rentrer dans l'ordre. Tiens-toi droit et marche comme un homme. Redresse la tête.

Nous avons débouché enfin dans notre petit quartier. J'étais effrayé à l'idée que Maman m'attendait à la maison. Elle verrait d'emblée que quelque chose n'allait pas. Elle verrait ma peau bouger et en serait malade.

Dans le jardin entouré de murs du Vieux Soong, Mui Tsai était en train de faire un feu. Elle brûlait les herbes sèches et les feuilles mortes tandis que son maître se tenait près d'elle, ses grosses mains sur ses hanches, à la regarder comme un crocodile grimaçant, sa large bouche grande ouverte découvrant toutes ses dents. J'ai regardé le feu aussi grand qu'un bûcher funéraire et, soudain, je me suis mis à courir vers lui. Je courais comme le vent. J'étais comme une limaille de fer précipitée vers un aimant géant. Stupéfaite, bouche bée, Mui Tsai fixait la scène. Elle m'a fait penser à une lapine effrayée.

Les mains tendues, j'ai couru en riant vers le feu magnifique qui m'invitait. Les flammèches orange qui dévoraient les feuilles mortes exerçaient sur moi une attirance irrésistible.

La première bouffée de chaleur purificatrice a frappé mon corps au moment où je sautais dans le feu ; mais au lieu de faire corps avec mon maître, je me suis retrouvé allongé sur le sol, Raja au-dessus de moi, son cœur cognant contre mon sternum. J'ai scruté ses yeux brillants, ce visage mutant, insolite et triangulaire et j'ai su que je lui avais fait très peur.

– Arrête. Essaie de te conduire normalement, a-t-il sifflé.

Il n'y avait rien à dire. Je n'arrivais pas à la cheville de mon maître.

Raja m'a mené jusqu'aux marches de la maison puis s'est éloigné à grandes enjambées. Maman est sortie. Je l'ai regardée fixement, l'air étonné. Elle était belle. La plus dangereuse des tigresses aux yeux d'ambre jaune poli, indescriptible. Et elle était furieuse. Pas contre moi. Elle était simplement furieuse d'une manière générale. Je l'ai vue dans la brûlure de son regard.

– Qu'est-ce qui s'est passé ? a-t-elle grondé en descendant les escaliers avec la rapidité d'un chat.

Quand elle m'a touché, j'ai voulu me dérober, si forte était l'énergie qui émanait de son corps. J'ai entendu la voix presque hystérique de Mui Tsai qui, du jardin, lui racontait comment j'avais sauté dans les flammes. J'ai senti le regard de Maman posé sur moi, sur ma peau qui bougeait. À l'intérieur de la maison, Mohini se cachait derrière les rideaux. Comme une chatte. D'une splendide douceur, d'une blancheur parfaite, avec ses grands yeux verts. Il y avait en elle quelque chose de si bienveillant, de si séduisant que j'ai eu le désir de la toucher et de la caresser. Maintenant, je comprenais très bien pourquoi Raja l'aimait si profondément. Je me suis assombri en prenant conscience de ce qu'impliquait la transformation de Raja. Un serpent et une chatte dans la même pièce. Je n'aurais jamais dû l'encourager. J'ai ouvert la bouche pour avertir Maman, mais le visage désespéré de Lalita s'est pressé contre le mien. Elle tenait dans sa main, tout près de sa tête, la poupée que j'avais repêchée dans la canalisation de mousson. Je l'ai fixée avec curiosité. Elle semblait étrangement vivante. Soudain, elle m'a fait un clin d'œil espiègle, a ouvert la bouche et bêlé comme une chèvre. Un cri d'horreur s'est formé dans ma trachée, mais une large bouffée d'air s'est engouffrée dans ma gorge et des petits points noirs sont apparus devant mes yeux. Ce genre de taches d'encre que l'on voit sur les vieilles photographies, ou sur un miroir qui se voile. Peu à peu, les points se sont faits de plus en plus gros. D'autres sont apparus comme de l'encre qui s'étale et mon univers s'est obscurci totalement. Ensuite, je ne me souviens plus de rien. Maman m'a dit que je criais comme un possédé pour avoir un miroir, que je me débattais sauvagement, avec une force d'adulte, pour rentrer dans la maison afin de me regarder dans une glace.

J'ai été malade pendant deux jours. On a conseillé à Maman de me frotter la tête avec un mélange d'épices et de condiments pour clarifier mes pensées. Quand je me suis senti mieux, je n'ai pu supporter les yeux fixes de la poupée de Lalita. J'avais l'impression que ce regard, loin d'être aveugle, recelait un vieux démon. Chaque fois que je la voyais, elle me semblait vivante, en train de me fixer, la bouche incurvée, prête à bêler comme une chèvre. J'étendais la main pour la toucher, afin de m'assurer qu'elle n'était qu'une poupée, puis je reculais de dégoût. Sa peau avait la texture des morts que les Japonais avaient plantés sur des piquets. Je le sais parce qu'une fois j'ai consenti à toucher l'un d'eux. La peau était froide mais encore souple. Cela me rendait malade de penser que ma sœur innocente dormait à côté de cette chose monstrueuse. Lorsque j'ai été rétabli, j'ai jeté la poupée dans une autre canalisation de mousson, à l'autre bout de la ville, et j'ai regardé le courant rapide l'emporter jusqu'à ce qu'elle ne soit plus qu'un petit point rose et jaune dans le lointain. Je suis rentré à la maison où m'attendait une Lalita éplorée ; pendant des heures, j'ai fait semblant de l'aider à chercher sa poupée. Puis j'ai incriminé Blackie, le chien d'à côté.

Après cet incident, j'ai été très prudent. J'avais découvert Raja sous un tel jour qu'il était impossible de revenir en arrière ni d'oublier. Je ne pouvais plus faire semblant d'ignorer les gens qui rendaient visite à son père, la bouche déformée de désirs contrariés, et qui repartaient avec une expression d'espoir en serrant des paquets enveloppés de tissu. Impossible d'ignorer également que ces ballots bosselés ne contenaient pas de l'essence de pomme ni des grenades roses, mais d'horribles petits morceaux provenant de ces incursions de minuit sur les tombes anonymes et destinés à punir un amant ou à annihiler un ennemi. J'ai commencé à éviter Raja.

Puis est arrivé le jour où Raja est venu vers moi pour me demander une boucle des cheveux de Mohini. Pendant quelques secondes, je suis resté à fixer sans comprendre son visage fermé avant de secouer silencieusement la tête et de partir en courant. Je savais parfaitement quel charme ces gens-là pouvaient exercer avec une mèche de cheveux. Je me suis mis à craindre Raja. J'étais obsédé par son visage triangulaire aux yeux brillants qui m'observaient sans trêve.

J'ai donc commencé à surveiller Mohini. Tous les jours, je rentrais de l'école en courant et je l'examinais attentivement. Son sourire, ses paroles, ses membres, je devais l'observer avec une extrême minutie afin de m'assurer qu'aucun changement subtil n'était intervenu en mon absence. La culpabilité et l'inquiétude me rendaient fou. Le miroir me renvoyait l'image d'un étranger aux yeux hantés et fébriles. À l'école, je ne remarquais même plus le goût épouvantable de l'huile de castor qu'on me faisait avaler de force. Je n'avais plus aucune envie d'aller traîner avec ma bande de vieux copains ; je restais assis sur ma dure chaise de bois, à regarder d'un œil vide les professeurs terminer leurs cours et partir, les uns après les autres. Quand la cloche sonnait le dernier coup, je me précipitais hors de la classe. Lorsque j'avais fini d'examiner Mohini pour déceler je ne sais quels signes, je m'asseyais en attendant que vienne le soir.

Tous les jours, au crépuscule, quand le soleil avait plongé derrière les boutiques et que la menace des soldats japonais s'était dissipée pour la nuit, Maman laissait Mohini marcher dans notre petit jardin. Le crépuscule était le moment préféré de ma sœur. Le ciel était encore teinté d'un pourpre irréel et d'un mauve mélancolique, et les moustiques n'étaient pas encore sortis pour dévorer sa peau avec cupidité. Elle marchait le long des rangées de légumes de Maman et, parfois, remplissait un plateau de jasmin pour l'autel domestique. C'était son incursion favorite dans le monde extérieur, mais je savais que c'était le moment le plus redoutable de tous. Car, parmi les buissons et les arbres, Raja était allongé sur le ventre à l'observer, elle, moi, nous deux. Aussi, ai-je appris à monter la garde. J'ai appris à me tenir debout près de la porte arrière de la maison ; je ne la quittais pas des yeux dans la pénombre, jusqu'à ce qu'elle rentre et que je referme la porte derrière elle. Parfois, je marchais à ses côtés, en restant si près d'elle, à scruter avec une telle inquiétude les broussailles, qu'émue par mon anxiété elle passait sa main dans mes cheveux et déridait mon front de ses doigts doux.

— Qu'y a-t-il ? demandait-elle tendrement.

Il était bien sûr hors de question de lui expliquer quoi que ce soit. Je savais que Maman avait des projets, de grands projets pour le joyau de la famille. Un grand mariage dans une grande famille. Cette « affaire » est devenue mon carcan secret. C'était le fardeau que je devais porter. Ce qui gisait sans bouger derrière les buissons immobiles.

Je voulais lui parler des cobras. Lui dire ce que je savais, ce que j'avais vu. La mettre en garde contre ces créatures fascinantes qu'elle devait craindre néanmoins, car un cobra ne reconnaît aucun maître. Il danse pour toi si ton chant lui plaît et boit le lait que tu laisses chaque jour près de son panier, mais il ne te prêtera pas allégeance. Il ne faut jamais oublier qu'en fin de compte un cobra ne trahit jamais sa propre nature et, pour des raisons connues de lui seul, il peut se retourner n'importe quand et enfoncer ses crochets venimeux dans votre chair. Dans ma tête d'enfant, Raja était un grand cobra noir. Je voulais lui parler de Raja. Je ne cessais de penser à ses yeux qui brillaient froidement sur son visage. Il avait l'intention de l'avoir ou de nous nuire. J'en étais certain.

Un jour, alors que je rentrais de l'école en courant, je l'ai trouvé appuyé contre le mur de la maison du Vieux Soong; il m'attendait. Il a défait un paquet enveloppé d'un tissu noir et en a sorti une petite pierre rouge. Elle scintillait dans le soleil. Quand il l'a déposée dans la paume de ma main, elle était étrangement pesante et aussi chaude qu'un œuf de poule nouvellement pondu.

– J'ai un cadeau pour ta sœur. Mets-le sous son oreiller pour lui faire une surprise, a-t-il dit de cette voix veloutée que j'en étais venu à détester.

J'ai jeté la pierre étrangement chaude dans le sable et me suis enfui en courant aussi vite que j'ai pu. Je sentais ses yeux brûlants dans mon dos. Quand je suis arrivé sur les marches de la maison, je me suis retourné : il était toujours debout contre le mur de briques rouges en train de m'observer. Il n'y avait aucune trace de colère sur son visage. Il a levé la main et m'a fait un signe. Ce jour-là, j'ai eu très peur. Comme je regrettais le temps où il était un courageux guerrier nommé Chibindi.

Ce soir-là, j'ai vu Mohini se pencher pour ramasser quelque chose dans l'herbe. Quelque chose brillait dans l'obscurité. Pétrifié, j'ai hurlé en faisant semblant de tomber. Elle est accourue. Je lui ai demandé de m'aider à rentrer à la maison en feignant d'avoir très mal. Elle a oublié la chose brillante et vive sur le sol. Tard dans la nuit, je suis sorti dans le jardin sur la pointe des pieds. Il n'y avait pas de lune et j'ai eu du mal à retrouver l'objet. Au moment où je me baissais pour le ramasser, le pied de Raja est entré dans mon champ de vision. Je me suis redressé lentement, redoutant ce que j'allais trouver devant moi.

– Donne-la-moi, a-t-il ordonné.

Sa voix était dure et impassible.

Mon sang s'est glacé dans mes veines. Jamais, ai-je rétorqué, mais à mon grand dégoût, ma voix était fluette et faible.

– Je l'aurai, a-t-il promis, avant de se retourner et de se fondre dans l'obscurité.

J'ai regardé d'un air inquiet la nuit d'encre, mais il avait disparu, emportant son désespoir avec lui.

Cette nuit-là, j'ai rêvé que j'étais caché derrière des buissons à observer Mohini qui marchait le long d'un fleuve. Des oiseaux aux couleurs vives chantaient dans les arbres et elle riait à la vue des gambades de quelques singes joufflus aux faciès cerclés d'argent. Je l'ai vue se laisser tomber sur ses genoux sur la rive et, écartant d'une main la lourde chevelure de son visage, se mettre à boire comme une petite chatte. À quelques mètres de là, une forme se dessinait dans l'eau, deux yeux terribles qui l'observaient sans ciller. Un crocodile. J'ai peur des crocodiles. Ce qu'il y a de plus effrayant chez eux, c'est qu'il est impossible de dire, rien qu'en regardant leurs yeux, s'ils sont morts ou vivants. Ils arborent toujours la même expression vide. On en vient à se demander s'ils ne sont pas arrivés en ce monde par une porte différente.

Le crocodile, faisant semblant d'être une bûche inoffensive, glissait silencieusement vers elle et, soudain, tentait de happer sa tête entre ses puissantes mâchoires. Je voulais l'avertir, je voulais aussi la mettre en garde contre les cobras noirs, mais je ne me souvenais plus de son nom. Le monstre ouvrait son énorme gueule. Je courais sur la berge en hurlant, mais il avait déjà carré sans effort la tête de Mohini entre ses dents jaunes. Dans mon pantalon trop large, je restais sur la rive, paralysé, en proie à un mélange d'horreur et d'incrédulité, à fixer la féroce mêlée. La brute disparaissait dans les eaux, emmenant ma sœur avec elle. Mohini n'était plus. L'eau redevenait calme. Le fleuve s'était nourri. De l'autre côté du fleuve, sur l'autre berge, le visage déformé de Raja hurlait tandis qu'il pénétrait dans l'eau infestée de crocodiles, mais il parlait dans ce langage onirique que je ne comprends pas quand je dors et que je n'entends pas quand je suis éveillé.

Je me suis réveillé en sursaut, couvert de sueur. Mon cœur cognait dans ma poitrine et ma gorge serrée me faisait mal. À côté de moi, mes frères dormaient paisiblement. Eux n'avaient pas joué avec le démon en personne. Troublé et mal à l'aise, je me suis hissé sur le lit des filles pour regarder Mohini dormir. J'ai effleuré légèrement sa peau douce. Elle était chaude. La voix légèrement exaspérée de Maman a rempli ma tête :

— Un jour, quand Mohini avait environ huit ans, ton père et moi nous étions disputés et nous ne nous adressions plus la parole. Il lui avait alors demandé de lui préparer un café. J'étais debout dans la cuisine et je l'observais en train de compter neuf cuillerées de café et une de sucre. Puis, je me suis cachée derrière l'armoire et j'ai regardé ton père boire chaque gorgée de ce café affreusement amer sans que son expression change. Ton père aimait ta sœur à ce point-là.

Le regret et la honte ont fondu sur moi. Je l'avais trahie. J'avais divulgué ses secrets et tout gâché. J'ai réservé toute ma culpabilité à ma sœur endormie. Le désespoir inconsolable de Raja ne me touchait pas. Je me suis aménagé un lit à côté du sien, à même le sol. J'étais désormais déterminé à veiller sur elle au péril de ma vie. Quelque chose de terrible allait se produire que je ne permettrais pas. Je restais allongé, parfaitement immobile, à fixer le plafond sombre et à écouter la respiration de mes sœurs. Quelque part, au loin, a retenti l'appel d'un animal. Un cri étonnamment humain. Il m'a fallu un long moment avant que la respiration cadencée de mes sœurs ne me berce jusqu'au sommeil. Ma dernière pensée a été : il faut que je le dise à quelqu'un.

Lakshmi

La première chose qu'ont faite les Japonais lorsqu'ils ont pénétré dans notre quartier assoupi a été d'abattre les chiens du Vieux Soong. Un instant plus tôt, ils lançaient de féroces et frénétiques aboiements, et l'instant d'après, déchirés par un puissant bruit de pétards, leurs corps massifs se sont effondrés. Un sang rouge s'est répandu sur les graviers blancs et noirs.

— *Kore, Kore*, aboyèrent les soldats en cognant et en frappant du bout de leurs fusils contre les portes fermées.

L'estomac noué, j'ai observé la scène, cachée derrière les rideaux. La cachette de Mohini était ingénieuse, mais j'avais toujours très peur qu'ils ne la découvrent. Leur sauvagerie dépassait toute compréhension. Le long des routes, nous avions vu des corps embrochés de l'aine jusqu'à la bouche, comme des cochons prêts à rôtir. Et nous connaissions les terrains d'exécution de Teluk Sisek, sur la route de la plage, où ils tuaient les gens en les découpant en morceaux. Une main tremblante, puis un pied qui se débattait frénétiquement, peut-être ce qui restait d'un bras meurtri, une jambe en sang, et enfin la tête. La femme qui tenait le magasin frigorifique en ville est allée, à la lumière de la lune, ramasser le corps démembré de son mari pour l'enterrer selon les règles. Tels étaient les Japonais. Cruels et barbares.

Accroupis sous la fenêtre, mon mari, Lakshmnan et moi avons vu le visage craintif de Mui Tsai apparaître à la porte d'entrée.

— *Kore, Kore*, lui ont-ils crié.

Elle a couru ouvrir les portes. Ils les ont enfoncées brutalement et l'ont détaillée minutieusement. Ce regard ! De l'endroit

175

où je me tenais, je l'ai sentie tressaillir. Elle s'est inclinée très bas. Ils ont parlé dans leur langue agressive et forte. Ils ont pénétré à l'intérieur, en marchant sur les cadavres des chiens. Ils avaient faim, très faim. Ils ont parcouru la maison en mangeant tout ce qui leur faisait envie et en prenant tout ce qui n'était pas trop encombrant. Ils savaient que d'ici à quelques jours ils iraient sans doute se battre dans les jungles de Java ou dans les marécages infestés de Sumatra. Ils cherchaient des bijoux, des stylos et des montres. Le maître n'était pas chez lui, mais ils ont attaché à leurs poignets déjà cerclés de plusieurs montres celles qu'il avait abandonnées sur la table de nuit. Ils ont enfoncé l'extrémité de leur longue épée dans le ventre mou de la maîtresse et lui ont désigné les vitrines vides. Au début, elle a fait semblant de ne pas comprendre ce qu'ils voulaient, mais ils ont poussé un peu plus la pointe de leur épée dans sa chair dorlotée. En sanglots, elle a hurlé à la cuisinière de déterrer les statuettes de jade sous le rosier. Ils ont paru contents de leur découverte. Ils ont désigné la boîte en bois de rose. Les serviteurs sont accourus pour l'ouvrir. Les baguettes d'ivoire semblaient particulièrement plaire aux soldats.

Ils voulaient du sucre. Ils ont gesticulé en poussant des sons gutturaux. La maîtresse a froncé les sourcils, les domestiques, désemparés, ont regardé autour d'eux. Ils ont empoigné par les cheveux la cuisinière terrifiée, l'ont injuriée et l'ont giflée copieusement. Hirsutes, débraillés, ils se sont mis à renverser tous les récipients. Une impatience sauvage. Enfin, de purs et d'infimes grains blancs se sont écoulés d'une jarre renversée.

– Aaah, le sucre.

Ils ont cessé de retourner les récipients.

Ils se sont approchés tout près de la maîtresse. Elle a retenu son souffle. Ils avaient l'odeur nauséabonde des corps qui avaient combattu, transpiré. Une puanteur impossible à oublier. Ils empestaient comme des gens dénués d'âme. Ils ont fait à nouveau des signes brutaux. Mortellement pâle, la maîtresse les a fixés. Ils voulaient faire un feu dans le jardin. Les serviteurs se sont précipités pour trouver du bois. Couchés par terre, les soldats se sont prélassés, leurs fusils nonchalamment posés à leurs côtés, attendant que leur festin se prépare, tandis que la maisonnée du Vieux Soong, terrifiée, se tenait, en rang serré derrière eux et les observait. Ils ont mangé comme des chiens affamés. Puis ils s'en sont allés.

176

Nous les avons vus se diriger vers la maison de Minah.

Vêtue de son ample robe de prière blanche, semblable à un linceul, nous l'avons vue ouvrir la porte de sa maison en murmurant :

– *Ya Allah, Ya Allah.*

Ce n'était pas l'heure de la prière, mais elle portait ce suaire pour dissimuler ses courbes magnifiques. On ne voyait que son visage effrayé. Un cercle de terreur. Ses sept enfants l'ont entourée en fixant les hommes qui fouillaient la pauvre masure. Ils ont fait le geste de serrer leurs poignets et leurs cous. Minah a compris. Elle était préparée. Elle leur a remis un mouchoir fermé par un nœud. Il contenait une vieille chaîne, un anneau encore plus ancien et deux bracelets légèrement tordus. Dégoûtés, ils lui ont jeté le petit paquet à la figure. Ils ne se sont pas attardés. Tu sais, je ne t'ai pas dit qu'avant de quitter la maison du Vieux Soong, ils avaient jeté la pauvre Mui Tsai, la mal-aimée, sur la table de la cuisine, avaient formé une queue exceptionnellement ordonnée et avaient abusé d'elle jusqu'à satiété.

Dans la maison du Chinois, à côté de chez nous, ils ont brisé un miroir et ont emporté trois cochons de lait. Les deux fils aînés s'étaient enfuis en courant par la porte de derrière. Ils sont passés par notre jardin, ont traversé les champs à découvert comme l'éclair et ont disparu dans le petit bois.

Mon cœur cognait dans ma gorge quand leurs lourdes bottes ont gravi nos marches de bois. Je l'ai senti palpiter de peur. Ils ont enfoncé la porte comme un ouragan. Cependant, vus de près, ils étaient petits et jaunes. Ils arrivaient tout juste à la poitrine de mon mari. Ils ont levé les yeux en fixant son visage sombre et laid. Que leurs yeux étaient durs et méchants ! Comme des éléphants entraînés à rendre hommage au sultan, nous nous sommes inclinés très bas, tous ensemble. Ils ont fait le tour de la maison de leurs pas si lourds que les lattes du plancher en tremblaient. Ils ont ouvert les armoires, soulevé les couvercles des boîtes, regardé sous les tables et sous les lits, mais ils n'ont pas trouvé ma fille. Dans le petit jardin, ils ont ouvert le poulailler, tordu le cou de ces pauvres créatures gloussantes puis, deux ou trois volailles dans chaque main, ils ont désigné le cocotier du doigt. Lakshmnan est monté à l'arbre à toute vitesse. Ils ont bu le lait doux et abandonné les coques à l'endroit même où ils se trouvaient. En quittant notre quartier, ils ont sorti de leurs gonds les massives portes de fer du Vieux Soong et les ont emportées. À cette époque, les Japonais recherchaient avidement le fer. La plupart des maisons étaient dépourvues de portes et ne craignaient pas les voleurs car les Japonais punissaient la plus minime infraction de tortures et de décapitation. Les délits n'ont jamais été aussi rares. En fait, durant toute l'occupation japonaise, personne ne s'est plus soucié de fermer les portes en sortant de chez soi. Non, n'envie pas nos vies exemptes de crimes, car, ces chiens nous ont fait payer le prix du sang. Ils étaient arrogants, frustes, cruels et sans pitié et, aussi longtemps que je vivrai, je les haïrai avec le courroux d'une mère. Je crache à leurs répugnants visages. Ma haine est telle que je ne les oublierai jamais, même dans ma prochaine vie. Je me souviendrai de ce qu'ils ont fait à ma famille et je ne cesserai de les maudire jusqu'à ce qu'un jour ils goûtent l'amertume de ma douleur.

Dès qu'ils sont arrivés, ils ont interdit aux autochtones toute forme de pillage. Les yeux bandés et les mains attachées dans le dos, deux hommes accusés de ce méfait ont été conduits sur la place où se tenait tous les jeudis le marché de nuit. Les soldats ont détourné les passants de leur chemin, comme des moutons, jusqu'à ce qu'ils en aient rassemblé un nombre suffisant pour assister au châtiment. Ils ont contraint les accusés à s'agenouiller. Un officier japonais a coupé les têtes l'une après l'autre, en prenant bien soin d'essuyer sa lame avec un morceau de tissu. Il n'avait même pas un regard pour la tête qui roulait, la bouche ouverte dans un cri silencieux, ni pour le spectacle effroyable des corps mutilés qui se contractaient sur le sol, des torrents de sang qui jaillissaient des cous, des jambes qui décochaient des coups de pied spasmodiques dans tous les sens. L'officier ne regardait que la foule muette des badauds frappés de stupeur et hochait la tête en signe d'avertissement silencieux.

Leur message ainsi inscrit dans les esprits, les Japonais se sont adonnés au pillage sur une large échelle. Ils ne se contentaient pas de piller, ils profanaient les maisons. Ils ne demandaient jamais rien, ne donnaient aucune compensation : ils faisaient main basse sur tout ce qui les intéressait. La terre, les voitures, les bâtiments, les commerces, les bicyclettes, les poulets, les récoltes, la nourriture, les vêtements, les médicaments, les filles, les épouses, les vies.

Au début, je ne les ai même pas maudits. En fait, leur brutalité ne me touchait pas. J'ai appris très vite à ignorer les têtes plantées aux carrefours. Leur propagande impérialiste me passait au-dessus de la tête. Je crois que je n'avais même pas remarqué qu'ils avaient interdit le port de la cravate en public. J'ai compris que la guerre favorisait d'horribles atrocités. J'ai décidé simplement de ne pas laisser une race si répugnante et si vile me battre à un jeu que je connaissais si bien. J'étais arrogante en ce temps-là. Je savais comment trouver à manger pour mes enfants lorsqu'il n'y avait rien. Je survivrai à cela aussi, me suis-je dit avec confiance. Dès que le régime japonais avait été établi, mon mari avait perdu son travail et, avec lui, nos précieuses cartes de rationnement. Elles nous donnaient droit à du riz et à du sucre. On nous considérait comme des gens inutiles. Des gens pour lesquels le régime n'allait pas gaspiller ses ressources limitées. Je me suis trouvée soudain sans revenus avec huit bouches à nourrir. Je n'avais pas le temps de gémir ni de m'inquiéter des regards de pitié que me lançaient au temple les femmes dont les époux avaient réussi à garder leur emploi.

J'ai vendu quelques bijoux et acheté des vaches. Elles m'ont rendu la vie dure, mais nous n'aurions pas survécu sans elles. Qu'il vente ou qu'il pleuve, tous les matins, alors qu'il faisait encore nuit, je m'asseyais sur un petit tabouret, dans la fraîcheur de l'air, pour les traire. Les magasins et les éventaires de café nous payaient avec des billets japonais, les « billets bananiers » comme on les appelait, car ils représentaient des cocotiers et des bananiers. Nous nous les repassions rapidement, parce qu'ils se dépréciaient de mois en mois. Le tabac valait plus. Dès que cela a été possible, certains ont converti leur argent en terres et en bijoux. Comme j'avais tout juste de quoi nourrir les enfants, nous n'avons jamais eu à considérer cette éventualité.

Sans carte de rationnement, nous ne pouvions acheter du riz qu'au marché noir à des prix exorbitants. Il était devenu rare et précieux. Les vendeurs se mirent à l'humidifier pour accroître son poids et en tirer un meilleur prix. Les gens le stockaient au grain près et le gardaient pour des occasions exceptionnelles, anniversaires et jours de célébrations religieuses. Nous mangions du tapioca la majeure partie de la semaine. Nous l'utilisions sous toutes ses formes. Cuit pour faire du pain ou traité pour servir de pâtes. Nous faisions même bouillir les feuilles et nous les mangions. Je haïssais le long travail quotidien de préparation, épluchage et ébouillantage, mais il nous a sauvé la vie.

Pendant des années, j'ai essayé de me persuader que j'aimais le tapioca, mais je détestais son goût de vase. Le pain ressemblait à du caoutchouc. Il rebondissait sur la table et quand tu l'avais entre les dents, il filait. Les nouilles étaient épouvantables. Nous en avons mangé, pourtant !

J'ai essayé de faire pousser tout ce qui me tombait sous la main. Même du curcuma qui, pour quelque étrange raison, ne donnait qu'un fruit flétri et étrangement mal formé. Vers la fin de la première année de l'occupation, j'étais devenue l'amie de Mme Anand. Son mari travaillait au bureau du Département du contrôle alimentaire et il a réussi à faire passer en fraude du riz destiné à l'armée japonaise depuis le nord de la Malaisie. Je cachais nos provisions illégales entre les chevrons du toit. Nos vaches et mon jardin nous ont protégés contre la grave pénurie de nourriture qui s'est abattue sur tout l'État de Pahang. Elle a été si aiguë que, finalement, en mai 1942, le gouverneur a suggéré à la population de ne faire que deux repas par jour au lieu de trois. Sans doute ignorait-il que les gens n'en consommaient déjà que deux, agrémentés de morceaux de tapioca.

Tout ce qui était importé est devenu aussi précieux que de la poussière d'or. Avant l'occupation, je lavais toujours les cheveux des enfants avec des cosses de graines spéciales provenant d'Inde. Elles arrivaient attachées en branches. Nous faisions tremper les cosses brun foncé, dures comme de l'os, avant de les ébouillanter et de les écraser. La bouillie que nous obtenions constituait un parfait shampooing. Il nettoyait si bien les cheveux qu'il les faisait crisser. J'ai essayé alors de laver la tête de mes enfants avec des fèves de haricots écrasées. Je me suis mise aussi à fabriquer du savon avec des feuilles, de l'écorce d'arbre, de la cannelle et des fleurs. Nous nous brossions les dents avec l'index trempé dans du charbon de bois finement pilé, parfois additionné de sel. Nous utilisions comme brosses à dents les souples brindilles des feuilles de neem. Je faisais moi-même mon huile de noix de coco, car le prix d'un bidon d'huile était passé de six ringgit à trois cents et a même atteint quinze cents en 1945. Les gens vendaient dix petits œufs pour quatre-vingt-dix ringgit. Ce n'était rien, pourtant, comparé au prix d'un sarong qui est passé d'un ringgit quatre-vingts *cents* à mille ringgit. J'ai essayé de fabriquer du tissu avec des feuilles d'ananas et des écorces d'arbre, mais il était trop rêche et ne pouvait servir que de grosse toile d'emballage.

Les lames de rasoir sont devenues elles aussi si précieuses que nous étions obligés d'aiguiser tous les jours leur tranchant émoussé contre les parois d'un verre pour les faire durer. Les voitures ont disparu, sauf celles qu'utilisaient les militaires et les civils japonais de haut rang. Des Japonais portant des galons bleus avaient depuis longtemps dérobé la voiture du Vieux Soong. Les taxis roulaient au charbon et au bois de chauffage. L'armée japonaise réquisitionnait tous les médicaments et les stocks des hôpitaux de telle sorte qu'il ne nous restait plus que la médecine traditionnelle. À côté de chez nous, la seconde épouse du Chinois a manqué perdre sa jambe en essayant de soigner une profonde entaille avec un cataplasme d'ananas et de bananes blettes. La plaie a bleui et dégagé une odeur putride. La gangrène a failli s'installer.

L'eau n'était plus traitée, elle est devenue peu à peu imbuvable. Nous y trouvions de minuscules vers blanchâtres qui s'y tordaient comme s'ils étaient la proie de douleurs mortelles.

Lorsque le mari de Minah a été tué, c'est moi qui ai dû lui apprendre la nouvelle. Elle s'est effondrée sur le seuil de sa maison. Je me suis baissée à ses côtés et ai caressé ses beaux cheveux d'un noir de jais. La courbe douce de sa joue a effleuré ma main. Elle avait sans doute une admirable peau de bébé, mais elle était sans ressources. Des poulets, un potager et quelques bijoux démodés étaient tout ce qu'elle possédait.

– Ne pleure pas ; ça va aller, ai-je menti.

Elle a secoué la tête en sanglotant doucement.

Minah réussissait tout juste à s'en sortir, quand, un soir, une Jeep s'est garée devant chez elle. Un Japonais en civil, plutôt élégant, a sauté du véhicule et est rentré dans sa maison. Par la suite, il est revenu souvent. Un jour, Minah a envoyé ses cinq enfants chez sa sœur à Pekan. Elle a dit à Mui Tsai que l'éducation y était meilleure là-bas. Puis le Japonais à la Jeep a passé la nuit avec elle. Quelques semaines plus tard, il a emménagé chez elle. J'ai cessé de lui rendre visite et elle ne nous a plus adressé la parole. Sans doute avait-elle honte. Je l'ai croisée quelquefois en ville. Elle s'était mise à porter des vêtements de style occidental et des cheongsam chinois lorsqu'ils sortaient ensemble le soir. Elle se maquillait et se vernissait les ongles. Elle ressemblait à une actrice de cinéma. Quand elle montait dans la Jeep, ses mollets à la peau claire brillaient furtivement dans la fente de son cheongsam en soie. J'avais un problème. J'étais inquiète.

Que se passerait-il si elle sacrifiait Mohini pour un terrain, une plus grande maison, une bague en diamant ou un sac de sucre ?

Un jour, nous nous sommes trouvées face à face. Cela devait arriver, mais il était tout à fait inattendu qu'il fût là également. Alors que je tournais le coin de notre rue, ils sont descendus de la Jeep. J'ai ralenti le pas, espérant qu'ils entrent chez eux, avant que je les rejoigne, mais elle s'est arrêtée pour m'attendre et il a fait de même. J'ai souri. Amicalement. À présent, je les craignais tous les deux. Elle aussi était une ennemie. Mon secret ne tenait qu'à un fil.

– Bonjour, a-t-elle fait.

Elle était plus belle que jamais.

– Bonjour. Comment vas-tu ?

– Bien, a-t-elle dit en souriant.

Elle avait du rouge à lèvres, les joues fardées, mais ses yeux étaient tristes. Sur ses bras merveilleusement sculptés, des bracelets de jade sombre tintaient comme un avertissement poli.

– Comment vont tes enfants ? lui ai-je demandé, à court de conversation.

– Ils sont très vilains et refusent de travailler à l'école. Et tes cinq enfants ?

J'ai souri doucement. Avec gratitude. Avec elle, mon secret était en sécurité. Pour l'instant. Elle savait que j'avais six enfants. C'était à son intention, à lui, qu'elle avait omis Mohini. J'ai compris qu'elle avait organisé cette rencontre afin que je puisse dormir en paix.

– Ils vont bien. Merci d'avoir pris de leurs nouvelles, ai-je dit avant de m'éloigner.

Nous nous étions bien comprises. Quand je me suis retournée pour les regarder, ils s'apprêtaient à entrer dans leur maison. Il avait passé son bras autour de sa taille.

Un an d'occupation japonaise s'est écoulé. À force de nager et de se balancer, comme Tarzan, aux branches qui poussaient le long du fleuve Kuantan, Lakshmnan s'est lié d'amitié avec un gamin aborigène. Les aborigènes sont les meilleurs pisteurs et les meilleurs chasseurs qui soient. Leur connaissance de la jungle est inégalable. Ils peuvent vous observer et vous suivre pendant des jours sans que vous ayez conscience de leur présence. Le garçon a appris à Lakshmnan à fabriquer une sarbacane et à chasser avec. Bientôt, Lakshmnan a rapporté à la maison toutes sortes de gibiers étranges.

Nous avons mangé de longs et vilains lézards qui, une fois cuits, étaient plutôt savoureux; du sanglier, du daim, de l'écureuil, du tapir, de la tortue, du python et même de la viande de tigre, qui avait un goût très fort. Ni mon mari ni moi n'avons pu nous résoudre à manger de la chair d'éléphant : j'avais trop foi en mon Dieu-Éléphant. Aussi lui ai-je demandé de me pardonner avant d'en donner aux enfants. La viande était dure; mais les enfants ont déclaré que ce n'était pas si mauvais. Un jour, Lakshmnan est revenu avec un bébé singe qu'il portait sur son épaule et le Vieux Soong a envoyé sa cuisinière pour demander si nous lui vendrions la tête et le cerveau intacts.

Il a fracassé le crâne, y a versé du cognac trouvé au marché noir puis a avalé goulûment le contenu avec des baguettes. Ce soir-là, il a promis à Lakshmnan qu'il le récompenserait généreusement s'il lui procurait les organes génitaux d'un tigre ou d'un ours. Un mois de loyer, a-t-il dit, car ces mets confèrent l'immortalité.

À l'école, les enfants ont dû apprendre le japonais. Grâce à eux, j'ai appris à dire : *Domo Arigato*. Quoi que me demandent les soldats, j'acquiesçais d'un signe de tête et débitais promptement mon « merci » dans leur langue dissonante. J'ai constaté qu'ils étaient contents que je me sois donné la peine d'apprendre à prononcer ces quelques mots. Ils pensaient que j'étais docile. Ils ne voyaient pas ma peur. Lorsqu'ils avaient les mains dans le sang des poulets qu'ils venaient de tuer et la tête environnée de plumes, je les craignais. Je n'oubliais pas qu'ils avaient emmené mon mari, l'avaient fusillé et laissé pour mort.

Il ne fallait pas les provoquer.

Je le sentais au tréfonds de moi. En leur présence, nous nous inclinions instantanément et nous baissions les yeux. Parfois, le général Ito, qui était toujours le premier chez Mui Tsai et parlait un mauvais anglais, me taquinait en me demandant où étaient cachées mes filles. Je savais qu'il ne soupçonnait pas leur présence, mais il avait des yeux tellement sournois que je tremblais comme une feuille en pensant à la peau douce de Mohini, juste sous ses pieds.

Je ne cessais de me répéter : « Quand ils seront tous partis, je fêterai ça. Pour l'instant, je baisse les yeux et je leur donne la plus tendre, la plus fraîche noix de coco de mon arbre. » J'avais entendu dire que lorsqu'il n'y avait personne dans une maison pour leur couper le fruit, ils abattaient l'arbre entier. C'est pourquoi je demandais tous les jours à Lakshmnan de recueillir les meilleures noix de coco avant d'aller à l'école. Dès qu'ils arrivaient chez nous et désignaient l'arbre, je me précipitais en leur présentant les fruits. Ils les fendaient en deux avec leurs baïonnettes. Je les observais à la dérobée : leur façon de boire, le jus qui dégoulinait de leur bouche tachant leurs uniformes d'un brun plus foncé. Je leur voulais du mal ; je les haïssais. Mais ma véritable peur n'était pas qu'ils abattent un cocotier ou qu'ils découvrent mes bijoux cachés entre ses feuilles. Elle était plus profonde. J'avais peur qu'ils découvrent ma fille, qu'ils l'emmènent.

Cette pensée me tenait éveillée la nuit. Chaque fois que je voyais la petite Chinoise d'à côté courir à l'air libre, les cheveux réduits à une longueur militaire, les seins comprimés dans sa chemise de garçon, je me tourmentais au sujet de Mohini. Je me disais que ses cheveux étaient trop beaux pour être coupés et je savais que même si je bandais sa poitrine naissante, il était impossible d'ignorer son visage.

Les pommettes, les yeux, la bouche appétissante ; tout cela la trahirait. Je n'avais d'autre choix que de la cacher.

J'étais assise, seule, à regarder les étoiles lorsque Mui Tsai a soulevé la moustiquaire de la fenêtre et s'est glissée dans ma cuisine. Cela faisait très longtemps qu'elle ne m'avait pas rendu visite ; elle m'avait beaucoup manqué. Elle s'est effondrée gauchement, sur le banc à côté de moi. Elle tenait dans sa main un petit gâteau brun et poisseux. On célébrait les dieux chinois. Le moment où les divinités mineures et les esprits se rendent dans toutes les maisons chinoises de la terre afin de rapporter au ciel les méfaits de leurs occupants. Afin de les suborner, les maîtresses de maison préparaient ces gâteaux sucrés et collants. Mui Tsai savait que j'aimais particulièrement la croûte dure qui les recouvrait.

Posant le menton entre ses mains, elle m'a regardée avec gravité. Ce fut alors que j'ai pris conscience des ombres gigantesques tapies dans ses yeux.

— Comment vas-tu ? a-t-elle demandé.

Elle était vraiment ma meilleure amie.

— Ça va. Et toi ?

— Je suis enceinte, a-t-elle annoncé tout à trac.

Mes yeux se sont agrandis.

— Du maître ?

— Non, il ne vient plus jamais. Depuis les soldats japonais. Il a peur de la maladie. Mon corps le dégoûte. Il se montre dur et froid, mais je préfère ça.

Ses malheurs semblaient ne jamais finir. Elle avait vraiment dû naître sous une mauvaise étoile.

— C'est l'enfant de l'un de ceux-là, a-t-elle assuré calmement.

Comme de vieux fantômes dans une maison hantée les ombres de ses yeux bougèrent. Je les ai regardés se tapir puis s'allonger à nouveau.

— Qu'est-ce que tu vas faire ?

— Ma maîtresse veut que je m'en débarrasse. (Elle a haussé les épaules avec désinvolture.) De toute façon, comment pourrais-je le garder ? Comment pourrais-je garder le fils d'un de ces types qui urine en moi quand il a fini de semer sa graine ?

— Quoi ?

Elle m'a regardée avec un sourire étrange. Les ombres se sont épaissies dans ses yeux.

— Est-ce que tu sais où je peux me faire avorter ?

— Non. Bien sûr que non.

Elle ne m'avait jamais raconté en détail tout ce qu'ils lui faisaient et je ne le lui avais jamais demandé.

— Bon, je suis sûre que ma maîtresse le saura.

Je ne pouvais pas l'aider. Badom, la vieille sage-femme malaise, était morte deux ans auparavant.

— Oh, Mui Tsai, s'il te plaît, sois prudente. Ces choses-là sont dangereuses.

Elle a ri avec insouciance. Les ombres ont vacillé et se sont évanouies.

— Ça m'est égal. Il m'arrive une chose très curieuse, tu sais ? Ces jours-ci, je n'arrête pas d'entendre le bruit d'un nouveau-né qui pleure dans la chambre d'à côté. Et quand je rentre dans la pièce, le bébé qui pleure n'est plus là.

Je l'ai regardée avec inquiétude, mais elle a ri une nouvelle fois. Elle m'a expliqué qu'elle n'avait pas peur parce que ce n'était que le fantôme de son premier bébé qui l'appelait. Puis nous avons fait plusieurs parties de dames. J'ai gagné sans même avoir besoin de tricher. Son esprit était ailleurs.

Quelques jours plus tard, une ambulance s'est arrêtée devant la maison du Vieux Soong. J'ai cru que c'était le Vieux

Soong qui était malade, mais c'était Mui Tsai. Je me suis approchée en courant et j'ai vu un spectacle que je n'oublierai jamais. Son visage était tordu de douleur et ses yeux vitreux, comme si elle était sur le point de mourir. Sa main s'agitait sans cesse, faisant des mouvements spasmodiques comme si elle essayait de pousser son ventre hors de son corps. Du sang noirâtre et épais avait taché son samfu et ses pieds menus étaient couverts de petits points spongieux de sang violacé. La maîtresse courait derrière le brancard en déclarant aux secouristes qu'elle avait trouvé Mui Tsai dans cet état et qu'elle ignorait totalement qu'elle était enceinte.

Mui Tsai m'a regardée sans me voir. De grosses gouttes de sueur perlaient à son front, elle se tournait d'un côté et de l'autre sous l'effet d'une souffrance atroce. J'ai touché sa main. Elle était glacée. Effrayée, j'ai essayé de la retenir, mais elle m'a échappé d'un mouvement brusque. Les infirmiers m'ont poussée avec impatience sur le côté et ont installé le brancard dans l'ambulance.

Mui Tsai est revenue une semaine plus tard. Elle restait de nombreuses heures seule, assise sous l'arbre d'Assam. Parfois, je la voyais passer attentivement son doigt sur les motifs de la table en pierre ; à d'autres moments, elle fixait le ciel d'un regard vide. Lorsque je sortais pour lui parler, elle me regardait comme si j'étais une étrangère. À la voir ainsi, vaincue par l'effort de se lever et de marcher jusqu'à la clôture, j'ai senti couler des larmes silencieuses. J'ai compris que ma présence la dérangeait. Quand Anna venait se poster près de la porte, elle clopinait jusqu'à la palissade et, mêlant ses doigts à ceux de ma fille, elle lui fredonnait des chansons chinoises.

Avant de poursuivre, je dois te parler du diseur de bonne aventure itinérant qui s'était arrêté pour se rafraîchir dans notre village de Sangra. Je n'étais alors qu'un bébé. Il m'a soulevée et pendant un long moment il a examiné mon visage innocent. Tandis que tous attendaient que l'avenir jaillisse de sa bouche, il lissait sa longue barbe grise d'une main qui ressemblait à une branche d'arbre noueuse. Puis soudain il a déclaré que Dieu disposait une jungle dans la tête de chaque être humain. Il remplissait certains crânes de douces créatures, de daims aux yeux tendres, de gracieux impalas, d'autres, de singes bavards ou de sages chouettes ; et dans d'autres encore il mettait de rapides et rusés renards. Mais dans sa Sagesse, il avait placé dans le mien de sauvages tigres en maraude.

Les gens qui ont mené une vie sainte n'ont aucune raison de raconter leur histoire ; ceux qui se sont agrippés à leurs proches tant aimés doivent se justifier. Je te dirai donc tout. Tout afin que, peut-être, tu agisses différemment.

La guerre était presque terminée ; en mai 1945, nous avons appris la défaite et la reddition de l'Allemagne. Le 6 août, les Américains ont bombardé Hiroshima. La BBC a fait savoir que le Japon avait été touché par une seconde et puissante arme nucléaire. Toute la ville avait été rasée par un beau nuage en forme de champignon. Le 15 août, l'empereur a annoncé à ses sujets la reddition de son pays. Nous avons entendu ces nouvelles presque immédiatement sur les radios des Alliés. On a raconté alors de nombreuses histoires de soldats japonais qui se faisaient hara-kiri avec leurs dagues. S'ils avaient l'air abattu et désorienté, cela n'empêchait pas certains de s'introduire brutalement dans les réunions des habitants transportés de joie, pour gifler, humilier les fêtards. La guerre était finie, mais les Japonais avaient toujours le contrôle de la rue. Nous étions des gens tranquilles, déterminés à baisser la tête jusqu'à l'arrivée des Britanniques. J'ai continué à faire sécher la lessive de Mohini au-dessus du feu de la cuisine comme je le faisais depuis ces trois dernières années. Personne ne devait connaître son existence jusqu'à ce que ces salauds de Jaunes soient partis.

Ce matin-là, j'étais allée au temple pour remercier Ganesh des faveurs qu'il avait accordées à notre famille. Nous en ressortions intacts, sains et saufs. L'expérience nous avait même rendus plus forts. J'ai regardé par la fenêtre, émerveillée par mes enfants. Lakshmnan et Mohini étaient en train de moudre de la farine. Je suppose que, de nos jours, on appellerait ça une tâche dangereuse. Chaque coup de l'énorme pilon dépendait de la cadence parfaitement calculée des deux protagonistes. Une rupture de rythme et l'énorme pilon écrasait une main. Anna était en train de plumer un poulet avec un air dégoûté. C'était ce genre de journée anormalement paisible où j'arrivais à me souvenir de mes pensées. Un jour, elle deviendra végétarienne, m'étais-je dit. Jeyan jouait avec Lalita dans la cache secrète de Mohini. Le chef des scouts avait obligé Sevenese à assister à une réunion. J'étais en train de faire revenir des épinards dans du curry et de l'ail. Les petites gouttes d'eau sur les feuilles d'épinard fraîchement lavées ont crépité furieusement dans l'huile chaude et je me suis souvenue clairement d'avoir éprouvé un sentiment de satisfaction. J'étais contente de mon sort. Les Japonais n'allaient pas tarder à partir et les choses retrouveraient leur cours normal. Mon mari reprendrait son travail et les enfants l'école ; quant à moi, je continuerais à mettre de l'argent de côté pour les dots de mes filles. J'aurais besoin de moins d'argent pour Mohini, mais de davantage pour Lalita. Je prévoyais de bons mariages pour elles. Une vie éblouissante attendait mes enfants. La première chose à faire serait de vendre ces « poutues » vaches. Trop de travail.

J'ai laissé les épinards mijoter. Alors que je fendais une aubergine dans le sens de la longueur, perdue dans mes pensées, j'ai entendu un crissement de pneus. Mon couteau, dégagé de son emprise, a oscillé un instant dans l'air, avant que je m'élance vers la fenêtre. Deux Jeeps remplies de soldats ont tourné dans notre chemin de terre. Paniquée, j'ai averti les enfants en hurlant. J'ai ouvert la trappe, et Anna qui se trouvait le plus près s'y est engouffrée.

— Les Japonais ! Vite, Mohini ! ai-je crié en revenant à la fenêtre en courant.

Les soldats, qui s'étaient déjà divisés en deux files, se sont engagés dans le chemin qui menait chez nous. Mohini et Lakshmnan couraient à perdre haleine vers le salon. Mohini allait rentrer dans le trou à temps et son frère pourrait refermer la trappe. Je me suis retournée et j'ai vu deux soldats qui commençaient à gravir nos escaliers. Celui qui avait les galons bleus était le général Ito.

— Dépêche-toi, Mohini, a sifflé Lakshmnan.

J'ai entendu dans sa voix la peur à l'état brut ; cette peur qui, je suppose, a été responsable de ce qui s'est produit ensuite. En voulant la tirer, il a perdu l'équilibre et est tombé dans l'ouverture. Les lourdes bottes noires étaient juste devant la porte. Ils ne frappaient jamais, ils donnaient un coup de pied. En une fraction de seconde, Mohini a pris une effroyable décision. Elle a décidé qu'il était trop tard pour extirper son frère de la cache et qu'en outre il n'y avait pas assez de place pour qu'elle puisse s'y glisser à son tour. Aussi, cette idiote a fait une chose impensable. Elle a refermé la trappe et replacé le coffre au-dessus. Lorsque je me suis détournée de la fenêtre, je l'ai vue debout devant lui.

J'avais gardé ma fille à la maison pendant si longtemps que j'avais en quelque sorte cessé de la voir. J'avais oublié la façon

188

dont les autres réagissaient à sa présence. Mes yeux se sont arrondis d'horreur, car je l'ai vue soudain avec les yeux avides d'un soldat. Elle était la nymphe merveilleuse, l'enchanteresse. La pauvreté et la vétusté de ce qui l'entourait ne faisaient que magnifier son incroyable beauté. Dans la lumière du soleil, ses yeux verts illuminés par la peur étaient immenses. Ces années passées à l'intérieur de la maison avaient transformé sa peau caramel en un teint d'un léger rose magnolia. Sa bouche, légèrement entrouverte sous le choc, ressemblait à un fruit rose et charnu, à la peau fine et vulnérable. Ses dents d'un blanc nacré étincelaient. Le vieux chemisier qu'elle portait était trop serré sur sa poitrine, mais les vêtements coûtaient des sommes insensées de dollars bananiers ; et puisque les seuls yeux qui se posaient sur elle étaient ceux de sa famille... Chaque fois qu'elle haletait de peur, le tissu se tendait sous ses seins naissants, provoquant un gonflement si suggestif que mes yeux en étaient blessés. Mon regard s'est abaissé sur sa taille fine, attardé sur une partie du ventre laissée à découvert par deux boutons perdus depuis longtemps. Sa vieille jupe dont la fente s'effrangeait était presque transparente dans le rayon de lumière qui pénétrait par la fenêtre derrière elle. Ses cuisses ont attiré mon attention. Lisses et renflées. Oh, enfantines certes, mais si attirantes. Elle était une déesse de quatorze ans : telle était la vérité. Pour eux, elle serait un objet de jouissance inestimable. Refusant de le croire, j'ai secoué la tête. Non, non, non. Mon pire cauchemar devenait réalité. Je ne pouvais pas croire qu'il était en train de se produire. Pourquoi maintenant ? La guerre était finie. Nous en avions presque réchappé. Prisonnière d'une sorte de transe de terreur, je suis restée immobile, paralysée.

La porte s'est ouverte brutalement et quatre bottes noires ont tonné dans le silence mortel. Le temps s'est ralenti. Lentement je me suis tournée vers les animaux vêtus de brun. Oui, je savais ce que j'allais voir. Leurs regards incrédules étaient rivés sur mon bébé. Je n'oublierai jamais comment leurs petits yeux noirs que la dureté mesquine rendait d'ordinaire opaques se sont mis à briller d'avidité. Comme le chacal qui un jour trouve un buffle entier alors qu'il a cru toute sa vie que les entrailles et les testicules rejetés par le lion étaient un festin. Quand je ferme les paupières maintenant, je me souviens de cette étincelle de lumière qui a brillé dans leurs yeux au moment où ils ont aperçu la chair fraîche de Mohini.

Puis le colonel Ito a traversé la pièce à grandes enjambées. De sa main dure, il a pris par le menton ma douce fleur qui avait pour bouche une rose piétinée et a fait pivoter son visage d'un côté puis de l'autre comme pour vérifier que ses yeux ne l'avaient pas trompé. Il a émis un étrange son. Sa main épaisse s'est abaissée sur la gorge de Mohini, l'a encerclée tandis qu'un de ses doigts caressait doucement sa peau à la naissance du cou. D'un geste vif, sa main, tel un serpent jaune, s'est portée sur sa nuque et a arraché l'élastique qui retenait sa chevelure. De splendides cheveux soyeux ont encadré soudain son visage ; j'ai entendu le sifflement qu'a fait son inspiration. Son admiration révérencielle devant ce trésor inattendu était effrayante. Mohini était debout, paralysée par le choc. J'ai vu le cou du colonel se raidir. Posant sa main sur le creux de sa nuque, il a pressé Mohini en avant.

— Viens, a-t-il ordonné.

Je me suis précipitée.

— Attendez, attendez ! Je vous en prie, attendez, ai-je crié.

Sans le moindre avertissement, l'extrémité de son couteau s'est posée dans ce minuscule espace intime entre mes seins. Il s'était déplacé si vite. Je suis restée bouche bée.

— Pousse-toi, a-t-il ordonné encore.

— Attendez, vous ne comprenez pas. Ce n'est qu'une enfant.

Il m'a jeté un regard empreint d'amusement hautain.

— Elle est indienne. Ce n'est pas une Chinoise. Les soldats japonais ne prennent que des Chinoises. Je vous en prie, je vous en prie, ne l'emmenez pas, ai-je balbutié avec incohérence et désespoir.

— Pousse-toi, a-t-il répété.

J'ai vu ses yeux dévier vers la pointe du couteau. Un filet rouge et luisant se répandait sur mon corsage. J'ai fixé le visage impassible. Oui, je connaissais l'homme. Je le connaissais depuis trois ans. Je lui avais donné mes meilleurs poulets et mes plus tendres noix de coco.

Je suis tombée à genoux, suppliante.

— Je vous en prie, honorable colonel, laissez-moi faire la cuisine pour l'armée impériale, je fais une très bonne cuisine. Vraiment très bonne.

J'ai senti soudain les vapeurs étouffantes des épinards qui brûlaient dans la casserole. J'ai vu les lèvres du colonel se contracter. J'ai pleuré. Je connaissais cet homme. Il m'avait tant de fois demandé, de son humour cynique :

— Où caches-tu tes filles ?

De mes deux bras, j'ai enserré ses jambes de toutes mes forces.

Il y avait du dégoût sur le visage du Jaune quand il m'a décoché un coup de pied dans le ventre. La douleur m'a fait l'effet d'une explosion. Je me suis affalée, tenant mon ventre dans mes mains. Il a poussé brutalement Mohini vers la porte. À quatre pattes sur le sol, j'ai hurlé comme une louve par une nuit de lune. Il ne fallait pas qu'il quitte la maison avec ma fille. Et, tout à coup, plus rien d'autre n'a compté que de l'empêcher de passer la porte. De ma bouche ouverte, des mots se sont échappés. Des mots que je souhaiterais de tout mon cœur n'avoir jamais prononcés.

— Je sais où vous pouvez trouver une jeune Chinoise vierge. De la chair qui n'a jamais connu les mains d'un homme, ai-je haleté sauvagement, horrifiée au point de ne pas croire ce que j'étais en train de faire, mais néanmoins incapable de m'arrêter.

Ses épaules se sont raidies, mais il a continué d'avancer vers la porte. Ça l'intéressait.

— Elle est exotique et belle, ai-je ajouté. Je vous en prie, ai-je sangloté.

Je ne voulais pas le laisser sortir.

Il a marqué un temps d'arrêt. Les mâchoires du poisson ont mordu à l'hameçon d'argent. Le Jaune s'est retourné. Deux yeux méchants m'ont fixée de façon insondable. Il a relâché son emprise sur Mohini. Un étrange sourire a tailladé son visage dur. Il m'attendait. J'ai fait un signe à Mohini qui s'est avancée vers moi en titubant comme une aveugle. Je me suis relevée et, attrapant ses mains d'une poigne ferme, je l'ai tenue tout contre moi. Sous mon étreinte, elle tremblait comme un petit oiseau *mynah* agonisant. *C'est mal*, hurlait le sang qui battait à mes tempes.

— À côté, ai-je sangloté, à côté, ils ont une fille cachée derrière l'armoire.

Il s'est incliné avec raideur. Un salut moqueur. J'ai avalé le nœud d'effroi qui serrait ma gorge. Un regard démoniaque a traversé ses petits yeux en amande. J'ai frissonné ; j'ai su immédiatement que j'avais sacrifié la pauvre Ah Moi en vain. Il s'est

191

avancé et m'a repoussée si fort que j'ai heurté le mur. Je me suis effondrée comme une boule assommée ; je l'ai vu saisir Mohini par la main et sortir à grandes enjambées dans l'éclat du soleil. J'ai entendu le bruit de leurs lourdes bottes résonner sur la véranda. Les bottes ferrées et cloutées faisaient vibrer et trembler toute la maison, un bruit atroce qui n'a cessé depuis lors de hanter mes cauchemars. Un moment, je me suis tenue en équilibre sur mes mains et mes genoux, immobile, figée par une indicible horreur : il avait fini par l'emmener. Puis je me suis relevée et j'ai couru. Je suis sortie à toute vitesse dans la véranda et j'ai descendu les escaliers de bois que j'avais nettoyés ce matin-là et qui étaient maintenant maculés d'empreintes boueuses. J'ai couru, les bras étendus, pieds nus sur le chemin empierré. Les salauds étaient là, à portée de ma main. Elle montait dans la Jeep. Je l'ai atteinte. J'ai même réussi à toucher le métal chaud, mais dès que mes paumes l'ont effleuré, la voiture a démarré dans un grondement et ces salauds hilares se sont ébranlés dans un nuage de poussière et un crissement de pneus. Le petit visage ovale de ma fille s'est retourné pour me regarder. Elle n'a pas émis un son ; pas un seul mot n'est sorti de ses lèvres. Pas de « Sauve-moi, Maman » pas de « À l'aide ! ». Rien.

Je les ai poursuivis, tu sais. Je les ai poursuivis jusqu'à ce qu'ils disparaissent de ma vue. Et après je ne me suis pas arrêtée. Je ne suis pas tombée sur le sol en pleurant. Je me suis tout simplement retournée, tel un jouet mécanique taïwanais, et je suis rentrée à la maison.

J'ai laissé des empreintes ensanglantées sur les marches en bois. Sur mes plantes de pied déchirées, j'ai rejoint la cuisine. J'ai retiré du feu les épinards noircis, fumants. C'est une odeur désagréable, les épinards et les piments brûlés. En moi, j'ai entendu un profond soupir. Ah, le bambou dans mon cœur. J'ai dû rester un long moment devant le réchaud, à l'écouter.

— Quand chanteras-tu pour moi ? Quand entendrai-je ton chant ? lui ai-je murmuré, mais il a soupiré encore plus profondément.

J'ai décidé de m'offrir une tasse de thé avec du vrai sucre. Une semaine auparavant, j'avais acheté une minuscule quantité de cette précieuse denrée à une amie qui travaillait dans le Service des eaux. Pendant trois ans j'avais eu envie de thé avec du beau sucre blanc et je m'étais toujours refusé ce plaisir. Les enfants d'abord. Oui, les enfants passaient avant tout.

J'ai mis de l'eau à bouillir et j'ai versé des feuilles de thé dans une grande tasse bleue. Alors que je les contemplais, elles me sont apparues comme un nid grouillant de fourmis noires. Et lorsque j'ai versé l'eau chaude, elles ont ressemblé à des fourmis mortes. Mortes. J'ai placé un couvercle sur la tasse. J'ai entendu alors des sons très ténus, des sons désespérés. Quelqu'un m'appelait. En fait, plusieurs voix m'appelaient. Il y avait également le son étouffé d'un martèlement. J'ai décidé de les ignorer. J'ai cherché le sucre sans pouvoir me rappeler l'endroit où je l'avais caché. Perplexe, je suis restée assise sur mon banc. Dehors, il a commencé à pleuvoir.

— La petite va sûrement être trempée. Je vais lui piler du gingembre. Elle a la poitrine si fragile, ai-je murmuré.

Recroquevillée, les genoux sous le menton, je devais ressembler à une petite boule compacte. Je me suis balancée d'avant en arrière en chantonnant une vieille comptine que ma mère avait l'habitude de me fredonner. Je n'aurais pas dû la laisser toute seule à Ceylan. Pauvre Maman. C'est insupportable de perdre une fille. Non, je ne voulais pas penser à ce sucre égaré. C'était plus facile de chantonner en me balançant. J'ai répété sans trêve les quatre premières strophes.

Un bon moment avait dû s'écouler. De temps à autre, il me semblait entendre le même bruit insistant d'enfants qui frappaient, qui m'appelaient en pleurant. Il me semblait également que leurs appels se transformaient en hurlements désespérés, terrifiés et suppliants. Mais ils étaient si ténus, ces sons étranges, et si distants, que j'ai continué de les ignorer et de me concentrer sur la douleur dans ma tête. Elle m'élançait comme si on la frappait avec un marteau. J'avais l'impression de nager dans un océan de souffrance et seul le mouvement de bascule pouvait me calmer quelque peu.

À la fin d'un temps qui m'a semblé une éternité, un son proche a percé mon cocon de douleur. J'ai détourné mes yeux de la lumière de l'après-midi en grimaçant et j'ai vu mon mari debout à l'entrée de la cuisine. Son large visage sombre m'a paru hideux et j'ai ressenti immédiatement envers lui une haine et une rage comme je n'en avais jamais éprouvé. Comment osait-il nous laisser nous débattre seules contre les Japonais et passer son temps à bavarder avec ce vieux gardien sikh gâteux devant les bureaux de la Chartered Bank? Tout était sa faute. Une fureur noire s'est emparée de moi et m'a submergée jusqu'à m'aveugler. Sans même y penser, je m'étais relevée, et je me suis précipitée en hurlant sauvagement vers cette expression stupide et bouleversée qui se dessinait sur son visage laid. Dans ma tête, le martèlement était devenu si puissant que j'ai vu ses lèvres remuer sans entendre les mots qui s'en sont échappés. J'ai enfoncé mes ongles courts dans ses pommettes recouvertes d'une couche de sueur et, avec une sauvagerie inouïe, j'ai déchiré sa peau sur toute la longueur de son visage. Il a d'abord été trop bouleversé pour réagir, mais au moment où je me suis apprêtée à élever de nouveau mes mains en hurlant, il les a saisies d'une poigne d'acier.

— Arrête, Lakshmi.

J'ai regardé avec une fascination irréelle ses joues zébrées, le sang qui coulait de ses joues et pénétrait dans le col de sa chemise.

— Où sont les enfants ? a-t-il demandé.

Si doucement que j'ai dû détacher mon regard de son col et fixer ses petits yeux épouvantés.

— Ils ont emmené Mohini, ai-je dit d'une voix neutre, et ma colère s'est dissipée aussitôt.

Je me sentais perdue ; je désirais ardemment un mari qui pourrait me décharger de mon fardeau ne serait-ce que pendant une heure. Quelqu'un qui redresserait la situation. Ses narines ont frémi comme celles d'un gros animal blessé. Soudain, il est tombé à genoux.

— Non, non, non, a-t-il haleté.

J'ai abaissé mon regard vers lui sans éprouver la moindre douleur, la moindre pitié. Non, il ne me déchargerait pas, même pas pendant une heure. Il s'est relevé lentement comme un vieil homme malade et est allé repousser le coffre. Les enfants en sanglots sont sortis de la trappe en titubant et sont venus se blottir dans ses longs bras. Il les a rassemblés contre sa large poitrine et a pleuré avec eux. Et je les ai vus, mes enfants, me regarder à la dérobée de leurs yeux effrayés en se serrant contre lui. Même Lakshmnan. Les enfants sont de vrais traîtres.

— Je leur ai tout dit sur Ah Moi, à côté, ai-je lâché.

J'ai vu mon mari se raidir.

— Pourquoi ? a-t-il demandé dans un murmure de saisissement.

Il a eu une expression d'horreur et de trahison telle qu'on aurait dit que je venais de le poignarder. Ce qui montrait qu'en fin de compte il ne me connaissait pas.

– Parce que je pensais pouvoir sauver Mohini, ai-je répondu lentement.

Une larme m'a échappé et a roulé sur mon visage. Oui, c'est seulement à ce moment-là que j'ai compris ce que j'avais fait. Pourtant, si j'en avais eu la possibilité, aurais-je agi différemment ? Peut-être, si j'avais été plus habile à négocier. Si seulement elle avait couru dans les champs pour se cacher derrière les buissons. Si Lakshmnan n'était pas tombé. Si...

– Oh Dieu, grand Dieu, mais qu'est-ce que tu as fait ?

Il a étreint à nouveau nos enfants qui s'agrippaient à lui.

– Je vais à côté pour les avertir, s'il n'est pas trop tard. S'il est trop tard, alors, je ne veux plus jamais en entendre parler.

Les enfants ont approuvé d'un vigoureux signe de tête. Il est sorti en courant de la maison. Nous avons attendu dans la cuisine. Aucun de nous ne bougeait ; nous nous observions en silence, tels les partisans de deux camps ennemis. Sevenese a pénétré dans la cuisine en courant. La réunion de scouts était manifestement terminée. Son visage était déformé par un rictus sauvage. Il avait dû voir mes empreintes de pas ensanglantées.

– Est-ce que le crocodile a attrapé Mohini ? a-t-il haleté.

– Oui, ai-je dit.

Mon fils appelait un chat un chat.

– Il faut que je trouve Chibindi. Il n'y a que lui qui peut nous aider maintenant, a-t-il crié.

Et il s'est précipité hors de la maison.

Ayah est revenu très vite. C'était trop tard. Les soldats avaient déjà emmené Ah Moi. Cette nuit-là, Lakshmnan s'est enfui. Je l'ai vu partir dans la jungle où Sevenese avait l'habitude de disparaître avec ce repoussant charmeur de serpents. Il est revenu la nuit suivante, dépenaillé et couvert de bleus. Il n'a pas demandé de nouvelles de sa sœur. Il a compris à mon visage qu'ils ne l'avaient pas ramenée. Il ne permettrait pas que je le retienne. Je ne le savais pas alors, mais ça a été le jour où je l'ai perdu pour toujours. J'ai déposé une assiette de nourriture devant lui. Pendant un très long moment, il l'a regardée fixement, apparemment en proie à une terrible lutte intérieure. Puis il s'est jeté dessus comme s'il n'avait pas mangé depuis des semaines. Un animal affamé. Soudain, il s'est mis à vomir violemment. Il a relevé la tête, m'a scrutée, la bouche et le menton maculés de morceaux à demi digérés, et a hurlé :

– Je peux sentir ce qu'elle est en train de manger. Aigre. Très aigre. Elle veut mourir, Ama, elle ne veut que ça. Aide-la. Qu'on l'aide, je vous en prie, je vous en prie.

Horrifiée, je l'ai vu se pelotonner en boule sur le sol, à mes pieds, en gémissant faiblement d'une voix aiguë. Je n'avais jusqu'à présent jamais pris conscience de ce que partageaient mes jumeaux dans leurs silences de ce calme parfait où aucun mot n'était nécessaire. Quels sons, quelles odeurs, quelles pensées, quelles émotions, quelles douleurs, quelles joies ? Le temps a passé ; mon fils magnifique gémissant à mes pieds et moi pétrifiée, immobile. Depuis longtemps maintenant Lakshmnan avait rejeté la mue de l'enfance et revêtu si spontanément le manteau de l'âge d'homme que j'avais cessé de le considérer comme un enfant. Il se levait avant que le soleil n'apparaisse à l'horizon pour porter les seaux de lait frais dans les cafés de la ville et revenait avec des liasses de billets bananiers. Il menait les vaches paître dans les champs, coupait les hautes herbes qui leur servaient de fourrage, les menait à la petite rivière où il les baignait et nettoyait leur étable deux fois par semaine. Il chassait pour notre famille, et, quand on ne pouvait obtenir de savon, lavait les vêtements que j'avais mis à tremper la veille dans l'eau de cuisson du riz mélangée à de la cendre.

Je ne pouvais supporter de le voir ainsi. Je me suis accroupie à ses côtés.

– Ce n'est pas ta faute, lui ai-je dit en lui caressant les cheveux.

Mais dans sa tête des milliers de voix sifflantes l'accusaient : *C'est Lakshmnan qui l'a fait. C'est Lakshmnan. Il a laissé ces chiens de Japonais l'emmener.* J'ai essayé de le calmer. Il n'a pas vu les larmes qui ruisselaient sur mes joues. Il n'a pas senti ma main. Il a enfoncé ses poings serrés dans ses joues, jusqu'à ce que son visage ressemble à un masque de supplicié. Il s'est mis à crier mais les voix accusatrices ne cessaient pas. *C'est Lakshmnan qui l'a fait. Lakshmnan l'a fait.*

Je pouvais sentir de façon presque palpable le bouleversement de mes enfants, debout dans l'embrasure de la porte, en proie à une peine claire et franche, à une légitime tristesse ; mais Lakshmnan, lui, était prisonnier de sa terrible culpabilité. C'est lui qui l'avait le plus aimée et cependant il se jugeait responsable. Si seulement il n'avait pas été si maladroit. Si seulement il s'était relevé aussi vite qu'il était tombé. Si seulement...

196

Qui allait épouser Mohini maintenant? Personne. Elle était marquée à jamais. Allaient-ils la laisser enceinte? On mépriserait et calomnierait notre fierté et notre joie. Détruite, la fleur dont nous avions tant pris soin. Blessés pour toujours, ces yeux que je rinçais avec une décoction de thé pour faire ressortir leur luminosité. N'était-elle restée prisonnière pendant trois ans dans sa propre maison que pour cela? Dans l'esprit tourmenté de Lakshmnan, elle était figée dans cet instant de panique et de choix. C'était, il le savait, sa faute.

— Ils la ramèneront, ai-je dit doucement contre son visage, si près de sa bouche que je pouvais en sentir l'haleine aigre. Elle n'est pas morte. Ils la ramèneront.

Soudain, il s'est arrêté. Ses poings serrés se sont détachés de ses joues et, pour la première fois, il m'a regardée dans les yeux. Ce que j'ai vu dans ses pupilles scintillantes me hante encore aujourd'hui. J'ai vu une terre noircie, désolée, balayée par le vent. Mohini était partie en emportant avec elle les arbres fruitiers, les fleurs, les oiseaux, les papillons, les arcs-en-ciel, les cours d'eau... Sans elle, le vent hurlait dans les souches d'arbres décharnées. En l'arrachant si brutalement, ils avaient arraché une part de Lakshmnan. La meilleure. De loin, la meilleure. Il est devenu un étranger à la maison, un étranger qui avait quelque chose d'adulte et de cruel dans ses yeux ravagés. En fait, il a vu dans mon regard ce que je voyais dans le sien. Un serpent vicieux au pouvoir effroyable. Il nous pressait de faire l'impensable. Quand tu apprendras ce que j'ai fait, je baisserai dans ton estime, mais j'étais incapable de résister à sa volonté.

Pendant les trois jours qui ont suivi, mon mari s'est assis, pétrifié, près de la radio, espérant avoir des nouvelles. Il a déplacé un peu sa chaise de façon à observer la route par la fenêtre du salon. Durant ces trois jours, je n'ai rien mangé. Hébétée, j'ai regardé les assiettes de tapioca bouilli, de cette fade couleur crème et légèrement brillante. Lakshmnan se levait plus tôt que d'habitude, expédiait ses tâches quotidiennes et s'asseyait dehors, sur les marches, à fixer la route, les épaules tendues par l'attente. Il ne parlait à personne et personne n'osait lui adresser la parole. Les enfants me fixaient de leurs grands yeux effrayés et je faisais semblant d'être occupée. C'est seulement lorsque l'enfant de la nuit accourait à la fin de la journée, les pieds noircis par les péchés du jour, que je pouvais fermer la porte de la cuisine et m'allonger sur mon banc à fixer désespérément l'obscure nuit malaise. Je me refusais à songer au destin de ma fille. Refus des pensées de mains musculeuses, altérées par le combat, souillées par l'odeur métallique des fusils, de bouches voraces et de langues avides. Et leur puanteur. Oh, mon Dieu, de toutes mes forces j'ai essayé de ne pas penser à cet homme qui avait uriné en Mui Tsai. Au lieu de cela, je gisais allongée à écouter les bruits de la nuit, les criquets, le bourdonnement des moustiques, l'appel des animaux sauvages, le murmure des feuilles dans le vent. À guetter ma Mohini.

Dans l'après-midi du troisième jour, ils ont ramené Ah Moi. Elle était couverte de bleus, elle saignait et pouvait à peine marcher, mais elle était vivante. Je le sais parce que je me trouvais à un mètre de la fenêtre, dans l'ombre, et que j'ai vu sa mère folle de chagrin sortir de la maison en courant et crier à la vue de la fragile silhouette flétrie, soutenue par deux soldats. Ils ont jeté la fille aux pieds de sa mère et sont partis. Sa famille l'a portée jusqu'à la maison. J'étais remplie d'effroi. Où était Mohini ? Pourquoi ne nous l'avaient-ils pas rendue ? J'aurais dû courir et le leur demander.

Peut-être nous la rendront-ils demain, me suis-je dit en moi-même, sans trop y croire.

Cette nuit-là, bien que j'aie tenté de rester éveillée, j'ai été submergée par une étrange léthargie. Je me suis endormie dans la cuisine. Ça a été un sommeil agité, peuplé de rêves bizarres qui m'ont réveillée plusieurs fois, en sueur et assoiffée. Troublée et mal à l'aise, j'ai parcouru la maison sans trêve, allant d'une pièce à l'autre, en murmurant, les yeux toujours en alerte. J'ai ouvert une fenêtre et scruté la nuit. Tout semblait normal. Les criquets dans les buissons, les notes tristes de la flûte émanant de la maison du charmeur de serpents. Les moustiques bourdon- naient. J'ai fermé la fenêtre et suis allée jeter un coup d'œil sur les enfants. Ils me sont apparus comme des étrangers. Il faisait trop chaud.

L'eau fraîche a ruisselé le long de mon corps, est retombée bruyamment sur le sol en ciment, inondant la salle de bains de petites vagues qui ont gravi la marche d'entrée et se sont répan- dues dans le couloir. Je me suis tenue debout, les pieds dans l'eau. Je me sentais un peu mieux. Un sarong humide passé sous les aisselles et noué au-dessus de ma poitrine, j'ai pénétré dans la chambre.

Ayah était assis sur le lit, la tête entre les mains. Dès qu'il m'a entendue, il s'est redressé. Une petite robe verte se trouvait sur le lit. Je me suis approchée et j'ai touché le tissu de soie. Il était frais sous mes doigts. J'avais découpé l'un de mes beaux saris pour tailler à Mohini cette robe que j'avais oublié de coudre. C'était une autre époque : Diwali, la fête des lumières ; je l'avais habillée de vert, la couleur qui s'harmonisait avec ses yeux. Je me souvenais des lampes à huile dont j'avais entouré la maison ; je me souvenais d'elle dans une autre robe verte. Mon Dieu, elle était si petite alors, et déjà si belle ! Même le prêtre du temple avait pincé ses joues d'un air admiratif. Abasourdie, j'ai regardé la silhouette voûtée, vaincue, assise sur le lit.

— Où as-tu trouvé ça ? ai-je demandé.

J'avais conscience du ton accusateur de ma voix. Il n'y avait pas une chose dans ma maison dont j'ignorais l'existence. De haut en bas, je savais où tout se trouvait et, pourtant, il avait réussi à cacher cette robe pendant des années.

— Je la mettais de côté pour sa fille, a-t-il murmuré.

J'ai senti se former en moi un sentiment de vide immense, tel que je n'ai tout simplement pas pu le reconnaître. J'étais réduite à néant. En silence, j'ai sorti quelques vêtements de l'armoire et quitté la pièce. Le bien-être que m'avait conféré ce bain énergique avait disparu. Mon mari avait laissé béer sa souffrance comme un gigantesque éventail. Un éventail grotesque aux discordantes taches de couleur rouge mêlé de noir menaçant. J'aurais dû le réconforter, mais ce n'était pas dans ma nature et, au lieu de cela, j'ai commencé à nourrir à son égard une jalousie grandissante. Son amour m'apparaissait plus pur, plus noble que le mien.

J'ai préparé un thé, puis je me suis assise en le regardant refroidir. Je n'aspirais qu'à courir hors de la maison, à faire le siège de la garnison japonaise pour demander que Mohini soit relâchée, mais je ne pouvais rien faire d'autre que de rester assise comme une vieille femme à me remémorer le passé. Me souvenir du temps où j'emmenais mes enfants dans un temple chinois lors de l'anniversaire annuel de Kuan Yin. Là, au milieu de chevaux en papier grandeur nature et d'une immense statue de la déesse de la Miséricorde, vêtue de ses amples robes flottantes, à côté de rutilantes urnes de bronze remplies de gros bâtons d'encens rouges, nous faisions brûler de minces bâtonnets gris, des feuilles de papier coloré ainsi que des petits drapeaux, symboles de prospérité et de paix. Il me semblait que c'était hier que mes enfants faisaient la queue, formant une ligne curieuse et silencieuse de brillantes têtes noires, leurs mains potelées serrant de petits drapeaux sur lesquels étaient inscrits leurs noms en caractères chinois. Je les observais un à un tandis qu'ils brûlaient solennellement leurs drapeaux dans un récipient en zinc. Au-dessus d'eux, dans la brise du petit matin, de grosses lanternes rouges ondulaient comme si elles faisaient un signe d'approbation. Ensuite, chacun d'entre nous relâchait un oiseau en cage ; un serviteur du temple vêtu de blanc avait peint sur le minuscule corps du volatile un petit point rouge afin que personne ne l'attrape ni ne le mange. J'étais restée debout dans ce temple et j'avais prié pour mes enfants au moment où, avec une belle expression de pur ravissement, ils observaient les oiseaux qui s'envolaient vers la liberté. Gardez-les, protégez-les, bénissez-les, chère, très chère déesse Kuan Yin, avais-je supplié ; mais je me souviens que lorsque nous avions quitté le temple, j'avais regardé son visage calme et serein en pensant qu'elle ne m'avait pas entendue.

Dehors, dans l'obscurité, j'ai entendu les frères d'Ah Moi. Le soir, ils passaient les caniveaux du quartier au peigne fin en quête de cafards afin de nourrir leurs poulets le lendemain matin. J'ai été distraite par leurs chuchotements étouffés.

– Ouaa, regarde comme il est gros, celui-là.

– Où ? Où ?

– Près de ta jambe, espèce d'abruti. Vite, attrape-le avant qu'il se cache dans le trou.

– Combien t'en as attrapé maintenant ?

– Neuf. Et toi ?

Leurs voix et le bruit de leurs sandales pataugeant dans la boue des caniveaux se sont émoussés. J'ai essayé d'éprouver de l'indignation à la pensée de leurs jeunes mains ramassant ces créatures répugnantes dans les ordures, mais il en était ainsi lors de l'occupation japonaise. Les céréales étaient rares et les poulets nourris de cafards moelleux grossissaient très rapidement.

Il faisait à nouveau très chaud. Je me suis aspergée d'eau glacée et j'ai fait réchauffer le thé qui s'était refroidi. Puis, j'ai dû m'assoupir sur mon banc, car je me suis réveillée brusquement. La pendule de la cuisine marquait trois heures. La première chose dont je me souviens est un sentiment de paix. Dans ma tête, le martèlement avait disparu. J'avais vécu avec cette douleur jour et nuit depuis tant d'années que cette absence soudaine et totale m'a paru étrange. Dans un mouvement de stupeur, j'ai porté mes mains à mes tempes. Au moment où je me suis assise émerveillée, mon mari est entré dans la cuisine. Il semblait ployer sous un énorme fardeau et le blanc humide de ses yeux luisait faiblement dans l'obscurité.

— Elle n'est plus. Elle n'est plus, enfin. Ils ne peuvent plus lui faire de mal, a-t-il dit d'une voix brisée.

Un homme aussi doux. Il ne pouvait lui dénier la paix blanche qui attendait sûrement son innocente petite âme. Il y avait de la tristesse dans ses yeux de tortue luth. Il s'est détourné lentement et a quitté la pièce. Au moment où j'ai fixé ce dos qui battait en retraite, le martèlement des maux de tête a fondu sur moi en une impitoyable vengeance.

J'ai compris. Elle était venue chez nous. Elle m'avait réveillée, elle avait parlé à son père. Peut-être avaient-ils conversé dans leur langue enfantine. Elle était venue dire au revoir. Je n'avais plus besoin d'attendre. J'ai su ce qui s'était passé. Je suppose que je le savais dès le moment où j'avais vu ces salauds rendre Ah Moi à sa famille. Oui, je le savais déjà. Je l'avais perdue. En moi, j'ai senti se lever et siffler effrontément ce serpent monstrueux, noir et terriblement vindicatif, dont je t'ai parlé.

Mme Metha, de l'Association ceylanaise, est venue me présenter ses condoléances. Je suis restée assise un long moment, murée dans l'immobilité, à regarder sa vilaine bouche et la petite pierre terne[1] juchée sur l'aile droite de son nez crochu.

— Seuls les bons meurent jeunes, a-t-elle proclamé pieusement.

J'ai été soudain submergée par le profond désir de la gifler. Je me suis vue la frapper si fort que sa tête faisait un tour complet sur son cou de poulet. Mon impulsion était si puissante que je dus me lever pour y résister. Je lui ai proposé du thé.

— Non, non, ne vous dérangez pas, a-t-elle protesté très vite, le regard vif.

Je m'éloignais déjà vers la cuisine. J'ai pensé que je la haïssais. J'ai pensé aussi que je la reconnaissais. Elle était le corbeau envieux dont Maman m'avait dit de me méfier. De ceux qui boivent les larmes des autres pour garder leurs plumes noires et brillantes. Le corbeau qui se perche sur l'arbre le plus haut pour être le premier à voir passer la procession funèbre. Dans la cuisine, j'ai préparé le thé. J'ai versé la dernière cuillerée de la pré-

---

1. Les Indiennes mariées portent souvent une pierre précieuse ou semi-précieuse, montée sur un anneau qui perce l'aile du nez.

cieuse réserve de sucre. Lorsqu'il a été prêt, je l'ai goûté ; il était excellent. Je savais qu'elle le boirait jusqu'à la dernière goutte. J'ai posé la tasse sur le banc tout en pensant à la petite robe verte étalée sur le lit. Pendant un bref moment, je me suis permis le luxe de la faiblesse ; immédiatement, les larmes qui ne demandaient qu'à se déverser ont brûlé douloureusement mes yeux, coulé le long de mes joues et se sont écrasées dans la tasse de thé. Tu sais, les seules larmes que le corbeau envieux ne doit jamais boire sont celles d'une mère en deuil. Les pleurs d'une mère sont si sacrés qu'ils lui sont interdits au risque de voir la maladie ternir ses plumes et qu'il périsse lentement dans des douleurs épouvantables. J'avais raison à propos du thé : elle a tout bu ; mais j'avais tort en ce qui la concernait. Mme Metha n'était pas le corbeau dont Maman m'avait avertie, car elle est revenue souvent et a généreusement offert de m'aider. Elle est morte récemment. Devant son lit de mort, j'ai regretté ce que j'avais fait. Je lui ai avoué à l'oreille le péché que j'avais commis. Il m'a semblé que son corps flétri frémissait légèrement ; mais lorsque ses yeux ont croisé les miens, ils m'ont souri. Elle est morte sans rien dire d'autre.

Je pensais qu'Ah Moi ne pèserait pas sur ma conscience. Mais il ne devait pas en être ainsi. Moins d'une semaine plus tard, son père est passé devant notre maison en tirant un char à bœufs sur lequel gisait son corps enveloppé dans une natte. Debout derrière le rideau, j'ai observé la scène, tel un cobra noir caché au tréfonds de la jungle. La pauvre Ah Moi s'était pendue aux poutres de sa maison. Elle était morte de honte.

Son père l'a enterrée dans une tombe anonyme pas très loin de là. Après cet étrange et piètre cérémonie [1], Ayah est allé présenter ses condoléances ; je n'ai pu faire face à la première épouse. De chez nous, j'entendais ses hurlements de douleur qui vous figeaient le sang, stridents et aigus comme ceux d'une bête blessée à mort.

Moi aussi j'avais perdu une fille. Je savais que, placée dans la situation où je m'étais trouvée, la mère d'Ah Moi aurait agi exactement comme moi. L'amour d'une mère ne connaît pas de loi, pas de limites, et ne s'incline devant aucun maître que lui-même. Il brave tout. À cette époque, je n'ai pas compris que j'avais eu tort. Je me refusais à faire vraiment le deuil de

---

1. Selon la tradition chinoise, le suicide étant considéré comme déshonorant pour la famille, les funérailles sont aussi discrètes que possible.

Mohini. Au lieu de cela, je préférais croire que mon plus grand regret était de ne pas avoir moi-même conservé cette petite robe verte. J'aurais dû penser à la mettre de côté. De temps à autre je la cherchais. Et encore maintenant. Je sais qu'il la garde parce qu'il croit qu'elle reviendra. Un jour. Il la cache dans un endroit secret, loin de mes yeux fureteurs, de mon cœur jaloux et de mes pensées souillées.

Deuxième partie

Le parfum du jasmin

Lalita

L'histoire de notre famille peut se diviser en deux époques : avant et après la mort de Mohini. Après sa disparition, Maman, Papa et Lakshmnan sont devenus méconnaissables. Leur aspect même était différent. Je n'aurais jamais cru que des gens puissent changer si radicalement en un après-midi. Les gens, ai-je pensé, sont des objets solides... Et pourtant, ils se sont métamorphosés. Il y a très longtemps, par un chaud après-midi, ma famille a changé du tout au tout.

Ce qui est le plus surprenant, c'est que je suis incapable de me souvenir de ce jour mémorable. En fait, je ne me souviens même pas de Mohini. Peut-être que je lui en veux, à elle, cet esprit malchanceux qui a bouleversé notre vie simplement en disparaissant. C'est injuste, je sais. Elle a été emmenée de force, à la pointe du fusil. Mais il y a toujours une autre partie de moi-même qui l'accuse de ne pas avoir été une personne ordinaire. Et je sais que ça aussi, c'est injuste. Elle n'a pas choisi son apparence.

Parfois, son souvenir est comme le parfum du jasmin sur la main de maman. N'aie pas l'air si étonné. Cela s'explique. Il faut que je te raconte. Mohini est morte à la fin de l'occupation japonaise. Pendant l'occupation, Maman a élevé des vaches. Elle se levait à quatre heures du matin pour les traire, puis elle venait nous réveiller en portant sur elle l'arôme sain du lait. Dès que les Japonais ont plié bagage, elle les a toutes vendues. Elle ne se levait plus si tôt, et la seule chose qu'elle faisait avant de nous réveiller était de recouvrir un plateau de fleurs de jasmin pour notre autel. Je me rappelle le parfum des fleurs sur ses doigts comme un arrière-goût du trépas de Mohini. Comme je hais l'odeur du jasmin ! Il empeste la mort.

207

Quand j'essaie de me représenter ma sœur, je ne la vois que telle qu'elle apparaît sur l'unique et précieuse photographie que nous ayons d'elle. Pendant des années, Maman l'a gardée dans une petite pochette de soie, jusqu'à ce qu'un jour Sevenese la porte au magasin du vieux Chin Teck à Jalan Gambut pour qu'il la monte dans un cadre noir et or. Maman a décroché du mur du salon le meilleur travail d'aiguille d'Anna, un paon brodé qui gambadait dans un champ vert émaillé de fleurs orange, et y a suspendu la photographie à la place. Elle avait été prise juste avant la guerre : toute la famille saisie dans ses plus beaux atours. Je ne me souviens pas du trajet jusqu'au studio ni même de la séance de pose. Un testament en noir et blanc de ma mémoire défectueuse.

Maman porte le lourd thali en or qu'elle avait le jour de son mariage et le célèbre pendentif en rubis qu'elle a vendu au début de l'occupation japonaise. Elle est assise et fixe l'objectif, en refusant de sourire comme par provocation. Son visage témoigne d'une splendide fierté. Elle n'est pas d'une extra-ordinaire beauté, mais elle est consciente de sa chance. Papa est debout, grand et large dans une chemise à manches courtes repassée avec une méticulosité d'artiste. Légèrement voûté, il sourit gauchement devant l'appareil et l'on a cependant l'impression qu'il ne vous regarde pas vraiment. Lakshmnan a le menton qui dépasse et il bombe le torse comme un merle. De son regard fixe se dégage la même impression de hardiesse que dans les yeux de Maman. Il a compris qu'il est destiné à de grandes choses. Anna joint les mains dans un geste incroyable-ment attachant ; elle porte ses chaussures rouges préférées. Je crois que je me souviens de ces chaussures. Elles avaient des boucles brillantes sur le côté. Les cheveux de Jeyan ont été labo-rieusement bouclés par Mohini ; il est étroit de carrure et ses yeux sombres portent déjà la tristesse de l'échec. Sevenese sourit de toutes ses dents, les mains profondément enfoncées dans ses culottes courtes achetées d'occasion et trop grandes pour lui. Dans son regard brille une lueur de tête brûlée. Il ressemble à un gamin des rues habillé pour paraître le digne fils de sa mère, l'espace d'un jour. Puis, je me vois. Je suis assise sur les genoux de Maman, mes petits yeux ensommeillés arborant une expres-sion hébétée. Je scrute ma propre image pour trouver trace de mes cils, mais il n'y en a pas. Puis je regarde ma bouche, légère-ment entrouverte, et il apparaît immédiatement que même la beauté passagère de l'enfance m'a été refusée.

Le regard cherche un endroit où se poser ; il est attiré par Mohini. L'ultime lieu où se poser. Mais elle refuse de se laisser dévisager par les curieux ; elle a les yeux tournés vers Lakshmnan. Même de profil, il est manifestement évident qu'elle est belle et différente des autres. Éternisée dans le mouvement qu'elle fait pour se tourner, et du fait même de ne pas regarder droit vers l'appareil, elle devient en quelque sorte plus vivante, plus réelle que tous les personnages figés sur ce cliché. Il est étrange de penser que nous sommes tous vivants et qu'elle ne l'est plus. Elle n'est vivante que sur l'immobilité de notre photographie.

Avant l'époque où j'étais réveillée chaque matin par l'odeur du jasmin, Lakshmnan était mon héros. Les soldats étrangers lui avaient appris à dire : « Salut mon vieux. » Et il avait pris l'habitude de me dire « Salut ma vieille », en anglais. Avec un petit sourire dans la voix. Il paraissait toujours si grand et d'une carrure si puissante. Je me souviens de lui, torse et pieds nus, du jeu de ses jeunes muscles saillants dans le soleil lorsqu'il battait énergiquement notre lessive. D'étincelantes gouttes d'eau volaient autour de lui comme s'il était une sorte de dieu des Eaux. Dans mon esprit, il est figé dans ce geste, des gouttelettes pleines de soleil volettent à jamais autour de lui. Jeune, vibrant, d'une incroyable beauté, doté de ce brillant avenir d'arc-en-ciel qui l'attendait dans le lointain. Je suis assise dans le petit verger de Maman sans pouvoir détacher mes yeux de ce mythique dieu des Eaux. À observer l'habileté avec laquelle il fait en sorte que le soleil colore la mousse du savon. Verte, rouge, jaune, bleue...

Puis, je me souviens de lui penché sur la lourde meule. Tous les matins mon frère pilait les épices qui allaient donner du goût aux repas de la journée. Il en faisait de petits monticules de couleurs chaudes : piments, fenugrec, coriandre, fenouil, cardamome, curcuma, qu'il plaçait sur un petit plateau d'argent destiné à Maman, comme un cadeau. Petits tas humides de rouges sombres et de bruns formant un camaïeu couleur de terre.

Pourquoi ne puis-je pas me remémorer d'autres choses ? Pourquoi est-ce que je ne parviens pas à me rappeler ces moments dont Anna et Sevenese ont gardé le souvenir ?

Maman a du mal à me supporter, mais je n'y peux rien. Pour moi, le passé n'est pas constitué de grands événements mais des choses de la vie quotidienne, comme revenir de l'école et la voir assise jambes croisées sur le banc de la cuisine en train de confectionner des guirlandes de fleurs colorées pour orner les représentations des dieux sur notre autel domestique. Aucun fait particulier ne se détache. Juste ce que je voyais tous les jours. Les guirlandes de couleurs enroulées sur un plateau d'argent à côté d'elle. Les mangues du Siam qu'elle mettait sur le riz pour qu'elles mûrissent plus vite. Les heures magnifiques passées à me perdre dans le contenu de son coffre en bois noir avec ses solides poignées de bronze. Il regorgeait des trésors de ma mère ; ses saris de soie aux couleurs chatoyantes qui, disait-elle, appartiendraient un jour à mes sœurs et à moi. J'effleurais de mes doigts les tissus frais et soyeux en essayant d'imaginer lesquels je porterais. Les verts, je le savais, étaient destinés à Mohini. Maman disait que le vert était la couleur qui allait le mieux à sa peau. Le coffre contenait aussi des documents importants, ainsi que des paquets de lettres de Grand-Mère, attachés avec des ficelles en raphia. Après le départ des Japonais, la boîte de chocolats qui contenait les bijoux de Maman est descendue du sommet du cocotier et a trouvé sa juste place dans le coffre. Elle s'est révélée enchanteresse. Des rubis, des saphirs et des pierres vertes ont scintillé et cligné des yeux, heureux de voir la lumière du jour et de se poser sur une peau humaine.

En revanche, j'ai des souvenirs extraordinairement clairs de plantes, d'insectes et d'animaux. Je me perdais dans la contemplation de ces belles feuilles pourpres qui préservent à leur surface une goutte de pluie comme un diamant étincelant, ou, assise au soleil, dans celle des fourmis. Quelles créatures étonnantes ! Aller et venir, sans trêve, corps délicats qui disparaissent sous des charges trois fois plus grosses qu'eux. Si je restais complètement immobile pendant un long moment, une libellule, parfois, se posait sur moi. Elles sont belles avec leurs ailes diaphanes porteuses d'arc-en-ciel. Parfois, de gros scarabées, avec leurs dures ailes noires et leurs petites antennes recourbées, atterrissaient sur mes mains. Mais, de tous les insectes qui se posaient sur mes paumes ouvertes en me regardant d'un air un peu sot, j'affectionnais particulièrement les sauterelles. J'examinais leur tête immobile ; je les trouvais pensives et même un peu tristes. Parfois, de merveilleux mille-pattes remontaient le long de mes mains ; des faucheux ivres arrivaient à l'improviste sur ma jupe, vacillant dangereusement dans le vent. Un jour, au crépuscule, je me suis assise pour examiner une chauve-souris qui était venue s'installer dans notre manguier. Elle était suspendue à une mince branche d'arbre, la tête en bas, et broyait le crâne complètement chauve d'un oisillon.

De toutes les créatures du monde, mes préférées étaient les poulets qui vivaient sous notre maison. Je les adorais quand ils étaient encore poussins, duveteux et jaunes ; j'en devenais fière quand, adultes avec des yeux en bouton de bottine, ils se mettaient à glousser et à caqueter. J'étais la seule à pouvoir rentrer dans le poulailler, tant l'ouverture était basse. Ça sentait toujours le moisi et il y faisait sombre, mais aussi merveilleusement frais. Ils faisaient cercle autour de moi en caquetant et il m'était impossible d'avancer sans les écraser sous mes tongs en caoutchouc. Dès que je m'arrêtais, ils m'assiégeaient, voletaient, tressautaient et glapissaient, impatients que j'éparpille sur le sol leur nourriture sur laquelle ils se jetaient comme dans une mêlée. Je les regardais se nourrir, divertissement sans fin, jusqu'à ce que je doive fouiller leurs cages pour ramasser les œufs. Il arrivait que certains aient deux jaunes. Maman interdisait à toutes ses filles de les manger, parce qu'on croyait qu'ils provoqueraient la naissance de jumeaux plus tard.

Quelques jours après la mort de Mohini, alors que Maman et Anna étaient toutes deux assises sur le banc de la cuisine, ma mère s'est affaissée doucement sur le côté et sa tête s'est posée sur les genoux de ma sœur. Je me souviens de l'avoir observée avec surprise. Maman ne s'appuyait jamais sur personne. Anna a regardé dans le vide tandis que ses petites mains potelées se sont posées d'un geste las sur la tête de Maman.

— Maintenant qu'elle est partie, il faut que je me débarrasse de tous ces poulets qui empestent sous la maison, a-t-elle dit d'une voix blanche.

J'étais terrifiée. Mais elle a été fidèle à sa parole. Les poulets ont été égorgés un à un jusqu'au dernier.

J'ai bien sûr de merveilleux souvenirs de Papa. J'avais l'habitude de m'asseoir pour le regarder manger des pastèques sur la véranda. Il mettait tant de temps à avaler une tranche que je m'endormais à force de l'observer. Un à un, les pépins sortaient sans bruit des coins de sa bouche et tombaient dans sa main gauche. Tout cela se passait avant que Papa ne perde goût à la vie et ne se mette à errer sans but dans la maison, en traînant les pieds d'une pièce à l'autre, comme pour retrouver ce qui l'avait quitté.

À cette époque-là, mon père était un véritable artiste. Il a sculpté un beau buste de Maman qui, je l'imaginais, la représentait telle qu'elle était avant : avant lui, avant nous, avant la multitude de déceptions qui se sont abattues sur elle. Mon père a reproduit ses yeux brillants d'une intelligence rieuse et son sourire plein d'insouciante effronterie. Il l'a saisie juste avant que nous ne l'emprisonnions dans notre stupidité, dans notre pesanteur, nous qui étions totalement dépourvus de sa rapidité d'esprit. Tout a été de notre faute. C'est nous qui l'avons transformée en une tigresse rétive qui arpentait sa cage jour et nuit, en grondant furieusement contre les ravisseurs que nous étions. Lorsque notre maison a été pillée pendant que nous assistions à ce mariage à Seremban, le buste a disparu avec tout le reste. Puis, un jour, la femme du charmeur de serpents l'a vu au marché. Un homme l'a sorti d'un sac, s'apprêtant à le vendre pour un ringgit seulement. Elle l'a acheté et l'a ramené à Maman. Le buste est demeuré dans la vitrine de son armoire jusqu'à la mort de Mohini. Alors Maman l'en a sorti et a brisé la belle sculpture en mille morceaux. Mais cela ne lui a pas suffi. Elle a empilé les débris qu'elle a brûlés dans la cour. Le soleil se couchait. Dans la lumière du soir, elle s'est tenue debout, les mains sur les hanches, à regarder la fumée noire qui s'élevait en volutes du tas d'éclats de bois. Quand le buste n'a plus été qu'un amas de cendres, elle est rentrée à la maison. Aucun de nous n'a osé lui demander les raisons de son geste.

Quand j'étais petite, Maman et moi allions tous les matins au marché. Pour tromper l'ennui, elle a inventé un jeu. Elle est devenue Kunti, une ancienne conteuse d'un petit village de Ceylan, et, par magie, j'étais transformée en Mirabai, une belle petite fille qui vivait au sein d'une douce famille de daims au cœur d'une forêt secrète.

« Ah, tu es là, chère Mirabai », chantonnait-elle, pensive, comme si elle appartenait vraiment à cette époque lointaine. Puis elle me tenait par la main et me racontait ses histoires merveilleuses où il était question d'hommes enturbannés soufflant dans des conques. De Rama[1] et de son arc magique ; de Sita pleurant à l'intérieur de son cercle enchanté. Je retenais mon

---

1. Toutes ces évocations sont des passages célèbres extraits de la grande épopée hindoue du *Ramayana*.

souffle, redoutant le moment où, incapable de résister au daim, l'épouse de Rama sortirait du cercle et tomberait dans les bras diaboliques de Ravana, le démon, roi de Lanka. Et la queue du dieu singe qui ne cessait de croître ! Il y avait aussi l'histoire miraculeuse d'une statue sacrée du Dieu-Éléphant dotée de cinq têtes, que le prêtre d'un temple avait trouvée dans le lit d'une petite rivière du village de ma mère, à Ceylan.

De toutes les histoires qu'elle me racontait, mes préférées étaient celles des Nagas-Babas, ces ascètes nus au corps recouvert de cendres qui erraient sur les pentes désertiques de l'Himalaya dans l'espoir de rencontrer le seigneur Shiva en méditation. Je ne m'en lassais pas. Ni de leurs immenses pouvoirs et de leurs effroyables rites d'initiation. Ils passaient des années dans des grottes glacées à fixer des murs de pierres sèches et de longs mois dans les déserts brûlants. Parfois je pense que mes souvenirs les plus précis sont les histoires de Maman.

Les après-midi, je m'asseyais à ses pieds pendant qu'elle transformait sur sa machine à coudre Singer des longueurs de tissu en vêtements pour nous tous. Je me souviens que j'observais ses pieds monter et descendre quand elle actionnait la pédale. Les roues tournaient de plus en plus vite au fur et à mesure que la machine, vorace, avalait les mètres de tissu. Quand je suis devenue plus grande, j'ai pris l'habitude de poser mon menton sur le plateau lisse et plat de la machine, tout en craignant qu'elle ne mange accidentellement les doigts de Maman. Pendant très longtemps, j'ai eu peur de ses dents pointues, mais il semble que Maman était beaucoup plus habile qu'elle.

Je me souviens aussi de l'odeur du sucre en train de fondre dans le *ghee*[1] au fond de notre grande marmite de fer noir. C'était l'époque heureuse où Maman me faisait asseoir en tailleur sur le banc en posant quelques raisins sur mes genoux, et commençait à préparer le kaseri jaune que l'on mangeait en prenant le thé. Elle faisait le meilleur kaseri du monde, fourré de gros raisins et de fraîches noix de cajou. J'adorais aussi la regarder préparer le halva. La façon dont elle tenait fermement la marmite en fer par ses anses, remuait le mélange jusqu'à ce que l'huile s'égoutte et qu'il devienne aussi transparent qu'un verre coloré. Puis elle le posait sur un plateau et, à l'aide d'un

---

1. Beurre clarifié.

couteau effilé, elle le découpait en parts qui avaient la forme de diamants. Quand il était encore chaud, elle le ciselait et me permettait de manger les bords qui déparaient leur parfait contour. C'est sans doute pour cette raison qu'adulte j'ai gardé un fort penchant pour le halva encore chaud. Pour ses bords irréguliers. Comme une machine à remonter le temps, cette confiserie me plonge dans ces après-midi où il n'y avait que Maman et moi, heureuses, dans la cuisine. Papa était au travail et les autres à l'école. Je suppose que Mohini était à la maison. Bien sûr qu'elle y était. Pendant tout le temps que les Japonais ont passé dans le pays, elle est restée cachée à l'intérieur.

Lorsqu'elle est devenue encore plus fugace qu'un souvenir, je me suis mise à imaginer que je venais de voir ses pieds à la peau claire disparaître dans une embrasure de porte. J'étais certaine d'avoir entendu le joli son des clochettes des bracelets qu'elle portait toujours à ses chevilles. Mais lorsque je me précipitais vers la porte, il n'y avait jamais personne. Pendant longtemps, n'avoir aucun souvenir d'elle m'a beaucoup troublée. Je me débattais, je luttais contre ma mémoire. M'a-t-elle lavé les cheveux ? M'a-t-elle tenue debout sur le seuil de la cuisine pour me huiler le corps, les vendredis après-midi ? M'a-t-elle attrapée pour me chatouiller jusqu'à ce que je pleure de rire ? M'a-t-elle aussi aidée à remuer le mélange sucré du halva ? Sa main si fine a-t-elle chapardé des raisins dans le grand bol pour les éparpiller à mes pieds tandis que Maman nous tournait son dos bien droit ? Je ne me souviens que de Maman penchée sur le réchaud en train de remuer le mélange de sucre et de ghee avec une cuillère en bois. Tendue par l'effort de la perfection.

Même lorsque je songe à nous tous, debout, alignés devant l'autel domestique, je n'ai pas vraiment le souvenir de Mohini. Je peux me représenter Maman qui priait avec une dévotion si intense que des larmes s'échappaient de ses paupières fermées. Maman croyait qu'en allumant tous les jours la lampe à huile, en brûlant du camphre, en priant quotidiennement sans faillir et en frottant nos fronts de cendres sacrées, elle pourrait nous protéger et nous garder de tout danger. J'entends encore Lakshmnan chanter de son timbre puissant et assuré, la petite voix puérile d'Anna, et la belle tonalité aiguë de Sevenese qui résonnait comme le chant matinal d'un oiseau. Je me rappelle les psalmodies discordantes de Jeyan qui faisaient ricaner Lakshmnan malgré lui. Mais je ne me souviens pas de la voix de

Mohini, si toutefois elle était là. Bien sûr qu'elle était là ! Debout à côté de Lakshmnan, avec ses cheveux mouillés qui retombaient le long de son dos.

Ils me disent que je devrais au moins me rappeler Mohini en train d'aider à préparer les condiments. Farcir cinquante citrons verts de sel gemme jusqu'à ce qu'ils soient près d'éclater, puis les conserver dans des pots vernissés soigneusement fermés jusqu'à ce qu'ils aient l'air de cœurs fendus en deux. Ensuite, les sortir et les disposer avec précaution sur de larges feuilles d'aréquier pour les faire sécher au soleil jusqu'à ce qu'ils deviennent d'un jaune brun et soient aussi durs qu'une pierre.

— Tu ne te rappelles pas qu'Ama avait l'habitude d'ajouter un mélange de piments pilés et de fenouil dans le pot ? Et que nous regardions tous Mohini remettre le couvercle sur le pot en le vissant de toutes ses forces ?

Je les regarde fixement d'un air stupide. Au début, quand sa disparition était encore trop vive, j'avais pris l'habitude de décrocher la photographie du mur et de contempler son regard qui évitait le mien. Se peut-il que je l'aie effacée de ma mémoire ? Non, c'est impossible. Je ne suis certainement pas assez forte pour cela. Alors, pourquoi ne puis-je pas me la remémorer comme les autres ? Je n'ai aucun souvenir de cet après-midi où ils l'ont trouvée et l'ont emmenée. Je ne me rappelle même pas ces trois jours infernaux pendant lesquels personne ne savait si elle était morte ou vivante.

Peut-être étais-je trop jeune. Ou peut-être ce rêve tortueux de Papa allant seul dans l'appentis en tôle ondulée qui abritait les vaches, les épaules voûtées et le visage déformé par une douleur abominable, n'est-il après tout pas un songe. Sans doute tout cela était-il simplement trop compliqué pour qu'une enfant s'en souvienne ; une enfant pétrifiée par un choc désarmant, qui avait même peur de respirer sous la maison, les mains pleines de tendres poussins jaunes.

Elle s'était assise, totalement immobile, dès qu'elle l'avait vu appuyer son front contre la vache Rukumani et sangloter si fort qu'elle a su dans son petit cœur qu'il ne s'en remettrait jamais. Il aurait mieux valu que ce soit elle qui meure. Elle savait de toute façon et sans qu'on le lui ai dit que personne ne désirait Mohini à ce point. Son père n'aurait pas autant pleuré pour elle. Elle se sentait à la fois rejetée et impliquée par sa souffrance qui, à ses yeux bouleversés, lui apparaissait trop immatérielle et bien trop conséquente pour qu'elle y puisse quoi que ce soit. Après tout, c'était sa faute. Elle n'avait pas à occuper la cachette de Mohini. En silence, elle l'a observé en train de pleurer si fort que même les vaches se sont agitées dans leur abri. Il pleurait toujours comme un bébé.

J'avais dix ans quand Mohini est morte. Mais il me semble que Papa est assis depuis des années, courbé sur sa chaise, à regarder dans le vide. Au début, je pensais que si je lui apportais mes bleus, mes coupures et mes petites plaies, il se mettrait à chanter de sa voix vraiment exécrable, pour guérir mes membres meurtris comme il le faisait avant. Alors, je poufferais de rire et nos deux chagrins s'en iraient doucement par la porte de derrière, car il disait toujours en riant que la pire douleur ne pouvait supporter sa voix épouvantable. Mais quand je me plantais à côté de lui en tenant ma jambe endolorie, il caressait distraitement mes cheveux fins et crépus tandis que ses yeux restaient fixés dans le lointain. Peut-être Mohini se tenait-elle très loin sur l'horizon et l'appelait. Puis, je suis devenue trop grande pour qu'il me fredonne un air, et il ne chanta plus jamais.

Mon frère Sevenese n'était alors qu'un petit garçon, mais il portait déjà en lui ses étranges pouvoirs. Il a vu Mohini la nuit où elle est morte. Il s'est réveillé en entendant le son des clochettes de ses bracelets de chevilles. Et, parmi les miroirs et les menus objets qui luisaient ici et là en cette nuit de lune, elle est apparue, aussi tangible et réelle qu'il l'était lui-même. Surpris, il l'a regardée fixement. Elle paraissait très blanche et très belle. Vêtue des mêmes vêtements que ceux qu'elle portait quand elle avait quitté la maison, il l'a sentie immédiatement proche et aimante. Tout en elle semblait chaleureux, réel, normal. Elle se tenait simplement là, debout, à l'observer. On ne décelait aucune marque particulière sur son corps ni sur son visage. Ses cheveux étaient brillants et bien coiffés. Elle souriait avec douceur.

– Ah, ils ne t'ont pas fait de mal, s'est-il écrié, soulagé et joyeux.

Il l'a regardée marcher, accompagnée de ce léger tintement, jusqu'à l'autre lit où Anna et moi dormions. Il a dit qu'elle a doucement caressé nos cheveux et s'est penchée pour embrasser nos visages endormis. Nous ne nous sommes pas réveillées ; nous n'avons pas bougé. Il la regardait avec un trouble grandissant. Il se passait quelque chose d'étrange qu'il ne comprenait pas. Puis elle s'est dirigée de l'autre côté de son lit pour embrasser Jeyan qui respirait doucement ; ensuite, elle a gardé pendant un long moment son regard baissé sur Lakshmnan, si épuisé par l'inquiétude et l'attente qu'il dormait comme une souche. Avec une expression de profonde pitié, elle s'est inclinée et a embrassé doucement son frère jumeau, ses lèvres s'attardant sur ses joues comme si elles ne pouvaient s'en arracher.

— La vie qui l'attend est tellement dure. Essaie de le guider, mais je crains qu'il ne t'écoute pas, a-t-elle murmuré d'une façon étrange. (Elle a fixé longuement le visage ahuri de Sevenese.) Écoute attentivement ma voix, mon petit gardien, et peut-être m'entendras-tu.

Puis elle a pivoté sur elle-même et s'en est allée au son du tintement mélodieux des clochettes.

— Attends, a-t-il crié, les bras tendus.

Mais elle a poursuivi son chemin dans l'obscurité sans se retourner. Dans le couloir qui menait à la cuisine, le léger tintinnabulement des clochettes s'est évanoui. Pensant qu'il avait rêvé toute la scène, Sevenese est sorti du lit et a pénétré dans la cuisine éclairée par la lampe. Notre mère, les épaules voûtées et vaincues, regardait fixement dans la nuit. Pour une fois, elle avait les mains vides. Elles étaient posées sur ses genoux, les paumes tournées vers le ciel, inutiles. Cette position même dérangeait et troublait mon frère. Les mains de Maman étaient toujours occupées : à coudre, à raccommoder, à nettoyer les anchois, à ramasser les petits insectes tombés dans le riz, à écrire des lettres à sa mère, à écraser le *dal*[1] ou à mille autres choses encore.

— Maman, est-ce que Mohini est venue à la maison ? lui a-t-il demandé.

— Oui, a-t-elle répondu tristement, en continuant de scruter le ciel nocturne.

Soudain, elle a tourné la tête et l'a regardé d'un air étrange. Ses yeux n'étaient plus que deux trous noirs sur son visage défait.

— Pourquoi ? Tu l'as vue ?

— Oui, a-t-il dit, effrayé.

Une petite voix a murmuré dans sa tête qu'il ne devrait plus jamais craindre que Raja enlève Mohini. Ni redouter son rôle égoïste dans la transformation d'une amourette d'ado-

---

1. Lentilles qui constituent avec le riz la nourriture de base des Indiens en Asie du Sud comme en Asie du Sud-Est.

lescent en une passion incontrôlable. Les Japonais avaient résolu son problème.

Une chose étrange s'est produite après l'occupation. Les Japonais qui évacuaient le pays ont dû abandonner leurs entrepôts remplis de trésors et de biens confisqués. Ils n'avaient pas pu disposer de bateaux supplémentaires pour rapporter dans leur pays natal tout ce qui n'était pas indispensable à la guerre, et, une fois vaincus, ils ont été contraints de quitter notre pays les mains vides. La femme du charmeur de serpents est arrivée en courant chez nous pour nous dire qu'un grand entrepôt près du marché avait été forcé.

— Vite! L'entrepôt est plein à craquer. Tout le monde se sert et emporte des sacs de sucre, de riz ou d'autres choses.

— Vas-y tout de suite. Tout le monde est en train de piller le dépôt près du marché. Va voir si tu peux ramener quelque chose, a dit Maman à mon père.

Il a ôté son sarong et enfilé une paire de pantalons tandis que Maman maugréait d'impatience.

— Dépêche-toi! a-t-elle crié à la silhouette qui disparaissait, juchée sur la bicyclette.

Papa a pédalé aussi vite qu'il a pu, mais il a atteint l'entrepôt trop tard; tout était parti. Il avait croisé une procession de gens, tous chargés de boîtes et de sacs volumineux, mais derrière les portes grandes ouvertes du dépôt, il n'y avait que de la poussière, un sol jonché de détritus et une immense impression de vide. Il a pénétré en bicyclette jusqu'au milieu du bâtiment et a évalué la scène. Découragé, il a pensé aux mains exigeantes et à la langue acérée de ma mère. Puis, en sortant de l'entrepôt, toujours juché sur son vélo, il a aperçu une boîte rectangulaire à demi cachée derrière la porte. Elle était de toute évidence tombée d'un sac. Il l'a ramassée. À sa grande surprise, elle était plutôt lourde. Il est remonté rapidement en selle et a pédalé jusqu'à la maison.

— C'est tout? s'est exclamée Maman en regardant sa trouvaille d'un air déçu.

Le charmeur de serpents et son fils avaient eu la chance de revenir avec un gros ballot de sucre et un large sac de jute rempli de riz. Elle a pris la boîte en bois et nous avons entendu un bruit sourd. Le couvercle était fermé par des clous. Il devait s'agir de quelque chose de rare ou de précieux. Maman a forcé la boîte avec un couteau tandis qu'emplis de curiosité nous faisions cercle autour d'elle. Elle a détaché le couvercle et a enlevé la paille qui servait de bourre. Sa main a touché une surface lisse et froide : une poupée de jade d'une si belle facture que j'ai entendu Maman haleter de surprise. Elle l'a tenue en l'air. La pierre translucide flamboyait d'un splendide vert sombre. La poupée ne mesurait que quinze centimètres de hauteur. Sa longue chevelure tournoyait autour de ses hanches ; son visage arborait une expression de calme. Aucun d'entre nous n'avait jamais vu pareille beauté. Une inscription chinoise était gravée sur son petit piédestal d'or. Le silence s'est fait dans la maison. Le teint de Maman avait pris une couleur étrange.

— Elle ressemble à Mohini, a dit Sevenese d'une voix trop forte.

— Oui, tout à fait, a acquiescé Maman d'un ton effrayant.

À cette époque-là, je pensais que les épouvantables Japonais qui avaient emmené Mohini nous donnaient un petit jouet en échange. Maman nous a permis de la toucher avant de la ranger dans notre petite vitrine familiale, à l'endroit où se dressait jadis son buste. La poupée y est demeurée en compagnie de ma joyeuse collection de cure-pipes en forme d'oiseaux et des morceaux de corail que Lakshmnan avait ramassés sur la plage. Ça n'a été que beaucoup d'années plus tard que j'ai appris que l'inscription désignait cette poupée sous le nom de Kuan Yin, la déesse de la Miséricorde. Il s'agissait d'une statue de la dynastie Ming, qui avait plus de deux cents ans. Mais cette information n'avait aucune importance pour Maman, car dès qu'elle a posé les yeux sur cette sculpture, elle a su ce qu'elle était vraiment et ce qu'elle signifiait pour elle. Elle a senti l'exhalaison de l'horreur et a vu disparaître l'orée de tous ses espoirs.

Au fond d'elle-même, elle a discerné très clairement le redoutable diseur de bonne aventure et s'est rappelée les mots qu'elle avait tant voulu oublier. « Méfiez-vous de votre fils aîné. Il a été votre ennemi dans une vie antérieure et il reviendra pour vous punir. Vous connaîtrez la douleur d'enterrer un enfant. Vous attirerez à vous un objet ancestral de grande valeur. Ne le gardez pas et n'essayez pas d'en tirer profit. Il appartient à un temple. » Mais donner la statue à un temple signifiait qu'elle croyait aux prédictions extravagantes de ce maudit homme. Oui, elle avait perdu un enfant, tout comme des milliers de gens. C'était la guerre. C'était l'œuvre de la guerre : elle tue les enfants. On ne pouvait pas croire le diseur de bonne aventure ; il ne le *fallait* pas. Son premier-né préféré *n'était pas* un ennemi. Elle a refusé de prêter foi à ses paroles, même quand elle a tenu tout près d'elle la statue de jade vert qui lui a murmuré : « Méfie-toi de ton fils aîné. » En la plaçant au fond de la vitrine, derrière les coraux et les cure-pipes, elle pensait contraindre le diseur de bonne aventure à avoir tort. Mais sa volonté l'a consumée et celle de son fils l'a détruite.

Je me souviens de Maman disant que Lakshmnan avait commencé à grincer des dents dans son sommeil après la mort de Mohini. C'est alors que je me suis mise à avoir peur de lui. Je ne sais pas d'où vient cette peur, néanmoins il me terrifie. Non pas qu'il m'ait frappée ni blessée, je ne l'ai pas vu non plus rentrer dans des colères meurtrières, ni faire l'une de ces choses dont se plaignent Maman et Anna. Seulement, dans mon esprit, il ne bat plus les vêtements sur la pierre, entouré d'étincelantes gouttes d'eau qui volettent autour de lui comme des diamants : il est devenu un *asura* courroucé, un de ces géants cruels qui règnent sur les enfers. Sous sa peau, je sens la colère si proche que la plus légère, la plus infime égratignure pourrait la faire surgir, sanguine et incontrôlable. Je ne me souviens même plus quand il a cessé de me dire : « Salut ma vieille » de ce ton si familier.

Après le départ des Japonais, on m'a envoyée à l'école, mais je n'ai été qu'une écolière médiocre. Ma meilleure amie était Nalini. Nous nous sommes connues quand les Chinoises de notre classe ont refusé de s'asseoir à côté de nous, en se plaignant aux professeurs que nous avions la peau sombre parce que nous étions sales. Quand ils les ont forcées à s'asseoir à nos côtés, elles se sont plaintes à leur mère qui sont venues à l'école demander que leurs filles soient tenues à l'écart des Indiennes. « Les Indiennes ont des poux dans les cheveux », prétendaient-elles. C'est ainsi que Nalini et moi nous sommes retrouvées côte à côte. Nous étions toutes les deux quelconques, nous avions le teint foncé, mais elle était beaucoup plus pauvre que moi parce que j'avais une chose qu'elle n'avait pas. J'avais Maman.

À mes yeux, Maman est une femme admirable. Sans elle, aucun de nous ne serait là aujourd'hui. Je suis profondément triste de ne pas avoir réussi à la rendre fière de moi. Je serais volontiers devenue l'heureux prolongement d'elle-même, moule dans lequel elle a essayé de nous couler avec tant de force.

Comme j'aurais voulu faire partie de ce tableau qu'elle avait brossé pour nous! Je l'imagine ainsi : une scène d'anniversaire idéal dans une belle maison. Ce pourrait être l'anniversaire de l'un des enfants de Lakshmnan. Nous tous, à bord de nos luxueuses voitures, nous engageons dans une majestueuse allée. Nous portons de beaux vêtements; nos conjoints sourient à nos côtés et nos enfants s'élancent en courant pour se jeter joyeusement dans les bras de leur grand-mère qui rit de bonheur. Ses bras ouverts s'apprêtent à accueillir tous ces petits corps bien habillés. Puis Lakshmnan incline son long corps d'un mètre quatre-vingt-deux et embrasse gentiment Maman sur la joue. À l'arrière-plan, la femme de Lakshmnan sourit avec indulgence. À côté d'elle, se dresse une table garnie de cadeaux enveloppés de papier aux couleurs vives et d'un délicieux festin.

Parfois, je me demande pourquoi Anna refuse ce tableau. Pourquoi est-ce qu'elle nourrit ce mépris enfoui pour ce que voulait Maman. Je désire ardemment ce tableau. Anna se conduit comme si Maman avait ruiné la vie de toute la famille. C'est parfaitement faux.

La femme de Lakshmnan accuse Maman d'être une araignée noirâtre. Elle prétend que pour éviter d'être dévoré, notre pauvre père rapporte tous les mois une enveloppe marron pleine d'argent. Oui, peut-être que Maman est cette araignée noirâtre. Tout au long de son existence, à partir de rien, elle a tissé les plus merveilleux vêtements, mais aussi l'amour, la nourriture, l'éducation et un abri pour nous tous. Je suis la fille de l'araignée. Je ne peux m'empêcher de la trouver belle. J'ai passé toute ma vie à essayer de la rendre heureuse. Car lorsqu'elle est contente, la maison se réjouit, les murs sourient généreusement, les rideaux volettent avec enthousiasme, les enveloppes de coussin bleu ciel rient dans la lumière du soleil et la flamme du réchaud danse de liesse. Lorsque je la contemple, d'étranges choses jaillissent en moi, comme des antennes, révélant le désir de lui ressembler, bien que je sache que c'est de mon père que je suis le plus proche.

Il n'y a pas de problème qui ait jamais vaincu Maman. Elle s'en empare facilement, sans peur, comme s'ils n'étaient que des mouchoirs à plier. On verse parfois des larmes, mais elles aussi doivent être essuyées. Mon père avait cinquante-trois ans quand les Japonais ont quitté le pays; il y avait encore sept bouches à nourrir. Maman et moi prîmes alors un car pour rendre visite à

M. Murugesu, à l'hôpital. Il avait un bureau clair, spacieux, aux murs chaulés de blanc; derrière sa table de travail remplie de documents, s'ouvraient de larges baies vitrées. Il nous a fait entrer comme si nous étions des invités importants dont la présence l'honorait.

— Entrez, entrez, nous a-t-il dit avec empressement.

On sentait d'emblée que c'était un homme honnête.

Ses fenêtres donnaient sur une jolie cour et un jardin traversé par un passage couvert. Des oiseaux mynah se reposaient dans les arbres et deux garçons jouaient au marron[1]. Dehors, tout le monde paraissait plutôt s'amuser, mais, à l'intérieur, Maman pleurait. M. Murugesu s'était tassé sur sa chaise. Maman se tamponnait les yeux avec l'un des grands mouchoirs de mon père, en suppliant M. Murugesu de donner un emploi à Papa.

— Regardez, ma dernière est encore toute petite, a-t-elle imploré en se tournant vers moi. Comment vais-je pouvoir tous les nourrir et les vêtir?

Au bout de quelques minutes de ce régime, M. Murugesu s'est levé brusquement de son siège comme s'il était tout à coup devenu brûlant.

— Ne vous inquiétez pas, ne vous inquiétez pas, l'a-t-il rassurée d'un ton bourru. Dites à votre mari de venir me voir. Je suis sûr que nous trouverons quelque chose pour lui au service de comptabilité. On parlera de son salaire quand il viendra.

Maman a cessé de pleurer et l'a remercié avec effusion. La reconnaissance s'échappait d'elle en grosses vagues chaleureuses qui enveloppaient M. Murugesu.

— Je vous en prie, je vous en prie, marmonnait-il, déconcerté.

Il a extrait de son tiroir une boîte carrée. La boîte en main, il avait l'air moins désarmé. Il l'a ouvert et me l'a tendue. Elle contenait un choix de confiseries indiennes au sucre glace très tentantes. J'ai pris un ladhu.

— Merci, ai-je dit timidement.

L'odeur appétissante de la cardamome sucrée est montée à mon visage. M. Murugesu avait totalement recouvré ses esprits

---

1. Jeu dans lequel les deux protagonistes s'affrontent chacun avec un marron attaché au bout d'une ficelle, le but étant de briser celui de son adversaire.

et son expression bienveillante. Il arborait maintenant un sourire ravi.

— Ne le mange pas ici. Tu vas faire des saletés dans le bureau de M. Murugesu, m'a commandé Maman de sa voix qui signifiait : « Ne me fais pas honte devant un inconnu. »

— Non, non, laissez cette enfant le manger maintenant, a protesté M. Murugesu d'une voix joyeuse.

J'ai mordu dans la brillante petite boule jaune et rouge. Immanquablement, des miettes sont tombées sur mes jolis habits du dimanche et ont roulé sur le sol gris et bien astiqué de notre hôte. Je me souviens d'avoir furtivement levé les yeux vers Maman et d'avoir croisé son regard plein de colère. Ses cils étaient encore humides, mais elle avait déjà replié ses larmes dans le mouchoir blanc de Papa.

La guerre était finie et il y avait de bonnes raisons de se réjouir. Le Vieux Soong allait avoir soixante ans. Sa seconde épouse avait décidé d'organiser un gala d'anniversaire. Un devin avait prédit que ce serait peut-être son dernier. Aussi était-on résolu à ce que ces festivités éclipsent toutes les autres Les épouses et leurs enfants seraient présents. Pendant des jours, la cuisinière avait fait tremper, avait farci, lié, mariné, frit, cuit au four et conservé dans des boîtes hermétiques toutes sortes de mets délicats. Mui Tsai a nettoyé, poli, fait briller, récuré, cuisiné. La maison avait été décorée de bannières rouges portant des inscriptions destinées à appeler la prospérité.

La seconde épouse a passé elle-même beaucoup de temps à la cuisine ; elle goûtait, conseillait et réprimandait. La cuisinière avait accommodé le plat préféré du maître, la viande de chien, de trois façons différentes. Dans l'une de ces préparations, elle avait versé de la poudre de dent de tigre destinée à conserver la vitalité ; dans la seconde, de la poudre de corne de rhinocéros qui renforce l'énergie sexuelle ; dans la dernière, des racines aromatiques pour préserver la bonne santé. On avait fait spécialement venir de longues nouilles qui assureraient la longévité du maître. Il y avait aussi un cochon de lait luisant de jus de viande, avec une orange dans la gueule, qu'il semblait mordre. Il y avait même un plat de sanglier recouvert de ses poils. Le festin commençait par deux sortes de soupe : l'une d'ailerons de requin, l'autre de nids d'hirondelle.

Tout était prêt. Pour cette occasion spéciale, on avait même donné à Mui Tsai une nouvelle tenue de couleur prune.

Au jour fixé, les invités ont commencé à arriver. Ils sortaient en masse de grosses voitures rutilantes, leur corpulence témoignant de leur prospérité. Revêtus de leurs plus beaux habits, ils ont pénétré en riant dans la maison du Vieux Soong. Le matin, Mui Tsai était passée chez nous et Maman avait dit qu'il brillait dans ses yeux fatigués une excitation qu'elle n'y avait pas vue depuis très longtemps.

– Aujourd'hui mes fils seront là. Je les verrai tous, avait-elle murmuré.

C'était une circonstance si exceptionnelle que tous les gens du quartier se sont installés sur leur véranda pour regarder. De chez nous, je pouvais voir Mui Tsai entrer et sortir de la cuisine d'un pas léger, tout en gardant un œil sur les invités qui arrivaient, attendant avec impatience d'apercevoir ses fils. Enfin, la première épouse s'est présentée. Avec le temps, elle était devenue plus grosse. Autour de ses index potelés et tendus s'accrochaient les doigts de deux petits garçons. Ils étaient vêtus de costumes identiques, rouge feu, brodés d'oiseaux de paradis. Ils se tenaient droits et fiers aux côtés de cette femme épaisse ; ils regardaient autour d'eux avec curiosité. J'ai aperçu Mui Tsai près de la porte de la cuisine, paralysée. Puis est arrivée la seconde épouse accompagnée des deux autres garçons. Ils portaient des tuniques de soie bleue et se poussaient bruyamment l'un l'autre.

Après que les enfants eurent mangé, on leur a permis de jouer dehors. Alors que tout le monde était à table à l'intérieur, j'ai vu Mui Tsai s'éclipser pour observer ses enfants ; elle s'est approchée d'eux autant que son audace le lui permettait, puis elle s'est tenue immobile à observer ses fils. Ils couraient dans tous les sens avec des bâtons qui étaient supposés être des fusils. Peut-être se prenaient-ils pour des soldats anglais, car, découvrant Mui Tsai qui les fixait, ils l'ont désignée du doigt et, en criant, ils se sont mis à ramasser des poignées de sable et de petits cailloux et à bombarder leur ennemi japonais. Mui Tsai s'est figée sous le choc.

– Holà ! a hurlé Maman depuis notre véranda. (Enfilant ses sandales, elle a couru vers la maison du Vieux Soong.) Holà ! Arrêtez ça ! a-t-elle crié en colère.

Mais les enfants, prisonniers de leur jeu cruel, emportés par leurs cris de victoire, ne l'entendaient pas. La seconde épouse est apparue sur le seuil et leur a lancé quelques mots d'un ton si dur que les garçons, honteux, se sont arrêtés. Les enfants ont accouru vers la seconde épouse et lui ont baisé la main en signe d'excuse. Elle leur a dit quelque chose d'une voix plus douce et ils ont couru de l'autre côté de la maison où les attendait un choix de gâteaux spécialement commandés à Penang. La seconde épouse est rentrée dans la maison sans un regard pour la silhouette pétrifiée de Mui Tsai.

Devant le mur de clôture, j'ai aperçu Maman l'appeler doucement. Hébétée, Mui Tsai s'est dirigée vers elle. Il y avait une petite coupure sur son front, un filet de sang coulait lentement.

– Quand j'étais petite, j'avais l'habitude de jeter des pierres aux chiennes enceintes de la place du marché. Nous en jetions même aux mendiants qui venaient à la maison. C'est ma punition, a-t-elle dit faiblement.

– Oh, Mui Tsai, je suis vraiment navrée. Ils ne savent pas.

– Et ils ne sauront jamais. Mais ils sont beaux, mes enfants, non? Ils ont des yeux vifs et un jour ils hériteront de tout ce que possède mon maître.

– Oui, un jour.

Elle s'est détournée avec tristesse et a pénétré dans la maison par la porte de derrière. Ça a été la dernière fois que Maman la vit. Celle que nous connaissions a disparu soudain et, à sa place, il y a eu une autre Mui Tsai qui s'acquittait de ses tâches sans un sourire et sans nous adresser un regard. Pendant un temps, personne n'a su ce qu'il était arrivé à notre Mui Tsai ni où elle se trouvait. Puis, un jour, la cuisinière du Vieux Soong a répondu à la question de Maman en faisant de son index un geste circulaire contre sa tempe.

Ayah

Tout cela s'est passé il y a longtemps, si longtemps, que revenir maintenant sur cette époque pleine d'espoirs m'est affreusement douloureux. J'étais alors un jeune homme et je ne voyais pas de mal à gagner le cœur d'une épouse avec un bouquet de mensonges. Et bien que j'aie payé cela très cher, je ne voudrais pas changer un seul moment de ma vie auprès de ta grand-mère.

Pas un seul moment.

Je n'ai pas eu le droit de voir mon épouse avant le jour du mariage. Lorsque j'ai entendu les tambours accélérer, j'ai su que cela signifiait qu'elle approchait. Incapable d'attendre plus longtemps, j'ai levé les yeux pour découvrir son visage et, lorsque j'ai vu ta grand-mère, je n'en ai pas cru ma chance. La seule aspiration secrète que j'aie jamais nourrie était de voir une grotte de glace[1]. Celle qui se tenait à portée de ma main dépassait mes rêves les plus fous. C'était une fille d'une incroyable beauté sauvage.

Au moment où je l'ai dévisagée, elle a levé les yeux, mais j'étais si grand et si laid que la première émotion qui a traversé son visage quand nos regards se sont croisés a été l'horreur. Pendant un moment, elle a regardé désespérément autour d'elle comme une jeune biche effrayée prise, la nuit, dans le filet d'un chasseur.

---

1. Pour nombre d'Hindous, et en particulier pour les Tamouls qui vivaient à Ceylan ou dans le sud de l'Inde et pour ceux émigrés en Asie du Sud-Est, la grotte de glace évoque l'Himalaya qui est la demeure des dieux et spécifiquement de Shiva et Parvati ; c'est une image complexe qui symbolise l'aspiration ou l'atteinte d'un idéal spirituel.

Elle paraissait sans défense et si elle était restée ainsi, j'aurais veillé sur elle avec tendresse et affection, comme je l'ai fait pour ma première femme, mais tandis que je la contemplais, une extraordinaire transformation s'est produite. Elle a redressé le dos et son regard est devenu implacable et effronté. C'était comme si j'avais vu une biche se transformer en une grande et belle tigresse. Et sans crier gare, mon petit monde terne a basculé. J'ai senti mon ventre s'affaisser, glisser et sombrer lentement au tréfonds de moi-même. « Qui es-tu ? » murmura mon cœur bouleversé. Je suis tombé amoureux sur-le-champ. Si profondément que j'ai senti mon sang rugir dans mes entrailles.

J'ai su d'emblée qu'elle ne serait jamais quelqu'un qui élèverait mes deux enfants ni la compagne de mes vieux jours, mais la femme qui allait me transformer en une marionnette dont on tire les fils. De sa jolie main, elle avait brusquement insufflé la vie à mes membres inertes. Ah, quels délicieux mouvements m'ont animé sous la pression de sa main audacieuse ! Ce jour-là j'ai pensé que j'avais étreint la lune, mais de nombreuses années plus tard j'ai compris que je n'avais touché que son reflet sur un seau d'eau en plastique bleu. La lune échappe à mon étreinte. Il en a toujours été ainsi et il en sera toujours ainsi. Le temps a fini par me révéler cela.

Je me rappelle ma nuit de noces comme le plus beau rêve de ma vie. Comme deux ailes. Comme d'avoir eu soudain une chose si précieuse entre les mains que ma vie pitoyable allait changer à tout jamais. Il ne s'agit pas de bonheur mais de peur. La peur de la perdre. Parce que je savais aussi que je ne la méritais pas. Ces ailes avaient été acquises par duperie. La montre en or, ce signe de richesse et de statut tant admiré, n'allait pas tarder à disparaître. Je l'avais empruntée au même ami qui m'avait prêté la voiture et Bilal, son chauffeur. Pourtant, dans mon cœur coupable, je l'aimais déjà. Profondément. Pour elle, j'aurais fait n'importe quoi, je serais allé n'importe où. Mon âme saigne à la pensée de ce jour où elle en est venue à me mépriser. Pani, la vieille sorcière, avait trompé sa mère en lui racontant des fables sur ma richesse que seule une femme honnête pouvait croire. Et cependant comment puis-je la condamner, quand son filet de mensonges a attrapé un papillon si rare ? Je me bernais en pensant qu'un jour mon précieux papillon en viendrait peut-être à m'aimer. Les années, pensais-je, effaceraient ma disgrâce. Les années ont passé, et non, elle n'a pas appris à m'aimer. Je me dis néanmoins que ce papillon si particulier nourrit à sa façon une certaine affection à mon égard.

Elle était si fine que je pouvais entourer ses hanches de mes mains. Ma femme-enfant. Il m'était impossible d'aimer la jeune fille sans lui faire mal. Par cette nuit obscure, lorsqu'elle a été certaine que j'étais endormi, elle s'est glissée hors du lit pour se laver au puits d'une voisine. Quand elle est revenue, j'ai vu qu'elle avait pleuré. À travers les fentes noires de mes cils je l'ai observée qui m'observait. Parmi les émotions qui ont traversé son jeune visage, j'ai distingué l'espoir d'une jeune fille et les peurs d'une femme. Lentement, très lentement, presque contre son gré, mais poussée par une innocente curiosité, elle a caressé mon front d'une main hésitante. Sa paume était froide et humide. Elle s'est détournée et s'est endormie tout de suite, comme une enfant. Je me souviens de la forme oblongue de son dos. Je l'ai regardé monter et descendre doucement au rythme de sa respiration ; j'ai fixé la peau si douce, comme si elle avait été tissée à partir des fils de soie les plus fins ; je me remémorais les histoires que me racontaient les vieilles femmes de mon village quand j'étais un petit garçon. Celle du vieillard solitaire sur la lune, qui pénètre dans les chambres de femmes splendides et s'allonge pour dormir auprès d'elles. Elle était si belle, ma femme, que cette nuit-là j'ai vu la lumière de la lune entrer par les fenêtres ouvertes et se poser doucement sur son visage assoupi. Dans cette pâle lumière, elle était une déesse. Belle comme une perle.

Ma première femme était l'âme la plus douce qui ait existé. Elle avait le cœur si bon et si tendre qu'un devin avait prédit qu'elle ne vivrait pas longtemps sur cette terre. Je l'avais aimée tendrement, mais dès l'instant où les yeux de Lakshmi avaient défié les miens, je suis tombé passionnément et éperdument amoureux d'elle. Ses yeux sombres et vifs avaient brillé comme un feu et ravagé mes entrailles, mais ils m'avaient pris pour un imbécile et je suppose que c'est ce que je suis. Enfant déjà, j'avais l'esprit lent. Dans mon pays natal, on m'appelait l'âne traînard. Plus que toute autre chose, je voulais la protéger et l'inonder de toutes les richesses que sa mère lui avait promises, malheureusement je n'étais qu'un petit employé. Un employé sans avenir, sans économies et sans rien de valeur. Tout l'argent que j'avais gagné avant mon premier mariage avait été dépensé pour constituer la dot de mes sœurs.

Quand ta grand-mère et moi sommes revenus en Malaisie, elle a pris l'habitude de pleurer tard dans la nuit quand elle pensait que j'étais endormi. Je me levais aux premières heures du jour et je l'entendais sangloter doucement dans la cuisine. Je savais que sa mère lui manquait. Le jour, elle s'occupait de son petit potager et vaquait à ses tâches ménagères, mais, la nuit, la solitude enflait en elle.

Une nuit, je ne l'ai plus supporté. Je suis sorti du lit et j'ai pénétré dans la cuisine. Elle gisait sur le ventre, comme une enfant, le front posé sur ses avant-bras croisés. J'ai regardé la courbe de sa nuque et j'ai été soudain submergé par un désir brûlant. J'ai voulu la prendre dans mes bras et sentir sa peau douce contre la mienne. Je me suis avancé vers elle et j'ai posé ma main sur sa tête. Elle s'est redressée dans un sifflement de terreur.

– Oh, ce que tu m'as fait peur ! m'a-t-elle dit d'un ton accusateur.

Elle s'est reculée davantage et m'a regardé comme si elle attendait quelque chose. Ses yeux humides luisaient, mais son visage s'était fermé comme un tiroir. Pendant un moment, je me suis tenu debout, à contempler sa silhouette rigide et sa figure froide et tendue ; puis, je me suis détourné et suis allé me recoucher. Elle ne voulait ni de moi ni de mon amour. Les deux lui faisaient horreur.

La nuit, je m'approchais parfois d'elle, mais même dans son sommeil, elle se retournait en maugréant. Et je savais une fois de plus que je l'aimais en vain. Elle ne parviendrait jamais à m'aimer. J'avais abandonné mes enfants pour elle, mais malgré cela, après tout ce qui s'est passé et tout ce que j'ai perdu, je sais que je ne peux absolument rien changer.

La naissance de Mohini a été le plus beau jour de ma vie. La première fois que je l'ai regardée, j'ai éprouvé une douleur, comme si quelqu'un s'était introduit dans mon corps pour éteindre mon cœur. Je l'ai fixée d'un regard incrédule. Un mot a jailli dans mon esprit.

– Néfertiti, ai-je murmuré.

Néfertiti : « la belle est venue ».

Elle était si parfaite que des larmes de bonheur ont jailli de mes yeux. Je ne pouvais me faire à l'idée que moi, plutôt qu'un autre, j'étais responsable d'une telle merveille. J'ai scruté son minuscule visage endormi, touché ses cheveux raides et noirs et j'ai su qu'elle était mienne. Maintenant, comme un cadeau pour toi... un cœur humain... Ta grand-mère l'a appelée Mohini, mais, pour moi, elle a toujours été Néfertiti. C'est sous ce nom que je pensais à elle. Mohini me rappelait une illustration d'un vieux livre sanscrit de mon père : elle se tenait debout, aussi ondoyante qu'une déesse-serpent avec sa longue chevelure noire, ses regards obliques qui inspiraient également et la peur et le plaisir. Ses pieds insouciants dansaient gaiement sur le cœur des hommes. Avec audace et fierté, elle prenait plaisir à les corrompre. Mais non, non, ma Néfertiti ressemblait au plus innocent des anges. Une fleur qui s'ouvrait.

J'avais trente-neuf ans et, considérant ma vie inutile, remplie d'échecs, j'ai su que si je ne devais jamais réussir aucun examen de promotion professionnelle, si je ne faisais jamais autre chose que ce métier, cet instant précieux où la sage-femme m'a remis ma Néfertiti soigneusement emmaillotée dans un vieux sarong sentant la myrrhe me comblerait à jamais.

Au fil des ans, je trouvais plus facile de supporter les regards dédaigneux des subalternes qui, ayant réussi leurs examens, sont devenus mes supérieurs. Un à un, ils ont monté en grade, me réservant à jamais une moue légèrement méprisante, légèrement apitoyée. Et pourtant j'étais heureux. Les enfants commençaient à se révéler, chacun portait en lui sa particularité. Le vent dans les cheveux, je rentrais chez moi en vélo, pédalant aussi vite que je le pouvais, un régime de bananes ou un quart de fruit du jaquier attaché au guidon et, dès que je tournais dans notre chemin en cul-de-sac, quelque chose se produisait en moi. Je ralentissais pour contempler le lieu où vivait ma famille. Dans cette petite maison ordinaire se trouvait tout ce que j'avais toujours désiré dans ma vie. Il y avait une femme extraordinaire et des enfants qui me coupaient le souffle. Une part de Lakshmi et, pour ma joie inaltérable, une part de moi-même.

Et, sans crier gare, ils me l'ont prise. Ils l'ont tout bonnement tuée, cette enfant que nous choyions depuis des années. Oh, ces larmes idiotes ! Cela fait pourtant si longtemps. Cette nuit atroce où elle est venue me voir. Regarde ces larmes stupides qui ne veulent pas s'arrêter de couler. Je suis comme une vieille femme. Attends, il faut que je prenne mon mouchoir. Excuse-moi un instant, je suis un vieil imbécile.

Je me souviens que j'étais assis dans ma chambre, les lumières éteintes, le corps brûlant de fièvre. Le choc de son enlèvement avait provoqué une crise de paludisme. Dans le ciel, la demi-lune ne laissait filtrer qu'un rai de lumière. Il faisait très chaud, cette nuit-là. Un peu avant, j'avais entendu Lakshmi qui prenait un bain. Je me souviens que je priais, l'haleine brûlante. Prier n'était pas dans mes habitudes. J'accusais les gens pieux de cupidité. « On prie pour avoir toujours plus », pontifiais-je avec emphase. Je prétendais que, même au plus haut niveau, la quête du salut demeurait encore un désir égoïste ; en vérité, j'étais trop paresseux pour témoigner de la gratitude envers la chance qui m'était échue. « Dieu est dans les cœurs », disais-je. Je pensais que j'étais un homme bon, et que cela suffisait. Après la naissance de Mohini, j'ai tenu pour acquis que j'étais né avec une guirlande de bonheur autour du cou ; mais cette nuit-là, j'étais agité et en proie à de funestes pressentiments. J'ai levé les mains et imploré Dieu, comme tous les méprisables humains dans le besoin.

– Aidez-moi, mon Dieu. Rendez-moi ma Néfertiti.

Mon esprit ne connaissait pas de répit. Une multitude de visions s'y pressaient ; elles se tordaient, se retournaient, avec force grimaces et regards mauvais. Formes inachevées et primitives. Je fermais les yeux pour repousser ces visions brûlantes lorsque, soudain, j'ai vu Mohini s'échapper d'une porte avec un regard coupable. Peut-être était-ce une hallucination, mais je l'ai vue courir le long d'un couloir, pieds nus, silencieuse à l'exception des râles de sa poitrine asthmatique. Elle est passée en haletant devant de hautes fenêtres aux stores baissés. Le long couloir faisait un coude qui débouchait sur une porte d'espérance, laissée entrebâillée. J'ai vu tout cela en un éclair : son visage convulsé de terreur puis l'espoir qui l'a illuminée lorsqu'elle s'est précipitée vers la porte ouverte. Puis j'ai aperçu les gardiens. Comme ils riaient !

Ils riaient de son visage pâle et essoufflé. Tout n'était qu'une ruse.

Je me suis emparé d'une couverture et m'y suis pelotonné. J'avais froid, froid. Si froid. J'ai discerné une main épaisse et charnue se saisir de son menton et une langue brutale et rouge, surgie de nulle part, lécher ses paupières. Elle s'est affaissée sur le sol, en cherchant désespérément à reprendre son souffle. Puis elle m'a appelé.

– Papa, papa.

Mais j'étais incapable de l'aider. Tremblant dans mon lit, je l'ai regardée bleuir ; je les ai vus en train d'essayer de verser de l'eau dans sa bouche. Elle s'est étouffée et a suffoqué. Ils se sont reculés, perplexes et impuissants, et l'ont regardée mourir. Ah, ce froid dans mon cœur.

Je l'ai vue dans un trou, les yeux fermés ; mais elle les ouvrait soudain et me fixait droit dans les yeux. Je l'ai vue vêtue du sari de sa mère, debout au milieu d'une forêt, attendant d'être mariée ; mais ses cheveux, dénués de toutes parures, étaient épars sur ses épaules, comme ceux d'une veuve en deuil. C'était comme si j'étais en plein cauchemar.

– C'est la fièvre. Ce n'est que la fièvre, ai-je murmuré comme un forcené à mon oreiller trempé, en claquant des dents.

Je me suis tenu la tête entre les mains en me balançant afin que ces images s'estompent et se brouillent et que vienne la douceur de l'obscurité. Je me balançais sans trêve jusqu'à ce que ces visions se fondent et se mêlent comme du sang.

– Oh, Néfertiti, ai-je chuchoté, brisé. Ce n'est que la malaria. C'est le choc. Ce n'est que le choc.

Le froid me rendait fou. Ma propre impuissance me rendait furieux. Je me haïssais. Elle était seule et terrorisée. Si seulement j'étais resté à la maison au lieu d'être assis devant la Chartered Bank à partager un cheroot avec le vieux gardien sikh...

La culpabilité. Je ne peux pas te dire à quel point elle m'a harcelé, cette nuit-là. Pourquoi, pourquoi, mais *pourquoi* donc ai-je quitté la maison ce jour plutôt qu'un autre ? Désespéré, je me cognais la tête contre le mur. Je voulais mourir.

C'était le bel enfant gâté de la mort qui m'était apparu plusieurs années auparavant, par une nuit de lune, au bord de la fosse mortuaire. Il était vexé que je n'aie pas voulu me prêter à son petit jeu.

– Prends-moi. Vas-y, prends-moi maintenant. Mais rends-la-moi, rends-la-moi, ai-je supplié l'enfant vindicatif.

Je psalmodiais les mantras de mon enfance dont je me souvenais vaguement. Si mon désir était suffisamment fort... Si ma prière était suffisamment intense... Reviendrait-elle si j'allais au temple et faisais le vœu de jeûner pendant trente jours, si je me rasais le crâne et portais un *kavadi*[1] sur la tête pour Thaipusam[2] ?

---

1. Sorte de montage en bois léger ou en bambou, décoré de plumes de paon et d'autres emblèmes, que portent les fidèles, le plus souvent en signe de pénitence ou de mortification, lors des grandes processions rituelles hindoues dans le Tamil Nadu en Inde, au Sri Lanka et en Malaysia.
2. Grand pèlerinage en l'honneur du dieu Subrahmaniam, second fils de Shiva et Parvati, et dont le temple se trouve dans les grottes de Batu, au nord de Kuala Lumpur.

En proie au désespoir le plus noir, il m'a fallu un certain temps avant de me rendre compte que mes idées s'étaient peu à peu éclaircies. Je n'avais plus froid et la terrible douleur que j'avais ressentie dans la poitrine avait disparu. J'ai levé la tête. La pièce était toujours éclairée par la lumière bleutée de la lune, mais quelque chose avait changé. Déconcerté, j'ai regardé autour de moi. Un sentiment de paix et de calme m'a envahi. Toutes mes inquiétudes, mes peurs, mes craintes insignifiantes sont tombées. Ce sentiment était si merveilleux que j'ai pensé que j'étais en train de mourir. Puis j'ai compris. C'était elle. Elle était enfin libre. Je lui ai dit d'être heureuse. Je lui ai dit que je prendrais soin de sa mère et que je l'aimerais toujours.

Ce sentiment a disparu aussi soudainement qu'il était venu. Toute la douleur de sa disparition est revenue m'assaillir. Et c'était une perte écrasante. J'ai pressé mes mains contre ma poitrine. Tel un cercueil en bois, la chambre a semblé se resserrer sur mon corps glacé.

Ma vie misérable s'étendait devant moi, longue, terne et stérile. Dans ma poitrine, mon cœur ne formait plus un tout, mais une masse de lambeaux rouges. Ils voletaient en moi, désespérément, s'accrochant aux autres organes. Ils sont encore là, pris dans les branches de mes côtes, écrasés entre mon foie et mes reins ou enroulés autour de mes intestins. Ils flottent comme les drapeaux rouges de l'échec et de la souffrance. Elle n'a été qu'un rêve.

Au début, j'ai constaté la même douleur vive chez ma femme et mon fils aîné ; puis cette souffrance s'est transformée en autre chose. Quelque chose de malsain. Que je ne pouvais pas comprendre. Quand je regardais Lakshmi, une lueur proche de la haine se glissait furtivement dans la profondeur de ses yeux. Elle est devenue emportée et cruelle. Et Lakshmnan est devenu un véritable cauchemar. Une fureur toute neuve animait ses yeux quand sa mère lui demandait d'aider Jeyan à faire ses exercices de mathématiques. Il serrait les dents et jetait un regard meurtrier à son jeune frère, guettant le moment où le pauvre garçon ferait une faute pour avoir le plaisir de lui frapper la tête avec une règle en bois ou de le pincer jusqu'à ce que sa peau brune vire au gris. Mais son cœur était encore plein de venin. Une fois cette folie déclenchée, on le voyait lutter contre lui-même pour l'arrêter.

Un jour, j'ai essayé de lui parler. Je lui ai fait signe de venir s'asseoir à mes côtés, mais il est resté debout et m'a fait face, grand et fort, planté sur ses jambes puissantes et pleines de vie. Il n'avait rien de moi. Mes fils sont tout mon contraire. Si le pauvre Jeyan me ressemble, ce n'est certes pas par choix. Avec mon habituelle lenteur, j'ai parlé trop longtemps. Il me regardait de sa hauteur méprisante, en me fixant d'un air renfrogné. Aucun mot ne s'est échappé de ses lèvres. Ni explication ni excuse. Aucun sentiment de regret.

Puis j'ai dit :

– Mon fils, elle a disparu.

Et tout à coup, une terrible expression de douleur et d'humiliation a traversé son visage. Il ressemblait à un animal pris au piège. Il a ouvert la bouche pour reprendre son souffle mais, au lieu de cela, il a aspiré un esprit vagabond. Ça a été un esprit violent, tumultueux, qu'il a avalé. Un esprit qui a provoqué la plus effroyable transformation. *Il était sur le point de me frapper, moi, son père.* Épaules contractées, poings serrés en petites boules dures. Avant que l'animal ait pu se jeter sur moi, Lakshmi a pénétré dans la pièce. Alors une autre transformation surprenante s'est produite : la rage incontrôlable s'est échappée par sa bouche ouverte. Il a baissé la tête, ses épaules se sont détendues et ses poings se sont ouverts comme ceux d'un mort. Il avait peur d'elle. Il comprenait instinctivement son pouvoir. Le monstre incontrôlable avait un maître. Son maître était sa mère.

Le passé ressemble à un handicapé, manchot et cul-de-jatte, les yeux rusés, la langue vindicative et la mémoire longue. Il me réveille le matin en murmurant à mon oreille d'horribles sarcasmes. « Regarde, regarde bien ce que tu as fait à mon futur », persifle-t-il. Et, néanmoins, j'attends Mohini derrière la porte, espérant qu'elle l'ouvre toute grande. « Papa, je crois que j'ai trouvé une malachite verte », s'écrie-t-elle en tenant dans sa main un caillou vert sans valeur. Mon cœur en lambeaux a vécu cela pendant vingt-trois ans. Et tous les soirs où elle ne pousse pas la porte, le coucher de soleil semble un petit peu plus terne, la maison un peu plus étrangère, les enfants plus lointains et Lakshmi plus coléreuse que d'ordinaire. C'est à cause de la guerre. Elle a laissé tant de gens démunis. Pas seulement moi.

Je ne suis pas un homme courageux et chacun sait que je ne suis pas intelligent. Je ne suis même pas intéressant. Je suis assis toute la journée sur la véranda, à somnoler, à rêvasser, à fixer le vide, mais Dieu sait que je hais les Japonais. Leurs visages jaunes et méchants, les fentes froides et noires par les-quelles ils l'ont regardée mourir. Le simple fait d'entendre leur langue me fait bouillir d'une rage meurtrière. Comment Dieu a-t-Il pu créer un peuple si cruel? Comment a-t-Il pu les laisser emmener l'être auquel je tenais tant? Il m'arrive de ne pas dormir en pensant à toutes les tortures que je pourrais leur infliger. Un à un, je pends leurs membres aux arbres, je les nourris d'une poignée d'aiguilles, ou même, j'offre un petit feu amical à la plante de leurs pieds. L'odeur de brûlé de leurs orteils. Oui, elles me tiennent éveillé, ces pensées diaboliques. Je me retourne sans cesse dans mon grand lit et mon papillon rare grommelle d'irritation. C'est l'effet que la guerre a eu sur nous. Elle a décuplé notre soif de posséder ce qui ne nous appartient pas.

Lakshmi

Anna a été trempée par la pluie de vendredi soir. Le samedi, elle avait un léger rhume. Je l'ai mise au lit, ai frictionné sa poitrine avec du Baume du Tigre, lui ai fait boire du café chaud mélangé à un œuf battu et l'ai enveloppée dans des couvertures. Mais, le dimanche, sa poitrine était prise par le flegme. Lorsque j'ai entendu les premiers râles, j'ai été remplie de frayeur. Anna manifestait les signes précurseurs de la maladie qui avait rendu Mohini incapable de supporter le supplice infligé par ces brutes de Japonais ; sinon ils auraient ramené son corps brisé, comme ils l'avaient fait pour Ah Moi. J'ai couru vers la maison du Vieux Soong.

— Où est-ce que je peux trouver une rate enceinte avec des yeux rouges ? ai-je crié hors d'haleine.

On a apporté la rate aux yeux rouges, enceinte, dans une cage. Ayah a refusé de la regarder. Il a essayé de me dissuader, mais ma décision était prise.

— Elle avalera le raton de cet animal, ai-je dit d'un ton ferme, les yeux durs.

Anna a regardé la rate avec effroi.

— Ama, je crois qu'en fait ça va beaucoup mieux aujourd'hui, a-t-elle annoncé avec un sourire radieux.

— Vraiment ? Bien. Alors viens ici, ai-je dit froidement.

J'ai mis ma tête contre sa poitrine. Les horribles râles persistaient.

— Sevenese ! Râpe du gingembre pour ta sœur.

Le dos rond, Anna est retournée dans sa chambre. Pourquoi se conduisaient-ils tous comme si je les blessais ? Je voulais que ma fille recouvre la santé. Je regrette de tout mon cœur de ne pas avoir donné à Mohini ce bébé rat. Si je n'avais pas écouté les arguments paranoïaques de mon mari, elle serait peut-être encore vivante. La rate était sur le point de mettre bas. La tâche la plus compliquée était d'avaler le raton dans les premiers moments qui suivaient sa naissance, juste après avoir retiré le placenta. J'ai observé de très près la mère. Elle me jetait de fréquents regards de ses yeux rusés et brillants tout en courant précipitamment dans sa cage. Je me demandais si elle savait que je voulais ses bébés. J'ai veillé à ce que le sol de la cage reste très propre.

La rate a mis bas. Avant même qu'elle ait pu commencer à lécher avec sa langue porteuse de maladies, j'ai extirpé de la cage un minuscule petit raton rose, pas plus grand que mon pouce. Je l'ai essuyé immédiatement avec un tissu propre. Anna m'a dévisagée. Elle s'est mise à secouer la tête en reculant. Je l'ai coincée contre son lit.

– Je ne peux pas, Ama, je t'en prie, a-t-elle murmuré.

J'ai trempé le museau de la minuscule souris dans du miel.

– Ouvre la bouche, ai-je ordonné.

– Non, je ne peux pas.

– Lakshmnan, apporte le bâton.

Et le bâton est arrivé très vite.

Elle a ouvert la bouche. Son visage était très pâle; l'horreur rendait ses yeux vitreux.

– Ama, il bouge, s'est-elle écriée soudain. Ses pattes bougent.

Sa bouche s'est refermée avec un bruit sec.

– Maintenant, tu vas ouvrir ta bouche, ai-je ordonné à nouveau. Il faut l'avaler immédiatement.

Elle a secoué la tête et s'est mise à pleurer.

– Je ne peux pas; il est encore vivant, a-t-elle sangloté.

– Pourquoi ai-je des enfants aussi désobéissants? Les Chinois se soignent comme ça. Pourquoi fais-tu tant d'histoires? Tout ça, c'est la faute de ton père. Il vous gâte beaucoup trop. Apporte le bâton, Lakshmnan.

Lakshmnan est arrivé. Il a levé la main droite et sa sœur a entrouvert la bouche avec un faible gémissement. Je lui ai saisi le menton.

– Plus grand.

Sa bouche s'est agrandie un peu plus et j'y ai glissé le minuscule raton. Je pensais que plus j'introduirais l'animal profondément dans sa gorge, plus il lui serait facile de l'avaler. Mais j'ai vu les petites pattes gratter sa langue et, la minute suivante, elle a fermé les yeux tandis que son visage posé sur ma main s'est alourdi jusqu'à devenir un poids mort. Elle s'était évanouie. Je tenais encore le raton par la queue quand Anna est retombée en arrière sur les coussins. Mon mari, qui avait observé la scène sur le seuil de la porte, s'est précipité vers moi, m'a enlevé le raton de la main et, allant vers la fenêtre, l'a jeté aussi loin qu'il l'a pu. Il m'a regardée avec une profonde tristesse, puis il a tenu Anna dans ses bras et l'a éventée doucement avec un cahier qui se trouvait sur la table de chevet.

— Lakshmi, tu es devenue un monstre, m'a-t-il dit doucement en la berçant. Apporte un peu d'eau chaude pour ta sœur, a-t-il ajouté.

Lalita s'est précipitée dans la cuisine et est revenue avec l'eau.

J'ai rendu les rats le lendemain et, depuis ce jour, Anna a toujours eu de l'asthme.

Tu es choquée, mais le pire est à venir.

Un après-midi, le marchand de pain ambulant est passé et Lalita a réclamé un beignet à la noix de coco. À cette époque-là, ces beignets coûtaient quinze *cents* pièce. J'ai ouvert mon porte-monnaie et j'ai su d'emblée qu'il manquait de l'argent. Je comptais soigneusement en calculant de tête tout ce que j'avais acheté ce matin-là au marché. Oui, il manquait un ringgit. J'avais trente-neuf mille trois cent quarante-six ringgit à la banque, cent sous le matelas, cinquante dans une enveloppe attachée aux lettres de ma mère et quinze ringgit quatre-vingts ou quatre-vingt-dix dans ma bourse. J'ai demandé à mes enfants, un à un, s'ils avaient pris le ringgit manquant. Tous ont secoué la tête : « Non. » Le marchand de pain et de beignets a quitté notre quartier. Personne n'aurait droit à aucune friandise tant que le mystère du ringgit disparu ne serait pas éclairci.

Seul Jeyan n'était pas encore rentré à la maison. Je savais que c'était lui. Comment osait-il se servir dans mon porte-monnaie ? S'imaginait-il que je ne le remarquerais pas ? La rage commençait à monter lentement.

— Ça doit être Jeyan, a lancé Lakshmnan, faisant écho à mes pensées.

— Est-ce que tu ne te serais pas trompée, Ama ? a demandé Anna.

— Bien sûr que non, ai-je répondu très irritée. (J'ai regardé la pendule accrochée au mur. Il était trois heures de l'après-midi.) Apporte-moi du thé.

Je suis sortie et me suis assise dans la véranda. De là, je pouvais voir la pendule. J'ai bu mon thé tout en regardant l'heure tourner. Trente minutes ont passé. La rage continuait de monter. Le serpent monstrueux qui m'habitait s'éveillait dans cette terrible chaleur. Tendue, j'ai changé souvent de position sur mon siège. Mon propre fils me volait de l'argent ! Il fallait que je lui donne une leçon qu'il ne serait pas prêt d'oublier. J'ai regardé l'heure. Il était quatre heures. Je me suis levée et j'ai arpenté nerveusement la véranda. Du coin de l'œil, j'ai vu mes enfants assis très droits sur leurs chaises. Je me suis appuyée contre un montant en bois quand j'ai aperçu Jeyan qui se hâtait au bout du chemin, la culpabilité inscrite sur son visage carré et stupide. Il a ralenti sa marche et a adopté une allure traînante. Ne savait-il pas que retarder l'inévitable confrontation ne ferait qu'accroître ma colère ? Aussi bête qu'un âne bâté. Tout le monde sait bien qu'il faut marquer un taureau au fer rouge pour lui apprendre à obéir. Je le stigmatiserais.

— Où étais-tu ?

Ma voix était d'un calme souverain.

— Au cinéma.

À sa décharge il fallait reconnaître qu'il ne mentait pas.

— Combien as-tu payé l'entrée ?

— J'ai trouvé un ringgit au bord de la route.

Sa voix balbutiante tremblait de peur. Et quel effet elle a eu sur moi ! J'ai laissé libre cours à ma fureur. La fosse bouillon-nante a éclaté et le monstre qui était en moi a pris le dessus. Il n'y a pas d'autre façon d'expliquer ce qui s'est passé. « Combien as-tu payé l'entrée ? » est la dernière chose que je me souviens d'avoir dite. J'étais encore la mère bien-aimée ; ensuite le monstre m'a possédée. Je me suis tenue silencieuse-ment à ses côtés et j'ai observé tout ce qu'a déchaîné la fureur froide de ce monstre. Il voulait voir Jeyan souffrir et supplier. Il a pris sa respiration, profondément, calmement. Il était incroyable de voir à quel point il était calme.

— Lakshmnan, a appelé froidement le monstre.

— Oui, Ama, a répondu mon fils avec empressement.

— Prends ton frère, attache-le au poteau dans la cour et bats-le jusqu'à ce qu'il nous dise où il a trouvé l'argent, ordonna le démon.

Lakshmnan s'est exécuté rapidement. C'était un garçon fort et puissant et en un rien de temps, les membres maigrelets de Jeyan furent fermement attachés.

Le serpent s'est tenu à la porte de la cuisine à observer Lakshmnan enlever la chemise de Jeyan. Mon fils aîné a fait preuve d'initiative. Il a couru chercher un bâton et, de loin, je l'ai vu frapper à coups réguliers le dos de son frère. Très distinctement, entre les cris, est venu l'aveu.

– J'ai pris l'argent dans ta bourse, Ama. Je le regrette. Je le regrette. Je ne le ferai plus.

Le monstre s'est détourné. La confession ne suffisait pas. Avec un calme effroyable, il s'est avancé vers le bocal au couvercle orange. Il a pris un peu de poudre fine et rouge dans sa main et est sorti. Il s'est tenu debout devant le corps de Jeyan qui se tordait de douleur. Son visage levé vers le ciel, déformé par la souffrance et la terreur, suppliait :

– Je regrette vraiment, Ama, je regrette.

Des larmes ruisselaient sur ses joues, dessinant de longues traînées poussiéreuses.

Exempt de toute émotion, le monstre l'a dévisagé.

– Je promets de ne plus jamais recommencer, a gémi l'enfant, au désespoir.

Je n'étais plus moi-même. Le monstre a regardé au fond des yeux douloureux, effrayés de mon petit garçon et est devenu à nouveau blême de rage. Il s'est penché et, sans crier gare, a soufflé de toutes ses forces dans la paume de ses mains. Un nuage de poudre rouge s'est élevé dans l'air. Jeyan a fermé les yeux, mais pas assez vite. L'effet de la poudre de piment a été instantané. Il l'a fait crier de façon hystérique, il a secoué son corps de convulsions. En vain. Ses doigts ont griffé l'air autour du poteau.

Stupéfait, Lakshmnan m'a fixée puis est retourné à la tâche qui lui était assignée : battre sans pitié son frère qui se tordait de douleur. Je suis revenue vers la maison et suis montée dans la véranda. Les hurlements confinaient à la frénésie.

– Ama, a-t-il hurlé d'une voix perçante.

Les autres vérandas étaient désertes, mais, à l'intérieur des maisons, on entrouvrait les rideaux.

Le monstre s'est assis. Une brise légère soufflait.

– Ama, au secours ! hurlait Jeyan.

Et soudain, comme si on me secouait en plein rêve, je me suis réveillée. Le monstre avait disparu. Anna en larmes et terrifiée me regardait avec intensité.

– Dis à ton frère d'arrêter, lui ai-je crié

Anna s'est précipitée à l'arrière de la maison en hurlant .

– Arrête ! Maman a dit d'arrêter. Arrête de le battre. Tu vas le tuer.

Ruisselant de sueur, Lakshmnan est rentré dans la maison. Ses mains tremblaient, mais ses yeux brillaient d'une excitation sauvage. J'ai vu les empreintes que le démon avait laissées sur son front trempé.

– Va prendre un bain, lui ai-je dit en évitant son regard.

L'éclat de ses yeux m'a attristée. Une fois le monstre parti, je me suis sentie étrangement vide.

Puis Lalita est sortie de dessous la table, le ringgit manquant posé au milieu de la paume de sa main. Ainsi c'était moi qui avais laissé tomber l'argent sous la table. J'avais mal. Il n'avait pas pris l'argent. Je m'étais laissé emporter. J'étais allée trop loin. Où avais-je appris pareille cruauté ? Qu'avais-je fait ?

Dehors, j'ai vu Anna détacher son frère et lui laver les yeux. Comme une poupée désarticulée, il s'est affaissé sur le sol. Un amas sombre sur le sable. Je me suis emparée d'une bouteille d'huile de sésame et je suis sortie la donner à Anna.

– Frotte-lui le dos avec ça.

J'avais la gorge nouée. Les mains d'Anna tremblaient. Je me suis tournée vers le corps frissonnant, effondré par terre. Par endroits, la peau de Jeyan avait été arrachée, découvrant sa chair à vif. J'ai pris son menton dans ma main et j'ai scruté ses yeux très enflés, aux contours rougis. Son visage m'a paru moite et fiévreux ; des veines rouges et enflammées avaient envahi tout le blanc de ses yeux. Mais il en réchapperait.

– Pardon, ai-je dit.

Il y avait de la haine dans l'obscurité pourpre et dilatée de ses yeux.

Le soleil couchant déclinait ; sa lueur orange paraissait si proche qu'on aurait pu la toucher. Le ciel était d'un rose splendide. Comme les fesses d'un bébé violemment battues. Maman avait l'habitude de dire qu'un ciel rose annonçait une bonne pêche aux crevettes. J'ai fermé les yeux ; dans le ciel se sont profilés ceux de ma mère, longs et beaux. Ils étaient humides et tristes. Qu'as-tu fait ? J'ai senti des larmes piquer mes paupières baissées. J'ai entendu sa voix lointaine, si lointaine :

– As-tu oublié tout ce que je t'ai appris, ma fille, têtue et rebelle ? As-tu oublié la belle reine enceinte au cœur cruel ?

Non, je n'avais pas oublié. Je m'en souvenais mot pour mot.

– Elle était si méchante qu'après s'être rassasiée de mangues douces et sucrées, elle mit du sable dans la chair de celles qu'elle n'avait pas consommées pour que la chienne errante et enceinte qui l'avait observée ne puisse pas manger les restes. Elle ricana en se cachant sa bouche de ses mains, mais sa cruauté finit par apparaître au grand jour. Tu vois, ma chère Lakshmi, aucun acte cruel ne passe jamais inaperçu. Dieu veille. Quand la reine malfaisante accoucha, elle donna naissance à une portée de petits chiots ; tandis que la chienne vagabonde mit au monde un prince et une princesse dans les jardins du palais. Le roi comprit sur-le-champ ce qui s'était passé. Il fut si courroucé qu'il bannit la reine du palais et adopta les enfants de la chienne.

Je suis revenue vers mon palais de bois. Mon mari n'allait pas tarder à rentrer et je me préparais au blâme silencieux de ses petits yeux tristes.

Je me suis promis de mieux juguler le monstre féroce qui était en moi. Et pendant un moment, il est demeuré silencieux. Mais nous savions tous deux qu'il attendait de resurgir, de reprendre le dessus. Parfois, je le sentais battre dans mes veines, assoiffé de sang.

Anna

Mon frère Sevenese affirme que parfois les animaux lui parlent en rêve. Une fois, au milieu de la nuit, il a rêvé d'un chat qui se tenait derrière notre porte et qui disait très distinctement : « Il fait si froid. S'il te plaît, laisse-moi entrer. »

Il s'est réveillé en sursaut. Dehors, une tempête inconsolable mugissait. Des vents déchaînés frappaient contre les volets des fenêtres et hurlaient à notre porte d'entrée. D'énormes gouttes de pluie tambourinaient sur le toit de tôle ondulée de la remise. Dans la maison, l'air était humide et lourd.

Mon frère s'est levé, poussé par une force plus puissante que lui, une curiosité intrépide. La lueur d'un éclair a empli le couloir d'une lumière blanche, le claquement du tonnerre l'a fait sursauter ; il s'est bouché les oreilles de ses mains. En ces nuits troublées, qui pouvait savoir quel esprit perfide, quel démon insensé attendait devant notre porte d'entrée ? Il se devait de l'ouvrir. À l'autre extrémité du couloir, dans la lumière vacillante de la lampe à huile, il a vu l'ombre de Maman sur le mur de la cuisine, penchée sur la machine à coudre. Il a tiré le verrou de la porte d'entrée et l'a ouverte courageusement.

Sur le pas de la porte, une chatte trempée et cinq petits chatons tremblants attendaient patiemment. La chatte a levé la tête et l'a observé, immobile, le saphir de ses yeux brillant sur le fond gris de la nuit orageuse. Il l'a regardée, bouche bée, puis, comme s'il l'avait invitée à entrer, elle a saisi ses bébés transis par la peau souple de leur cou et les a portés un à un jusque dans la chaleur de la cuisine. À même le sol, Sevenese et Maman ont fait un lit avec des bouts de chiffon, ont coupé du lait condensé avec de l'eau dans une assiette creuse et ont assisté avec satisfaction à la disparition du breuvage sous la petite langue rose de la chatte.

Mon frère dit que c'est le seul moment où il s'est senti proche de Maman. Il avait oublié la fine badine pendue sur le mur de la cuisine ; il n'était conscient que de la douce odeur de confiture de bananes qu'exhalait l'haleine de Maman quand elle le tenait près de lui et déposait un baiser sur sa tête. Il se sentait aimé, empli de chaleur, heureux d'être à l'intérieur quand la tempête faisait rage dehors.

Maman lui a permis de garder la chatte. Elle a trouvé des foyers pour les chatons.

Pour une vagabonde, la chatte avait quelque chose d'étrangement majestueux. Grande, avec un petit museau triangulaire, dotée d'un pelage d'un gris extraordinairement subtil et somptueux, elle se promenait dignement dans la maison, le nez en l'air. Mon frère l'a baptisée pompeusement Qutb-Minar [1] et a mis son panier près de lui. Certaines nuits, lorsqu'il se réveillait en sueur et terrifié par l'un de ses abominables cauchemars, il se tournait vers le panier et s'apaisait devant le spectacle rassurant de son museau levé vers lui, deux nappes de lumière bleue qui le regardaient longuement. Quand elle le fixait avec ses yeux baignés de lune, mon frère affirmait qu'une énergie silencieuse le traversait et que, dans sa poitrine, son cœur s'arrêtait de battre la chamade. Et ce n'était que lorsqu'il retrouvait son calme que Qutb-Minar bâillait, la gueule grande ouverte, baissait la tête, fermait les yeux avant de s'affaler dans un pan de lumière dorée au milieu d'un champ de fleurs éclatantes.

Qutb-Minar prenait grand soin de ne pas se trouver sur le chemin de Maman. Elle posait son petit museau pointu sur ses pattes, tandis que ses beaux yeux vifs suivaient avec circonspection chaque mouvement de ma mère. Maman était comme une panthère en cage. Ce n'est pas étonnant qu'elle ait rendu la chatte nerveuse. Les animaux sont attirés par des gens calmes et paisibles. Des gens comme mon père et Lalita. La première fois que Sevenese est revenu de chez le charmeur de serpents, la chatte a fait le gros dos et, les poils frémissants, les oreilles plaquées de chaque côté de son joli minois, a pesté contre lui. Sa longue queue fouettait le sol. Stupéfait, Sevenese a fixé ses

---

1. Imposant minaret de soixante-douze mètres cinquante de hauteur, construit à la fin du XIIe siècle à Delhi par le sultan turc Qutb-ud-Din Aïbak.

griffes sorties. Elle s'apprêtait à lui sauter à la gorge. Tout à coup, elle a compris qu'elle crachait au visage de son maître bien-aimé et, avec un miaulement étranglé, elle a baissé la queue, a filé dans les champs, derrière la maison, et a disparu dans les bois. Sans doute l'odeur des reptiles ou la faim des esprits malins avec lesquels frayait le charmeur de serpents lui ont-ils fait peur. Elle est restée la compagne fidèle de toute l'enfance de mon frère. Elle est morte soudainement quand il a eu dix-sept ans. Un matin, nous nous sommes réveillés et nous l'avons trouvée sans vie dans son panier, recroquevillée comme si elle était profondément endormie.

Des années après la disparition de Mohini, je me réveillais la nuit et je trouvais Sevenese assis dans l'obscurité de notre chambre, attendant que le fantôme de sa sœur apparaisse. Il était si immobile et si silencieux qu'il faisait peur à voir. La dernière fois qu'elle lui était apparue, elle l'avait pris à l'improviste. Cette fois-ci, il avait des questions à lui poser et des choses à lui raconter. La dernière fois, il n'avait pas rêvé d'elle. « Écoute attentivement ma voix, mon petit gardien », avait-elle dit. Il écoutait très attentivement, mais les années sont passées sans qu'elle lui dise une parole de plus. Plusieurs fêtes de Diwali se sont écoulées. La veille de la célébration, tous les ans, nous disposions des lampes d'argile autour de notre maison. Puis nous nous réveillions à l'aube, prenions un bain, enfilions les vêtements neufs que Maman avait confectionnés, en veillant tard dans la nuit, et dégustions un repas composé de mets de choix. Maman avait préparé les plats préférés de chacun. Bien que Lalita et moi continuions à apporter scrupuleusement à nos voisins des plateaux chargés de gâteaux et de petites parts de gelée tremblotante préparées pour ces réjouissances, il manquait quelque chose à Diwali. Ces festivités étaient devenues vides. Diwali dans une maison malheureuse était semblable au sourire d'un enfant mort. Un sourire si ténu qu'aucun d'entre nous n'osait en parler bien que nous l'ayons tous vu. Il était là, présent dans nos yeux, quand nous nous souriions avec circonspection tout en observant les membres de notre famille devenir des étrangers distants.

De nous tous, Lakshmnan était le plus étrange. C'était comme s'il nous haïssait et prenait ouvertement plaisir au spectacle de nos humiliations ou de nos douleurs. Et elles étaient nombreuses. Il a eu l'habileté de se racheter aux yeux de

245

Maman en revenant à la maison bardé de notes exceptionnelles. Il était si rusé qu'il vendait toutes les semaines ses notes de classe à ses amis. Lakshmnan a étudié comme un forcené. Il s'est immergé dans ses études. Chaque jour, il travaillait jusque tard dans la nuit. Il escomptait recueillir les bienfaits de la déesse de l'Abondance dans le palais de la déesse de la Connaissance[1]. Il était dans un labyrinthe au bout duquel se trouvait un magot, de merveilleuses richesses et des pierres précieuses. Il voulait ce qu'on peut caresser avec orgueil et utiliser avec insouciance. Il voulait de grosses voitures et de grandes maisons. Il voulait dépenser sans compter. Si les études étaient le pain insipide qu'il devait manger pour réaliser son rêve brillant et froid, alors il s'acharnerait à le dévorer à belles dents. Pour être le premier de la classe, il livrait une bataille âpre contre un garçon du nom de Ramachandran. Si Lakshmnan rentrait à la maison le visage noir de fureur, cela signifiait que Ramachandran lui avait dérobé la première place.

L'occupation japonaise nous avait fait manquer quatre ans d'école. Nous avons donc repris nos études au niveau où nous les avions laissées avant le début de la guerre. Ainsi ce n'est qu'à l'âge de dix-neuf ans que Lakshmnan a vu se profiler à l'horizon ses examens de fin d'études. À cette époque, les copies d'examen étaient envoyées en Angleterre où elles étaient corrigées. Il suffisait ensuite de montrer son certificat pour entrer dans un établissement d'études supérieures ou même directement à l'université. Lakshmnan s'est consacré entièrement à ses études. Sa tête bouclée penchée sur un livre, les sourcils froncés par la concentration, il buvait les innombrables tasses de café bouillant que Maman lui préparait. Elle était très fière de lui.

Le succès semblait assuré.

Le jour de l'examen, Lakshmnan est parti plein d'assurance. Mais avant même que le soleil ait éclairé le sommet des cocotiers, Maman l'a vu revenir, accompagné de M. Vellupilai.

– Qu'est-ce qui se passe ? a-t-elle demandé avec inquiétude, en allant à leur rencontre.

– Je ne sais pas, Ama, mais j'avais tellement mal à la tête que je n'ai même pas pu lire le sujet d'examen, a expliqué Lakshmnan.

---

1. Référence aux déesses hindoues Lakshmi, qui incarne la richesse, et Saraswati, qui incarne la connaissance.

Des ombres noires évoluaient sous ses paupières ; ses yeux éblouis par le pâle soleil matinal ont louché vers Maman.

– Le professeur l'a trouvé effondré sur sa copie. Je pense que vous devriez emmener votre fils chez un médecin, a conseillé M. Vellupilai.

Maman l'a immédiatement conduit à l'hôpital. Là-bas, personne n'a pu détecter la raison du mal de Lakshmnan. Peut-être était-ce dû à l'effort, ou à la tension nerveuse. Quoi qu'il en soit, Lakshmnan avait besoin de lunettes. Il était myope. Maman en a commandé chez un opticien en ville. Désorienté, abasourdi, Lakshmnan marchait à côté d'elle. Ce qui s'était passé était une tragédie. On le voyait sur le visage de Maman. Lakshmnan devait maintenant attendre une année entière avant de se représenter à l'examen.

Un soir, en regardant par la fenêtre de la cuisine, j'ai vu Lakshmnan assis sous le jasmin en train de fumer. Il tirait des bouffées nerveuses et saccadées. J'ai tout de suite compris qu'il voulait que Maman l'aperçoive. Une part de lui-même voulait la provoquer, l'éprouver. Mon frère s'ennuyait.

Quand tout est perdu, il ne reste que le Mal et le dieu qu'il vénère : l'Argent. Lakshmnan avait toujours brûlé du désir d'être riche, mais maintenant il voulait le devenir facilement. Son tempérament cupide l'a conduit à se lier à une bande de riches Chinois. Ils avaient des voitures, des petites amies qui portaient des noms dans le genre de ceux qu'on donnerait à un petit chat, une série de mauvaises habitudes dont ils étaient très fiers et ils parlaient d'affaires qui se montaient à des milliers de ringgit. Ils se vantaient avec insouciance de leurs pertes aux tables de jeu. « Ça va, ça vient », coassaient-ils. Mon frère voyait dans leurs mains nonchalamment fermées les graines de l'arbre secret qui porte les fruits de l'argent. Comme il les admirait ! Il ne comprenait pas qu'en eux battaient des cœurs froids de la taille d'un poing. Avec eux, il a appris à dire : « *Sup, sup sui* », « Pas de problème, c'est du gâteau ! » et « *Mo siong korn* », « T'en fais pas, ça n'a pas d'importance ».

Il n'a jamais invité ses nouveaux amis à la maison, mais je l'ai vu avec eux quand je revenais de l'école. Je n'aimais pas leurs yeux étroits et sournois, mais je n'en ai jamais parlé à Maman. J'avais bien trop peur de le dénoncer. Je me doutais qu'ils ne voulaient que ses notes de classe. L'an prochain à la même date, je savais qu'ils ne seraient plus là ; ces vautours à la tête chauve et aux nez crochus seraient penchés sur les entrailles d'une autre charogne.

Lakshmnan et moi nous sommes présentés ensemble aux examens de fin d'études. Cette fois-ci, il n'a pas révisé.

– Je me souviens très bien de ce que j'ai appris l'an dernier, a-t-il annoncé avec arrogance en se préparant à sortir pour la nuit.

Il n'a obtenu que la mention « Bien ». L'année précédente, Ramachandran avait décroché la mention « Très bien », ce qui lui permettait d'étudier maintenant en Angleterre au Standhurst Military College[1]. Ramachandran s'était fait prendre en photo sur la chaise d'un cireur de chaussures et nous avait envoyé le cliché avec la légende : *Regardez jusqu'où je suis arrivé. Maintenant les colonisateurs me cirent les bottes.*

Avec une mention « Bien », le plus haut débouché auquel Lakshmnan pouvait aspirer était un emploi de fonctionnaire au ministère du Travail, mais il n'a pu y accéder car il n'y avait pas de poste à cette époque. J'avais obtenu la mention « Assez bien » et le directeur de mon école m'a offert un poste d'enseignante. Maman était contente ; je suis devenue professeur.

Lakshmnan était furieux et frustré. Je me souviens de lui, arpentant nerveusement le salon pendant des heures comme un singe en cage. À d'autres moments, il s'asseyait, le regard vide, et fumait sans arrêt, ses doigts tapotant distraitement la table sur laquelle étaient éparpillés des paquets de cigarettes et un cendrier plein de mégots éteints. Pendant des semaines, il a fulminé contre sa malchance, puis, grinçant de rage, il a fini par me rejoindre dans l'enseignement. Ce n'était pas ce qui était prévu. Il détestait enseigner. Quand je passais devant sa classe, je le voyais donner ses cours les poings serrés.

À cette époque, nous recevions une formation de trois mois. On nous envoyait en stage. Lakshmnan voulait effectuer cette formation à Singapour. En réalité, ce n'était pas le « niveau supérieur de formation » qui l'attirait, mais plutôt les lumières scintillantes de la ville. Cette perspective l'exaltait et, pour la première fois, ses rapports avec nous sont devenus presque humains. La maison rayonnait de l'éclat de son moi transformé et du bonheur de Maman. Il avait été si malheureux et s'était montré si difficile depuis tant de temps que ma mère

---

1. La plus prestigieuse école militaire d'Angleterre, équivalent de Saint-Cyr.

pensait que c'était sans doute une bonne idée de l'envoyer là-bas. Le voir assis dans le salon, impatient et agité, à fumer un paquet de cigarettes après l'autre, l'avait profondément affectée. Cet après-midi-là, ils étaient assis dans le salon à discuter des détails de ce projet.

Mon frère Sevenese lisait une bande dessinée dans la chambre quand une voix s'est soudain fait entendre dans sa tête. Ses mains, brusquement inertes, ont lâché la bande dessinée. C'était la voix qu'il avait attendue depuis tant d'années qu'il l'avait presque oubliée. *Elle* lui avait parlé. Il a sauté de son lit.

« Ne le laisse pas partir », avait dit la voix.

Il est arrivé en courant dans le salon et a annoncé tout à trac que Mohini lui avait dit que Lakshmnan ne devait pas partir pour Singapour. Le visage de Lakshmnan a tout d'abord reflété un choc, puis une douleur, une monstrueuse douleur. Il ne pouvait toujours pas parler de sa mort. La seule mention de son nom lui faisait quitter la pièce.

– C'est complètement absurde ! a-t-il crié en se levant brusquement de sa chaise.

– Qu'est-ce que tu racontes ? a demandé Maman à Sevenese, devenu blanc comme une amande épluchée.

– J'ai simplement entendu la voix de Mohini qui disait très clairement : « Ne le laisse pas partir », a dit Sevenese.

– Tu en es sûr ?

Un pli soucieux a creusé le front de Maman.

– Je n'y crois pas. Mohini serait revenue du royaume des morts pour me donner des conseils sur la manière de mener ma vie ! C'est totalement ridicule et je ne comprends pas que tu nourrisses de pareilles idioties, a bafouillé Lakshmnan, indigné, à l'adresse de Maman. (Il a explosé comme un enfant :) Je ne peux jamais faire ce que je veux dans cette maison de fous !

– Pourquoi es-tu si furieux ? Attends un peu ! a dit Maman.

Mais Lakshmnan a fait ce qu'il avait l'habitude de faire. Il a quitté la pièce en tapant du pied et, en proie à un accès de rage incontrôlable, il est sorti de la maison pour frapper violemment ses poings fermés contre un tas de briques.

Bien entendu, Lakshmnan est parti pour Singapour. Maman était triste, mais pour s'opposer à son poing qui cognait, à ses dents qui grinçaient, il lui aurait fallu un cœur beaucoup plus dur que celui qu'elle offrait à Lakshmnan. Elle l'a envoyé là-bas avec une valise remplie de vêtements neufs et de ses gâteaux secs préférés. Au début, il écrivait souvent, des lettres enjouées racontant en détail ses moindres allées et venues. Il semblait qu'après tout Maman avait pris la bonne décision en le laissant partir. Mais Mohini n'a pas tardé à prouver qu'elle avait eu raison. Brutalement, les lettres ont cessé. Une carte postale anodine nous est parvenue au bout de deux mois, puis, plus rien. Maman a commencé à s'inquiéter et à ronger son frein. Elle était constamment de mauvaise humeur, tout l'irritait. Pauvre Papa, je crois que pendant des semaines il n'a même pas osé parler.

Puis le jour est venu où Maman ne pouvait attendre plus longtemps. Elle a envoyé le fils d'une amie à Singapour avec la mission de découvrir ce qui était arrivé à son aîné. Il est revenu en annonçant que Lakshmnan était devenu un joueur invétéré. On le trouvait dans les clubs minables de mah-jong des pires quartiers de Chinatown. Sa passion pour le jeu était si forte qu'il salivait rien qu'au cliquetis des dominos. Tous ses salaires y passaient. Il oubliait son stage. La directrice de formation, qui connaissait ses colères et son penchant avéré pour les rixes, l'a très vite transféré dans une petite école sur une île de pêcheurs au large de Singapour, afin de ne pas avoir à s'occuper personnellement du problème que posait son absentéisme. C'est à peine si ce minuscule village avait l'électricité.

Dire qu'il avait quitté Kuantan pour finir là-bas !

Il a détesté l'île et en est parti immédiatement, mais sans argent. Il ne lui est plus resté pour dormir que le sol de la maison d'un ami. Il avait déjà accumulé de grosses dettes.

Au fur et à mesure que ces propos s'échappaient des lèvres de l'étranger poli qui buvait à petites gorgées le thé de Maman, un sentiment d'incrédulité s'est emparé de la famille.

Avec son efficacité habituelle, Maman a réglé les dettes de Lakshmnan et lui a envoyé un billet de retour. À notre grande stupéfaction, il n'est pas revenu tête basse mais comme un héros conquérant. Maman lui a préparé son dal au curry préféré et les chapatti qu'il aimait. Maman alla même jusqu'à rassembler toutes ses économies pour lui acheter une petite voiture d'occasion, contre la promesse qu'il trouverait un travail et s'assagirait. Il a trouvé un poste d'enseignant, mais l'appel du jeu résonnait dans son sang. Et il ne se tairait pas. Comme le crissement du satin contre la soie, dans ses veines, l'appel se faisait enjôleur, insistant, harcelant, et murmurait : « mah-jong », jusqu'à ce qu'il ne puisse plus le supporter. Même s'il perdait tout au jeu, c'était un soulagement de faire taire ce murmure incessant. Ébahis, nous l'écoutions expliquer, le pouce à quelques milli-mètres de l'index, comment il avait été sur le point de gagner. Si proche de la victoire qu'il devait essayer encore une fois.

Dans ma famille, une terrible bataille a commencé. Il exi-geait de l'argent et menaçait de forcer le coffre de Maman. Der-rière les verres épais, son regard flamboyait de colère.

– Ose donc, le défiait Maman, les yeux étincelants d'une lueur inquiétante.

Grondant comme un fauve, il sortait de la maison comme un ouragan, donnant au passage un coup de pied dans l'enca-drement de la porte. Dès qu'il recevait son salaire, il disparais-sait pendant tout le week-end et revenait le dimanche soir, débraillé et brisé. Et les sombres menaces reprenaient. Un jour de paie, j'ai vu Maman debout dans le salon en train de fixer tristement le tas de mégots. Je savais ce qu'elle pensait : *Où est-il ?*

Elle a décidé qu'elle le trouverait et qu'elle verrait de ses propres yeux la nouvelle maîtresse qui vidait si scrupuleusement les poches de son fils et le tenait si serré dans son étreinte d'acier. Elle a pris un pousse-pousse pour se rendre en ville, pénétrant dans un périmètre où elle n'était jamais allée aupara-vant. Elle a monté une volée de marches en pierre qui menait à un café, et demandé son chemin à un vieil homme perché comme un corbeau charognard au-dessus de son tiroir-caisse. Sans mot dire, il lui a désigné du doigt l'arrière-salle. Elle est passée derrière un rideau sale et a emprunté un étroit couloir. De part et d'autre se succédaient des embrasures fermées de simples rideaux d'où s'échappaient des bavardages et des rires d'enfant.

Elle a fini par se retrouver debout devant un rideau rouge tout déchiré. Un autre monde vivait derrière. Un monde si misérable et si abominable que ses mains ont tremblé quand elle a écarté les deux morceaux de tissu crasseux pour regarder l'intérieur de la pièce. Les murs consistaient en minces planches de bois clouées, le toit n'était qu'un enchevêtrement de feuilles de zinc et le sol en béton gris était immonde. Sur un buffet s'empilaient des assiettes, des bols et des baguettes pas lavés. On ne pouvait même pas s'arrêter de jouer pour dîner. Une vieille femme, voûtée et presque chauve, commençait à débarrasser lentement la montagne de plats sales. Il y avait cinq tables rondes autour desquelles étaient assis des hommes et des femmes aux visages ternes et comme possédés. L'air était chargé de l'odeur de tabac froid et des suaves effluves de porc que l'on faisait rôtir dans une cuisine non loin de là. Et dans cette salle de jeu crasseuse, les yeux tristes de Maman se sont posés sur son fils bien-aimé, avec ses lunettes, assis bien droit, beau. L'espace d'un instant, elle a ressenti une douleur fulgurante, le couteau de la trahison. Comme elle l'observait sans en croire ses yeux, il s'est mis à crier : « mah-jong ! » en riant avec cupidité. Le rire du joueur. Quelle lueur impie dans ses yeux ! Quelle concentration !

Abasourdie, Maman a fait un pas vers lui. Elle le changerait envers et contre tout. Mais il a fait un geste rapide, presque obscène, qui lui était si totalement étranger qu'elle en a été glacée et est demeurée interdite. Ce geste a été compris d'un autre joueur qui l'a aussitôt imité. Elle a su alors qu'elle l'avait perdu. Il vivait dans un monde qui lui était interdit. Elle s'est tenue debout, là, pétrifiée, à fixer l'enfer dans lequel était tombé son merveilleux fils, beau et dévoyé. Et une image passée, si précise qu'elle lui a fait mal, a jailli comme un éclair devant ses yeux. Ah, elle était si jeune alors. Elle fredonnait une chanson tout en brassant de sa main l'eau chaude d'une bassine bleue où valsaient lentement des pétales d'hibiscus. Ce devait être au moment précis où l'eau avait acquis cette teinte de rouille magique qu'elle avait soulevé son petit garçon qui gazouillait et avait doucement plongé ses jambes qui battaient l'air dans le bain. Comme il riait ! Et il l'éclaboussait ! Elle en était trempée. Comme ils étaient bouclés ses cheveux sur sa petite tête. Comme tout cela semblait loin. Combien d'espoirs s'étaient-ils douloureusement brisés sur les écueils de la vie ?

Elle a reculé, a soulevé le rideau dégoûtant et, en proie à une souffrance irrémédiable, a repris le couloir immonde dans l'autre sens.

Elle ne pouvait oublier le rire cupide. Il hantait ses nuits. Lakshmnan n'avait de sourires que pour les dominos décolorés qui se trouvaient à côté de lui sur la table. Elle s'est sentie perdue et effrayée. Si elle s'était laissée fléchir auparavant et lui avait donné de l'argent pour avoir la paix, dorénavant elle refusait catégoriquement de lui prêter ne serait-ce qu'un ringgit. Elle a caché son argent et ses bijoux, confisqué mon livret de banque de façon que je ne risque pas d'être persuadée ni contrainte de me démunir d'une partie de mes économies.

La maison est devenue une zone de combat. Des projectiles insolites nous frappaient en plein visage. Un jour, la tranche pleine d'épines d'un durian a volé et est arrivée droit sur mon visage. Dieu merci, j'ai eu la présence d'esprit de me pencher. On voit encore les trous qu'a faits la peau du durian sur le mur de la cuisine. Puis tout d'un coup et sans qu'on s'y attende, les choses se sont calmées, quand Lakshmnan est venu en aide à Maman qui cherchait à me marier. C'est à cette époque qu'il s'est familiarisé avec la coutume de la dot.

Cela a été comme une détonation dans sa tête. *Mariage signifie dot.*

Maman avait mis de côté dix mille ringgit pour moi. En tant que gendre, Lakshmnan valait au moins ça. Il a commencé à faire ses calculs, mais, selon la coutume, il ne pouvait pas se marier avant moi. Malgré son impatience, il fallait respecter la tradition. L'aînée des filles doit toujours être mariée d'abord. Avec assiduité, il s'est mis en quête d'un époux pour moi, entreprenant de nombreux voyages d'où il revenait en chantant les louanges des jeunes gens qu'il avait rencontrés. Il ne voyait que leurs bons côtés ; Maman, seulement leurs mauvais côtés. Jusqu'à ce qu'une proposition d'un géomètre de Klang nous parvienne de façon tout à fait inattendue.

Le prétendant qui avait réussi à impressionner Maman grâce à ses diplômes a arrêté une date pour me « voir ». Un tel événement obéit à des règles strictement établies. Les parents, accompagnés de leur fils, rendent visite à la future épousée et, pendant qu'ils bavardent, la jeune fille, pleine d'espoir, apporte du thé et des gâteaux sur un plateau. À cet instant, la conversation polie s'arrête et tous la dévisagent de la tête aux pieds. La pauvre fille verse alors nerveusement le thé et, avec une timidité feinte, sert les gâteaux avant de quitter la pièce. Pendant tout ce temps, elle parle le moins possible. Il lui est simplement permis de sourire timidement aux futurs beaux-parents.

Je n'appréhendais pas du tout cette journée. J'avais joué ce rôle plusieurs fois auparavant, mais Maman avait déçu plusieurs espoirs. J'avais bien aimé l'un des prétendants ; néanmoins j'avais confiance dans le jugement de Maman. Elle est comme une ourse. Elle sent à des kilomètres le moindre indice d'une tare, même si celle-ci est soigneusement cachée au tréfonds de l'âme. À ce moment-là, je ne savais pas très bien ce que faisait un géomètre, parce que ce n'était pas une profession aussi prestigieuse que celle de médecin ou d'avocat. De toute façon, je n'avais ni les diplômes ni la dot suffisants pour attirer un membre de l'une de ces deux catégories. Quoi qu'il en soit, ma mère si clairvoyante pensait que la Malaisie était un pays en voie de développement et que les géomètres ne tarderaient pas à être très recherchés. Elle espérait qu'un jour mon mari et moi amasserions une petite fortune. Plus que toute autre chose, elle voulait que j'épouse un homme intelligent. Elle disait qu'elle savait ce qu'était la vie avec un imbécile ; elle voulait qu'il en aille différemment pour nous.

J'espérais que les critères de choix de mon futur mari ne seraient pas trop exigeants. Je me suis assise devant le miroir et je n'ai rien vu d'extraordinaire. Mohini avait défini la beauté. Je n'avais qu'à me souvenir de son teint de magnolia et de ses yeux vert bouteille pour qu'immédiatement ma propre apparence blêmisse de médiocrité. À cette époque, et bien que Lalita et moi mettions des couches de poudre, je ne me maquillais jamais parce que Maman estimait que c'était inconvenant. Parfois, Lalita se saupoudrait si copieusement qu'en sortant de la chambre, elle ressemblait à un singe capucin. La pauvre Lalita incarnait toutes les craintes de Maman. Si ma mère s'était assise pour dresser la liste de tout ce qu'elle ne voulait pas chez une fille, elle aurait obtenu un portrait de Lalita. Les hanches larges de Papa, des fesses plates, des jambes comme des allumettes, héritées de Dieu sait quel membre de la famille, deux petits yeux écartés et un nez charnu.

– Anna ! a appelé Maman.

– J'arrive, ai-je répondu en courant dans la cuisine pour aider à découper les petits sablés à la noix de coco que je servirais à nos invités. C'était une recette très simple mais Maman avait un secret qui leur donnait un goût inimitable. Des fleurs de gingembre.

C'était un chaud après-midi. Lalita était assise dehors sur la meule en train de boire le jus d'une noix de coco fraîche. Je me suis dis qu'il fallait qu'elle cesse de passer autant de temps au soleil. Son teint était déjà bien trop foncé. Je l'ai appelée, et elle est rentrée docilement, sans se presser.

— Arrête de t'asseoir si souvent au soleil sinon personne ne voudra t'épouser.

— De toute façon, Maman dit que personne ne voudra se marier avec moi. J'aimerais être aussi jolie que toi.

— Ne dis pas de bêtises. Tu sais très bien qu'elle dit ça quand elle est de mauvaise humeur. Bien sûr que tu te marieras quand tu seras plus grande. On trouve toujours chaussure à son pied. Maintenant, découpe les gâteaux et, moi, je les disposerai sur le plateau.

Nous avons travaillé tranquillement pendant que j'essayais d'imaginer mon futur mari. J'espérais qu'il avait le teint clair. Notre tâche achevée, j'ai pris une douche et revêtu un joli sari bleu et vert qui mettait ma peau en valeur. J'ai natté mes cheveux en y entremêlant quelques fleurs de jasmin. Puis j'ai adouci mon visage avec de la poudre et dessiné sur mon front un petit point noir parfaitement rond. Mon amie Meena m'assurait que si seulement je consentais à appliquer une touche de rouge à lèvres et un trait de khôl sur mes yeux, j'aurais l'air vraiment très attirante. Mais j'avais bien trop peur des remarques de Maman. Je me demandais toujours ce qu'elle dirait si elle savait qu'on me surnommait MM à l'école, comme Marilyn Monroe. C'est ma façon de rouler des hanches qui me valait ce surnom offensant. Dans notre petite ville très traditionnelle, les jeunes filles convenables ne devenaient pas actrices. Tout d'abord parce que, pour faire un tel métier, il fallait être une fille facile. Pas autant, toutefois, que l'était Marylin ; car, après tout, c'était sûrement une garce.

J'ai vérifié dans le miroir si mon sari tombait bien dans le dos, puis je me suis assise en attendant. Maman est entrée dans la chambre. Elle tenait à la main un bâtonnet de khôl. Sans dire un mot, elle s'est agenouillée devant moi, a abaissé doucement le bord de ma paupière inférieure, et y a appliqué le fard. Puis elle a fait de même pour l'autre œil. La stupéfaction m'a clouée sur place. Je n'imaginais même pas qu'elle savait se servir d'un bâtonnet de khôl. Puis elle a ouvert un tube de rouge à lèvres rose pastel.

— Ouvre la bouche, a-t-elle ordonné.

Je me suis exécutée docilement et, maintenant mon menton de sa main gauche, elle a soigneusement appliqué une couche de rouge sur mes lèvres. Puis elle a examiné son œuvre d'un regard critique avant de faire un signe de tête approbateur.

– Ne suce pas tes lèvres, m'a-t-elle conseillé.

Elle voulait vraiment me marier à ce géomètre. Je me suis regardée dans le miroir, tout étonnée. Maman avait transformé mon visage. Mes yeux paraissaient plus grands, plus beaux, et mes lèvres douces et avantageuses. Meena avait raison.

Des bruits de voix polies n'ont pas tardé à me parvenir du salon. J'éprouvais maintenant une certaine nervosité. Verser le thé sous les yeux rapaces de ces étrangers était une affaire délicate, mais ce qui me donnait surtout le trac, c'était la tension de Maman. Elle tenait à ce que ce mariage se conclue. Et s'ils n'aimaient pas ma façon d'être ? Et s'ils me refusaient ? Elle m'en voudrait certainement. Du salon, retentit sa voix.

– Anna, a-t-elle appelé gentiment.

J'ai lissé soigneusement les plis de mon sari et suis allée à la cuisine.

– Te voilà partie, a dit Lalita en me fourrant le plateau dans les mains.

Elle a pouffé de rire.

J'ai pénétré dans le salon, la tête penchée comme se doit de le faire toute jeune fille convenable ; j'ai posé le plateau sur la table et j'ai versé le thé, servant d'abord les parents et ensuite le futur marié. Tout cela en gardant les yeux baissés. J'ai vu les jambes d'un pantalon, deux pieds masculins (foncés), un somptueux sari vert citron, et deux petits pieds de femme (à la peau claire). J'ai levé la tête et j'ai présenté le plateau de sablés. Ils correspondaient au type de Ceylanais classiques. Le père s'appuyait contre le dossier du siège pendant que la mère jaugeait et faisait ses calculs. Elle avait un visage imposant avec des pommettes saillantes, de très grands yeux et un nez droit. Elle m'a souri et j'ai répondu à son sourire.

– Vous êtes professeur, a-t-elle dit en guise de commentaire.

– Oui, ai-je acquiescé poliment.

Elle a approuvé d'un signe de tête. Elle avait drapé son sari avec beaucoup de recherche. Même en position assise, les plis demeuraient raides et bien séparés. Mon regard s'est déplacé vers les mains foncées qui avaient pris la soucoupe et la tasse que j'avais présentées quelques instants plus tôt. Il était mince, avec une tignasse de boucles rebelles, et bien qu'il soit assis, je savais qu'il était grand. Il avait les lèvres relevées d'une personne qui rit souvent, mais ses yeux profondément enfoncés brûlaient de façon énigmatique et fixaient les miens avec une intensité telle que le sang m'est monté aux joues. Ils me rappelaient le flamboiement dans le regard de ma mère. J'ai détourné rapidement mon regard. Il avait la peau si sombre qu'elle en était presque bleue. Mes enfants auront tous la peau foncée, ai-je pensé en quittant le salon, tout en essayant de ne pas rouler des hanches, sachant pertinemment que tous les regards étaient rivés sur mon dos.

De la cuisine, lieu sûr entre tous, Lalita m'a adressé un large sourire.

– Alors ?

J'ai haussé les épaules. Nous sommes restées derrière la porte pour écouter la conversation entre Maman et les futurs beaux-parents. J'espérais qu'elle n'aimerait pas ce garçon. Il me mettait mal à l'aise. Sa façon de me fixer me gênait. Et puis, il avait le teint beaucoup trop foncé.

Les invités sont partis et Maman nous a rejointes.

– J'aime bien ce garçon, a-t-elle annoncé, le regard brillant. Il a des yeux de feu. Une véritable ambition. Il ira loin, souviens-toi de ce que je te dis.

– Il a le teint assez foncé, ai-je risqué prudemment.

– Foncé ? s'est-elle exclamée. (Elle avait chargé ce mot d'une puissante désapprobation. Toute lutte était inutile.) Bien sûr qu'il est foncé de peau ! C'est un géomètre. Il passe tout son temps dans la forêt.

Et ainsi l'affaire a-t-elle été décidée. J'allais me marier avec l'homme aux yeux brûlants. Ma mère et mon frère ont commencé à faire des projets. Lakshmnan a eu l'idée brillante d'organiser un double mariage.

– Il faut éliminer toute dépense inutile, a-t-il dit en parlant le langage de ma mère.

Ils sont tombés d'accord. Lakshmnan pouvait se mettre en quête de sa future épouse.

Quand mes futurs beaux-parents ont appris que Lakshmnan cherchait à se marier, ils nous ont immédiatement envoyé une lettre. Quelle chance, disaient-ils, ils avaient une fille justement en âge de s'unir. Ils proposaient un mariage entre les deux familles. Bien que Maman ne soit pas très favorable à cette idée, Lakshmnan a insisté pour au moins voir la jeune fille. Papa, Maman et lui ont donc fait tout le chemin jusqu'à Klang pour rendre visite à la prétendante. Maman a raconté que le cœur avait failli littéralement lui manquer quand ils sont parvenus à l'adresse indiquée. Une maison minuscule dans un bidonville qui, pour quelque motif inconnu, avait été entourée de fils barbelés, de sorte que l'ensemble ressemblait à un immense poulailler. Elle avait foi dans les possibilités d'avenir du géomètre, mais il lui était impossible de digérer l'idée de donner son fils chéri à des gens qui vivaient dans un tel endroit. Elle a voulu rebrousser chemin sur-le-champ, mais Lakshmnan a rétorqué, non sans raison, qu'ils étaient après tout venus de très loin.

– Où est le mal ? a-t-il demandé.

Des mots qu'il devait regretter toute sa vie.

Quand la mère de la jeune fille est sortie pour les accueillir, Maman a surpris son regard posé sur la voiture avant de se tourner vers Lakshmnan pour le jauger. Maman a regardé Lakshmnan et a vu la même chose que la mère de la jeune fille. S'il n'avait pas porté de lunettes, il aurait été parfait. Avec ses larges épaules et sa belle moustache, c'était un beau parti. Jusqu'à ce qu'on découvre ses habitudes de jeu, bien sûr ! Ils sont rentrés dans le poulailler.

L'ameublement était misérable. Sous le poids de Maman, la chaise oscillait. Une jeune fille a pénétré dans la pièce avec un plateau de thé. Maman a retenu un cri de surprise. Un ami commun qui faisait office d'entremetteur avait laissé entendre qu'elle était plutôt jolie. Or elle était grande et anguleuse, de forte carrure, avec une poitrine d'un volume disproportionné. Loin d'être doux et gentil, son visage avait une expression féroce ; elle avait les pommettes saillantes de sa mère, une grande bouche et des yeux pleins d'audace et de sensualité. Ils ont évalué Lakshmnan avec impudence avant de se poser sur ses parents en affectant l'expression douce et timide d'une jeune fille.

Oh, mais Maman n'était pas preneuse. Cette fille était une pimbêche. Elle a tout de suite vu qu'elle allait causer des ennuis. De gros ennuis. Chaque trait de son visage l'attestait.

Maman a bu son thé à petites gorgées ; puis à un moment, elle a laissé échapper dans la conversation que son fils était en fait un effroyable joueur, un joueur invétéré. Elle a expliqué qu'elle ne voulait pas porter la responsabilité de cacher ce fait et de risquer ainsi de ruiner les deux mariages. Finalement, elle leur a déclaré franchement qu'elle ne croyait pas en cette double union.

La nouvelle a fait l'effet d'une bombe. Il y a eu un moment de silence, mais la mère de la future mariée avait vu la petite voiture et la franche beauté de Lakshmnan. Sa fille ne pouvait espérer mieux. Elle ne croyait peut-être même pas Maman. Elle a sans doute pensé qu'elle mentait parce qu'elle ne voulait pas donner son fils en mariage à leur fille.

– Oh, ne vous inquiétez pas pour ça ! Mon mari a été un joueur épouvantable, un mordu des courses de chevaux. Et pourtant j'ai mené une vie heureuse. Je n'ai jamais été dans le besoin. Ma fille est intelligente et je ne doute pas qu'elle saura faire face à cette situation, a-t-elle assuré à Maman.

Ses yeux perçants jetaient des éclairs.

C'étaient des arrivistes, des gens durs. Furieuse, Maman est pourtant restée assise ; il lui était impossible de partir sans compromettre mon mariage. Elle ne comprenait que trop bien leur empressement à l'égard de son fils. Leur fille n'était pas une beauté. Elle la trouvait hideuse, avec ses rougeurs qui disparaissaient sous les manches de la blouse du sari pour finir Dieu sait où. Elle ne savait pas que ce qui à son époque paraissait anguleux et ingrat serait bientôt universellement considéré comme séduisant : de larges épaules bien droites, une poitrine épanouie, de longues jambes, des hanches fines et de merveilleuses pommettes saillantes. La candidate n'incarnait absolument pas la douce beauté indienne au visage rond. Assise dans cette pièce à l'étudier d'un œil critique, Maman n'aurait jamais pu deviner que le ventre de la jeune fille porterait sa petite-fille préférée. Qu'un jour, son fils accourrait à la maison pour lui annoncer, les larmes aux yeux :

– Ama, Mohini est revenue chez nous. Elle est revenue sous la forme de ta petite-fille.

Non, elle n'épousera pas mon fils, s'est-elle dit ce jour-là. Les parents étaient sournois et leur logement si pauvre qu'il lui était difficile d'imaginer qu'ils puissent avoir une dot de dix mille ringgit dans une banque quelconque. En outre, si la jeune fille était vraiment un professeur diplômé, comme ses parents le prétendaient, pourquoi ne travaillait-elle pas ? Ou bien ils mentaient, ou bien elle était incroyablement paresseuse. De toute façon, cela ne présageait rien de bon pour les projets et les espoirs de Maman. Cette fille ne convenait tout simplement pas.

Dans le poulailler, Lakshmnan a commencé à grincer des dents. Il avait échafaudé de grands projets avec l'argent de la dot et Maman était en train de tout gâcher. Son imagination fébrile avait déjà doublé et même triplé la somme à la table de jeu. Il nourrissait depuis si longtemps l'illusion grisante que s'il s'asseyait aux tables de jeu avec assez d'argent derrière lui, sa chance devrait tourner un jour.

Ils ont poliment pris congé.

Dans la voiture, Lakshmnan a annoncé brusquement :

– Je veux cette fille.

– Mais tu as toujours voulu épouser une femme au teint clair et qui travaille, a répondu Maman.

– Non, j'aime cette fille.

– Comme tu veux.

Elle était en proie à une rage blanche. Papa regardait silencieusement par la fenêtre. Il aimait bien contempler les hévéas qui défilaient sur des kilomètres. Cela l'aidait à ignorer les vagues de fureur de sa femme et de son fils aîné.

Cette nuit-là, mon frère Sevenese a fait un rêve. Il était assis sur une bande de terre désertique. Aussi loin que portait son regard, le sol était sec et rouge. Dans le lointain, une charrette tirée par un buffle avançait lourdement vers lui en cahotant dans un nuage de poussière rouge. Autour du cou de l'animal était suspendue une clochette qui tintait doucement. Mon frère avait déjà entendu ce son quelque part. Le conducteur de la charrette, un homme qui portait une longue barbe blanche, déclara :

– Dis-lui que l'argent sera perdu en une seule fois.

À l'arrière de la charrette se trouvait un long cercueil noir. Une bourrasque de vent fit tinter la clochette. Oui, mon, frère avait déjà entendu ce son.

– Regarde, dit le vieil homme en désignant le cercueil. Il ne m'écoute jamais. Maintenant il est mort. Dis-le-lui. L'argent sera perdu en une seule fois.

Puis il frappa le pauvre buffle de son long bâton et la charrette poursuivit son chemin dans le paysage désolé.

– Attendez ! cria mon frère.

Mais la charrette continuait d'avancer dans un nuage de poussière. Seul demeura le souvenir du tintement. Analogue à celui des petites clochettes que Mohini portait à ses chevilles.

Quand Sevenese s'est réveillé, sa première pensée a été : *Il ne doit pas l'épouser. Ce sera une union malheureuse.* Jusqu'à ce que Sevenese fasse ce rêve, personne n'avait compris que l'intérêt soudain que portait Lakshmnan au mariage était uniquement lié à la dot. Tout cela était clair pourtant. La force brûlante, impérative, qui le poussait à épouser cette fille au teint foncé, aux rougeurs effrayantes, et sans emploi, avait pour seule source l'avidité.

Lakshmnan et Maman ont levé les yeux de leur petit déjeuner. Sevenese s'est senti comme un daim dans la tanière de tigres rugissants.

– L'argent sera perdu en une seule fois, a-t-il dit à Lakshmnan.

Il y a eu un silence de mort dans la pièce. Lakshmnan a fixé Sevenese d'un air étrange et bouleversé.

– Ne l'épouse pas, c'est une erreur, a dit Sevenese.

Cette pensée a louvoyé tout autour de la pièce. Une fois déjà, on avait passé outre l'avertissement de Sevenese et on l'avait regretté. Pouvait-on se permettre une autre erreur ? Celle-ci pourrait s'avérer très lourde.

– J'ai entendu les clochettes que Mohini portait à ses chevilles, a ajouté Sevenese.

Le bouleversement a fait place à une colère froide et implacable. Lakshmnan n'a pas grincé des dents, il n'a pas saisi Sevenese par le col de sa chemise.

– Vous avez tort, tous, a-t-il dit d'une voix empreinte d'un calme qui lui était complètement étranger.

Cela nous a frappés beaucoup plus que s'il avait tempêté. Il a quitté la pièce sans ajouter un mot.

Immédiatement, Maman a entrepris d'écrire une lettre aux parents de la jeune fille. Elle leur expliquait qu'à son retour elle avait constaté que les lampes à huile de l'autel domestique s'étaient éteintes. C'était un signe de mauvais augure et on lui avait conseillé de ne pas poursuivre plus avant les pourparlers de mariage. Sevenese est allé poster la missive en ville.

Une lettre est arrivée ; elle était adressée à Lakshmnan. Il a déchiré l'enveloppe et l'a lue dans le potager, en nous tournant le dos. Puis il l'a froissée dans son poing et l'a jetée dans un massif de bananiers. En revenant vers la maison, il avait une expression soucieuse. Il s'est mis en quête de Sevenese. À cette époque, celui-ci travaillait déjà comme inspecteur sanitaire à la Compagnie des chemins de fer de Malaisie. Il parcourait tout le pays pour inspecter la propreté des installations de la Compagnie. Il avait passé le week-end chez nous, mais ce matin-là, il était dans la chambre en train de faire sa valise pour repartir.

Lakshmnan se tenait dans l'embrasure de la porte.

– Est-ce qu'elle a dit que je perdrais tout en une seule mise ? a-t-il demandé abruptement.

– Oui, a simplement répondu Sevenese.

Pendant environ une heure, plongé dans ses pensées, Lakshmnan a arpenté nerveusement la maison. Puis, son tourment a paru prendre fin. Il est allé trouver Maman et lui a dit qu'il épouserait Rani et personne d'autre. Peut-être pensait-il qu'il ne dilapiderait pas tout. Peut-être avait-il le projet grandiose de démarrer une affaire, comme ses amis chinois.

Ce soir-là, dès qu'il est sorti pour jouer au cricket sur le terrain de jeu de l'école, Maman s'est précipitée pour récupérer la lettre froissée dans le massif de bananiers. Je crois que cette lettre est encore dans son coffre en bois.

> *Très cher,*
> *Je vous en prie, ne m'abandonnez pas. Je crois que je suis déjà très amoureuse de vous. Depuis votre départ, je ne dors plus, je ne mange plus. Votre beau visage ne quitte pas mon esprit. Nous ne croyons pas à ces sottises de lampes éteintes qui seraient un signe de mauvais augure. Il est dans la nature d'une lampe de s'éteindre quand la mèche s'épuise et que l'huile a brûlé. On ne peut pas penser qu'un simple acte d'inattention puisse être un mauvais présage pour notre mariage. Je suis une fille toute simple issue d'une famille pauvre. Depuis des années, mon père a mis de l'argent de côté pour ma dot qui constituera un acompte idéal pour acheter une maison ou pour démarrer une affaire. Un homme aussi doué que vous peut faire beaucoup de choses avec cet argent. Votre père m'a dit que le commerce vous intéressait. J'ai beaucoup souffert dans ma vie, mais je serai heureuse à vos côtés, même en ne mangeant que du riz blanc et de l'eau. Je vous en prie, mon amour, ne m'abandonnez pas. Je vous promets que vous ne regretterez jamais la décision de m'avoir épousée.*
> *Bien à vous, pour toujours.*
> *Rani*

Maman était blême de rage. Ses mains tremblaient d'une colère irrépressible. Elle avait détesté cette fille dès qu'elle l'avait vue et elle avait eu raison. Cette pimbêche sournoise agitait l'argent de la dot comme un drapeau rouge devant le taureau. Elle s'est tournée vers mon père.

– Tout est ta faute, s'est-elle écriée, emportée. C'est toi qui lui as donné cette idée en parlant du sens des affaires de Lakshmnan. Pourquoi est-ce que tu es toujours incapable de te taire ? Tu savais bien que j'avais parlé de sa passion pour le jeu afin de les dissuader.

Comme d'habitude, Papa est resté silencieux. Il y avait dans ses yeux une acceptation muette. Ne savait-il pas que cette expression irritait Maman davantage encore ?

Lakshmnan a obtenu gain de cause. Il a eu son double mariage. Cela a été un jour épouvantable. Maman était d'une humeur massacrante. Elle a refusé de mettre des fleurs dans ses cheveux et portait un sari d'un gris terne, à peine rehaussé de quelques rares motifs. Raide et malheureuse, elle est restée à l'écart. Lakshmnan, loin d'être content d'avoir obtenu ce qu'il voulait, affichait une mine renfrognée et rébarbative. Il avait l'air d'avoir hâte que la cérémonie se termine. Cette nuit-là, la toute nouvelle belle-mère de Lakshmnan est discrètement venue le trouver pour lui avouer qu'ils n'avaient pas les dix mille ringgit pour l'instant, mais trois mille seulement. Dans la pénombre de la chambre, ses yeux d'un noir d'encre miroitaient de ruse. Toutes ces années passées à être la femme d'un joueur invétéré, à jouer à cache-cache avec le poissonnier, le boucher, le boulanger, les marchands de légumes et de café, l'avaient parfaitement formée à ce genre de négociations.

– Nous vous donnerons bien entendu les sept mille ringgit restants dès que nous les aurons. Un cousin qui a des problèmes d'argent nous les a empruntés. Nous n'avons pas pu dire non. Vous comprenez, n'est-ce pas ?

Son intonation et sa diction étaient parfaites. Elle devait venir d'une bonne famille.

Bien sûr que Lakshmnan comprenait. Il n'était pas le fils de ma mère pour rien. Il aurait le reste à Pâques ou à la Trinité. Elle lui a tendu la volumineuse enveloppe. Prends le liquide, renonce au reste. On était en train de l'escroquer. Il le savait. Le sang a commencé à battre dans sa tête. Il avait épousé leur horrible fille. On lui devait dix mille ringgit. Tous ses projets, créer une entreprise, conclure des affaires... tout cela se brisait en mille morceaux. Une rage justifiée est montée en lui. Il aurait voulu dire : « Non. Reprenez votre horrible fille et revenez quand vous aurez tout l'argent de la dot. » Mais les invisibles et soyeuses lianes qui s'attachaient à son être se pressaient contre sa poitrine. Les dominos d'albâtre froid attendaient, posés sur la table, faisant claquer leur langue en murmurant : « Prends-la, Prends-la. Oh, hâte-toi. »

Enragé d'avoir ainsi été escroqué, Lakshmnan s'est précipité dans une maison de jeu et a perdu tout l'argent en une seule partie. Il n'a pas tardé à constater que sa femme, loin de se contenter d'eau et de riz blanc, souhaitait pouvoir donner ses saris chez le teinturier. À cette idée, ma mère est restée muette ; même mon père s'est étranglé en buvant son thé.

Troisième partie

La tristesse d'une phalène

Rani

Ma mère m'a appelée Rani afin que je vive la vie luxueuse d'une reine[1], mais quand je n'étais encore qu'un bébé, une triste phalène s'est posée sur ma joue. Et bien que Maman l'ait instantanément reconnue et l'ait écartée avec un cri d'effroi, l'attristante poussière de ses ailes veloutées s'était déjà déposée sur ma peau. Cette fine poussière a été comme un sort jeté sur mon âme, dupant le bonheur et livrant mon pauvre corps aux terribles rigueurs de l'existence. Même le mariage qui avait brillé comme un paradis immaculé d'amour véritable, de félicité éternelle, n'a été qu'une déception de plus dans ma vie. Regarde-moi : je vis dans une petite maison en bois avec des créanciers qui aboient à ma porte, jour et nuit. Je n'ai fait que revivre la vie misérable de ma pauvre mère.

Je maudis le jour où cette araignée veuve noire, ma belle-mère, est venue chez nous pour tisser des mensonges soyeux avec ses propos doucereux. Comme des fils d'argent, ils s'échappaient de sa bouche redoutable et m'ont pris dans leur toile. Je me suis débattue en vain. La vérité, c'est qu'ils m'ont tous forcée à épouser ton père. Avant qu'il n'entre dans ma vie, des médecins, des avocats, des ingénieurs et même un neurochirurgien formé à Londres avaient demandé ma main. Et c'est moi qui avais hésité. Ayant l'embarras du choix, je réussissais à trouver des imperfections en chacun d'eux. Un nez crochu, un corps trop petit, trop maigre, il y avait toujours quelque chose qui clochait. Dans mon paradis immaculé, je voyais un grand prince au teint clair, beau et riche. Je pensais

---

1. *Rani* signifie « reine » en sanscrit.

que la patience était une vertu. Et en fin de compte, regarde ce que j'ai trouvé.

Il est maintenant trop tard pour aller repêcher l'un de ceux-là.

— Rani, avait dit l'araignée, mon fils est un homme bien. Honnête, travailleur et gentil. Il n'est pour l'instant qu'un instituteur, mais avec son sens des affaires, qui sait jusqu'où il ira.

J'ai dû épouser Lakshmnan pour le bien de mon frère qui s'était soudain mystérieusement amouraché de la fille de l'araignée. Si tu insistes, je te dirai que je trouve très curieux qu'il ait brusquement voulu épouser cette fille à tout prix. Même à cette époque, elle n'avait rien d'un tant soit peu intéressant, avec ses yeux de petit chiot battu et sa bouche quelconque. Et pourtant, en une rencontre, mon frère a été séduit au point de passer de l'indifférence à une détermination de fer.

— C'est elle et personne d'autre, a-t-il déclaré, le regard scellé par le sort.

Il est impossible qu'elle l'ait grisé avec ses yeux sans joie et sa bouche dédaigneuse. Non, non, à vivre si près de la maison du charmeur de serpents, ils ont dû avoir recours aux mauvais esprits. Toutes les deux, la mère et la fille, ont jeté un sort à mon frère. Mon père dit que la première fois qu'ils sont allés voir la future mariée, on leur a offert une assiette de sablés à la noix de coco qui avaient un goût tout à fait différent de ce qu'ils connaissaient jusqu'alors. Même Maman a reconnu qu'ils étaient particuliers.

— C'était comme de manger des fleurs, a-t-elle dit.

Si exquis que mon frère en a mangé cinq.

Je sais que cette vieille sorcière a dissimulé quelque chose dans ses sablés. Un philtre d'amour qui a rendu mon frère amoureux de sa fille au visage plat. Il est devenu étrange ; dès qu'il le pouvait, il se rendait en moto jusqu'à Kuantan. Pas pour passer du temps avec la fille – oh, non, l'araignée n'aurait jamais permis une chose pareille. Il faisait tout ce chemin pour s'asseoir simplement dans un café en face de l'école Sultan Abdullah et la contempler amoureusement tandis qu'elle emmenait ses élèves sur le terrain de jeux de l'établissement. Maintenant, dis-moi franchement si tout ça ne ressemble pas à un cadeau du charmeur de serpents ?

— Épouse-le, m'ont-ils tous pressée.

Que pouvais-je faire ? M'y opposer ? Non, j'ai sacrifié mes rêves étincelants pour mon frère.

C'est ainsi que j'ai épousé Lakshmnan.

Et qu'est-ce que j'ai eu en échange ? Un beau gâchis, c'est tout ce que j'ai gagné. Un frère ingrat qui ne me parle plus, un bon à rien de joueur comme mari et des enfants qui me manquent de respect. J'ai beaucoup souffert.

Sais-tu ce que Lakshmnan a fait avec l'argent de ma dot ? Il a tout dilapidé lors de ma nuit de noces. Tout. Dix mille ringgit se sont envolés avant l'aube. Je me remémore souvent cette nuit-là. Elle ressemble à un lieu secret, à l'abri des ravages du temps. Tout y est si magnifiquement momifié que j'en suis bouleversée chaque fois que j'y retourne. Chaque émotion, chaque pensée en est si minutieusement préservée que je pourrais croire qu'elle se déroule une nouvelle fois devant moi. Je vois, je sens et j'entends tout, absolument tout. Apporte-moi des coussins que je les mette sous mes pauvres genoux enflés et je vais te raconter par le menu ce que m'a fait mon merveilleux mari.

Je redeviens une jeune mariée de vingt-quatre ans, et je suis de retour dans l'affreuse petite chambre de ta grand-mère Lakshmi, avec ces murs de bois brut. Je suis assise au bord d'un étrange lit argenté qui fait face à une glace, accrochée sur le battant de gauche d'une armoire en bois sombre. Dans le miroir, mon visage dans l'ombre est indubitablement jeune, mon corps ferme et mince. Je vois très distinctement la moustiquaire jaunissante qui, comme un léger nuage, pend au-dessus de moi, retenue aux quatre montants de ce grand lit. Dans le ciel, la pleine lune est lumineuse. La lumière lunaire est une chose curieuse. Ce n'est pas vraiment une lumière mais une mystérieuse lueur argentée qui n'avantage et ne caresse que la pâleur et la luisance. Elle ignore un tapis décoratif roulé, dérobe toutes les couleurs chatoyantes d'une broderie mate accrochée au mur, mais elle rehausse l'éclat d'une cruche en verre décorée de petits carrés orange scintillants. Je constate qu'elle est particulièrement indulgente envers un service de porcelaine bon marché, un cadeau de mariage tout juste sorti de son emballage, dont la blancheur lustrée et le rose nacré se détachent avec un éclat particulier. Un plateau d'argent miroite.

L'air est lourd et humide. La ceinture en tissu qui retient tous les plis de mon sari est mouillée et désagréable au contact de ma peau. Un petit ventilateur tourne héroïquement dans l'air dense et oppressant. J'écoute le bruissement luxueux de mon sari en soie. Il ressemble à une conversation murmurée que je ne peux pas comprendre. La fenêtre est ouverte et, dehors, la stridulation des insectes nocturnes est particulièrement forte à mes oreilles de citadine. J'ai l'habitude du bruit de la foule.

Je suce mes lèvres sèches ; dans ma tête, le goût du rouge à lèvres se mêle à celui du vernis pas encore sec. Entre mes doigts croisés suinte une transpiration moite. Et l'absurde faucheux traverse le mur en zigzag comme un ivrogne. Il n'a pas changé du tout, bien qu'il doive bien avoir quinze ans maintenant. Dans ma tête, j'entends des clameurs, identiques à celles des funérailles chinoises, les gongs, les cymbales, les pleurs, les lamentations, et les pas traînants ; puis j'entends le silence de chacun dans la maison. J'ai veillé à ne pas faire de bruit, néanmoins ils m'entendent tous. Ils entendent l'horreur et sentent la honte de ma situation.

Aujourd'hui, je l'éprouve encore. L'odeur âcre de l'humiliation issue du petit pot de fleurs de jasmin que je lui avais offert en signe d'amour. J'avais incliné la tête et, timidement, tenant le pot de mes deux mains, je le lui avais présenté. Il avait pris l'offrande, mais, en levant les yeux, j'avais vu qu'il l'avait rejetée négligemment sur la table, près du lit. Le petit pot a été déséquilibré, et a roulé sur le côté ; les jolies fleurs se sont éparpillées sur la table et sont tombées sur le sol. Dans sa hâte de partir, il n'avait pas eu un regard pour mon cadeau. Il m'a laissée seule sur notre lit de noces satiné, jonché de pétales de fleurs, et il est parti précipitamment pour un minable tripot du quartier chinois.

Maintenant qu'il est parti, j'entends le silence de la maison. Tout le monde rit sous cape. Je suis assise, seule, dans mon splendide sari et je l'attends. Tranquillement. Calmement. Mais il y a en moi une colère si terrible qu'elle brille comme un métal chauffé à blanc. Elle me dévore les entrailles. Ma situation est insupportable.

On s'est moqué de moi.

S'il s'imaginait que j'allais jouer la jeune mariée timide et idiote, il se trompait fort. Je suis née et j'ai été élevée dans une ville dure, j'ai appris à être audacieuse. Je ne suis pas une péquenaude de la campagne. On m'a souvent comparée à une nerveuse jument de course. Les heures passent et mes yeux parfaitement maquillés flamboient sauvagement. Dans le miroir, mon visage durci s'est transformé en une statue courroucée de Kali[1] ; mes mains, raides à force d'être serrées, se sont lentement transformées en griffes. Mes lèvres douces ont disparu de mon visage ; seule une mince ligne reste visible. J'ai soif de vengeance. Je veux me ruer sur lui et enfoncer mes ongles fraîchement peints dans ses yeux.

Mais il n'est toujours pas de retour.

Et quand il revient, à l'aube, habité par une étrange colère intérieure, je ne peux que le contempler. Sans un mot, il s'affale sur moi et me viole. Je ne pleure pas, je ne crie pas, je l'étreins. Je le presse avidement contre moi, je l'enveloppe si complètement entre mes jambes que nous bougeons comme un seul animal. Au milieu de ma colère froide, je sais que c'est là mon pouvoir. Sa faiblesse sera toujours mon pouvoir. Dans ce lit, je serai le maître. Son insatiable besoin d'accouplement le ramènera toujours et sans trêve vers moi. Droguée par la découverte de ma propre puissance et de ma sensualité, je sens la colère s'échapper de mes yeux, brûler mes paupières et faire venir des larmes qui ruissellent le long de mes joues. Stupéfaite, j'observe son corps dur s'arc-bouter, sa bouche s'ouvrir et se refermer sur des hurlements silencieux : parodie d'une mère hippopotame penchée au-dessus du corps de son enfant raidi par la mort. Mais il se détache brusquement de mon corps qui l'agrippe.

Il s'assied, le dos voûté, sur le rebord du lit, la tête entre les mains, et il pleure comme une chose brisée. La lumière lunaire favorise mon mari, allongeant son corps nu qui paraît s'incurver à l'infini. Elle joue sur son torse. Un peu de lumière ici, un peu d'ombre là. Elle l'embellit. J'étends la main et, doucement, avec vénération, je touche les plages douces, exquises, de son corps. Mes doigts paraissent sombres sur sa peau claire. Il regrette. Je me sens toute petite face aux émotions que j'ai fait surgir.

C'est ma nuit de noces, pensé-je. Ce n'est pas du tout ce que j'avais imaginé, mais la passion et la puissance des émotions valent mieux, beaucoup mieux, que les stupides rêves roman-

---

1. Kali est l'une des parèdres du dieu Shiva. Elle est représentée sous la forme d'une divinité courroucée, le corps rouge, la bouche ouverte et la langue pendante, un collier de crânes sur la poitrine. Son culte exige des sacrifices d'animaux.

tiques que j'avais puérilement nourris. Il est à moi, me dis-je avec orgueil, cependant, au moment même où cette enivrante pensée emplit ma tête, il émet un bruit qui ressemble à la toux d'un daim ; il sanglote.

– Je n'aurais jamais dû t'épouser. Mon Dieu, je n'aurais jamais dû faire ça. Quelle terrible erreur !

Je vois tout cela très clairement : mes mains sombres s'arrêtent net sur la courbe de son flanc dur au moment où, en proie à un émerveillement mêlé de stupéfaction, je l'écoute sangloter sans arrêt en répétant :

– Je n'aurais jamais dû t'épouser.

Il a perdu tout notre argent, il m'a profondément blessée et humiliée ; pourtant, comme une note de musique, mon corps a tressailli et tremblé sous le sien. Son désespoir scellé au plus profond de lui-même était étrangement ensorcelant, son rejet brutal enflammait mon sang. Le défi de dompter un tel homme était irrésistible. Un jour, je serai celle qui tiendra dans ses bras son être douloureux et beau, celle qui dissipera toute la souffrance. Je ferai en sorte que tu m'aimes, pensé-je. Un jour, tu me regarderas avec des yeux brillants.

Je sens encore les cicatrices de cette nuit. Il m'a fait une chose d'une cruauté impardonnable, mais il était si beau que son rayonnement m'aveuglait. Si tu l'avais vu à cette époque-là ! Il avait l'habitude d'enlever sa chemise et de porter des charges dans notre petit jardin, et les Malaises qui vivaient de l'autre côté de la rue se cachaient derrière leur rideau pour le regarder. Lorsque nous marchions ensemble, les gens nous observaient ; ils m'enviaient de posséder un tel homme.

Je sais qu'il en serait venu à m'aimer s'il n'y avait pas eu, au début de notre vie, cette araignée suspendue au-dessus de nous, instillant du poison dans ses oreilles et tissant des mensonges autour de moi. Elle me haïssait. Elle pensait que je n'étais pas assez bien pour son fils : mais pour qui se prenait-elle ? Même jeune, elle n'était pas belle. J'ai vu des photographies d'elle et tout ce dont elle pouvait se targuer était d'avoir la peau claire. Elle était jalouse de tout ce que j'avais et s'arrangeait pour trouver une faille dans tout ce que je faisais. En fait, elle ne voulait pas perdre le peu d'influence qu'elle avait réussi à garder sur son fils chéri ; elle le voulait tout entier pour elle. Et pour parvenir à ses fins, elle se servait de l'argent. L'argent était sa seule façon de le contrôler. Elle aurait pu nous secourir financièrement. Cette grippe-sou a lentement amassé un énorme magot à la banque, une somme que mon mari l'avait aidée à accumuler. Elle aurait pu nous épauler, mais elle préférait assister à ma perte.

Elle se donne de grands airs et minaude, cependant je ne m'y laisse pas prendre. Imagine-toi qu'elle a raconté à ma fille que tous les ancêtres mâles de sa famille ont été brûlés comme des rois sur des bûchers funéraires édifiés spécialement avec du bois de santal, alors qu'en fait son père n'était qu'un serviteur ! Ma mère est d'une origine beaucoup plus pure. Elle vient d'une famille de marchands très respectée. Elle était fiancée à un très riche négociant de Malaisie. Il l'avait choisie parmi de nombreuses photographies de prétendantes et les préparatifs d'une somptueuse cérémonie de mariage étaient presque terminés lorsqu'on l'a fait venir de Ceylan. Elle a pris la mer accompagnée d'une tante qui la chaperonnait et d'une grande boîte en fer pleine de bijoux. Elle avait seize ans et était d'une grande beauté, avec ses splendides pommettes et ses grands yeux translucides. On avait chargé un ami de la famille de les escorter, de les protéger et de veiller à ce que les innocentes arrivent saines et sauves. Mais la famille de ma mère ignorait que l'homme auquel ils avaient confié la garde de leur fille était un traître. Ce grand gaillard à la peau sombre l'a forcée à l'épouser sur le bateau.

Au moment où elle a débarqué, la graine qui allait devenir mon frère aîné se développait déjà dans son ventre. Parfois, aujourd'hui encore, lorsque je ferme les yeux, j'entends Maman pleurer doucement à travers la fine cloison qui séparait leur chambre à coucher du salon où nous, les enfants, dormions sur des nattes à même le sol. De la position que j'occupais près du couloir, je l'entendais, dans l'obscurité, demander d'une voix suppliante quelques ringgit de plus pour nous acheter de la nourriture. Quand je l'entends encore pleurer ainsi, je me demande toujours ce que la vie aurait été si j'étais née de l'union de Maman et de son riche futur mari. Je me dis alors que mon père m'aurait manqué, parce que je l'aime tendrement.

Je l'aimais même lorsqu'il arrachait violemment les bijoux de Maman qui ne voulait pas céder, quand il n'y avait plus rien à manger à la maison et que nous étions affamés. En fait, je l'aimais même quand il se précipitait hors de chez nous pour aller aux courses, en serrant l'enveloppe qui contenait sa paie hebdomadaire dans ses grandes mains brunes. Je n'ai pas cessé de l'aimer lorsque l'épicier m'a humiliée, en criant avec grossièreté que je n'aurais plus une seule miche de pain jusqu'à ce que mon père ait réglé sa note. Mon Dieu, je l'aimais encore lorsqu'il a envoyé mes trois frères vivre chez sa méchante sœur qui avait un élevage de poulets et chez laquelle ces pauvres enfants devaient nettoyer tous les jours les rangées de cages à poules et être battus par leur oncle avec une latte de bois.

Quand je songe à Papa, je le vois toujours dans la petite épicerie qu'il avait acquise pendant l'occupation japonaise, un petit bâtiment de plain-pied, en bois, aux murs de planches, pourries par endroits ; mais tout cela nous appartenait. La boutique donnait sur la rue et nous vivions à l'arrière, cachés par un simple rideau imprimé. Grâce à cette boutique, nous avons eu du riz, du sucre et des provisions pendant toute l'occupation. Je regardais Papa peser des marchandises sur sa vieille balance avec des objets métalliques de différentes tailles en guise de poids.

Un problème de cataracte l'a maintenant rendu aveugle, mais je le revois encore assis devant sa table étroite, entouré de sacs de jute d'où dépassaient des céréales, des fèves, des piments, des oignons, du sucre et toutes sortes de denrées séchées. Quand on pénétrait dans l'échoppe, l'arôme dominant était celui des piments secs, puis venaient les effluves de cumin et de fenugrec et ensuite la légère odeur de moisi des sacs de jute. Une fascinante gamme de biscuits empilés dans de grands bocaux fermés par un couvercle en plastique rouge bordait de chaque côté l'entrée du petit magasin.

J'aimais ce magasin. C'était celui de Papa, mais quand il était fermé, les portes de devant cadenassées, c'était le mien. Je passais des heures alors à jouer avec les balances et à fouiner dans ses papiers. Je lisais à haute voix ses carnets de commandes qui contenaient des pages remplies de sa large écriture brouillonne, et les prix à côté desquels étaient tracées de larges coches à l'encre bleue. J'ouvrais le tiroir-caisse et je jouais avec l'argent qui se trouvait à l'intérieur, faisant semblant de vendre des choses et de rendre la monnaie ; avant de quitter mon échoppe, je glissais quelques pièces dans ma poche. J'aimais le tintement qu'elles faisaient dans mon vêtement. Papa n'a jamais paru s'apercevoir de leur disparition.

Je crois que ces moments ont été les plus heureux de ma vie. Puis il y a eu ce garçon qui livrait les marchandises à l'épicerie. Il m'a dit que j'étais belle et, une fois, il a essayé de me caresser le visage à l'arrière du magasin ; je lui ai ri au nez d'un air méprisant en lui déclarant que je n'épouserais jamais quelqu'un qui avait les mains si sales. Je n'avais que douze ans, mais j'avais un rêve. Je voulais un homme riche comme celui qui avait été promis à ma mère. Un jour, j'aurais des serviteurs, de jolis objets, de beaux vêtements et je ne ferais mes courses que chez Robinson. J'irais en vacances en Angleterre et en Amérique. Les gens que je rencontrerais seraient respectueux et pèseraient leurs mots avant de me parler. Ils ne songeraient même pas à m'adresser la parole sur le ton qu'ils prenaient pour apostropher ma mère. Un jour, je serais riche. Un jour magnifique...

Après le départ des Japonais, Papa a perdu le magasin en jouant aux courses et nous avons déménagé à Klang. Des moments vraiment difficiles sont arrivés où mon père ne rentrait pas à la maison pendant des semaines. On passait des jours à avoir faim. Mes frères volaient de la nourriture dans les magasins de la ville, mais les commerçants les reconnaissaient et venaient chez nous pour les battre. Ma pauvre Maman se jetait à leurs pieds pour les supplier de les épargner. C'était l'époque où des hommes bizarres, des pillards de la dernière heure, avaient l'habitude d'entrer à grands pas chez nous dans l'espoir de trouver quelque chose de valeur à emporter. Ils repartaient les mains vides, en crachant avec dégoût sur le seuil de notre porte. Nous avons réussi à survivre.

Le jour est arrivé où j'ai réussi mes examens et où je suis devenue institutrice diplômée. J'ai décidé de ne pas travailler. Pourquoi l'aurais-je fait ? Le moment était venu d'épouser l'homme riche de mes rêves. Je ne voulais pas travailler en élevant mes enfants et en veillant sur des serviteurs. Grâce à mon mari si extraordinaire, je n'ai pas eu de domestiques à superviser.

Quand j'ai emménagé dans la maison de l'araignée, j'étais très gentille et très polie avec elle. Je l'aidais à couper les légumes et, parfois, j'allais même jusqu'à balayer la maison. Cependant je voyais bien qu'elle n'était pas contente de moi. Chaque fois qu'elle me regardait, je sentais dans ses yeux féroces une froide désapprobation. Elle m'observait comme si j'étais une voleuse.

Il m'a fallu des années pour comprendre que j'avais volé ce qui lui était le plus précieux. J'avais volé son fils. Au bout d'un certain temps, son regard accusateur a commencé à m'inquiéter. Une telle jalousie. Elle la vomissait dès qu'elle ouvrait la bouche. Pendant ma première grossesse, lorsque j'attendais Nash, quelqu'un m'a dit que si je mangeais des fleurs de safran importées d'Inde, beaucoup d'oranges et des pétales d'hibiscus, le bébé naîtrait avec le teint clair. Je suis allée en acheter en cachette et je les ai mangés dans notre chambre, les portes fermées, afin qu'elle ne me voie pas et qu'elle ne me jette pas un sort. Au bout de trois mois passés dans cette satanée maison, j'avais souvent des malaises qui m'obligeaient à m'asseoir sur la véranda, loin de son regard jaloux. Je suis sûre qu'elle a vu les pelures d'oranges et les boutons de fleurs dans la poubelle et qu'elle leur a jeté un sort, car mon fils, Nash, est né avec le teint foncé. Quand j'étais enceinte de mes deux filles, j'ai mangé exactement la même chose et toutes les deux, Dimple et Bella, ont le teint clair. Cela prouve à quel point ses yeux sont perfides.

Je me suis toujours méfiée de la famille de mon mari. Ils font des choses étranges. Regarde le pouvoir qu'exerce leur magie sur mon frère. Après toutes ces années, et bien qu'il soit devenu si riche que les jeunes filles se jettent à ses pieds, il est toujours profondément attaché à la fille de l'araignée, alors qu'elle est vraiment quelconque. Il y a aussi cette histoire inquiétante qu'ils racontent tous à propos de Mohini. Je ne peux même pas en parler en présence de Lakshmnan. Il quitte la pièce dès que je la mentionne. Une fois, j'ai prononcé son nom au cours d'une dispute. Et il s'est jeté sur moi avec une colère terrible. Il a saisi mon cou de ses deux mains et j'ai senti à quel point il avait envie de resserrer leur étau meurtrier. J'étais presque violette et à moitié morte lorsqu'il m'a repoussée d'un air mauvais, les mains pendant de chaque côté de son corps. La façon dont cette famille vénère le souvenir de Mohini a quelque chose de malsain. Quand mon mari a vu sa fille pour la première fois, il est devenu blanc comme un linge.

— Mohini, a-t-il murmuré.

Il semblait à moitié fou.

— Non, Dimple, ai-je dit, car j'avais décidé de donner à ma fille aînée le nom de la célèbre actrice de films hindis.

Je ne vois aucune ressemblance entre ma fille et la famille de mon mari. Dimple ressemble tout à fait à ma mère. Elle a la même ossature. De magnifiques pommettes dans un visage en forme de cœur. L'araignée est venue voir Dimple ; elle voulait l'appeler Nisha. Cela signifie nouvelle lune, ou quelque chose d'analogue. Elle prétendait que donner à un enfant un nom qui n'avait pas de sens priverait également sa vie de signification. Je ne crois pas à ces sornettes éculées. Je voulais un joli prénom moderne. Dimple, n'est-ce pas beaucoup plus joli que Nisha ? Après mon retour de l'hôpital, Sevenese est venu nous rendre visite. Il s'est approché du berceau pour regarder Dimple et il a pâli.

— Oh, non, pas toi, s'est-il écrié.

— Quoi ? *Mais quoi ?* ai-je hurlé en me précipitant vers le berceau, craignant que le bébé ait cessé de respirer ou quelque chose d'aussi atroce.

Dimple dormait profondément. Son torse menu se soulevait en petits mouvements réguliers, une adorable langue rose dépassait de ses lèvres endormies. J'ai effleuré son visage doux et chaud. J'étais furieuse contre Sevenese qui venait de me donner un choc inutile, mais son visage avait retrouvé son calme.

— Qu'est-ce qu'il y a ? Pourquoi avez-vous dit cela ?

Il a souri avec insouciance.

— Rien, c'est simplement quelqu'un qui marche sur ma tombe.

J'ai eu envie de le gifler, mais je l'ai pressé de s'expliquer. Il s'est contenté de rire et a fait semblant de parler d'autre chose. Il ne m'a jamais vraiment aimée et il avait du mal à trouver ses mots. Puis, il est parti précipitamment, comme si rester une seconde de plus chez moi était une épreuve insupportable. Parfois je pense qu'il n'a pas les pieds sur terre. Je ne le comprends pas.

Sevenese n'est pas le seul dur à cuire. En général, j'ai du mal à comprendre les gens. Pourquoi ma gentillesse n'est-elle toujours récompensée que par la jalousie et la rancune ? Maintenant qu'elle n'a plus besoin de moi, ma propre famille a oublié tout le bien que je lui avais fait. Parfois, lorsque mes parents se disputaient, ma mère sombrait dans une profonde dépression. Elle allait dans sa chambre, fermait les fenêtres et s'allongeait sur le lit sans rien faire. Ses paupières ne bougeaient même pas quand je me glissais dans la pièce. Son visage était vide, presque mort. Dans ces moments-là, j'étais partagée entre la terreur épouvantable de ne jamais la voir sortir de sa transe et le besoin irrépressible de la gifler pour qu'elle réagisse. En ces temps difficiles, c'est moi qui nourrissais toute la famille avec l'argent que je gagnais en apprenant le malais à notre voisine, Mme Muthu. C'est moi qui allais chercher la miche de pain et qui la partageais avec mes frères. Tous les autres sortaient de la maison en cachette pour manger quelque chose à toute vitesse et pour ne pas avoir à s'occuper du corps comateux de Maman. Maintenant ils refusent de reconnaître que je les ai aidés.

Quand je n'étais encore qu'une enfant, j'ai dépensé mes derniers cents pour eux. Maintenant qu'ils sont riches, qu'ils vivent dans de grandes demeures, ils me tournent le dos.

— Ne vis pas au-dessus de tes moyens, me narguent-ils, comme si ça suffisait pour me mettre à l'abri du besoin. Il y a des gens qui vivent avec moins.

Puis ils font une grimace de mépris et me demandent l'air de ne pas y toucher :

— Qu'est-ce que tu as fait de l'argent que je t'ai donné la dernière fois ?

Comme si une aumône de deux ou cinq mille ringgit pouvait durer toute la vie. Ils veulent que je vive comme l'araignée, mais je ne le ferai pas. Pourquoi devrais-je vivre comme une avare à compter chaque cent alors que mes proches sont si riches ?

Au début, lorsque nous nous sommes installés dans la nouvelle maison, Lakshmnan et moi devions nous démener pour payer les factures. Mais j'étais futée et j'ai décidé de devenir marieuse. C'est moi qui ai trouvé une épouse pour Jeyan ; j'ai payé le voyage jusqu'à Seremban pour chercher une femme. Après, oui, j'ai touché ma commission, seulement elle a à peine couvert mes frais. Et quelle fleur je lui ai trouvée ! D'accord, elle n'avait pas vraiment de compétences, cependant pour un homme comme lui, elle était un trésor inégalable. Après leur mariage, je les ai invités à rester chez nous et ils s'y sont installés pendant trois mois ; ils mangeaient et se conduisaient comme s'ils étaient chez eux. Je suis même allée voir un sinseh chinois pour acheter des poudres et des racines médicinales afin d'accroître la virilité de Jeyan. C'était un homme chétif. Crois-moi, c'est bien grâce à mes efforts s'ils ont deux filles maintenant. Et qu'est-ce que j'ai eu en retour ?

Cette catin a commencé à faire du charme à mon mari. Je l'ai sauvée du célibat, je l'ai fait venir chez moi afin qu'elle n'ait pas à vivre dans l'ombre de l'araignée : et comment m'a-t-elle remerciée ? En essayant de séduire mon mari ! C'était une ingrate et une rusée. Une vraie intrigante. Elle traînait dans la cuisine, endimanchée de la tête aux pieds, comme si elle était un modèle de vertu. Elle insistait pour préparer tous les repas. J'ai supporté en silence ses curries trop dilués où flottaient de fades morceaux de viande. Puis, un jour, j'ai vu mon mari lui jeter de la viande sur la table. Elle avait osé demander à *mon mari* de lui acheter de la viande ! J'ai tout de suite compris le danger. Je faisais les courses moi-même, et voilà que cette garce était sournoisement en train d'allumer mon mari. Je connais les femmes. Elles sont beaucoup plus dangereuses que les hommes. Qu'est-ce qu'un homme sinon un prolongement sans méfiance de ce rouleau de chair qui pend entre ses jambes ? C'est bien la femme le prédateur.

Le cœur d'une femme ressemble à une bouche hérissée de longues dents qui poussent vers l'intérieur. Chacune d'elles, aiguisée, effilée, est adroitement dissimulée sous un visage joliment maquillé, sous un doux regard, un corps à moitié dévêtu, un sourire timide, une jambe négligemment croisée, un poignet blanc ou une nuque tendue, merveilleusement lisse. Une à une, elle plante ses dents sur sa proie, au dépourvu et, plus la victime se débat plus ferme se fait l'emprise, jusqu'à ce qu'elle soit totalement paralysée et qu'elle n'ait plus qu'à se soumettre. Mon mari était très beau et elle le voulait tout à elle. Il n'était pas conscient des dents ; moi, si. Un soir, elle a même volé ma meilleure recette sous mes yeux en prétendant que c'était la sienne. Cette femme avait un toupet !

Il fallait que ça cesse.

Cette idiote imaginait mon mari en héros monté sur un fier destrier blanc. Mais ce n'est pas un héros. Il n'y a pas une once de tendresse en lui. Il ressemble à un lion : trop égoïste, trop majestueux pour aimer. Il aurait eu vite fait de mâcher et de recracher une souris comme elle et de courir après une autre. Comme elle assistait à nos violentes querelles, elle s'est convaincue que nous étions des ennemis jurés.

– Pas du tout, lui ai-je crié sous le nez. (Sa mâchoire en est tombée.) Mon homme et moi nous sommes comme les deux moitiés d'une paire de sécateur, jointes à la taille, destinées à nous déchirer, mais capables de fendre en deux quiconque s'immisce entre nous. Est-ce que tu comprends où tu te trouves en ce moment ? lui ai-je demandé. Au beau milieu. Je l'ai dans la peau et lui aussi. Parfois, il me met tellement en colère que j'ai envie de verser de l'huile bouillante sur son nombril quand il dort ou de le jeter aux crocodiles pour qu'ils le digèrent tout entier : ses os, ses cheveux, sa peau et même ses lunettes. Mais à d'autres moments, je suis jalouse de l'air qu'il respire. Eh oui, je suis même follement jalouse des femmes qu'il regarde à la télévision.

Oui, elle ignorait tout de ma passion. Elle ne l'imaginait même pas. Elle est restée là, debout, choquée, la bouche ouverte comme un poisson hors de l'eau. Mon amour ressemble aux plantes carnivores qui vivent de la chair d'insectes comme elle. Quand vous me voyez en proie à une colère noire et que je me précipite sur lui en visant ses yeux, ou que je dresse son propre fils, Nash, contre lui, je l'aime encore profondément et je ne le laisserai jamais partir. Il m'appartient. Et pourtant, mon amour est si secret que même mon mari, l'objet de ma passion incontrôlable, en ignore tout. Oui, j'ai su dès le tout début que mon amour était un fouet qu'il pouvait utiliser contre moi ; c'est pourquoi il est fermement convaincu que je le hais, que je hais jusqu'à son apparence.

– Allez-vous-en, leur ai-je crié à tous les deux.

La vue de Jeyan et de ses yeux pathétiques d'amoureux transi avait commencé à m'irriter. Il tournait autour de cette garce rusée en la fixant comme un chien stupide. J'allais jusqu'à penser qu'il haletait comme un animal. Je leur ai donné vingt-quatre heures pour trouver un nouveau logement. Heureusement, ils ont eu besoin de moins de temps.

Après m'être débarrassée de ces deux sangsues, les choses ont commencé à aller mieux. Lakshmnan a réussi à négocier un terrain pour des hommes d'affaires chinois. D'ordinaire, ils l'escroquaient sans vergogne. Ils se servaient de lui pour faire toutes les démarches et quand le moment était venu de signer, ils le laissaient tomber et se partageaient le bénéfice. Il revenait à la maison en se plaignant amèrement que les cheveux étaient bien la seule chose qui ne soit pas tordue chez un Chinois. J'écoutais ses plaintes, pansais ses plaies, mais je le renvoyais au boulot.

– Tu es un lion, le roi de la jungle, alors rugis comme lui.

Enfin, après de nombreux échecs, il a conclu sa première affaire. Six mille ringgit. Il a déposé six mille ringgit dans ma main. Tu ne peux pas imaginer ce qu'on ressent quand on a une telle somme après avoir compté les cents toute sa vie. À cette époque-là, six mille ringgit constituaient une somme phénoménale. Tu imagines, le salaire d'un instituteur était d'environ quatre cents ringgit par mois; c'est dire la fortune que cela représentait. Mais je n'étais pas avare comme cette détestable araignée et je refusais catégoriquement de mettre cet argent de côté, de peur de m'y attacher. J'ai organisé pour Nash la plus belle fête d'anniversaire de sa vie. Oh, comme elle était somptueuse! Kuantan n'avait jamais rien vu de pareil. J'ai d'abord commencé par m'acheter une toilette extraordinaire, rouge et noire avec un col officier, qui recouvrait à peine les bras. Pour aller avec, j'ai fait une folie. J'ai acheté une superbe paire de chaussures rouges. Puis j'ai claqué deux mille ringgit dans le plus magnifique collier de chien dont j'aie jamais rêvé. Il était hérissé de vrais diamants et de rubis aussi gros que mes ongles de pied, c'était une pure merveille.

Je me suis lancée dans les préparatifs. Le frigidaire que j'avais commandé à Kuala Lumpur est arrivé. Le jour de la fête, je me suis glissée dans ma nouvelle tenue. Je n'arrivais pas à croire que l'image reflétée dans mon miroir était la mienne. Le coiffeur avait fait un travail fantastique. C'était le plus cher de tout Kuantan, mais il connaissait son affaire. À cinq heures, les invités ont commencé à arriver. Les petits portaient des robes à volants, des rubans et de minuscules nœuds papillons.

Nous avons servi les traditionnels gâteaux, gelées et limonades dans le jardin; mais la vraie fête a eu lieu plus tard. Les enfants étaient partis et il ne restait plus que les gens à la mode, les femmes aux robes froncées à la taille et évasées aux hanches et les hommes aux minces yeux sombres. J'avais loué les services d'un traiteur et d'un petit orchestre. Il y a eu un feu d'artifice et du bon champagne. Nous avons enlevé nos chaussures et dansé pieds nus dans l'herbe. C'était une soirée éclatante. Tout le monde était soûl.

Le matin, il y avait des gens endormis sur les marches de la porte d'entrée. J'ai même retrouvé une petite culotte dans le frigidaire. Les gens s'en souviennent encore. Mais après cette fête, les choses ont recommencé à aller mal. Lakshmnan a perdu au jeu les deux mille ringgit qui restaient et nous nous sommes à nouveau retrouvés sans argent. Tous les gens que nous avions invités ont refusé de nous aider. Bella a eu cinq ans, et je n'avais même pas de quoi lui acheter un gâteau.

Pour nourrir mes enfants, j'ai mis en gage mon nouveau collier de deux mille ringgit pour trois cent quatre-vingt-dix-neuf misérables ringgit. Je me rappelle l'éclair dans les yeux du Chinois derrière les barreaux de fer[1] quand je lui ai tendu mon collier. Je me souviens qu'il a fait semblant de l'examiner à contrecœur avec une loupe fêlée. Six mois ont passé, et je n'avais toujours pas l'argent pour racheter mon collier. Lakshmnan est allé demander à l'araignée si elle voulait bien le racheter et le garder jusqu'à ce qu'on puisse le lui rembourser. Mais cette créature malveillante a refusé.

– Je ne veux rien avoir à faire avec vos gaspillages.

Et mon beau collier est resté entre les mains du Chinois au regard cupide. Lakshmnan et moi avons commencé à nous disputer sauvagement. Comme nous nous sommes battus! Nous en venions aux mains pour des raisons les plus triviales, la cuisson des œufs le matin. J'ai arrêté de faire la cuisine. La plupart du temps, j'achetais simplement des plats cuisinés pour moi et les enfants, et je crois avoir entendu Lakshmnan se préparer des lentilles au curry et quelques chapatti quand il rentrait le soir. Il mangeait tout seul en bas. Et lorsqu'il montait enfin au premier étage, j'étais déjà au lit. Pour m'irriter davantage, il me citait sa mère en exemple.

– Elle n'a jamais acheté un plat tout préparé de sa vie!

J'avais de moins en moins d'argent. La nourriture était devenue très chère, et il n'y avait plus personne à qui emprunter.

Puis, quand Nash a eu neuf ans, son père a fait une autre affaire. Il est revenu à la maison avec neuf mille ringgit. Cette nuit-là, nous avons recommencé à nous parler. C'est alors que j'ai dit que je voulais partir, aller dans une grande ville, tenter notre chance à Kuala Lumpur. J'en avais plus qu'assez de vivre dans ce petit bourg paumé où tout le monde savait tout sur tout le monde. De toute façon, je n'avais plus d'amis à Kuantan. Même les voisins me battaient froid. La seule personne que je supportais encore était mon beau-père. Il a toujours été gentil avec moi. Quand j'étais vraiment désespérée,

---

1. En Asie du Sud et dans certains pays d'Asie du Sud-Est, les boutiques des joailliers sont souvent grillagées à l'extérieur et à l'intérieur.

j'allais le voir à son travail et il me glissait quelques dollars pour acheter à manger aux enfants. Lorsque toutes nos affaires ont été chargées sur le camion, je me suis retournée pour regarder la maison une dernière fois, et j'ai pensé : *Mon Dieu, ce que je te hais.*

Lakshmi

Ah, ah, tu veux savoir ce qui s'est passé à propos de cette peau de durian qui a volé à travers la pièce. Assieds-toi près de moi, et je vais te raconter ce passé trouble. C'était à cette époque abominable où l'emprise du jeu sur Lakshmnan avait transformé la vie en enfer pour nous tous.

— Ama.

Anna m'appelait.

J'ai ignoré son appel. Je l'avais vue arriver avec les durians. Je venais juste de me disputer avec Ayah parce que je l'avais surpris en train de glisser de l'argent dans la main de Lakshmnan. Cela me faisait passer pour un monstre et donnait à notre fils l'impression qu'il n'y avait pas de mal à jouer. J'étais dure avec mes enfants, parce que je les aimais et que je voulais toujours le meilleur pour eux. Si j'avais eu envie de me faciliter la vie, moi aussi, je lui aurais glissé quelques billets de temps à autre comme une offrande de paix, seulement mon souhait était que Lakshmnan change pour le mieux. Il fallait qu'il se débarrasse de cette habitude et j'en voulais profondément à mon mari de se montrer si faible.

— Ama!

Anna et Lalita m'ont appelée toutes les deux.

J'ai ronchonné et j'ai continué à ignorer leur appel. Des bruits de pas se sont approchés de mon lit. J'ai tourné le dos à la porte pour regarder fixement par la fenêtre le voisinage désert. Il faisait très chaud dehors. Tout le monde était chez soi en train de s'éventer. J'ai senti qu'Anna s'appuyait contre le montant du lit.

— Ama, je t'ai apporté des durians, a-t-elle soufflé.

284

À vingt ans, Anna n'avait pas l'extraordinaire beauté de Mohini, mais elle était l'incarnation de cette étonnante expression malaise *tahan tengok* : « plus on regarde, plus on apprécie ». La légère crainte que j'ai perçue dans sa voix m'a apaisée quelque peu. Et, en plus, je sentais les durians. Mon fruit préféré. Si elle avait attendu une seconde de plus, j'aurais tourné la tête en souriant, mais, au lieu de cela, elle s'est détournée et a quitté la pièce. J'étais déçue et blessée qu'elle n'ait pas insisté. Elles les mettront sur une assiette et alors j'accepterai l'offrande, ai-je pensé. J'ai entendu ses pas se diriger vers la véranda.

– Papa.

Elle appelait son père. Sa voix était manifestement plus heureuse et plus légère.

Peu importait ce que j'avais fait et toutes les privations que j'avais endurées pour mes enfants, ils avaient toujours pour leur père une affection et une tendresse particulières. N'est-ce pas à moi pourtant que revenait le mérite d'en avoir fait ce qu'ils étaient devenus ! Ce jour-là, la joie qui résonnait dans leurs voix m'a irritée tout particulièrement. Ils sont allés dans la cuisine en riant. Sans moi. Je pouvais imaginer la scène. Des journaux étalés sur le sol et tout le rituel excitant d'ouverture des fruits hérissés. On les tient dans une bourre de chiffons et puis on les fend d'un coup avec un grand couteau. Le craquement sourd et l'impatience... La chair est-elle tendre ? Le fruit est-il onctueux ? Était-ce un bon achat ?

Les fruits devaient être excellents, car j'ai entendu un sourd murmure d'approbation. Quelqu'un a ri. Une petite conversation anodine s'en est suivie. J'ai attendu encore un moment, mais personne n'est venu m'apporter ma part. Avaient-ils tout simplement oublié que j'adorais ce fruit, que j'existais ? À écouter leurs bavardages détendus, une hostilité nouvelle et plus meurtrière m'a empli le ventre. J'ai bondi hors du lit. La colère soulevait ma poitrine. Je ne sais toujours pas d'où vient la colère, néanmoins quand elle apparaît elle annihile tout. J'oublie la raison, le bon sens, tout. C'est une force intolérable en moi et j'éprouve un besoin urgent de la transférer sur quelqu'un, de m'en débarrasser. Haletante de rage, je me suis précipitée dans la cuisine. Les visages réjouis se sont tournés vers moi, leurs bouches pleines d'une bouillie crémeuse, et m'ont fixée avec horreur, comme une intruse. J'étais si furieuse que ma vue s'est brouillée. Je ne pensais plus. Quelque chose de brûlant et de répugnant est monté de mon ventre et a explosé à la base de mon crâne. Noir. Le monde est devenu noir. Le monstre qui était en moi a pris le pouvoir. J'ai ramassé une peau de durian pleine d'épines, je l'ai lancée droit sur Anna. Heureusement, elle a baissé la tête. Comme une balle, la peau a volé en sifflant au-dessus de sa tête et est allée s'écraser contre le mur de la cuisine. Les épines se sont incrustées dans le mur.

Nous nous sommes regardées fixement ; elle en proie à un choc incroyable et moi, profondément troublée, maintenant que le monstre était parti. Personne n'a bougé. Personne n'a ouvert la bouche quand j'ai tourné les talons et suis retournée dans la chambre. Il n'y avait pas de mots pour décrire les émotions qui se sont élevées en mon cœur. Personne n'est venu me serrer dans ses bras ou me parler. La maison s'est faite silencieuse. Puis je les ai entendus bouger, nettoyer, ouvrir les portes ; un balai qui époussette le sol, la peau des durians qu'on jette dans la poubelle, l'eau qui coule du robinet, le froissement du journal sur la véranda. Personne n'est venu voir la vieille femme abattue, aux épaules voûtées, au cœur brisé.

Je ne l'avais pas fait exprès. J'aimais ma fille. Je revoyais la peau du durian siffler dans l'air, se dirigeant droit vers son visage horrifié. Si elle n'avait pas baissé la tête à temps, j'aurais pu la tuer ou la défigurer. Je me sentais fatiguée, à bout. Je ne pouvais plus me supporter. La femme que j'étais m'a fait pleurer. J'ai pleuré de ne pas avoir le courage de faire le premier pas, j'ai pleuré devant mon incapacité paralysante qui m'empêchait de prendre ma fille dans mes bras et de lui dire : « Anna, toi qui es toute ma vie, je le regrette. Je le regrette profondément. » Au lieu de cela, j'attendais. Si seulement quelqu'un était entré dans la chambre, je me serais excusée. J'aurais dit que je le regrettais vraiment. Mais personne n'est venu et il n'a plus jamais été question de cet incident. N'est-ce pas curieux qu'après toutes ces années personne n'en ait fait mention, même en passant ?

Anna s'est mariée puis est partie avec son mari, et Rani, ma belle-fille, est venue vivre chez nous. Je ne m'étais pas trompée à son sujet. C'était une pimbêche. Elle voulait à tout prix nous prouver qu'elle était une fille de la ville. Blasée de tout et impressionnée par rien. Elle n'avait pas du tout les manières humbles d'une famille vivant dans un poulailler amélioré, elle se comportait comme une enfant gâtée, comme la fille de parents très riches ou de souche royale. Ses somptueux saris restaient, dehors, à pendre sur la corde à linge pendant des jours avant d'être envoyés chez le teinturier. La première fois que c'est arrivé, cela nous a choqués, comme elle l'escomptait. Les beaux saris constituent de précieux héritages familiaux qui se transmettent de mère en fille. J'ai toujours les saris que ma mère m'a donnés, soigneusement pliés dans du papier de soie et rangés dans mon coffre en bois.

— Est-ce que je les rentre ? Je les enlève de la corde à linge ? a demandé Lalita.

— Non. On va voir ce qu'elle en fait, ai-je dit.

Le second jour, toutes les parties qui avaient été exposées au soleil implacable de l'après-midi avaient commencé à se décolorer. Le troisième jour, elle n'a toujours rien fait. Les parties exposées sont devenues d'un rouge poudreux. Le sari carmin était à jamais perdu. Et le quatrième jour, elle m'a demandé :

— Belle-maman, connaissez-vous un bon teinturier dans les parages ?

Ce n'est qu'à ce moment-là que j'ai compris qu'elle avait gâché son beau sari dans le seul but de nous montrer à quel point elle était sophistiquée. Elle était loin d'être sotte et parlait bien, mais elle était paresseuse. Paresseuse à un point inimaginable. Elle ne faisait que se vanter des médecins, des avocats, des hommes d'affaires et du neurochirurgien qui étaient venus la demander en mariage. À cette époque-là, je ne voulais pas briser notre relation en l'interrogeant sur la raison qui l'avait incitée à choisir un instituteur rongé par la passion du jeu. J'ai fait comme si je n'avais jamais vu la lettre qu'elle avait envoyée à Lakshmnan pour le supplier de l'épouser. Un jour, elle a proposé de couper les légumes. Horrifiée, je l'ai observée en train de laver des lamelles d'oignon et de se débattre avec des pommes de terre comme si c'étaient des créatures vivantes.

À dix heures du matin, elle fermait sa porte à clef pour ne réapparaître qu'au déjeuner. Ensuite, elle retournait dans sa chambre pour dormir jusqu'à ce que son mari revienne. Dormir ! Jamais de ma vie, je n'avais vu pareille fainéantise. Quand elle a été enceinte de Nash, elle a même refusé d'entrer dans la cuisine, en prétendant que l'odeur de la nourriture la rendait malade. Elle nouait un tissu autour de son nez et s'asseyait pour bavarder en anglais avec Ayah dans le salon ou sur la véranda.

Elle l'aimait bien parce qu'il lui donnait toujours un peu d'argent en cachette. Puis elle s'est alitée et il a fallu lui porter ses repas dans sa chambre. Le soir, elle voulait aller au cinéma ou sortir dîner. L'argent filait entre ses doigts comme du sable. Elle est la seule personne que je connaisse à avoir demandé un jour à quelqu'un qui allait en vacances en Californie de lui acheter deux saris dans une boutique de Bel Air. On en parle encore quand on mentionne son nom.

Les années passées à traire les vaches tôt le matin, dans le froid, se faisaient sentir et mon asthme s'aggravait considérablement. Lorsque, la nuit, il m'empêchait de dormir, je l'entendais chuchoter férocement avec Lakshmnan.

Puis, un matin, Lakshmnan est sorti de leur chambre et m'a dit :

— Puisque je n'ai pas eu tout l'argent de la dot, je trouve qu'il serait équitable que tu m'en donnes. Après tout, tu en as beaucoup à la banque et tu ne t'en sers pas. Si tu as réussi à en économiser tant, c'est en grande partie grâce à mes efforts.

J'ai tout de suite compris que ces mots venaient de Rani. Elle voulait mon argent. La pimbêche dépensière voulait que je finance ses tentatives d'entrée dans la vie mondaine. Cela ne lui suffisait pas de vivre chez moi, de manger ma nourriture et de monter mon fils contre moi. J'étais blême de rage. Pourtant, j'ai résisté à la fureur. Je refusais de me disputer avec mon fils à cause d'elle. Je savais qu'elle était derrière la porte, à épier comment opérait son venin.

— Qu'est-ce que tu veux faire avec cet argent ? ai-je demandé calmement.

— Je veux démarrer une entreprise. Il y a en ce moment des affaires dans lesquelles je voudrais investir.

— Je comprends. La dot doit être versée par la famille de la mariée, je suis prête à t'aider comme je l'ai fait pour Anna. Cependant il faut d'abord me prouver que toi et ta femme êtes capables de mettre de l'argent de côté et qu'on peut vous confier une grosse somme. Puisque vous vivez ici sans rien payer, montre-moi que tu peux économiser une part importante de ton salaire pendant deux mois et je serai contente de vous aider.

— Non ! a-t-il hurlé. C'est maintenant que j'ai besoin de l'argent, pas dans deux mois. Les marchés seront conclus à ce moment-là !

— Dans deux mois, il y en aura d'autres. Il y aura toujours des affaires.

— C'est mon argent. J'ai contribué à l'amasser et je le veux maintenant.

— Non, pour l'instant, c'est le mien. Mais je n'ai aucune intention de m'en servir et je ne l'emporterai pas avec moi. Tout est pour mes enfants, je vous réserve la part du lion. Mais seulement quand vous me prouverez qu'on peut vous faire confiance.

Une bouffée de colère lui est montée au visage. Sa gorge a émis un son étranglé et il s'est précipité vers moi. Je n'ai plus vu que son visage noir et déformé sur moi. Il m'a plaquée violemment contre le mur. Je le fixais avec stupeur. J'ai entendu Lalita qui versait des larmes inutiles dans un coin. Il avait levé la main sur la femme qui lui avait donné naissance. J'avais créé ce monstre, mais c'est ma chère belle-fille qui lui avait donné vie. Je ne peux expliquer le chagrin dans mon cœur. Il m'a regardée à son tour, ahuri et horrifié par ce qu'il venait de faire. Mon fils était devenu mon ennemi. Il est sorti précipitamment de la maison et elle est restée dans sa chambre.

Ce jour-là, quand je me suis regardée dans le miroir, j'ai vu une vieille femme triste. Je ne l'ai pas reconnue. Comme moi, elle portait une blouse blanche unie en coton, bon marché, et un vieux sarong aux couleurs passées. Son cou et ses poignets n'étaient pas ornés de bijoux. Ses cheveux étaient déjà gris et ramassés en un simple chignon épinglé sur la nuque. Elle paraissait si vieille. Qui aurait cru qu'elle n'avait que quarante ans ? Elle me fixait de ses yeux lourds, chargés de douleur. En la contemplant, j'ai vu sa bouche muette s'ouvrir. Aucun son n'est sorti des profondeurs du trou noir. J'éprouvais une profonde tristesse pour elle, car je savais que cette noire béance était incapable d'exprimer cette perte inconcevable, même si chaque parcelle de son corps hurlait de chagrin. Je suis restée un long moment devant cette étrangère vaincue qui portait mes vêtements, puis je me suis détournée. Quand j'ai atteint l'embrasure de la porte, je me suis retournée, mais elle aussi avait disparu.

Ils ont quitté la maison deux jours plus tard. Pour un logement à deux niveaux, avec une seule chambre, près du marché. Rani ne s'est même pas donné la peine de nous dire au revoir et je ne l'ai plus revue jusqu'à la naissance de Nash. Ayah, Lalita et moi sommes allés lui rendre visite à l'hôpital. Le bébé avait la peau foncée comme elle, mais il était éclatant de santé avec ses gros yeux ronds. Elle l'avait appelé Nash. Elle était très fière de lui et pas très contente quand je le tenais dans mes bras. Je lui ai enfilé les bracelets, bagues et parures de chevilles en or que l'on offre à un petit-fils. Mais dès qu'elle a quitté l'hôpital, elle les a placés en dépôt chez un prêteur sur gages.

Puis Dimple est née et Lakshmnan est arrivé en courant à la maison.

— Mohini est revenue sous la forme de ta petite-fille, a-t-il bafouillé, à moitié fou.

Pauvre garçon, il ne s'en est jamais remis, ai-je pensé. Et cependant, à l'hôpital, je suis restée bouche bée tant l'enfant ressemblait à la Mohini que j'avais perdue. Je l'ai soulevée dans mes bras et, soudain, les années se sont évanouies. Je croyais tenir ma Mohini. Je croyais qu'en me retournant, j'allais voir dans l'autre petit lit son jumeau aux cheveux bouclés en train de gazouiller. Qu'une seconde chance m'était donnée de faire les choses correctement. Mais j'ai rencontré le regard de ma belle-fille. Ses yeux noirs m'observaient avec une grande attention.

— C'est tout le portrait de ma mère, a-t-elle dit.

J'ai su alors qu'il n'y aurait pas de seconde chance. Elle ne voulait plus aucun lien avec nous et elle nous aurait totalement coupés de Dimple, comme elle l'avait fait avec Nash et Bella, si Lakshmnan n'avait pas aimé l'enfant au point de la rendre jalouse. C'est pourquoi Dimple passait les vacances scolaires avec nous.

Oh, comme j'étais contente de l'avoir ! J'ai même attisé les pensées venimeuses de Rani. Elle savait que son mari ne l'aimait pas, mais elle préférait croire qu'il était incapable d'amour. Elle ne supportait pas qu'il aime quelqu'un d'autre, fût-ce sa propre fille. Et cette possessivité refusait même de ployer devant la maternité. Plus Dimple a grandi, plus il est devenu manifeste qu'elle n'avait rien de sa grand-mère mater-nelle mais ressemblait trait pour trait à Mohini.

Et nous, nous attendions les trois congés scolaires annuels. Deux semaines en avril, deux semaines en août et le moment le plus heureux : tout décembre et une partie de janvier. Quand Dimple était là, la maison paraissait plus claire, plus grande et tout semblait aller mieux. Elle faisait naître un sourire sur le visage d'Ayah, parvenait à faire parler Sevenese ; quant à moi, je trouvais enfin une personne à laquelle abandonner mon argent si durement gagné. Ce n'était pas que je n'aimais pas Nash et Bella, simplement je préférais Dimple. De toute façon, on leur avait appris à nous détester. J'aurais aimé garder Dimple tout le temps avec moi, mais non, Rani ne le permettait pas. Elle savait que c'était me céder la victoire. Elle ne pensait qu'à nous tourmenter, mon fils et moi. Dès que Dimple a eu cinq ans, elle lui a imposé des aller et retour comme s'il s'agissait d'un colis envoyé à la mauvaise adresse. Oh, ces grands yeux tristes ! Je comptais les jours qui me séparaient de son arrivée et je pleurais quand approchait le moment du départ. Le vide était indescriptible ; alors je décrochais le calendrier et je notais la date de sa prochaine visite.

Rani, qui avait des habitudes occidentales, refusait d'apprendre à ses enfants leur langue maternelle. J'ai donc décidé d'enseigner notre culture à Dimple et de lui apprendre à parler tamoul. C'étaient son héritage et son droit. J'ai commencé à lui raconter les histoires de notre famille, car il y avait beaucoup de choses que je voulais lui confier. Puis, un jour, elle m'a annoncé qu'elle voulait conserver toutes mes histoires.

— J'ai décidé de faire un chemin des rêves[1] de notre histoire et quand tu mourras, je reprendrai le flambeau et je serai la nouvelle gardienne de notre chemin, a-t-elle déclaré d'un ton important.

Depuis, comme une véritable sentinelle, elle se promène avec son magnétophone afin de préserver le passé pour ses petits-enfants. Mon existence avait enfin trouvé un sens.

Les années passaient et je n'arrivais pas à trouver un mari pour Lalita. Elle avait raté pour la troisième fois son examen de passage en quatrième. Elle voulait suivre une formation d'infirmière, mais je m'y refusais. Comment pouvais-je la laisser laver les parties intimes d'inconnus ? Non, ma fille ne ferait pas un travail aussi sale. Je l'ai envoyée se présenter dans une école de dactylographie, seulement chaque fois qu'elle devait avoir une entrevue, elle était si nerveuse qu'elle accumulait les fautes. J'étais désespérée. Si elle avait eu un emploi, elle aurait trouvé un mari ; mais avec son physique et sans travail, même une dot de vingt mille ringgit ne réussissait qu'à attirer des hommes de

---

1. Chez les différents clans des tribus aborigènes d'Australie, il s'agit de peintures exécutées sur le sol qui représentent en général le voyage d'un ancêtre dans le temps du rêve.

réputation suspecte : divorcés, vieux escrocs irresponsables en quête d'argent. Et, une fois, un homme si gros que j'ai même craint qu'il l'étouffe.

Les années passaient très vite et ma santé empirait. J'avais augmenté ma dose de pilules roses d'un quart à une et demie. Leur effet était si puissant que mon corps était pris de tremblements. Mais c'était le seul moyen de contenir mon asthme. La nuit, je mettais des couches de journaux pliés sur ma poitrine et dans mon dos pour me protéger de l'air froid de la nuit. Mes os douloureux me disaient que je vieillissais. Les jours s'envolaient comme le vent dans les arbres, journées grises semblables à leur lendemain.

Sevenese s'est mis à l'astrologie et a commencé à prédire l'avenir. Il s'exerçait avec ses amis qui arrivaient à la maison avec leurs horoscopes serrés sous leurs aisselles[1]. Ses prédictions étaient si justes que des étrangers sont venus le consulter.

« Ma fille va se marier. Est-ce que ce garçon est un bon parti ? » Sur sa table, la pile s'élevait, mais j'ai vite compris que plus Sevenese se plongeait dans ce monde ténébreux, plus son désespoir augmentait et plus il buvait. Son tempérament est devenu cynique et brutal. Il refusait de se marier et de s'établir. Les femmes étaient pour lui des jouets aux yeux rusés et les enfants des rejetons d'une espèce écœurante. « L'homme est pire que l'animal, disait-il. Pendant les grandes sécheresses, les crocodiles sortent de l'eau pour partager le repas des lions, mais l'homme empoisonnera son voisin avant de prendre le sien. »

Il buvait beaucoup trop. Les yeux rougis et les cheveux en désordre, il rentrait tard le soir en titubant et en grommelant entre ses dents. Parfois, il dégageait une odeur de parfum entêtant, un parfum bon marché. Je n'avais pas besoin de lui demander d'où il venait. Il y avait en ville un endroit louche qui s'appelait le Milk Bar. Des femmes qui allaient au temple l'avaient aperçu au moment où il en poussait les portes. Devant l'établissement, des femmes au maquillage criard, aux jambes douces et blanches fumaient. Il perdait très souvent ses clefs et frappait à la porte bien après minuit, chantant en malais à Lalita pour qu'elle lui ouvre : « *Achi, achi buka pintu.* »

---

1. Selon la tradition hindoue, l'horoscope est établi à la naissance. On l'enferme soigneusement dans un coffre, ou on le porte sur soi dans une amulette, car en aucun cas il ne doit être montré à des étrangers, excepté aux astrologues.

Je craignais qu'il ne soit devenu alcoolique.

Jeyan n'avait même pas essayé de passer son examen d'entrée en seconde. Il savait qu'il ne réussirait pas. Il est entré au service régional de l'électricité comme releveur de compteurs. Quand il a été en âge de prendre femme, Rani faisait plus ou moins profession de marieuse et elle nous a fait savoir qu'elle lui avait trouvé une épouse. Il n'y avait pas de preneur pour Lalita. Elle avait déjà trente ans. Presque trop vieille.

Lalita

Quand Rani a trouvé une épouse pour Jeyan, Maman l'a emmené voir la jeune fille. Elle est revenue de très bonne humeur et toute joyeuse. Sa future belle-fille était charmante et avait le teint clair. Maman a déclaré que, dans sa vie précédente, Jeyan avait dû avoir un excellent karma pour mériter une telle femme. Ratha était orpheline. Elle avait été élevée par une gentille tante restée célibataire qui avait réussi à mettre de côté une dot de cinq mille ringgit. C'était une somme dérisoire à négocier, cependant Maman était si déterminée à prendre cette jeune fille comme épouse pour Jeyan qu'elle serait tombée d'accord même s'il n'y avait pas eu de dot.

Je regardais Jeyan assis sur une chaise à observer Maman comme il le faisait d'habitude, en silence et dans le vide. On aurait pu penser qu'il l'écoutait, mais je connais trop bien mon frère. Il était absorbé par le mouvement d'un long *dupatta*[1] transparent. Avec une délectation d'enfant, il contemplait le souvenir si cher d'un téméraire regard oblique qui lui était exclusivement adressé. Il ne pensait qu'à deux pieds décorés de henné[2] qui chacun à leur tour jaillissaient délicatement des plis d'un sari vert et rouge, et à deux petites mains qui lui avaient servi le thé et avaient timidement fait passer les gâteaux moelleux.

Derrière cette expression absente flamboyait une sorte d'excitation réprimée. Il avait déjà conscience de l'essence fémi-

---

1. Longue écharpe en coton ou en mousseline.
2. Selon la tradition hindoue, les jeunes filles en âge de se marier décorent leurs pieds et leurs mains de motifs ornementaux tracés au henné

nine. Il rêvait. De musc miroitant sur des seins gonflés, de peau recouverte d'un duvet soyeux et d'un corps qui se mouvait sous lui avec le glissement d'un cygne. Il rêvait d'une vie harmonieuse avec Ratha.

On a fixé la date du mariage. Il serait célébré au temple, avec peu d'invités. Maman en a décidé ainsi. La jeune fille n'avait pas de parents et Maman n'était pas en faveur d'une démonstration ostentatoire de richesse. Nous avons fermé la maison à clef et sommes partis pour Kuala Lumpur. Nous nous sommes installés chez un cousin de Maman. Sa maison était petite et remplie d'enfants turbulents. Toute la journée, ils couraient en hurlant et en criant, se cognant aux adultes comme s'ils étaient des meubles.

Le jour de la cérémonie, mon frère était dans le salon, resplendissant dans son vesthi blanc et paré de la coiffe du marié. Il se tenait debout devant Maman pour recevoir sa bénédiction. Pour une fois, son visage carré arborait une expression ardente et animée. Tandis que Maman était là à savourer le plaisir d'avoir trouvé une si jolie jeune fille pour son benêt de fils, un gamin s'est précipité dans le couloir en hurlant comme un Peau-Rouge. Immanquablement, il a dérapé sur une flaque d'huile et, sous nos yeux stupéfaits, s'est mis à glisser sur le sol comme une anguille géante. Cette étrange anguille, dotée de bras et de jambes, est allée s'écraser tout droit sur la table préparée pour la cérémonie. Un grand plateau d'argent chargé de kum kum a volé avant de retomber avec fracas sur le sol et de rouler bruyamment, éparpillant dans son sillage une brume rouge. Le bruit de la chute et le roulement infini du plateau sur les carreaux étaient assourdissants. Le sourire de Maman a disparu. Son visage était devenu un masque de stupeur.

Pendant quelques secondes, personne n'a bougé. Même le gamin est resté pétrifié. Allongé sur le sol, il levait de grands yeux effrayés vers l'expression terrible de Maman. Elle scrutait le gâchis étalé à terre comme s'il ne s'agissait pas de kum kum bon marché acheté dans n'importe quel magasin d'approvisionnement, mais d'une flaque de sang s'écoulant du corps de ses enfants assassinés.

— Pourquoi, mais pourquoi donc, a-t-il fallu que ce garçon arrive ici ? a-t-elle murmuré. C'est un signe de mauvais augure. Mais il s'est manifesté trop tard. Il n'y a rien d'autre à faire qu'accomplir ce qui est déjà fixé.

Sur ces mots, son visage s'est figé comme une pierre. Elle s'est dépêchée. Elle a aidé l'enfant ébahi à se relever et l'a chassé d'un air sévère. Elle a ordonné à une jeune fille de remettre de l'ordre, puis elle s'est avancée vers Jeyan et l'a béni.

— Que Dieu t'accompagne, a-t-elle dit d'une voix ferme.

Puis Papa s'est avancé à son tour et a béni Jeyan.

Le jeune marié est monté dans une voiture décorée de rubans bleu et or, tandis que les autres se sont entassés dans tous les autres véhicules disponibles. Je marchais à côté de Maman : visage de granit, pas presque aussi déterminé qu'un soldat qui défile. Dans la voiture, elle s'est assise droite comme un piquet, sans rien dire, à regarder fixement par la fenêtre. Elle a poussé un léger soupir plein de regrets. On avait l'impression d'aller à un funérarium dans des vêtements enfilés par erreur. Nous portions toutes deux un sari ; celui de Maman était couleur mangue, et le mien bleu roi, rehaussé d'une éclatante bordure fuchsia.

Je pensais en moi-même que Maman réagissait de façon excessive, mais je me suis bien gardée d'aborder ce sujet. C'était un accident pur et simple. Devant le temple, la voiture a ralenti puis s'est arrêtée. Jeyan est descendu. Dans la lumière de midi, sa tenue blanche toute neuve était éblouissante. Quelqu'un a redressé sa coiffe. Il était le roi du jour. Il a fait un signe de tête. Il était nerveux.

Dans le temple, nous étions debout près de l'estrade à contempler la mariée escortée par sa tante et une amie. Je la trouvais très belle dans son sari rose foncé rehaussé de petits points verts et dorés et bordé d'une riche broderie de fils d'or. Jeyan avait vraiment beaucoup de chance. Sur l'estrade, elle a replié ses jambes sous elle et s'est glissée à sa place, à côté de mon frère. Elle avait une grâce si naturelle que je me suis à nouveau demandé pourquoi une personne aussi fine et jolie acceptait d'épouser mon frère. Soudain, je me suis aperçue que de ses yeux baissés coulaient des larmes irrépressibles qui ruisselaient sur le luxueux sari que Maman avait acheté pour elle. Une petite tache sombre s'étendait sur ses genoux. Étonnée à la vue de ce flot salé, j'ai jeté un coup d'œil à Maman à qui les larmes n'avaient pas échappé. Elle a paru aussi perplexe que moi.

Car il était certain que ce n'étaient pas des larmes de joie. Elle pleurait toutes les larmes de son corps. Entre les hauts piliers du temple, la petite foule qui s'était rassemblée pour assister au mariage a commencé à s'agiter.

– Regardez, la mariée pleure, chuchotaient les gens.

Déconcertés, nous avons alors vu la perle de nez de la jeune fille glisser de sa narine et tomber sur ses genoux. Puis elle l'a ramassée silencieusement avant de la fixer sur sa narine humide. Le murmure enflait et les joues de Maman se sont empourprées. Elle était embarrassée par ce qui apparaissait comme la détresse ou la répugnance de la jeune mariée. Pourtant personne ne l'avait contrainte. Maman lui avait parlé directement. Elle avait acquiescé.

Les tambours battaient à tout rompre quand Jeyan s'est tourné vers la future épouse. Il s'apprêtait à passer le thali cérémoniel autour de son cou quand il a remarqué soudain les larmes. Troublé, il a cherché le regard de Maman. Elle lui a fait signe de continuer son geste. Rassuré à l'idée que les larmes d'une jeune mariée étaient encore l'un de ces mystères qu'il ignorait, il a achevé de nouer le thali. Ils étaient unis pour toujours. La cérémonie était terminée.

Lors de la réception, Maman était incapable de boire ou de manger. Nous sommes partis immédiatement après pour Kuantan. Le voyage s'est déroulé dans le silence. Maman était morose et triste. Pourquoi la jeune mariée avait-elle tant pleuré? Pourquoi ce garçon avait-il surgi de nulle part pour faire voler en éclats tous les symboles d'un mariage heureux?

Le lendemain, les nouveaux mariés sont arrivés chez nous. Ils devaient y rester jusqu'à ce qu'ils puissent acheter leur propre maison. Maman leur avait proposé de l'argent. De la fenêtre, j'ai vu la jeune femme de Jeyan descendre gracieusement de la voiture. Elle avait l'air calme et pondérée. Les larmes avaient disparu. Maman est sortie pour l'accueillir avec un plateau chargé de pâte de santal jaune, de kum kum, de cendres sacrées et d'un petit tas de camphre qui se consumait. Comme le voulait la coutume, Ratha s'est jetée aux pieds de Maman. Quand elle s'est relevée, j'ai vu pour la première fois les yeux de ma belle-sœur. Ils étaient noyés de chagrin. Sa bouche, elle, souriait poliment, et elle acceptait les bénédictions de ma mère.

À peine lui avions-nous montré sa chambre qu'elle en est ressortie. Elle est allée chercher du détergent et s'est mise à nettoyer la maison. Elle a lavé la cuisine, épousseté les étagères, récuré la salle de bains, rangé le salon, réorganisé le contenu des bocaux d'épices dans l'armoire, balayé la petite cour derrière la maison et enlevé les mauvaises herbes qui poussaient autour de chez nous. Ces tâches finies, elle a proposé de laver les vêtements et de préparer le repas.

Son visage magnifiquement tragique refusait toute aide avec un sourire.

— Oh, non, non.

Elle pouvait le faire. Il ne fallait pas s'inquiéter, elle aimait récurer. Elle avait l'habitude des durs travaux.

Elle ne parlait que lorsqu'on lui adressait la parole. Au cours de son nettoyage, elle a trouvé un vieux panier sale sous la maison. Il avait servi d'abri à mon ancienne poupée. Silencieusement, elle l'a nettoyé et, se tenant debout dans le salon d'un air triomphal, elle a proposé, le panier dans le creux de son bras :

— Je peux faire les courses.

— Il y a de l'argent dans l'éléphant en porcelaine qui se trouve dans la vitrine. Prends cinquante ringgit, a dit Maman de sa chambre.

Maman l'aimait, tu comprends. Elle était contente de sa nouvelle belle-fille. Au contraire de Rani, elle a aimé Ratha dès qu'elle l'a vue.

Ratha a pris l'argent et est revenue avec le montant exact de la monnaie. Maman était satisfaite.

— Tu vois ? J'avais raison de lui faire confiance.

Dans la cuisine, Ratha s'est mise à transformer les achats du marché en repas exotiques. C'était une alchimiste. Elle prenait de la viande, des épices et quelques légumes qu'elle métamorphosait en mets somptueux qui troublaient les sens. Comme sous l'emprise d'une drogue, on demandait avec espoir :

— Est-ce qu'il en reste ?

Son génie était indéniable. Elle préparait des bocaux de marmelade de gingembre et de condiments de tomate dont l'arôme nous poursuivait pendant des semaines. Inébranlable, elle décapitait d'adorables palombes et du gibier sauvage sans méfiance, faisant mariner leur chair foncée dans des peaux de papaye pour l'attendrir. Ils fondaient dans la bouche comme du beurre.

Quand on se mettait à table, c'était pour goûter des petites boulettes chinoises à la vapeur fourrées de porc, ou de poisson de rivière, farcies au citron, à la cardamome et aux graines de cumin. Elle pensait à parfumer le riz avec de l'essence de *kewra*[1] avant de le cuire à la vapeur dans une tige de bambou évidée, à faire revenir les courges avec du tamarin et de l'anis étoilé pour leur donner un goût de sucre caramélisé. Elle savait comment préparer le poulet dans une noix de coco et connaissait tous les secrets des fleurs de bananier préparées avec des épices et de la peau de pomelos. Elle fumait des champignons, préparait des orchidées sautées et servait de la crémeuse pâte de durian épicée avec du poisson salé.

Une femme merveilleuse. Tout cela était trop beau pour être vrai. Maman se rengorgeait de fierté à l'idée que pareille belle-fille soit entrée dans sa maison.

— Regarde-la et prends-en de la graine, me chuchotait-elle durement en jetant un regard critique sur mes cheveux en bataille. Si seulement Lakshmnan avait eu une femme comme elle, il aurait pu devenir quelqu'un.

Tous les jours à cinq heures, Ratha apparaissait, avec un plateau d'argent rempli de gâteaux *rajasthani*[2] faits d'amandes pilées, de miel et de beurre, ou de succulentes boulettes baignant dans du sirop de rose. D'autres fois, elle servait d'exquis sablés mauve dont elle tenait la recette secrète et, de temps en temps, mes douceurs préférées : des petits gâteaux épicés à la noisette et fins comme des brindilles.

— Où as-tu appris tout ça ? lui demandait Maman, très impressionnée.

— Chez une gentille voisine, disait-elle.

Enfant, elle s'était liée d'amitié avec une vieille femme qui était une lointaine descendante de l'un des seize cuisiniers du prince Dara Shukoh, le fils aîné de l'empereur Shah Jehan. À partir de recettes déchirées et de feuillets épars, vestiges du fabuleux empire moghol, la vieille femme avait enseigné à Ratha les secrets de cette cuisine.

Un jour, Ratha a façonné pour Maman une grenade de sucre, d'amandes et de jus de fruits, qu'elle avait glacée dans du sirop. À l'intérieur, le fruit avait l'air réel, parfaitement intact, reconstitué avec son noyau et la chair contenant les pépins. J'ai vu naître chez ma mère une profonde admiration mêlée de respect pour le talent de la jeune femme. Pour moi, Ratha avait

---

1. Petit arbuste qui donne une fleur très odorante dont on se sert comme aromate et comme parfum.
2. Adjectif dérivé du mot Rajasthan, État de l'Inde situé à l'ouest de Delhi.

reproduit une miche de pain surmontée d'amandes grillées. Elle était si jolie que je l'ai mise dans la vitrine plutôt que de la manger. Pour Anna, elle avait fait un oiseau mynah. Vif et si joli. Anna aussi l'a gardé.

– Viens t'asseoir près de moi, lui a dit un jour Maman.

– Juste une dernière petite chose, a répondu Ratha en allant récurer l'endroit où l'on posait la caisse à charbon.

Depuis vingt ans, personne ne l'avait nettoyée.

Quand il n'y a vraiment plus rien eu à faire, bien qu'à mon avis elle aurait bien aimé astiquer à nouveau le réchaud, Maman lui a répété :

– Laisse ça. Viens te reposer un peu à côté de moi.

Elle est venue s'asseoir à contrecœur en tirant sur sa robe d'intérieur pour cacher ses chevilles. Elle gardait les yeux baissés. Maman a adressé un sourire d'encouragement à sa belle-fille préférée. Une question ne cessait de tourner dans sa tête : « Pourquoi as-tu tant pleuré ? » Mais Maman ne l'a interrogée que sur son passé. La jeune femme a répondu consciencieusement et avec respect. On ne pouvait pas l'accuser d'être rusée ou bornée, car elle parlait avec honnêteté et sans hésiter ; pourtant, on avait l'impression d'être indiscret. On sentait à cet air légèrement interrogateur dans ses yeux qu'elle se disait : *Qu'est-ce que ça peut bien vous faire ?*

L'insatisfaction, l'inconfort que ressentait Maman ne passaient pas inaperçus. Elle regardait Ratha et voyait une jolie jeune fille, nette, saine et souriante ; toutefois entre elle et cette belle image se trouvait une invisible barrière d'extrême politesse. Quelque chose n'allait pas, et Maman était déterminée à découvrir quoi. Elle n'y est jamais parvenue.

Ratha avait une étrange façon de se laver. Elle disparaissait dans la salle de bains avec une brosse dotée d'un manche en bois et de poils métalliques et elle en ressortait rose et rayonnante. Oui, disait-elle, étonnée de notre surprise, c'est avec cet instrument que je frotte ma peau.

Jeyan rôdait, l'observait à la dérobée comme si elle appartenait à quelqu'un d'autre. Il se glissait comme un voleur hors de la chambre qu'ils partageaient. Ses yeux la caressaient, la détaillaient, se posaient sur elle et la câlinaient. Tous ses désirs d'intimité semblaient frapper impatiemment du pied. On le voyait parfois essayer d'accrocher le regard de sa femme et, en proie à un profond embarras, il nous fallait détourner le nôtre devant le sien. Mon frère était grisé par sa nouvelle épouse. Puis est arrivée une invitation de Rani. Les nouveaux mariés allaient dîner chez eux. Cette nuit-là, Jeyan est rentré seul.

— Où est ta femme ? lui a demandé Maman avec anxiété.

— Elle est toujours chez Rani. En fait, Rani nous a invités à rester quelque temps chez elle. Elle m'a envoyé chercher les affaires de Ratha.

— Où allez-vous dormir ?

Maman était déconcertée.

— Par terre dans le salon, je suppose, a répondu Jeyan en haussant les épaules, impatient de prendre les affaires de sa femme et de repartir.

— Je comprends. D'accord, prends-les, a dit lentement Maman.

Jeyan s'est précipité dans la chambre impeccable qu'il partageait avec sa femme depuis quinze jours. Il a jeté tous ses vêtements dans un sac minuscule puis il est allé sur la véranda où Maman était assise, silencieuse. Il s'est tenu debout, embarrassé, jusqu'à ce qu'elle lui dise :

— Eh bien, vas-y.

Il m'a jeté un rapide regard plein de soulagement, a descendu précipitamment les escaliers avec son petit sac qui rebondissait contre ses jambes frêles. Maman est restée sur la véranda à le regarder partir, avec une expression très étrange sur le visage. Bien après qu'il eut disparu de sa vue, elle est demeurée là, à fixer implacablement l'horizon.

La brosse aux poils métalliques de Ratha était posée sur le rebord extérieur de la salle de bains. Dans sa hâte, Jeyan ne l'avait pas vue. J'ai passé les poils raides sur ma peau. Leur contact rêche et dur m'a fait tressaillir. Comment pouvait-on utiliser un tel objet sur son propre corps ? Ça aurait tout aussi bien pu être un instrument de torture.

Un jour, j'ai aperçu Ratha au marché, un panier calé dans le creux de son bras. Elle se tenait près de l'homme qui vendait les jus de noix de coco, tout en regardant d'un air douloureux les singes en cage. Elle m'a paru si désespérée que je me suis cachée ; je me suis glissée derrière les sacs en jute remplis de riz qui étaient empilés sur le côté de l'éventaire. C'était vraiment une personne très étrange. Écrasée par de tristes secrets. Tout à coup, elle a tourné la tête, comme si elle avait senti mon regard insistant. Peut-être a-t-elle vu mon ombre ; en tout cas, elle a fait comme si de rien n'était. Puis elle s'est éloignée. Je l'imaginais, les lèvres légèrement pincées, nettoyant de fond en comble la maison de Rani, pendant que celle-ci restait assise, son pied prétendument enflé reposant sur un tabouret.

Deux mois s'étaient écoulés depuis que Ratha était partie pour ce dîner sans jamais en revenir. La vie continuait comme par le passé. Jeyan rentrait le soir, mais il semblait toujours pressé de rejoindre sa femme. Je sais que Maman était blessée que Ratha soit partie sans même lui dire au revoir, pourtant elle répétait :

— Tant qu'ils sont heureux, je suis heureuse.

Puis un jour, Jeyan est arrivé chez nous, en proie à une intense panique. Une émotion bizarre déformait son visage. Il était presque neuf heures du soir et Maman attendait le début d'un combat de lutteurs. Elle n'en manquait jamais un seul, s'y impliquait totalement, et encourageait de vive voix les athlètes préférés. Quoi qu'il en soit, ce soir-là, quand Jeyan est arrivé, il respirait difficilement et son agitation le rendait presque incohérent.

— Rani nous a donné vingt-quatre heures pour quitter sa maison ! s'est-il écrié.

À cette époque, quand les fonctionnaires du gouvernement commettaient une erreur impardonnable ou vraiment grave, voler de l'argent par exemple, on leur donnait vingt-quatre heures pour quitter leur appartement de fonction. Et aussi risible que cela puisse paraître, Rani s'était mise dans la tête d'imposer le même délai à son beau-frère et à son épouse.

J'entendais la respiration asthmatique dans la poitrine de ma mère.

— Pourquoi ? a-t-elle demandé.

Jeyan agita ses bras en l'air.

— Je ne sais pas. Je crois qu'ils se sont disputés. Lakshmnan a quitté la maison furieux et Rani a accusé Ratha de ne pas être satisfaite par un seul homme. Je te le dis, c'est une folle. Est-ce que tu t'imagines qu'elle est debout sur les marches de sa maison en train de crier à tout le monde que Ratha essaie de lui voler son mari ? Ce n'est pas vrai du tout. Elle m'aime. C'est Rani qui est folle. Elle pleure, hurle et lance toutes sortes de grossièretés ; elle dit que Ratha veut les deux frères. Ma femme est par terre en train de laver le sol de la cuisine. Qu'est-ce que je fais ? Est-ce que je la ramène ici ?

– Non, pas ici, parce que Ratha ne veut pas vivre avec nous et que je ne peux pas la reprendre vu la façon dont elle est partie... Mais il y a des chambres disponibles au-dessus des boutiques, plus haut dans la rue. Va vite en louer une. Les magasins sont ouverts jusqu'à neuf heures et demie du soir.

– Mais le loyer, le dépôt de garantie...?

– Et où est passé l'argent de la dot? a demandé Maman en fronçant les sourcils.

– On ne l'a plus. Rani a eu un urgent besoin d'argent et elle en a demandé à Ratha. Elle a promis de le rendre dans les prochains mois.

– Quand est-ce que tout cela est arrivé? a interrogé Maman d'une voix calme.

Jeyan n'a pas eu à réfléchir.

– Lundi dernier.

– Et je suppose que ta femme ne désirait pas Lakshmnan avant ce jour-là? a ricané Maman.

Mais le pauvre Jeyan la regardait avec impuissance. Il n'était qu'un homme. Pas de taille à affronter Rani, sa langue retorse et ses manigances.

– Va voir combien coûte une chambre et je te donnerai l'argent. Ne traîne pas, sinon je vais finir par devoir payer une chambre d'hôtel, a lancé Maman.

– D'accord, merci.

Jeyan se détournait déjà, le visage lourd d'une terrible inquiétude. La porte de Maman lui était fermée ainsi qu'à sa femme. Rani était en train de tempêter sur le seuil de sa maison pendant que Ratha était accroupie par terre en train de récurer les sols. Il paraissait évident que sa dot était perdue. Il n'avait jamais affronté tant de problèmes dans sa vie.

– Nous n'aurions jamais dû rester dans cette maison, a-t-il murmuré.

Jeyan était bien sûr totalement ignorant des stratagèmes féminins. Un jour, Maman lui avait demandé :

– Jeyan, sais-tu pourquoi ta femme pleurait le jour de son mariage?

Il l'a regardée d'un air vague, perplexe. Les mariées ne pleurent-elles pas de joie lors de leurs noces? Plus tard, il a posé la question à Ratha et est revenu avec cette réponse :

– Elle ne me le dira pas. Elle prétend que la raison n'a pas d'importance.

— Mets ça sur le compte des nerfs, si tu veux, a répliqué Ratha avec lassitude quand il est revenu à la charge.

C'est ainsi que Jeyan et sa femme ont emménagé dans une petite pièce située au-dessus d'un magasin. Ils devaient partager une salle de bains avec dix autres personnes ; il y avait suffisamment à faire pour satisfaire les pulsions de récurage de Ratha. Elle a dû, en effet, être très occupée, car elle ne nous a jamais rendu visite. Maman était certaine que Rani avait détruit notre relation avec Ratha.

Un jour, en fin d'après-midi, Rani est venue nous trouver. Elle apportait un petit sac de raisins.

— Une qualité d'importation, a-t-elle expliqué d'un air important.

Maman l'a remerciée et je me suis précipitée pour la débarrasser de son paquet. Elle s'est assise sur une chaise. J'ai lavé les fruits et les ai apportés au salon sur une assiette.

— Comment allez-vous ? lui a demandé Maman.

À les regarder, ça ne se voyait pas, mais je savais qu'elles se vouaient une haine réciproque dont elles étaient toutes deux parfaitement conscientes.

— Mes articulations, a répondu Rani d'un ton douloureux. (Elle a relevé son sari pour montrer ses chevilles charnues.) Regardez comme elles sont enflées.

J'ai scruté ses jambes saines. Peut-être lui faisaient-elles mal la nuit, mais le jour elles semblaient parfaitement robustes. Elle a rabattu délicatement le sari vert et a étendu la main vers une grappe de raisin.

— Je suis venue pour vous expliquer toute cette histoire avec ce pauvre Jeyan et son horrible femme. Je ne voudrais pas que vous ayez une idée fausse de la situation. J'ai pris cette fille chez moi par pure bonté. Vraiment, parfois, je pense que je suis trop bonne. J'aide les gens et ils me frappent dans le dos. Je suis même allée jusqu'à acheter des vitamines pour Jeyan afin qu'il soit plus ardent avec elle. Et qu'est-ce qu'elle a fait ? Elle a essayé de séduire mon mari. Comme si je ne voyais rien ! J'ai partagé plus de sel avec elle qu'elle n'a partagé de riz avec moi.

Elle a fourré plusieurs grains de raisin dans sa bouche et les a mastiqués d'un air songeur.

— J'ai tout de suite su ce qu'elle avait dans la tête. Chaque fois que Lakshmnan était dans la cour en train de soulever des poids, elle était dans la cuisine à faire semblant de nettoyer. Elle ne savait pas que je pouvais l'apercevoir depuis le salon. Je voyais les regards qu'elle lui jetait par la fenêtre. Je ne suis pas aveugle. Elle voulait qu'il comprenne qu'elle travaillait dur. Essayer de me faire passer pour une moins que rien. Je lui ai emprunté la petite somme de cinq mille ringgit. On ne va pas loin avec un salaire d'instituteur. Les enfants avaient faim. Il n'y avait plus rien à manger à la maison et des factures à payer. J'ai entendu dire qu'elle va répéter partout que j'ai dilapidé sa dot, vous vous rendez compte, moi qui lui ai donné un toit. Quelle ingrate !

Rani s'est arrêtée pour reprendre son souffle et adopter un air outragé.

— En fait, vous devriez me donner cet argent, Belle-Maman, pour que je puisse lui jeter cette somme misérable à la tête et l'empêcher de traîner le nom de votre famille dans la boue. Quelle garce !

La main de Maman a tremblé plus fort, mais elle a gardé son sourire figé.

Rani est repartie sans l'argent. Pendant une demi-heure, Maman a arpenté le sol en murmurant :

— Stupéfiante, vraiment stupéfiante !

Sa colère était telle qu'elle n'arrivait pas à s'asseoir. Puis, tout à coup, elle s'est mise à rire très fort.

— Si je veux que Ratha ait cet argent, je le lui donnerai moi-même sans le faire passer par le ventre de ce crocodile cupide !

Ratha n'a pas tardé à être enceinte. Le matin, elle avait de très fortes nausées. Maman lui a envoyé des biscuits Marie, du gingembre mariné et trois robes de grossesse. Elle a également proposé de verser le premier acompte pour l'achat d'une maison avec terrasse dans un lotissement nouvellement construit situé en dehors de la ville. Mais Ratha était trop fière pour accepter et elle a refusé poliment par l'intermédiaire de Jeyan. Je l'ai vue une fois, au marché de nuit ; elle portait l'une des robes que Maman lui avait envoyées. Elle avait coupé ses cheveux pour les coiffer plus facilement. De fines boucles s'enroulaient autour de son cou, la faisant paraître plus jeune, plus vulnérable. Elle était triste. Même au milieu de ces attroupements affairés, je sentais sa tristesse. Cette fois, elle m'a vue, mais elle a fait semblant de ne pas me reconnaître et s'est fondue très vite dans la foule bigarrée.

Jeyan a eu une fille. Maman et moi sommes allées à l'hôpital la voir. Nous lui avons apporté des vêtements brodés à la main et des petits bijoux pour enfant. Le bébé était très beau, tout rose. Il sentait le talc et le lait. Maman a déclaré qu'à sa naissance Anna avait la même couleur de peau. Dès que Ratha nous a aperçus, elle a serré son enfant plus fort, tout contre sa poitrine. C'est la seule chose de valeur qu'elle ait jamais eue, ai-je pensé. À travers sa peau, les jointures de ses doigts ont blanchi et le bébé a poussé des cris perçants.

— Viens avec ta mamie, a chantonné Maman au bébé écarlate.

Ratha a froncé les sourcils d'un air mécontent. Mais en sécurité dans les bras forts de ma mère, il a ouvert ses poings et cessé de hurler de fureur. Ratha a poussé un soupir de soulagement dès que le bébé s'est retrouvé dans ses bras. Quelques jours plus tard, tous deux sont rentrés dans leur petite chambre au-dessus de la teinturerie.

— Les vapeurs de cette teinturerie sont mauvaises pour le bébé, a dit Maman à Jeyan.

— C'est absurde, a rétorqué Ratha lorsque Jeyan lui a fait part de ces craintes.

Lorsque je l'ai revue la fois suivante, elle était à nouveau enceinte. Elle portait la même robe de grossesse que Maman lui avait offerte deux ans auparavant, décolorée maintenant. Ses cheveux avaient repoussé. Elle les retenait en une queue de cheval. Elle paraissait plus malheureuse que jamais.

Le second bébé est arrivé. À l'hôpital, elle nous a souri poliment. Il n'y avait rien derrière ce sourire, ni hostilité ni chaleur. C'était le sourire d'une étrangère. Sa fille aînée était tranquillement assise sur le lit. De ses grands yeux humides, elle nous dévisageait avec curiosité. Quand Maman a essayé de la prendre dans ses bras, elle s'est couvert les yeux de ses mains et s'est mise à sangloter sans retenue. Elle était effrayée par l'intensité de cette inconnue. Échaudée, Maman s'est détournée. Elle a écarté les couvertures pour regarder le second enfant de Jeyan. Une autre fille au teint clair. Cette fois-ci, Maman n'a pas essayé de prendre l'enfant dans ses bras. Elle a paru soudain préoccupée et lointaine. Au terme de quelques minutes embarrassées, nous sommes parties. J'avais un goût d'amertume dans la bouche.

Les choses se sont dégradées aussi dans leur chambre, au-dessus de la teinturerie. Jeyan ne se hâtait plus de rentrer chez lui pour contempler sa femme avec des yeux brillants. Il venait chez nous directement en sortant de son travail. Il s'asseyait dans le salon et regardait la télévision d'un air vide et, après avoir dîné, il se plaignait de sa femme à qui voulait bien l'entendre. Elle était mesquine. Elle montait les enfants contre lui. Elle refusait de lui préparer ses repas. Elle refusait même de laver ses vêtements. Puis les choses ont empiré. S'il parlait aux enfants, elle les battait. Elle renversait le contenu de la pelle à poussière sur ses vêtements tout propres que le *dhobi*[1] déposait devant la porte. Elle vouait une haine particulière à sa fille aînée qui ressemblait trop à son père. L'enfant devenait renfermée et distante. Elle ne parlait que quand on lui adressait la parole ; en outre, elle était lente.

— Plus vite, mange plus vite, criait Ratha dans l'oreille de l'enfant en lui enfournant de force la nourriture dans la bouche.

Puis venaient les larmes, d'autres remontrances et les gifles. Il semblait que Ratha haïssait Jeyan pour de bon. Mais qu'y avait-il d'étonnant à cela ? Le kum kum s'était renversé avant le mariage. Et donc l'union se défaisait. Ce n'était que l'odeur de la décomposition.

Quand la fille aînée a eu cinq ans, Ratha a demandé à Jeyan de déménager. Il a trouvé une chambre au-dessus d'une autre boutique dans la même rue. En vérité, il ne pouvait se passer d'elle. Il avait appris à vivre avec les insultes, la haine, et il ne savait plus comment faire sans sa femme. Il l'avait dans le sang pour le meilleur et pour le pire. Il souhaitait rester proche d'elle, la contempler, elle et ses enfants, mais elle ne voulait même pas en entendre parler. Elle ne voulait rien avoir affaire avec lui. Elle a entamé une procédure de divorce. Jeyan espérait qu'en refusant de payer la pension alimentaire, il la contraindrait à revenir avec lui. De sa misérable chambre à quelques bâtiments de chez elle, il l'épiait, certain qu'elle ne s'en sortirait pas. Pas d'amis, pas de travail, pas d'argent, deux enfants en bas âge et les factures à payer. Elle sera forcée de reconsidérer sa décision, à genoux. J'ai vu une lueur vindicative dans son regard lent qui semblait dire : « Ça lui apprendra ! »

_____

1. Membre de la caste des blanchisseurs.

Mais Ratha était déterminée à ne jamais revenir en arrière. Elle ignorait les yeux brûlants qui la suivaient dès qu'elle passait la porte de chez elle. La nuit, elle installait une vieille couverture contre sa fenêtre pour qu'on ne puisse même pas voir une ombre. Puis elle a élaboré un plan. Elle ne voulait pas de son argent.

Elle a tout d'abord fait des petits travaux avec ses enfants accrochés comme des chatons à ses jupes. Ça a été très dur. Les femmes qui l'employaient étaient sans cœur et exigeantes, elles ne toléraient les enfants que parce qu'elle était une femme de ménage hors pair. La nuit, elle cousait des blouses de sari pour ses riches patronnes et leurs amies.

De sa fenêtre, Jeyan l'observait jalousement. Les progrès qu'elle faisait, la liberté qu'elle prenait par rapport à lui. Il s'est mis à boire le soir, après le travail. Dans son uniforme bleu de releveur de compteurs, il s'asseyait dans les petites cabanes autour de la ville et sirotait le *samsoc* local.

Je l'ai vu faussement joyeux en compagnie d'autres hommes. Ils sont tous amers là-bas. Mariages ratés qui jappent à leurs talons, ombres sanglotantes de leurs enfants abandonnés qui tirent sur leurs chemises en haillons pour mendier un peu d'amour. Et tous rejettent les femmes ! Harpies, garces, bonnes à rien. Ils parlent de façon obscène des prostituées qui arpentent les rues près des appartements nouvellement construits. Il a fallu longtemps à Jeyan pour accepter l'idée d'avoir définitivement perdu Ratha. Quand il l'a admis, tout lui est devenu égal.

Ratha a commencé à donner des leçons de cuisine au centre administratif de la municipalité. Elle a réussi à vivre sans que Jeyan ne lui donne un *cent*. Ses cours sont devenus célèbres dans Kuantan. Elle a quitté la chambre minuscule au-dessus de la teinturerie qui faisait tousser sa fille aînée la nuit. Comme elle haïssait Jeyan ! Comme elle détestait la femme qui l'avait engendré ! Elle ne voulait plus rien avoir affaire avec nous. Nous lui avions volé sa vie. Elle a déménagé à l'autre bout de la ville, aussi loin que possible de son ivrogne de mari.

Maigres et apeurés, ses enfants l'ont suivie dans sa nouvelle vie.

– Vous n'avez pas de père. Il est mort.

Ils ont hoché la tête, les yeux crédules, comme des anges abasourdis tenant leurs ailes déchiquetées à la main. Qui sait ce qui s'est passé dans leur pauvre cervelle ? Ne se rappelaient-ils pas cet homme mince comme un fil qui les soulevait parfois au-dessus de sa tête ? Un homme simple, au large visage, aux mots rares ? Oh, ils ne s'en souviennent pas plus que d'un bouton perdu à leur chemise. Vêtus de leurs habits propres mais usés, ils ont appris à marcher sur la pointe des pieds autour de leur mère, dans une chambre exiguë. Elle était toujours d'humeur si violente et si imprévisible. Elle les emmenait à l'école en les tenant par la main. Leur professeur était une amie d'Anna.

– Ce sont des enfants si gentils. Mais j'aimerais qu'ils parlent un peu plus, a-t-elle confié à Anna.

La dernière fois que j'ai vu Ratha, elle s'apprêtait à monter dans un bus. Je l'ai observée attentivement. Les enfants n'étaient pas avec elle. Elle me tournait le dos, mais je l'ai reconnue immédiatement. Peut-être était-ce sa brosse aux poils métalliques, ou la dureté de la vie, quelque chose l'avait transformée au point de la rendre presque méconnaissable. Autour de ses os, sa peau retombait en formant de petites rides. Quand elle a ajusté le panier contre son bras, les plis de sa chair molle ont tressauté. Lorsqu'elle s'est retournée pour acheter un ticket au chauffeur, j'ai vu avec horreur que la moitié de sa bouche s'était irrémédiablement incurvée vers le bas, comme chez un malade atteint d'hémiplégie. Ses cheveux étaient tombés par plaques et, en certains endroits, je discernais le cuir chevelu. Comme l'héroïne d'un film tamoul que j'avais vu, Ratha, de dos, s'est peu à peu éloignée. Elle a disparu de l'œil de la caméra. Elle est devenue de plus en plus petite, jusqu'à n'être plus qu'un point sur l'horizon.

Je ne sais pas où passent les années, mais je ne m'assieds plus dehors parmi les gombos charnus, les aubergines aux tons soutenus, pour regarder les insectes ou nourrir les poulets dans ma grotte magique sous la maison. Dehors, le terrain est devenu une friche stérile. Les mauvaises herbes ont tout envahi. Je me lève le matin et j'entreprends les tâches ménagères quotidiennes, puis il est temps de faire la sieste. Ensuite, la télé, bien sûr, jusqu'à l'heure du coucher. Parfois, un film au cinéma et, le vendredi, les prières au temple, le soir. Un jour, je me suis réveillée, j'avais quarante-cinq ans, j'étais célibataire et Papa avait quatre-vingt-deux ans. Je l'ai regardé : un vieil homme sur une bicyclette déglinguée. Pendant des années, je l'avais observé depuis la fenêtre quand il enfourchait le même vélo rouillé, descendait le même chemin, tout en songeant avec inquiétude qu'un jour il pourrait tomber et se blesser. Mais j'étais au marché le jour où cela a fini par arriver. C'est Maman, debout près de la fenêtre, qui l'a vu basculer après avoir buté contre les grosses racines du vieux ramboutan.

Elle est sortie de la maison en courant, sans prendre la peine de mettre ses sandales. Pauvre Papa, étendu sur le dos ; il était trop choqué pour bouger. Maman avait soixante et un ans. Ses jambes maigres se faisaient vieilles, mais elles conservaient encore toute leur vigueur. Elle s'est agenouillée auprès de lui. Le visage de mon père ressemblait au lit d'un fleuve asséché. Parsemé de profondes rides. Pendant des années, elle avait lu ce faciès comme un livre. Il avait très mal. Elle a étendu la main et effleuré les sillons. Malgré la douleur, il l'a regardée avec surprise. La roue arrière de sa bicyclette continuait à tourner. Elle a tenté de l'aider à se relever.

– Non, non. Je ne peux pas bouger. Ma jambe est cassée. Appelle une ambulance.

Maman s'est précipitée chez le Vieux Soong. Un serviteur l'a fait entrer. C'était la première fois qu'elle pénétrait à l'intérieur de la maison. Elle a reconnu la table en bois de rose où Mui Tsai avait servi de la viande de chien à son maître, où les doigts de celui-ci étaient remontés pour la première fois le long de ses jeunes cuisses. La table où les Japonais l'avaient renversée pour la violer un à un. Le carrelage était frais sous les pieds de Maman.

– Madame Soong ! a-t-elle appelé d'une voix rauque.

Mme Soong a enfin ouvert la porte en bois sombre. Elle était d'une incroyable laideur. Elle était grosse et devenait chauve. Toute sa beauté avait disparu. Il n'y avait aucune joie dans ses yeux étroits que les plis de sa peau rapetissaient encore. La présence de Maman paraissait la mettre mal à l'aise. Cette vieille sorcière connaissait tous ses secrets hideux. La sorcière a expliqué qu'elle avait besoin du téléphone. Mme Soong a fait un geste de la main en direction de l'appareil, près du couloir. Après avoir téléphoné, Maman l'a remerciée et s'en est allée rapidement.

Elle est passée devant la maison de Minah, vide depuis longtemps. Son protecteur japonais avait quitté la jeune femme en lui laissant un terrain et de l'argent ; elle avait déménagé. Puis Maman est passée très vite devant la maison où, il y avait tant d'années, Mui Tsai s'était pendue.

Papa gisait étendu sur le dos. Il n'avait pas bougé. Elle a eu envie de pleurer, sans savoir pourquoi. La blessure n'était pas très grave pourtant. Pourquoi se sentait-elle soudain si perdue, si abandonnée? Comme s'il l'avait quittée, alors que c'était elle qui était partie appeler une ambulance. Pourquoi, au terme de tant d'années, éprouvait-elle cette douleur à la vue de sa douleur à lui? À la pensée de le perdre? Elle a vainement essayé de se rappeler qu'il l'irritait, qu'il l'ennuyait et qu'il la frustrait au-delà du supportable.

Elle a baissé les yeux vers lui et il l'a regardée.

Son visage était sans expression. Il la contemplait simplement comme il l'avait toujours fait depuis la première fois qu'ils s'étaient vus. Fort, sérieux, aussi malléable qu'une pâte. Elle a pensé qu'elle devrait lui confier une part de ses sentiments. Peut-être ses pensées confuses, son étrange désir qu'il aille bien le réconforteraient-ils. Mais je suis arrivée en courant et ces paroles un peu sentimentales se sont éteintes dans sa gorge. Elle s'est sentie embarrassée à l'idée qu'une vieille femme comme elle ait pu penser des choses aussi stupides. Elle était réconfortée de n'avoir pas prononcé ces mots ridicules, puérils. Ils auraient risqué de le choquer et de lui provoquer une crise cardiaque.

Elle m'a laissée auprès de Papa pour rentrer à la maison se préparer. Elle voulait l'accompagner à l'hôpital. Être à ses côtés. Elle était sans doute trop agitée pour rester toute seule chez elle. Très vite, elle a défait son sarong décoloré et a passé un sari bleu ciel orné d'une petite bordure vert sombre. Elle a coincé dans son *choli*[1] une bourse pleine d'argent. Qui sait combien coûtent les médicaments maintenant? Elle a ramené ses cheveux en un chignon serré sur la nuque. Tout cela ne lui a pris que quelques minutes.

La maison était très calme. On aurait dit qu'elle savait qu'une tragédie s'était déroulée dehors, que les vieux os ne guérissent pas. Puis Maman a rencontré ses yeux dans le miroir et s'est arrêtée, stupéfaite. Il y avait en eux quelque chose d'étranger. Elle a regardé de plus près. Au tréfonds de ce regard oscillait une émotion dont il fallait se méfier. Ce sentiment l'a mise mal à l'aise, elle s'est détournée vivement. Penser à ce qu'elle avait à faire : ses pieds. Il fallait agir vite pour ses pieds écorchés par la course sur le chemin de pierres. Elle a nettoyé le sang et,

---

1. Nom de la blouse ajustée découvrant la taille que portent les Indiennes sous le sari.

tout en enfilant ses sandales, est sortie attendre l'ambulance à côté de son vieux mari. Avec son assurance de reine, elle m'observait, ruisselante de larmes, recroquevillée sur les pierres tranchantes, près de Papa, en train de lisser ses cheveux blancs autour de son visage. Ma faiblesse lui donnait de la force. En cet instant, elle était heureuse de ne pas avoir succombé à ses étranges émotions. C'était une femme orgueilleuse. Elle ne voulait pas paraître faible ou idiote. C'était au moins une bonne chose qu'elle ne soit pas accroupie dans cette position indigne, à pleurer à chaudes larmes. Elle savait que les voisins la regardaient derrière leurs rideaux. Ils auraient même pu s'attrouper autour d'eux pour les aider. Mais maintenant, le quartier s'était peuplé de nouveaux voisins. Toute une génération qui souriait et se faisait des signes de loin. Des gens qui croyaient dans un étrange concept occidental appelé « intimité ».

L'ambulance s'est engagée dans notre cul-de-sac. Deux hommes en blanc ont transporté Papa sur un brancard. Il a grimacé de douleur. À le regarder ainsi allongé sur un lit de fortune entre des mains expertes, Maman a éprouvé un sentiment de déjà-vu. La dernière fois, il était livide et inconscient. Elle n'était elle-même qu'une enfant. Elle s'est assise tranquillement dans l'ambulance qui filait à toute allure dans les rues de Kuantan. Papa a fermé les yeux, fatigué. Il avait l'air si loin. Curieusement, elle désirait le toucher, sentir qu'il était bien là, avec elle. Ses propres pensées la troublaient. Était-ce l'âge ? Ou peut-être comprenait-elle la fatigue qu'il éprouvait. Elle savait qu'il passait ses journées à rêver du crépuscule, à attendre ardemment ce moment où la fraîche obscurité descendait, épaisse et apaisante couverture de l'oubli. Peut-être redoutait-elle l'ultime crépuscule, et plus encore le fait qu'il semblait l'accueillir, l'inviter. À un moment donné, ses paupières se sont ouvertes en frémissant. Ses yeux se sont attardés silencieusement sur elle et, comme s'ils étaient rassérénés par la vue de son regard anxieux, ils se sont fermés dans un battement. Elle était contente d'avoir été son rocher. Elle a senti le regret fondre et remplir lentement toutes les petites lézardes, toutes les fissures de son être. Elle avait été abominable avec lui. Toute sa vie durant, il lui avait donné le meilleur de lui-même, et elle s'était montrée impatiente, dure, arrogante. Elle avait fait en sorte que les enfants sachent bien que c'était elle qui dirigeait tout. Elle ne lui avait laissé aucune place. Elle avait même été jalouse des petits signes d'affection qu'ils introduisaient clandestinement dans son univers désolé. Elle avait été égoïste et méchante.

Ce n'était qu'une fêlure du fémur. Papa est resté étendu sur le lit, les yeux clos, la jambe enveloppée d'un plâtre blanc. Maman a pris conscience qu'il perdait ses couleurs. Son teint très sombre paraissait se décolorer, sa peau avait viré au gris. Il a secoué la tête devant le plateau de nourriture qu'on lui a apporté. Maman a mélangé un peu de riz avec le bouillon de poisson et a donné à manger à Papa comme elle le faisait avec nous quand nous étions petits. Depuis ce jour, il n'a accepté de manger qu'à condition que Maman le nourrisse.

— Je te préparerai tes repas, a-t-elle promis, heureuse de pouvoir faire quelque chose de concret.

Le cœur lourd, elle a quitté le service. Elle ne se comprenait plus. Après tout, elle avait longuement parlé avec le médecin. Il s'agissait d'une simple fêlure du fémur. Et il lui avait assuré qu'il n'y avait aucune raison de s'inquiéter. Dans trois semaines, on enlèverait le plâtre et Papa en ressortirait comme neuf. Elle a pris le car pour rentrer ; les taxis étaient trop chers. Il était déjà quatre heures quand elle est arrivée à la maison. Elle n'avait rien mangé de la journée et n'avait pas pris ses comprimés pour l'asthme. Elle les a avalés rapidement avec un peu d'eau. Elle n'avait pas faim, mais pour calmer les gargouillis de son ventre, elle a mangé un peu de riz au curry.

Pendant trois semaines, sa vie a suivi précisément la même routine. Elle se levait sans même penser à prendre son petit déjeuner, préparait rapidement un repas pour Papa et se précipitait à l'hôpital. Elle lui donnait toujours à manger. Puis elle rassemblait les boîtes qui avaient contenu la nourriture et rentrait en car. Elle prenait ses comprimés pour l'asthme et, une demi-heure plus tard, elle s'armait de courage pour absorber son déjeuner. Elle ignorait bien sûr que, chaque jour, l'acide des comprimés attaquait les parois de son estomac vide. Elle a négligé les crampes et les tiraillements occasionnels. Il y avait des choses plus importantes à faire.

Le jour où on a enlevé le plâtre, Maman s'est rendue plus tôt à l'hôpital. Elle est restée au chevet de mon père tandis qu'ils lui ôtaient le moule dur et jaunâtre.

— Vous voilà parti, a lancé gaiement le médecin.

Papa a tenté de bouger sa jambe, mais on aurait dit une pierre attachée à son corps.

313

— Allons, bougez votre jambe. Elle est un peu raide, mais c'est comme si elle était toute neuve, maintenant.

Mon pauvre père a rassemblé toutes ses forces.

— Elle ne bougera pas, a-t-il fini par dire, épuisé par l'effort.

Le médecin a froncé les sourcils et l'infirmière a fait une grimace. Ces gens âgés. Toujours à faire des histoires. Maman l'a regardé. Le tiraillement dans son ventre l'inquiétait. Il s'était transformé en une douleur brûlante.

Le médecin a de nouveau examiné la jambe de Papa. Il a déclaré que le plâtre l'avait sans doute trop comprimée et qu'il avait maintenant besoin d'une cure de physiothérapie. Une petite cure et il courrait comme un jeune faon dans les couloirs de l'hôpital. En fait, la jambe de Papa était inerte. Les nerfs étaient morts ; elle était dure et froide. Il ne faisait pas de doute qu'il était paralysé.

Pendant trois mois, Papa a supporté les soins d'infirmières désagréables qui l'accusaient d'être paresseux. Un jour, il s'est réveillé avec un bout de papier dans sa bouche. Il a pensé qu'une des infirmières lui avait joué un tour. Il était seul, en butte à leurs plaisanteries. Il savait que son incapacité à faire des progrès les irritait, comme s'il faisait exprès de ne pas pouvoir marcher. Il a demandé à partir. Il a dit au médecin qu'il ferait ses exercices chez lui ; il avait deux grands fils qui pourraient l'aider. Une ambulance l'a ramené à la maison.

Je l'ai entendu pousser un soupir de soulagement quand il s'est retrouvé allongé dans son grand lit.

Cependant il a cessé de faire ses exercices et, lentement mais sûrement, la raideur a gagné son autre jambe. Puis la paralysie a commencé à remonter subrepticement dans tout son corps. Avec ses genoux légèrement repliés, sa silhouette a pris une allure étrange. Quand on essayait d'étirer ses jambes, elles remontaient d'elles-mêmes, lentement, jusqu'à ce que ses genoux se plient de nouveau. Un mois plus tard, on a diagnostiqué chez Maman une gastrite chronique. Elle ne pouvait rien manger sans ressentir de terribles brûlures d'estomac. Elle buvait toute la journée du lait chaud et ne mangeait que des boulettes de riz mélangées à du yoghourt. Elle ne pouvait même plus manger de fruits. Une pomme ou une orange la faisait tousser et cracher du sang.

Dans la chambre, il était manifeste que Papa se mourait. Maman s'asseyait à son chevet, mais elle était impuissante face à la mort qui prenait peu à peu possession de lui. Car c'est ainsi qu'elle l'a emporté : elle s'est furtivement emparée de lui, jour après jour, sans se presser, avec une aisance nonchalante. Quand elle a atteint ses mains, Maman a posé des bouteilles d'eau chaude sur son corps, comme si elle pouvait réchauffer sa chair et empêcher la vie de s'échapper. Mais, en vérité, la mesquinerie de l'enfant de la mort faisait payer à mon père le prix d'avoir échappé à son emprise depuis qu'il s'était assis sur le rebord de la fosse et avait ri en disant :

– Neuf sur dix, c'est quand même du beau travail.

Maman a exigé que Lakshmnan, ou l'un des autres garçons, vienne une fois par jour pour le soulever et le changer de position, car Papa avait de nombreuses escarres. En sept mois, la paralysie était montée jusqu'au cou. Tout son corps était inerte et étrangement froid, comme s'il était déjà mort. Papa faisait tout très lentement. Et maintenant, il se mourait lentement, dans la douleur. C'était sa façon à lui de faire les choses. Son haleine était désagréable. Puis il a refusé de manger et sa tête s'est refroidie à son tour. Maman a essayé de lui faire avaler du lait, mais il le laissait couler le long de son menton. Elle ne voulait pas abandonner ; elle restait assise à son chevet toute la journée.

Un jour, il a regardé Maman en murmurant :

– J'ai été plus heureux que Thiruvallar.

Après, il a cessé de parler et l'horrible immobilité de la mort l'a gagné. Ses paupières à demi closes ne laissaient voir que le blanc de ses yeux. Sa respiration était si ténue qu'il fallait tenir un miroir devant son visage pour savoir qu'un souffle animait encore son corps raide. Ses yeux fixaient le vide au loin. Pendant quatre jours, il est resté ainsi tel un gisant, froid mais animé d'une très faible respiration. Puis au matin du cinquième jour, lorsque Maman s'est réveillée, son corps entier était glacé. Aucun souffle chaud ne sortait plus de ses narines. Sa bouche était entrouverte.

Quand le docteur Chew a déclaré son décès, tous ses enfants et petits-enfants étaient autour de son lit.

Maman n'a pas pleuré. Elle a donné un gros morceau de bois à Lakshmnan et lui a demandé d'étendre bien droites les jambes de Papa. Puis elle a quitté la chambre. Lakshmnan a frappé d'un coup sec contre les rotules. Nous avons entendu un craquement, puis mon frère a allongé doucement les jambes.

Ensuite il a apporté le banc de Maman dans le salon et y a étendu Papa. Nous avons enlevé le matelas du grand lit et l'avons brûlé dehors. Maman s'est tenue là, à observer les flammes orange dévorer le rembourrage de coton. Elle ressemblait à une veuve envisageant sans peur le sati[1]. Je pouvais l'imaginer s'élançant avec intrépidité dans le feu où brûlait le corps de son mari. Personne n'aurait eu besoin de la pousser. Personne n'aurait même osé le faire. Elle brûlait bien plus que le matelas. Elle brûlait une partie de sa vie. Tous ses enfants avaient été conçus sur ce matelas. Elle s'y était allongée avec mon père depuis tant d'années. Elle l'avait fait rembourrer à plusieurs reprises pour le garder bien rebondi.

Tout en le regardant se consumer, il lui vint à l'esprit qu'elle avait aimé mon père. Pendant toutes ces années, elle l'avait aimé sans même le savoir. Elle avait écarté comme une sottise les tiraillements inhabituels qu'elle avait éprouvés quand une moto l'avait renversé, des années auparavant. Peut-être l'avait-elle su à ce moment-là, mais elle avait été trop fière pour le lui dire. Elle aurait dû le faire. Cela l'aurait rendu heureux. Pourquoi ? Mais pourquoi ne pas le lui avoir dit ? Cela aurait même pu lui donner la volonté de vivre. Elle savait que l'ambition de toute sa vie avait été qu'elle en vienne à l'aimer. Les derniers mots qui s'étaient si douloureusement échappés de sa bouche chantaient à ses oreilles avec une amère douceur. « J'ai été plus heureux que Thiruvallar. » Elle comprenait son message.

Parmi le chapelet d'histoires qui forgeaient la chaîne de la légende hindoue, Thiruvallar fut l'un des plus grands sages qui ait jamais existé. Il accorda un vœu à sa femme qui était sur son lit de mort.

– Demande, demande ce que ton cœur désire, lui dit-il.

Elle aurait pu lui demander la chose la plus précieuse à laquelle aspire tout Hindou : *moksha*, la libération de l'inéluctabilité des renaissances prochaines, mais au lieu de cela, elle lui demanda la raison pour laquelle il l'avait priée, dès le début de leur mariage, de lui donner une aiguille et un verre d'eau à chaque repas. Pour autant qu'elle le sache, il ne les avait jamais utilisés.

---

1. Selon le rite funéraire hindou, on immolait jadis les veuves sur le bûcher funéraire du mari. Dans certains cas, la belle-famille n'hésitait pas à pousser une jeune veuve rebelle dans le feu.

– Ah, ma chère épouse, l'aiguille était destinée à piquer chaque grain de riz qui aurait pu tomber accidentellement de la feuille de bananier et le bol à eau à le laver avant de le manger. Le gaspillage est un péché qui empêche l'entrée au paradis. Mais comme tu as fait en sorte qu'aucun grain ne tombe, je n'ai jamais eu besoin d'avoir recours à l'aiguille ni au bol d'eau.

Et parce qu'elle avait été une si bonne épouse, au-delà de tout reproche, Thiruvallar lui accorda la faveur de moksha.

En poussant son dernier soupir, Papa avait voulu que Maman sache qu'elle lui avait été plus précieuse que l'épouse parfaite de Thiruvallar.

Des larmes ont ruisselé sur le visage de Maman. Elle savait qu'elle avait tout gâché. Elle avait incité les enfants à le mépriser, elle avait ridiculisé sa douce nature, elle avait fait passer sa bonté pour de l'imbécillité. Elle l'avait trahi, lui qui l'avait tendrement aimée. Elle s'est sentie vaincue par sa propre impatience, par son esprit remarquablement intelligent. Sa tête avait détruit son cœur.

Sevenese

En rêve, alors que la main gauche de l'Aube s'élevait dans le ciel,
J'entendis une voix crier au fond de la taverne :
Réveillez-vous, mes fées, et remplissez la coupe
Avant que le nectar de la vie ne s'y assèche.

Toute ma vie, j'ai résolument refusé de reconnaître la grande subtilité d'Omar Khayyam. Le véritable sens mystique de ce verset est pareil à du vin : si puissant qu'il en devient dangereux pour l'animal qui le consomme. Il paraît plus accessible, dans l'interprétation occidentale superficielle. Si j'avais enfin reconnu que « la voix dans la taverne » n'est pas le miaulement enjôleur qui s'échappe de lèvres fardées, aux petites heures du matin dans quelque miteuse chambre d'hôtel de Thaïlande, j'aurais pu résoudre le mystère de la vie. Mais je ne voulais pas le résoudre. Une fois résolu, il se serait traîné, morne et ennuyeux dans le lointain.

Est-ce que Khayyam connaissait l'existence des *apsara*, ces nymphes divines que l'on peut acheter pour quelques dollars la nuit ? Je dirai à ce grand poète, si je le croise dans l'autre monde, que le nectar de ma vie a été aussi un liquide doré, mais qu'il sortait d'une bouteille de Jim Bean. Et cela a été sacrement bon. Omar comprendra. C'était un homme au regard pénétrant. Il comprendra que me refuser l'illusion de l'ignorance revenait à me refuser la qualité du pichet et, plus encore, à remettre en question la main du potier. Le problème était simple. J'étais un vase de fabrication défectueuse. Devrais-je me mépriser pour avoir mal tourné ?

Celui qui m'a façonné a également imprimé en moi la feuille de vigne de la corruption. D'un vert sombre, elle a fleuri dès le début de ma vie et s'est emparée de mon âme même. Que pouvait-on y faire ?

Je suis un goujat invétéré. Alcool fort, bonne chère, vie facile me touchent d'une manière qui est sans aucun doute pernicieuse. Je considère ma mère avec une fascination mêlée d'horreur. L'ambition matérielle est la force maîtresse qui l'incite à agir. Je me demande s'il est possible qu'elle ignore vraiment à quel point cette bête est hideuse pour qu'elle la serre ainsi tout contre sa poitrine ?

Contrecarrée, cette ambition l'a lentement vidée de sa propre substance. Elle a voulu nous l'insuffler, mais la même graine porte des fruits différents dans des réceptacles différents. Elle se manifeste autrement, a une odeur distincte et exige un menu lui aussi complètement différent. Le mien sent le parfum bon marché et se repaît d'immensités de chair douce tandis que celui de Lakshmnan sent le métal, conduit une Mercedes de dimensions impressionnantes et vit dans une vaste demeure située dans le plus beau quartier de la ville.

Elle était si forte, ma mère, qu'elle écrasait tous ceux avec lesquels elle entrait en contact. Moi, je me suis rebellé. Je suis rentré à la maison en faisant un long détour. À peine l'interdiction de ma mère s'était-elle échappée de ses lèvres que j'avais non seulement pris la décision de pénétrer dans la maison du charmeur de serpents mais de me lier d'amitié avec ses fils et d'apprendre leurs noirs secrets et leur savoir-faire. Maman avait raison, bien sûr, il se passait quelque chose de très étrange chez eux. Tout jeune garçon, je sentais cette aura invisible, dans des endroits plus sombres que d'autres, et surtout dans la pièce aux rideaux noirs où se tenait une grande statue de Kali, la déesse de la Mort et de la Destruction. Elle me fixait d'un air malveillant et, sans crainte, je lui rendais son regard. C'est comme ça que m'a fait mon Créateur. Sa main a tremblé. Il m'a créé égoïste, sans cœur et sans peur devant l'inconnu. Il me faut encore subir l'épreuve de mon point de non-retour. Et je lance le défi téméraire : « Emmène-moi plus loin. »

Même maintenant, alors que mes os me font mal et que mes muscles sont fatigués, ce défi m'aiguillonne encore. Il m'est quasiment impossible de ne demander qu'une bière ou qu'une seule fille. J'en demande quatre et je les fais aligner le long du bar de sorte que leurs noms et leurs numéros inscrits sur leur poitrine se trouvent bien en face de moi. Quatre poupées alignées, c'est aussi un spectacle rudement beau! Oui, je remplis ma coupe jusqu'à ce qu'elle déborde, et là je la remplis encore et encore.

J'attendais ma première prostituée. Des « ouaaa, ouaaa » résonnaient à mon oreille; les jeunes filles aux yeux baissés m'ennuyaient. L'énergie qu'il faut déployer pour sortir avec une vierge indienne, une mère obèse inévitablement attachée à sa culotte, et les mois de cour timide sans garantie d'arriver à ses fins me décourageaient. Je voulais moins d'histoires et plus de variété. Je traînais en haut des marches de l'école avec mes copains à regarder les filles monter avec les clients. À leur demander avec insistance si on pouvait toucher leurs mangues. Immanquablement, toutes celles qui étaient grosses et laides devenaient agressives, nous maudissaient copieusement, alors que les jolies filles rougissaient en baissant la tête avec coquetterie. L'une d'elles tomba amoureuse de moi, mais, naturellement, je lui ai brisé le cœur. Ce que je recherchais ne se trouvait pas dans les bras d'une femme bien. Je voulais des femmes d'expérience qui savaient qu'elles devaient être payées.

Je suis monté jusqu'en Thaïlande en train, en traversant toute la Malaisie, rien que pour passer un court séjour dans les quartiers chauds. De ravissantes créatures ont joint leurs paumes et se sont inclinées profondément. Elles ont enlevé leurs coiffes très élaborées et m'ont lavé les pieds dans une cuvette remplie d'eau parfumée pendant que je fermais les yeux tout en me remettant du voyage avec cette seule pensée : *je suis enfin chez moi.*

Je sais que je cherche quelque chose. Une chose que je n'ai pas trouvée. Je traverse les rues du quartier de Chow Kit en observant les travestis. On les appelle « les femmes en plastique ». Elles arpentent la rue avec insolence, d'un pas léger, elles bombent leur poitrine rembourrée, elles dandinent leurs fesses moulées avec ostentation, elles minaudent en passant devant les hommes. Souvent, elles viennent vers moi en glissant, dans un tourbillon d'artifices : perruques, faux cils, soutiens-gorge pigeonnants, gaines serrées, vernis à ongles criards, maquillages appuyés, voix haut perchées.

– Combien? ai-je demandé une fois, juste pour m'amuser.

Elle s'est rapprochée de moi en ondulant avec un sourire engageant, la main caressante prête à se plier à mes désirs.

320

– Ça dépend de ce que tu veux.

Je l'ai regardée. Elle avait la peau douce et des yeux pitoyables. Sa pomme d'Adam montait et descendait dans sa gorge. Il était impossible de poursuivre ce jeu. J'ai poussé un soupir de regret.

Instinctivement, elle s'est mise sur le qui-vive.

– Je ne te prendrai pas beaucoup.

Je sais pourquoi elle est moins qu'une prostituée : parce qu'elle se donne à tout le monde comme si elle était une boîte d'asticots. Elle ne peut offrir sa sexualité que dans le noir à des étrangers aux goûts pervers.

– La prochaine fois, peut-être, lui ai-je dit.

– Je vais te montrer des trucs que tu connais pas, a-t-elle insisté, le regard vide.

Je l'ai crue. J'ai cru qu'elle pouvait me montrer des choses étranges et excitantes qui lui répugnaient profondément. L'idée m'a fasciné. Jusqu'à quel point le vase est-il déformé ? Ah, si seulement elle n'était pas un homme. Mais Sevenese, mon pote, elle *est* un homme.

J'ai secoué la tête. Il a pris un air froissé, en faisant des mouvements d'impatience. Je lui avais fait perdre son précieux temps. Je l'ai observé s'éloigner et rejoindre l'un de ses semblables. Ils m'ont désigné du doigt et considéré avec haine. Je comprends leur tragédie. Leur malheur ne réside pas dans le fait qu'ils ne sont pas ce qu'ils devraient être mais qu'ils ne sont pas ce qu'ils voudraient être. Des femmes.

Quatrième partie

La première gorgée de vin défendu

Dimple

J'ai le souvenir de moi, petite fille, assise anxieusement sur le sac qui contenait mes affaires, près de la porte d'entrée, les cheveux nattés, les pieds prisonniers de mes plus belles chaussures, mon cœur comptant les minutes comme une horloge sonore dans ma poitrine. J'attendais d'aller en vacances chez Grand-Mère Lakshmi. Arriver chez elle était une course d'obstacles insurmontables pour l'enfant que j'étais. La plus minime infraction pouvait me priver de ce privilège. Le plus difficile était de faire semblant de dédaigner la perspective de ces séjours.

Ce n'était que lorsque Papa était rentré à la maison et que nous étions tous deux assis dans la voiture sur le chemin de la gare routière que je pouvais pousser un soupir de soulagement et avoir la certitude que mon voyage n'était plus soumis à un changement de dernière minute.

À la porte du car, j'embrassais Papa et il agitait sa main en signe d'au revoir jusqu'à ce que le véhicule disparaisse de sa vue. Je fermais les yeux et je laissais tous mes problèmes derrière moi : mon frère Nash qui me menaçait de m'attacher à une chaise et de brûler tous mes cheveux, le visage de Maman et son sourire sarcastique. Bientôt, très bientôt, j'allais dormir si près de ma chère Grand-Mère que j'entendrais l'asthme dans sa poitrine. Comme un moteur fatigué, plus poussif à chacun de mes séjours.

Je me tenais très droite pendant le trajet, fixant le paysage par la fenêtre, sans même oser m'assoupir un instant ni descendre du bus à Bentang pour boire un rafraîchissement avec les autres passagers. J'avais très peur des méchants messieurs contre lesquels Maman m'avait mise en garde, de ceux qui faisaient disparaître les petites filles qui voyageaient seules. À la gare routière de Kuantan, Tante Lalita m'attendait, un bon gros gâteau à la main ; le vent de la jetée collait ses fines boucles sur son large visage souriant. Je descendais du car, mettais ma main dans la sienne et ensemble nous faisions tout le trajet à pied jusque chez Grand-Mère, en balançant nos mains comme les meilleures amies du monde. Je nous vois toutes les deux, traversant la ville à pied, elle tenant mon bagage dans sa main droite et moi à ses côtés, à peine capable de contenir mon excitation. Kuantan ne changeait presque pas au fil des ans. Elle m'était toujours chère et familière. Comme revenir chez soi.

Quand on tournait au coin de la maison du Vieux Soong, j'apercevais Grand-Mère, légèrement voûtée, debout près de la porte. Me libérant de la poigne de Tante Lalita, je m'élançais vers sa silhouette sur la véranda. Quand enfin je me jetais dans ses bras tendus, enfouissant mon visage dans son odeur familière, elle prononçait toujours les mêmes mots :

– *Aiyoo*, comme tu as maigri !

Et je pensais :

« *S'il y a un paradis sur terre.*
C'est ici. C'est ici. C'est ici [1]. »

Clair comme le jour est le souvenir des premières heures matinales dans la maison de Grand-Mère, avant que le soleil ne jaillisse de l'horizon. Je me vois en train de m'éveiller dans la fraîcheur de la pénombre, très excitée par la journée qui s'annonce. Dans le salon, la lumière est encore allumée et Oncle Sevenese est soûl. Depuis longtemps, la nuit est son royaume et il s'est lui-même sacré « le bouddhiste ivre ». Il est fascinant quand on est jeune de se retrouver assis en présence d'un cynisme naturel. Et mon oncle était le maître du cynisme.

– Comment ne pas révérer un homme qui est mort parce qu'il était trop courtois pour refuser une nourriture avariée [2] ? disait-il en parlant du Bouddha.

Quand il me voyait jeter un coup d'œil dans l'embrasure de la porte, il m'invitait à pénétrer dans le salon.

---

1. Citation que fit graver l'empereur moghol Shah Jahan sur le mur du Diwan-i-Khas du fort Rouge de Delhi.
2. Le Bouddha accepta, par pure bonté et en toute connaissance de cause, un plat avarié offert par un marchand en signe de révérence. Il attrapa une dysenterie qui lui fut fatale.

– Viens là, murmurait-il en tapotant le siège à côté de lui.

Je me précipitais. Il m'ébouriffait les cheveux, comme il le faisait toujours.

Je lui demandais :

– Qu'est-ce que tu fais de si bonne heure ?

– Quelle heure est-il ?

Et à nouveau, sa voix se faisait légèrement traînante. Je pouffais dans mes mains.

Je ne voyais jamais les ravages. Je ne voyais qu'un homme d'une infinie sophistication célébrant un monde d'idées merveilleusement outrageuses. La bouteille de whisky me paraissait même accessoire ; ses effets amusants et inoffensifs. Quand il était dans cet état-là, il discutait avec moi de problèmes d'adultes qu'il n'aurait pas dû aborder, et nous le savions tous les deux.

J'enfonçais mon doigt dans son gros ventre, il disparaissait sous des plis de graisse.

– Fais trembler ton ventre.

Et immédiatement tout son abdomen se mettait à vibrer. Cela provoquait toujours en moi des accès de rire incontrôlables.

– Chhuuut, me disait-il, enfonçant davantage sa bouteille de Bells dans les coussins, tu vas réveiller le Riz maternel.

– Qui ça ?

– La Dispensatrice de Vie. À Bali, son esprit est présent dans des effigies faites de riz. Elle est installée sur un trône de bois, dans le grenier familial, et elle protège les récoltes qu'elle accorde avec libéralité dans les champs de paddy. Elle est si sacrée qu'on interdit aux pécheurs de se trouver en sa présence ou de consommer le moindre grain qui la compose.

Oncle Sevenese pointait son doigt vers moi. Il était vraiment soûl.

– Dans cette maison, notre Riz maternel, c'est ta grand-mère. Elle est la gardienne des rêves. Regarde bien et tu verras qu'elle s'assied sur son trône de bois et détient dans ses mains puissantes tous nos espoirs et tous nos rêves, grands et petits, les tiens et les miens. Les années ne la diminueront pas.

– Oh !

Cette idée faisait son chemin dans mon esprit. J'imaginais Grand-Mère, non plus frêle et souvent triste, mais comme l'incarnation du Riz maternel, forte et magnifique, les grains de riz collant à son corps, ses mains robustes renfermant tous mes rêves endormis. Enchantée par cette idée, je posais ma tête sur le ventre de mon oncle comme sur un doux oreiller.

– Chère, chère Dimple, soupirait-il tristement. Si seulement tu pouvais ne jamais grandir. Si seulement je pouvais te protéger contre ton avenir, contre toi-même. Si je pouvais être comme ces chamanes inuites. Quand ils battent le tambour, le son résonne à des kilomètres à la ronde, et les daims dansent en attendant l'arrivée des chasseurs. En attendant leur mort.

Pauvre Oncle Sevenese. J'étais trop petite pour savoir que les démons et les esprits le talonnaient, de leurs yeux immenses et rougeoyants, comme ceux des crocodiles dans le noir. Ils le poursuivaient inlassablement, inexorablement.

La tête posée sur son ventre, innocente, je me demandais si un lointain chamane avait déjà battu le tambour et si les chasseurs étaient en route. C'était sans doute pour cette raison qu'il était toujours dehors à danser la rumba, le merengue et le cha-cha-cha...

– La naissance n'est qu'un retard de la mort, me disait-il, l'haleine chaude de whisky.

Il prenait le train-couchette vers des régions secrètes et dangereuses de Thaïlande où l'on pouvait disparaître sans laisser de traces. Là où les filles avaient des charmes dont elles savaient jouer avec une incroyable virtuosité, sécrétant du *kama-salila*, ces fluides d'amours, aussi frais et parfumé que des litchis.

Toujours sous l'emprise d'une soif qu'il ne pouvait nommer, il partait pour Port-au-Prince où il frayait avec des médecins vaudous qui faisaient jaillir de leur aura noire des feux d'artifice fins comme des aiguilles. Séduit, il les regardait ouvrir la porte des esprits et lui montrer deux êtres appelés Zede et Adel. Il envoyait une carte postale d'une grande cascade sous laquelle « des gens tournoient et entrent en transe, crient des mots étranges et incompréhensibles en se tortillant sur les rochers ».

Au fil des années, j'ai gardé ses lettres avec des photographies de lui debout au pied des imposantes pyramides égyptiennes. « Essaie d'imaginer ce que peuvent ressentir les fourmis qui sont sur le pas de notre porte », avait-il griffonné. Il dormait dans le désert sous une extraordinaire voûte constellée de millions d'étoiles et traversait une mer d'oiseaux morts, leurs petits yeux et leurs becs incrustés dans les sables tourbillonnants, ceux qui ne finiront jamais la traversée de l'immensité sableuse. Il buvait le lait des chameaux au goût si fort et observait leurs vociférations plaintives quand on les chargeait. Leurs pieds étaient aussi grands et aussi doux que des chapatti. Il mangeait du pain dur comme de la pierre et examinait avec stupéfaction les petites souris sorties de nulle part pour attraper la plus infime croûte tombée sur le sable. Il m'apprenait que le mot qui désigne la femme, *horman*, vient du terme arabe *haram* qui signifie « interdit », mais que les hommes ici appelaient les jolies filles « belladooozzz ».

On lui offrait ces belles filles vêtues de voiles scintillants et de tissus somptueux, étendues sur le dos, reposant sur de luxueux coussins près d'un bassin, protégées par des moucharabiehs qui leur permettent de voir la vie au-delà des murs sans être vues. Elles baissaient les yeux et contemplaient leurs reflets mouvants sur l'eau, ou leur image dans le petit miroir enchâssé dans leurs antiques bagues persanes. Leurs seins enduits de musc luisaient, et leur nombril, rehaussé de pierres précieuses, étincelait dans le soleil couchant tandis qu'elles s'éclaboussaient d'eau de rose. Impavide et indifférent, il écrivait : « Suis-je enfin épuisé ? Quel est donc le problème ? » Sans joie, il disparaissait en safari pendant un mois.

– L'absence de compagnie me fera du bien, disait-il.

– Il va perdre son travail, se lamentait Grand-Mère.

Il revenait quelque peu apaisé, noirci par le soleil féroce et étrangement insensible à l'impression qu'il en avait retirée : ce n'était qu'une question de temps avant que le lion d'Afrique, fatigué, ne se retire de la Roue de la Vie et finisse de la même façon que le lion de l'Inde, comme une espèce en voie d'extinction. J'étais profondément triste. J'aime les lions. Leurs yeux fauves, leurs pattes dorées et le splendide rugissement du mâle adulte que l'on dirait sorti d'un antre caverneux, au plus profond de la terre. Au crépuscule, on aurait dit qu'ils étaient sculptés dans la roche même de leur tanière.

Il descendait jusqu'à Singapour, inspectant sans enthousiasme les normes de propreté des trains, et, parfois, il faisait de nuit la route du Nord vers le pays des Mille Bouddhas Couchés[1], des moines vêtus de safran battant des gongs gigan-

---

1. Nom par lequel on désigne la Thaïlande. Les « Mille Bouddhas Couchés » font référence à la représentation du Bouddha en position allongée, symbole de sa disparition ou *parinirvana*, souvent illustrée dans ce pays.

tesques, des spires délicatement ouvragées étincelant dans le crépuscule enfumé et pourpre. Là, il fermait les yeux et étendait sa main pour éprouver à nouveau son démon familier : un sein complaisant, la courbe d'un ventre, une cuisse soyeuse.

Chez Grand-Mère, la nourriture était simple mais saine. Elle me tenait la tête près de la fenêtre de la cuisine, contre les rayons du soleil, pour vérifier que les lobes de mes oreilles étaient bien formés et transparents. Satisfaite, elle approuvait d'un signe de tête, et continuait à découper les oignons, à couper les aubergines ou à effeuiller les épinards. Sa curiosité était sans bornes : Papa, l'école, ma santé, mes amies. Elle voulait tout savoir ; elle était particulièrement fière de mes bonnes notes.

– Comme ton père, disait-elle, avant que la malchance ne fonde sur lui.

Nous jouions beaucoup au jeu d'échecs chinois. Grand-Mère trichait énormément. Elle détestait perdre.

– Poutu con, s'écriait-elle pour me distraire et, rapide comme l'éclair, elle déplaçait ses pièces.

Souvent, Grand-Père et moi nous asseyions tranquillement sur la véranda à regarder le soleil rougir dans le ciel et laisser place à la nuit. Je lui lisais les *Upanishad* à haute voix. Une fois, il s'est endormi dans sa chaise longue. Quand je l'ai réveillé, il a paru un moment déconcerté, a fait une petite grimace et m'a appelée Mohini.

– Non, Grand-Père, c'est Dimple, ai-je dit.

Il semblait déçu. Je me souviens d'avoir pensé qu'après tout il ne m'aimait peut-être pas. Il m'aimait sans doute parce que je ressemblais un peu à Mohini.

Le reste des vacances passait comme l'éclair ; le soleil se couchait de plus en plus vite, rapprochant vertigineusement la fin des congés. La dernière nuit, je pleurais en m'endormant. La pensée de rentrer à l'école, d'affronter la jalousie de Nash et de Bella et les fureurs de ma mère, tout cela était très lourd à supporter. Elle était toujours très en colère quand je revenais de chez Grand-Mère.

Au cours de notre adolescence, Papa et Maman ont été les éléments les plus imprévisibles de notre vie. Ils étaient comme la poudre à canon et l'allumette, recherchant un silex ou une surface rugueuse de façon à légitimer leur explosion par un spectaculaire feu d'artifice. À cette époque, ils en trouvaient en toutes circonstances. Grand-Mère disait qu'ils avaient été ennemis dans une vie antérieure, qu'ils étaient liés par leurs péchés. Comme deux cannibales qui se repaissent l'un de l'autre pour vivre. Même une conversation sur les nonnes d'Andalousie ou les jaunes d'œufs pouvait se terminer par un œil au beurre noir et une pile d'assiettes brisées.

– Et qu'est-ce que tu fais à nous épier comme ça? hurlait Maman comme une hystérique.

– J'ai une réunion dans une heure, je pourrais te laisser chez Amu, hein? suggérait Papa avec son beau visage triste.

Chère Amu. Amu chérie. J'aime profondément cette femme. J'ai l'impression que nous avons toujours vécu avec elle. Je la voyais tous les matins assise sur un petit tabouret entourée de seaux en plastique, frottant et écrasant nos vêtements sales. Comme l'arthrite empêchait Maman de s'occuper de la maison, elle a eu recours à Amu pour balayer, astiquer, frotter. Elle était là tous les matins quand nous nous réveillions, assise à croupetons dehors avec son seau de linge à laver. Quand elle levait les yeux et m'apercevait, son visage s'illuminait.

– Attention à l'eau, disait-elle.

Et, retroussant soigneusement ma robe au-dessus des genoux, je m'asseyais sur les marches de la cuisine pour la regarder.

– Amu, me plaignais-je d'un ton maussade. J'ai vu Nash en train d'arracher les pages du livre qu'Oncle Sevenese a envoyé.

– Oh, ma chérie, ma chérie, disait-elle en faisant claquer sa langue rouge.

Et au lieu de compatir, elle se lançait dans une longue histoire de cousin perdu de vue depuis longtemps qui avait escroqué ses pauvres parents sans méfiance. Des histoires regorgeant d'intrigues et de personnages si horribles que je ne tardais pas à oublier mes petits soucis.

Il y avait aussi de bons moments. Si merveilleux que l'on savait qu'ils ne pouvaient pas durer. Des moments où toute la famille fêtait l'une des bonnes affaires de Papa en faisant un grand repas chinois, avec des ormeaux et des langoustes, dans l'un des meilleurs hôtels de la ville. Quand Maman était de si bonne humeur, je me réveillais la nuit et je l'entendais chanter des chansons à Papa. En ces jours d'ivresse, on aurait dit qu'elle était dévorée d'amour pour lui, brûlant d'une flamme si étincelante que j'avais presque peur de toucher son visage. On aurait même dit alors qu'elle était jalouse des danseuses malaises que Papa regardait à la télévision. Mais l'argent ne durait pas et mes parents reprenaient aussitôt leurs luttes rituelles, comme si j'avais rêvé cet heureux répit.

Un jour, Maman a emmené Bella avec elle pour aller quémander un prêt auprès d'un vieil ami. Bella a raconté que l'homme avait glissé très lentement une enveloppe sur la table, du bout de son doigt, en fixant Maman avec intensité.

– La prochaine fois, venez sans l'enfant, a-t-il dit alors qu'elles lui tournaient déjà le dos.

Le manque d'argent est devenu si aigu qu'Amu nous apportait du riz au curry de chez elle. Je me souviens des larmes roulant le long des joues de Maman pendant qu'elle en avalait une bouchée. Elle n'en mettait jamais de côté pour Papa. Quand il rentrait à la maison, il n'y avait plus rien à manger.

Trois jours plus tard, Maman est retournée voir son ami. Elle n'a pas emmené Bella avec elle. Elle est rentrée à la maison avec une paire de chaussures toutes neuves, marron et or, un grand sac à provisions rempli de nourriture et un regard étrangement brillant. Quand Papa est arrivé à la maison, ils se sont battus furieusement ; dans un accès de rage, Maman a mis en pièces ses nouvelles chaussures, s'est jetée sur le lit et a hurlé comme une louve. Ils ne se sont plus parlé jusqu'à la saison des pluies et Maman n'a rien pu faire d'autre que de rester assise les pieds surélevés. Ses genoux lui faisaient mal, mais l'arthrite avait raidi ses mains qui étaient devenues si douloureuses qu'elle parvenait à peine à ouvrir un pot de confiture. Je pense que Papa l'aimait, car il l'aidait chaque fois qu'elle allait aux toilettes.

Un jour, à mon retour de l'école, Papa m'a annoncé que Grand-Père avait fait une chute de bicyclette. Lorsque j'ai enfin pu lui rendre visite, il était devenu si maigre que ses mains semblaient n'être plus que de longs morceaux d'os recouverts de peau. Il s'est mis à pleurer dès qu'il m'a vue. J'ai compris alors qu'il mourait bientôt.

Grand-Père était un coffret racorni rempli d'histoire. Des histoires si précieuses que je savais que je devais les sauvegarder en les écrivant ou en les enregistrant. Je ne faisais pas confiance à ma mémoire. Un jour, ma petite-fille devra en prendre connaissance. Lors de mon séjour suivant chez Grand-Mère, un magnétophone enveloppé dans une boîte m'attendait : « Fais ton chemin des rêves », m'a-t-elle dit. J'ai commencé avec Grand-Père.

Après lui avoir lu les *Upanishad*, j'ai mis le magnétophone en marche et je l'ai laissé parler. Il parlait merveilleusement bien, mais avec tristesse. Derrière moi, à l'endroit où se fixait son regard, je me suis retournée et j'ai vu sa Néfertiti. Plus belle que tout ce que j'avais pu imaginer.

Chaque jour, Grand-Mère lui préparait un petit poulet noir, qui avait des vertus médicinales, et le faisait cuire dans des herbes. Cela coûtait alors très cher, mais elle avait décidé de le nourrir ainsi jusqu'à ce qu'il aille mieux. Pendant presque un an, elle lui a cuisiné un poulet chaque jour. Grand-Père est mort le 11 novembre 1975; il me léguait sa voix. Tous ses petits-enfants, munis de torches, se sont regroupés autour de son corps ratatiné. Grand-Mère ne pleurait pas. Maman aussi est venue aux funérailles. Elle a demandé à Papa s'il y aurait une lecture de testament. Il l'a giflée puis a quitté la pièce.

— Non, bien sûr qu'il n'y en aura pas. L'araignée a tout gardé, c'est ça? a-t-elle crié dans son dos.

Lorsque j'ai eu dix-neuf ans, un homme est sorti brusquement de l'ascenseur de la banque MNIB et m'a dit les choses les plus folles que j'aie jamais entendues. Il m'a raconté en plaisantant qu'il m'avait regardée à travers la lunette d'un télescope et qu'il était tombé amoureux de moi, pourtant ses yeux semblaient aussi étonnés de me voir que je l'étais moi-même. J'ai pensé que c'était un fou vêtu d'un complet de luxe, mais je l'ai laissé m'offrir une glace.

— Appelez-moi Luke, a-t-il dit avec un sourire en coin qui lui donnait un air très attirant.

Extrêmement sophistiqué et d'un milieu différent du mien. Dans la cour en sous-sol où l'on servait les rafraîchissements, je l'écoutais tout en mangeant ma glace à la fraise et en me demandant comment avaler la banane servie dans le bol sous son regard si attentif. Je n'y arrivais pas; c'était trop gênant. Ne pas la manger était également embarrassant, mais moins toutefois que de le faire sous son regard brillant. Il avait des yeux fascinants. Ce jour-là, ils étaient remplis d'une lumière merveilleuse, et de questions. De milliers de questions.

Où habitez-vous? Que faites-vous? Quel âge avez-vous? Comment vous appelez-vous? Qui êtes-vous?

« Dimple. » Il a essayé de prononcer mon nom, en déplaçant chaque fois sa langue dans sa bouche, puis il m'a dit que la véritable beauté d'un serpent ne réside pas dans le fait que son venin peut tuer un homme en quelques secondes, mais que cet animal sans pattes ni bras a réussi à ancrer profondément la terreur de son espèce dans l'humanité tout entière. Si profondément même que nous ne pouvons la déloger de nos gènes, et que nous sommes voués à craindre ces reptiles.

L'espace d'une seconde, j'ai été terrifiée. Instinctivement.

Quelque chose en moi s'est glacé. Dieu m'avait murmuré un avertissement. Mais Luke a souri et son sourire était tellement beau qu'il transformait son visage. J'ai oublié la mise en garde. J'ai oublié que lorsqu'il parlait ses yeux devenaient froids et opaques. Comme ceux d'un serpent.

— Vous, avec vos yeux clairs, vous pouvez faire attendre toute une tablée de gens importants, a-t-il dit avec son sourire charmeur.

J'ai battu des paupières. Je croyais que les hommes ne disaient ce genre de choses qu'en voyant les seins de Bella. Soudain, enhardie, je l'ai fixé à mon tour. Il ne portait aucun bijou. Ses dents étaient bien alignées et ses pommettes saillantes. Son visage exprimait un désir ardent. Il me regardait avec une intensité extraordinaire qui, à cet instant, harmonisait ses traits. Oui, j'étais réellement séduite. Il est dans la nature humaine de vouloir la face sombre de la lune. Je savais qu'il faisait désormais partie de mon destin. Il me voulait. Ses yeux semblaient dire : « Si tu restes, je t'absorberai tout entière. » Et pourtant, je ne me suis pas enfuie. Peut-être pour la même raison que l'alouette chante quand elle s'envole, et descend en plongeant quand elle est talonnée par un émerillon affamé. Peut-être ai-je toujours voulu être dans la peau de quelqu'un d'autre.

J'ai accepté de lui téléphoner. Comme je savais que Papa ne m'aurait pas approuvée, je ne lui ai pas donné mon numéro personnel.

— Appelez-moi, a-t-il ordonné gentiment en s'éloignant.

Je discernais les empreintes qu'il avait laissées dans les sables d'or de mes rêves et de mon cœur. J'étais tellement absorbée par mes propres pensées que je n'ai pas vu la voiture bleue qui m'a suivie jusque chez moi, jusqu'à ce que je me retourne pour fermer notre porte.

Deux jours plus tard, depuis un téléphone public du centre commercial de Kota Raya, je l'ai appelé à son bureau. Alors que je me débattais pour payer un verre de lait de soja, j'avais laissé tomber sa carte avec sa ligne directe dans le caniveau. Elle a flotté un moment, blanche et immaculée, dans l'eau d'un vert saumâtre avant de disparaître sous les dalles de béton inégales qui le recouvraient. Une réceptionniste prétentieuse m'a demandé à quelle compagnie j'appartenais.

– C'est personnel, ai-je répondu.

Il y a eu une pause.

– Je vous mets en ligne avec sa secrétaire.

Je me suis mise à tripoter nerveusement les pièces de monnaie dans ma poche. La secrétaire aussi était hautaine. Elle m'a fait regretter d'avoir appelé.

– Oui, que désirez-vous ?

– Puis-je parler à Luke, s'il vous plaît, ai-je demandé d'un ton hésitant.

Elle m'a répondu qu'il était en réunion et qu'on ne pouvait pas le déranger puis elle a suggéré d'une voix doucereuse que je laisse un message. J'ai commencé à douter que Luke se souvienne de moi. Je l'imaginais en play-boy millionnaire. Des centaines de filles qui l'embêtaient au bureau. Je n'avais même pas son numéro de téléphone. Peut-être avais-je rêvé tout cela.

– Heu, en fait, il ne peut pas m'appeler. J'essayerai peut-être plus tard, ai-je bredouillé, embarrassée.

Je n'avais aucune intention de le rappeler. Je me sentais jeune et stupide. Qu'avais-je donc cru ?

– Attendez. Comment vous appelez-vous ? a demandé la voix prétentieuse.

– Dimple, ai-je murmuré piteusement.

– Oh. (La voix a paru hésiter un moment.) Ne quittez pas, je vous prie. Il assiste à une réunion très importante ; je vais voir s'il peut prendre votre appel.

La ligne est redevenue silencieuse. Le ventre noué, j'ai mis une autre pièce de dix *cents* dans la fente de la machine. Essayer de le joindre m'avait tellement énervée que j'en tremblais presque.

– Bonjour, a dit Luke d'un ton abrupt.

– Bonjour, ai-je répondu timidement.

Il s'est mis à rire.

– Pourquoi ne m'avez-vous pas appelé sur ma ligne directe ?

– Votre carte de visite est tombée dans le caniveau, ai-je expliqué, rassurée par son rire.

J'ai su alors que ça allait bien se passer.

– Merci d'appeler, a-t-il dit doucement. Dieu merci, j'ai donné votre nom à Maria. Voulez-vous qu'on se voie pour dîner ?

– Je ne peux pas sortir le soir. Vous savez... ma mère, mon père...

– Bon, alors thé, déjeuner, brunch, petit déjeuner ?

– Heu... je peux peut-être sortir dîner vendredi soir, mais je dois rentrer après neuf heures.

– D'accord. À quelle heure voulez-vous que je vous prenne ?

– Six heures, devant le coiffeur Toni dans le quartier de Bangsar.

– Entendu. À cinq heures et demie, vendredi. Mais j'espère que vous m'appellerez avant, simplement pour me parler ? Cette fois-ci, utilisez ma ligne directe.

Il m'a donné son numéro avant de retourner à sa réunion. J'étais à nouveau heureuse. Il voulait vraiment me voir et je le voulais aussi.

Le cœur battant, j'étais prête pour mon premier rendez-vous avec Luke.

– Que devrai-je porter ? avais-je demandé.

– Un jean, avait-il répondu, catégorique. Je vais vous emmener goûter le meilleur *satay*[1] que vous ayez jamais mangé.

J'avais raccroché, joyeuse. Sa voix au téléphone déclenchait d'étranges choses dans mon cœur. Je me sentais impuissante et gauche en sa présence. Le jean rétablirait l'équilibre.

Je ne lui ai pas permis de venir me chercher à la maison. Il n'avait pas la couleur de peau qui convenait. Maman aurait piqué une crise à la pensée que je sortais avec un homme qui n'était pas ceylanais. C'était un critère déterminant pour elle.

J'ai enfilé une chemise blanche et un jean, j'ai attaché mes cheveux avec un clip et je me suis maquillée, beaucoup trop. Lorsque j'ai vu mon image dans le miroir, je me suis dégoûtée. J'ai enlevé le maquillage et j'ai tout recommencé. Une touche de mascara, un eye-liner brun-noir sur la paupière supérieure et un rose pâle sur les lèvres. J'ai fait glisser le clip de mes cheveux et je les ai secoués pour les laisser retomber librement. J'étais

---

1. Plat malais très populaire : brochettes de bœuf ou de poulet trempées dans une sauce de cacahuète épicée.

toujours mécontente de mon apparence et je me sentais grosse dans mon jean. Il allait me regarder en se demandant ce qu'il avait bien pu me trouver d'attirant.

Après beaucoup de revirements, j'ai finalement quitté la maison vêtue d'un jean en Stretch noir, encore trop maquillée et le clip dans ma chevelure. J'étais en avance. Tandis que j'attendais nerveusement, un groupe de jeunes garçons s'est arrêté pour bavarder et flirter. Ils étaient très insistants. Le jean en Stretch et le maquillage étaient décidément une mauvaise idée. Je me suis détournée et j'ai commencé à enlever par petites touches le rouge à lèvres et le fard à joues. Le groupe tournait derrière moi en essayant d'engager la conversation. Quand j'ai vu la voiture de Luke, je me suis précipitée à l'intérieur. Il m'a détaillée avec attention.

– Ça va ? a-t-il demandé en observant le rouge à lèvres mal étalé.

Je me sentais complètement idiote. J'ai fait un rapide signe de tête affirmatif. Son regard s'est posé sur les jeunes qui déjà s'éloignaient docilement. Comment rivaliser avec une telle voiture ? Dans le petit miroir du pare-soleil, j'ai contemplé le désastre. Honteuse, j'ai tenté de le réparer. Tout allait de travers. J'étais presque en larmes à la pensée que j'avais tout gâché.

À un feu rouge, il m'a pris le menton de sa main ferme et a tourné mon visage vers le sien.

– Vous êtes splendide, a-t-il dit.

J'ai regardé ses yeux si sombres. Il n'était pas vraiment un bel homme, mais il avait quelque chose d'irrésistible. Dans une salle remplie de monde, il brillait comme une lumière. J'avais l'impression de le connaître depuis des milliers d'années. Comme si nous avions passé d'innombrables vies ensemble. Nous sommes restés silencieux. Il ne voulait pas entendre parler de ma famille, de mes amies, de mes goûts ni de mes dégoûts. Tout cela n'avait pas d'importance. Il a mis une cassette dans le lecteur. Une femme a chanté une chanson triste en japonais. J'observais ses mains. J'avais aimé leur contact sur mon menton. Puissantes et familières.

Dans le quartier de Kajang, il a garé sa voiture près d'une sorte de grande baraque bondée de gens assis autour de tables recouvertes de Formica. Un Malais se tenait dehors, devant un barbecue, éventant les feux où rôtissaient deux rangée de brochettes de satay dégoulinantes de graisse. Il lui a adressé un franc sourire qui a découvert largement ses dents.

— Salut, patron !

— Vous êtes plein à craquer. Vous allez bientôt être plus riche que moi, a plaisanté Luke en regardant à l'intérieur du baraquement.

Le visage de l'homme s'est épanoui en un sourire de plaisir et de modestie.

— Ahmad ! Ramène la table pliante qui est à l'arrière, a-t-il crié en malais à un jeune serveur.

Le garçon est revenu très vite en tirant une vieille table derrière lui. Puis il a apporté deux tabourets en bois. Il avait le même sourire que son père. Bientôt, nous étions assis à une table en bois bancale dans la douceur du soir.

— Vous êtes hindoue, vous ne mangez sans doute pas de bœuf, n'est-ce pas ? se risqua-t-il à dire.

— Non, mais prenez ce que vous voulez.

— On prendra tous les deux du poulet.

Il a commandé quarante brochettes de satay au poulet. Boissons, sauces, concombres, oignons en tranches et riz à la vapeur enrobé de feuilles de noix de coco sont arrivés sur la table.

— Vous avez des yeux de chat, a-t-il dit soudain.

— C'est ce que disait mon grand-père. Je ressemble à ma tante Mohini.

— Ce sont vraiment de très beaux yeux, a-t-il ajouté d'une voix douce, du ton que l'on prendrait pour décider de la couleur d'une salle de bains.

Depuis le minaret doré, au bas de la rue, le mollah a commencé à psalmodier les prières du soir dans le haut-parleur. J'écoutais le chant. Il y avait toujours dans cet appel quelque chose qui comblait un vide en moi. Dans ces instants, je fermais les yeux et je laissais la psalmodie traînante purifier mon âme.

Le serveur a apporté les brochettes de satay, empilées les unes au-dessus des autres sur des plats ovales. Luke a plongé sa brochette dans l'onctueuse sauce aux cacahuètes.

— J'aimerais que vous commenciez à songer au mariage, a-t-il dit en piquant la chair jaune.

Quand je suis rentrée à la maison, Papa regardait la télé dans le salon. Il a levé les yeux au moment où je pénétrais dans la pièce.

– Qu'est-ce que vous avez encore fait, avec tes amies ?
a-t-il demandé.

– Pas grand-chose. On a traîné dans Pertama Complex.

– Huuum, bon.

Il était plus intéressé par le jeu-concours que par ma
réponse. Maman était dans la cuisine en train de débarrasser.

– Alors, tu es rentrée ?

– Oui, ai-je répondu d'un ton obéissant.

Puis j'ai grimpé les escaliers quatre à quatre et, décrochant
le téléphone de la chambre de mes parents, j'ai composé le
numéro de ma tante Anna.

À l'autre bout du fil, sa voix était merveilleusement familière dans mon univers ébranlé, en train de m'échapper.

– Oh, Tante Anna, me suis-je exclamée, presque en
larmes, je crois que j'ai des ennuis.

– Passe me voir, Dimple. Nous en parlerons, m'a promis
la voix si chère et si apaisante.

Bella

À huit ans, j'ai ouvert la vieille armoire à glace de Maman dans le débarras, et j'y ai trouvé, froissé parmi les saris dont elle s'était débarrassée, un rouleau de tissu peint. C'était un trésor incomparable. Deux paons magnifiques, la queue en éventail faite de véritables plumes, les yeux en verre coloré, se rengorgeaient debout sur une terrasse rose ornée de broderies aux motifs en fleurs de lotus. Contre le ciel noir et orageux, la profondeur des bleus et la vivacité des verts scintillaient.

J'ai laissé glisser mes doigts émerveillés sur leurs orbites de verre froids, le long des fins points de fil bleu et des brillantes perles de verre qui ornaient leurs corps. Animée de la vénération qu'a l'enfance pour les couleurs éclatantes, mes mains maladroites essayaient de faire disparaître le point lumineux dessiné sur chacune des plumes ébouriffées. Certaines feuilles veloutées étaient irréparablement endommagées, mais je n'en continuais pas moins à penser que je n'avais jamais rien contemplé d'aussi beau ; puis je me suis soudain rappelé avoir vu ces paons auparavant. Jusqu'à ce que j'aie quatre ou cinq ans, cette peinture, un cadeau de mariage, était accrochée au mur dans un cadre en verre. Maman l'avait fracassée au cours d'une violente querelle et, les doigts ensanglantés et le visage étincelant de haine, avait menacé Papa avec l'un des bris de verre.

Je me suis assise sur le sol en pierre de notre petit débarras, certaine d'avoir trouvé là une chose extraordinaire, car le paon est une créature sacrée et puissante [1]. Même le Bouddha s'est

---

1. Dans la mythologie hindoue, le paon est un animal sacré et révéré car il est la monture du dieu Kartikkeya, second fils de Shiva et Parvati.

incarné sous la forme d'un paon dans l'une de ses vies anté-
rieures.

J'ai soigneusement établi mes plans.

Par un après-midi de tempête, alors que tout le monde
était sorti sauf Papa qui dormait devant la télévision, j'ai transporté le tissu dans ma chambre. J'avais décidé de transférer
mon âme malheureuse dans le paon le plus resplendissant du
rouleau brodé et de le cacher sous mon matelas. Comme tout
bon chamane mongol, j'ai étendu le tissu sur mon lit, redressant
et aplatissant avec soin les plumes les unes après les autres afin
qu'elles ne se brisent pas sous le poids du matelas. La pluie tombait, oblique, battant sans arrêt contre la fenêtre. J'avais oublié
le bruit de la télévision dans le salon et j'imaginais que j'étais
dans une cabane, un feu orange brûlant au milieu de la pièce, le
crépitement hypnotique de la pluie résonnant comme le véritable tambour d'un chamane. Je me suis mise à chantonner
doucement. Je psalmodiais des phrases secrètes, magiques, que
j'ai maintenant oubliées. Puis, d'un coup, j'ai expulsé mon âme
hors de mon corps et je l'ai transférée dans le paon. J'ai mis mes
mains en coupe au-dessus de sa tête, au-dessus de ses yeux de
verre froids et lisses sous mes paumes chaudes, jusqu'à ce que je
sois sûre que mon âme était bien retenue captive dans l'animal.
Quelques minutes se sont écoulées.

Lentement, un doigt après l'autre, j'ai retiré mes mains.
Les yeux magnifiques du paon m'ont fixée à leur tour. J'ai
expiré avec attention. C'était fini. C'était vraiment fini. J'avais
transféré mon âme dans l'oiseau.

Croyant fermement que je venais ainsi de lui confier mon
âme, j'étais persuadée que si le paon était blessé, d'une façon ou
d'une autre, je tomberais moi aussi gravement malade ou même
que je mourrais. C'était une affaire grave, mais j'ai résolu de ne
pas me réapproprier mon esprit tant que le pouvoir de l'animal
n'aurait pas fait de moi une beauté. Tant que Nash ne trouverait pas mon paon, j'étais en sécurité.

Dans mon imagination d'enfant, j'étais certaine que cette
transformation ne prendrait pas très longtemps. Tout comme
dans les meilleures histoires de chamanes, je n'avais plus qu'à
attendre jusqu'à ce que la neige fonde sur la montagne. En
combien de temps la neige fond-elle ? Assez vite, sans doute.
Mais chaque jour, quand je me regardais dans la glace, je ne
voyais que la marionnette japonaise Oni, parfaitement apte à

effrayer les petits enfants. Un visage gonflé de graisse, surmonté d'un enchevêtrement de boucles. Je fixais avec tristesse des yeux ternes et ordinaires alors que je n'aspirais désespérément qu'à un regard si immense qu'il murmurerait à mes oreilles. Je ne voyais sur mon visage aucun trait saillant susceptible de le rehausser.

– Ô, hâte-toi, suppliait mon cœur solitaire au paon lustré.

– Demain peut-être arriveront le vermillon et le collyre[1], soupirait l'animal avec lassitude à mon corps désincarné, ses plumes ondulant doucement dans le vent.

N'est-il donc pas normal qu'aussi loin qu'il m'en souvienne, je n'aie jamais pu vraiment accepter ma sœur ? J'enviais les cheveux raides et brillants de Dimple, ses yeux étrangement clairs, sa silhouette mince, sa facilité à obtenir de bonnes notes, et cette autre famille à Kuantan dont elle seule semblait avoir hérité.

Oh, je sais que Maman disait qu'elle allait être exilée « dans la toile de l'araignée » pour les vacances mais, dans l'obscurité de notre chambre, je l'épiais secrètement en train de compter les jours et de lutter en secret, de toutes ses forces, pour réprimer son excitation avant les congés. Je ne pouvais m'empêcher de ressentir la terrible jalousie qui croissait dans mon cœur. Je l'imaginais, marchant avec notre tante pour aller voir l'ours en cage près du garagiste. Elle devait rire en tenant dans sa main le miel sauvage que Grand-Mère avait pensé à acheter auprès des aborigènes itinérants et qu'elle avait mis de côté tout spécialement pour cette occasion. Ainsi, Dimple connaissait la joie mêlée de crainte de nourrir un ours aux griffes grises et crochues.

Elle ne me voyait pas la suivre doucement, à pas de loup, quand Grand-Mère l'appelait au téléphone depuis la maison du Vieux Soong. J'écoutais nerveusement leur conversation murmurée.

– Non, Grand-Mère, ça va bien. Tout va bien. C'est vrai. Ne t'inquiète pas. Je serai bientôt chez toi. Je t'aime tant que ça me fait mal.

---

1. Double allusion au mariage de la femme hindoue et à la beauté traditionnelle de la pleine maturité. Elle se met de la poudre de vermillon sur les cheveux, dans la raie du milieu qui les partage, et du collyre pour rehausser l'éclat de ses yeux.

Je me tourmentais en faisant surgir des images de Dimple assise dans la chaleur des genoux de Grand-Mère, enroulant autour de son doigt l'une de ses mèches de cheveux tandis que la vieille dame lui donnait à manger de sa main comme à un enfant préféré.

Elle ne remarquait même pas mon regard jaloux quand le facteur remettait des paquets enveloppés de papier brun provenant d'Oncle Sevenese. Non, elle était trop occupée à tourner les pages de *L'Heureux Prince*, des *Poèmes choisis* d'Omar Khayyam, de *La Vie secrète d'un jasmin* ou de l'un de ces livres qui vous apprennent comment un hippocampe femelle dépose ses œufs dans la poche ventrale du mâle. Comment il les nourrit de son propre sang et souffre en mettant au monde les petits bébés hippocampes. Elle était trop occupée à pouffer de rire devant les extraits scabreux du célèbre traité de Vatsyayana[1] ou des poèmes romantiques de Banubhatta[2]. Moi aussi, je voulais devenir l'amie d'Oncle Sevenese.

Mon cœur triste avait envie de recevoir des cartes postales des lieux les plus étranges du monde, d'être bercé la nuit par des histoires fantastiques de magie et d'êtres surnaturels. Qu'y a-t-il de si extraordinaire à ce que moi aussi j'aie souhaité qu'on me raconte les croyances des Dao? Ou cette fleur immortelle qui pousse sur une île mythique aux arbres de perles et de coraux où les animaux sont d'un blanc éblouissant? Ou que j'aie voulu connaître Zhang Guolao, le grand nécromancien qui pliait sa mule comme une feuille de papier et la gardait dans un sac quand il n'en avait pas besoin? Est-ce que je n'aurais pas, moi aussi, voulu être chatouillée si fort que cela aurait fait accourir Grand-Mère, qu'elle aurait ordonné d'un ton irrité à l'oncle Sevenese d'arrêter de me tourmenter? Je voulais m'endormir sur son gros ventre et me réveiller pour découvrir de drôles de caricatures me représentant assoupie sur une bedaine rebondie, des « ron-ron » en grosses lettres noires sortant de ma bouche. Comme elle, j'aurais conservé précieusement ces dessins tant ils étaient réussis.

Je ne peux m'empêcher de songer à Grand-Père quand il venait dans la maison de Kuantan pour donner de l'argent à

1. Auteur du *Kama-sutra*, célèbre traité d'érotisme indien.
2. Banubhatta ou Banabhatta, poète sanskrit du VIIᵉ siècle, auteur de plusieurs pièces de théâtre et d'un roman d'amour très connu intitulé *Kadambari*, du nom de l'héroïne principale.

ma mère, et qu'on s'asseyait dans la véranda pour partager une banane. C'était un type un peu fou : il m'offrait le fruit, et lui mangeait les fibres qu'il décollait de l'intérieur de la peau. Il parlait peu et semblait très désorienté. Maman nous expliquait que c'était parce qu'il avait peur de Grand-Mère Lakshmi. Je me suis alors mise à penser qu'elle devait être une femme épouvantable, notre grand-mère Lakshmi.

C'est ainsi qu'au fil des ans je me suis consolée en me disant que ces gens qui, pour une mystérieuse raison, n'aimaient que ma sœur, et nous excluaient mon frère et moi, étaient exactement ce que Maman prétendaient qu'ils étaient. Ignobles et répugnants. Je me laissais persuader que sa haine féroce reposait sur une raison valable. Quand Maman souffre beaucoup, que ses chevilles ont la taille d'un ballon de football, elle me fait asseoir sur le bord de son lit pour que j'écoute ses souvenirs et les injustices insensées qu'on lui a infligées. J'en ai la tête qui tourne.

Parfois, de façon totalement imprévisible, ses mains se desserrent et, avec une force surprenante, elle prend mon visage entre ses doigts enflés et m'attire contre sa poitrine ferme, tandis que mes bras battent l'air comme si je n'étais qu'un petit jouet tout mou.

– Regarde-moi, s'écrie-t-elle avec désespoir. Regarde ce que cette sorcière a fait de moi. C'est sa faute si je suis devenue cruelle. J'étais bonne avant qu'elle entre dans ma vie avec ses mensonges et ses promesses. (Elle écarte mon visage de ses seins rebondis et fixe mes yeux ébahis.) Est-ce que c'est une vie ? demande-t-elle d'un ton malveillant.

Puis elle enfouit la tête dans ses mains et pousse des gémissements d'endeuillée lors de funérailles chinoises. J'écoute, impuissante, les longs cris aigus, tout en me sentant soulagée de ne pas avoir à fréquenter des gens capables de faire tant de mal.

Alors je suis convaincue que Maman a raison. Que sous la peau magnifique d'Oncle Sevenese se cache une horrible pourriture. Qu'il n'est rien d'autre qu'un vulgaire cynique, et Grand-Mère Lakshmi, un monstre d'avarice et de jalousie. Qu'il faut à tout prix éviter Tante Anna, car c'est la pire des hypocrites. Que derrière ses sourires timides c'est en fait une rusée.

Et pourtant, lorsque Dimple revient détendue et rayonnante, vêtue d'un uniforme tout neuf pour la nouvelle année scolaire, un nouveau cartable, des livres et une trousse d'écolier remplie de crayons et stylos que Tante Lalita lui a achetés, l'impression que Nash et moi sommes exclus me fait l'effet d'un papier de verre sur ma peau.

Cette exclusion imprègne toute notre vie, elle monte la garde jour et nuit, contre vents et marées. Comme le jour où Dimple avait attrapé la rougeole et que Grand-Mère Lakshmi avait téléphoné à Maman pour lui conseiller de passer des feuilles de neem sur ses boutons. Elle prétendait que cela réduirait les démangeaisons, mais Maman lui a répondu avec grossièreté. Vraiment, elle ne croyait pas à ces sornettes d'un autre âge, et, de toute façon, où pourrait-elle bien trouver des feuilles de neem ? Mais les feuilles de neem sont arrivées par la poste. Et elles étaient efficaces. Dimple les a frottées contre son corps et les démangeaisons ont disparu. Quand Nash et moi avons attrapé la rougeole, rien n'est arrivé par la poste. Comme notre grand-mère m'a paru mesquine, mauvaise.

— Elle ne nous aime pas du tout ? ai-je demandé à Papa.

— Oh, Bella, il y a plein d'arbres neem qui poussent dans la cour de M. Kandasamy, à deux pas d'ici ! a répondu Papa, exaspéré.

J'étais d'accord avec Maman. Le problème n'était pas là. Maman était tellement en colère qu'elle a failli ne pas envoyer Dimple chez Grand-Mère Lakshmi pour les vacances de décembre, les plus longues. Cela a provoqué des disputes effrayantes entre mes parents. Finalement, Papa est venu dans notre chambre pour dire à Dimple de ne pas s'inquiéter, qu'elle irait chez sa grand-mère tant qu'elle réussirait ses examens.

Oui, j'avais du mal à accepter ça aussi. Le faible qu'il avait pour elle. Plus il essayait de le cacher, plus il ressortait. Il la traitait comme si elle était une princesse en sucre candi. Avec tant de douceur, tant de délicatesse, comme pour ne pas briser les petits cœurs roses qui ornaient sa robe de blanche princesse.

Puis il y a eu ce garçon chinois qui l'aimait quand elle était en première. Je ne l'ai jamais dit à personne, mais je l'aimais aussi. Je m'asseyais sous les arbres près de la cantine et je l'observais en train de contempler Dimple qui l'ignorait. J'avais entendu dire que son père était très riche. Et il devait l'être, pour avoir un chauffeur qui venait déposer de sa part une si grosse boîte de chocolats à l'attention de Dimple. Un jour, j'ai découvert un billet qu'il lui avait écrit. Comme j'ai été jalouse. Mon cœur frappait ma poitrine à m'en faire mal.

345

Puis elle a commencé à enregistrer son « chemin des rêves ». Des boîtes pleines de cassettes s'amoncelaient sous le lit. Un jour, je les ai écoutées. Et, soudain, je me suis fait l'effet d'être comme la grenouille qui regarde l'espace étroit autour de la noix de coco sous laquelle elle vit, aveugle, satisfaite de penser que le monde est petit et sombre. J'ai senti alors la richesse de la vie de ceux qui aimaient Dimple.

J'ai fini par comprendre la triste raison qui empêchait Grand-Père de parler et j'ai appris la douleur, les espoirs déçus, les frustrations, les échecs et les pertes tragiques qui coloraient le regard intense de Grand-Mère. Les lattes de plancher du passé que Maman avait si haineusement clouées ont gémi et se sont disjointes, révélant ses mensonges. Au milieu d'une gigantesque toile, j'ai vu une énorme araignée. Elle avait le visage de notre grand-mère Lakshmi, mais lorsque j'ai enlevé son masque, c'est celui de notre mère qui est apparu, son visage débordant d'une rage pleine de duplicité. Tout cela n'était qu'une fichue conspiration pour punir une vieille femme. Elle nous a privés, Nash et moi, d'un lien riche et précieux. Pourtant, malgré tous ses calculs, ses machinations, je peux presque palper son malheur accablant, total, comme une chose tangible. Elle est experte en souffrances déchirantes, elle sait organiser sa propre folie. Faire du chantage au monde entier avec sa souffrance. Peut-être ai-je toujours pris ma pitié pour de l'amour. Pauvre Maman.

Enfant, j'éprouvais de la pitié pour elle, à l'observer debout devant le magasin Robinson, dévorée d'envie à la vue des articles exposés dans la vitrine. Même quand la situation s'améliorait un peu, et qu'elle achetait avec une frénésie incroyable beaucoup plus de choses qu'on ne pouvait se le permettre, j'éprouvais encore de la pitié pour l'insatisfaction qui la déchirait. Elle sait que je sais, mais elle me toise avec impudence, sans la moindre trace de repentir, parce que c'est une femme habile. Elle sait que je ne pourrai jamais me séparer d'elle. Elle est un lien karmique. Un cadeau empoisonné du destin. Une mère.

Il m'est apparu que ma sœur représentait bien davantage que des cheveux raides et des yeux magnifiques. Elle avait tout ce que je voulais. J'aurais dû la haïr. Mais, sais-tu? je l'aimais. Je l'ai toujours aimée et je l'aimerai toujours. Un autre lien karmique. Un autre cadeau du destin. Une sœur.

En vérité, je l'aime parce qu'elle est sincèrement séduite par mes boucles rebelles, qu'elle ne jubile pas d'avoir des notes exceptionnelles, que son amour est généreux; mais aussi parce que je sais ce que Papa ignorait, la vraie raison pour laquelle elle a eu si souvent les côtes fêlées. Ça, je ne peux pas l'oublier. La première fois que j'ai vu le dos de Maman disparaître derrière la porte verte de la salle de bains, en bas des escaliers, alors que Papa n'était pas à la maison, elle tenait à la main le tuyau en caoutchouc dont se servait Amu pour remplir ses seaux d'eau. D'abord, le verrou s'est fermé, puis il y a eu ce bruit de coup suivi d'un petit cri étouffé et de la voix menaçante de Maman :

— Et surtout ne crie pas !

J'étais debout, l'oreille contre la porte. Quinze fois, le bruit s'est répété. Paf, paf... Ma sœur pleurait à peine. Quand j'ai entendu les pas de Maman se diriger vers la porte, j'ai couru me cacher derrière le fourneau de la cuisine. Le verrou a coulissé hors de la gâchette et elle est sortie de la pièce, le visage serein, impassible, tenant nonchalamment le tuyau enroulé dans sa main droite. Dans un coin de la salle de bains, ma sœur était recroquevillée, les fesses dénudées, vêtue seulement d'une petite blouse verte tachée de rouge. J'ai compris alors que Maman ne l'aimait pas.

Pitoyable créature. À quoi sert d'avoir des cheveux raides, des feuilles de neem envoyées par la poste, un oncle qui prédit l'avenir si tout cela ne réussissait pas à la protéger contre Maman ? Si tout cela ne lui apportait même pas l'amour d'une mère.

Cette nuit-là, elle a pleuré jusqu'à épuisement. Tandis qu'elle dormait, je me suis tenue au-dessus d'elle, écoutant sa respiration égale soulever son corps meurtri. J'ai écarté ses cheveux de son visage enflé et j'ai passé doucement mes doigts sur les furieuses zébrures de sa peau endolorie. Tant d'ondes brûlantes pour un si petit être. Et j'ai fait le vœu de l'aimer profondément.

Les années ont passé et les boucles qui m'avaient tant exaspérée sont devenues un somptueux apanage de beauté. Le vieux paon oublié sous le lit a accompli sa tâche. Qu'est-ce qui fait courir les hommes ? Regarde comme ils courent. Regarde, Dimple, comme ils courent. Je me contemple dans la glace : des pommettes et des yeux si grands qu'ils murmurent à mes oreilles : « Hâte-toi. Le temps se dérobe sous les pas de la beauté. »

Le paon n'aura pas travaillé en vain. Papa dit que Dimple est le printemps et que je suis l'été. Je sais ce qu'il veut dire. Ma sœur a la beauté calme d'un bouton de rose non éclos encore vert à ses extrémités, et je suis une exotique orchidée de serre aux pulpeux pétales ouverts et voluptueux. Une fleur qui éclôt à la fin de l'été, qui a la beauté raffinée et éclatante d'un paon au plumage bien lissé. Il y a beaucoup de choses à admirer : une taille pareille au fin col d'une urne, des seins semblables à de belles cruches et des hanches qui se balancent comme des flasques de vin que l'on porte. Maman mesurait du regard mon ombre à paupière d'un bleu vif, mes bracelets qui tintaient avec insolence, mes ongles qui refusaient le rose pâle de ma sœur et mes bottes blanches qui montaient jusqu'aux genoux.

— Le paon se pare avec tant d'ostentation qu'il attire l'attention du tigre, m'avertissait-elle sans savoir que c'était mon animal fétiche.

C'était à lui que j'avais jadis confié mon âme. Mais je sens l'indifférence et l'ennui de ma mère à mon égard. Je suis la cadette ignorée. Je ne l'irrite pas comme Dimple, je lui suis indifférente. Elle n'a d'amour que pour Nash qui à son tour escompte qu'elle le serve en arborant son air las et hautain.

— Je ferai ce que fait le paon, lui ai-je dit gaiement. Quand la première goutte de pluie tombera, je m'envolerai dans les arbres, car je sais que le tigre en maraude se sert du bruit de la pluie pour sauter sur sa proie sans méfiance.

Les hommes me dévisagent avec convoitise. D'un geste rapide, je rabats ma crinière bouclée d'un côté. Ils m'offrent leur cœur insipide sur un plateau, mais je n'ai que faire du cœur d'un homme faible. Je veux un homme qui ait dans ses yeux mille secrets qui, lorsqu'il me parlera, s'ouvriront et se fermeront comme des palourdes dans la marée.

Il semble que Dimple ait trouvé un tel homme. L'homme que j'aurais voulu avoir, mais je sais qu'il a rejoint la cohorte des gens qui l'adorent.

Elle a dorénavant plus que ce que je veux.

Dimple

— J'ai une surprise pour toi, a annoncé Luke en arrêtant sa voiture devant les portes en fer forgé d'une grande maison toute neuve, dans un vallon.

Son nom était gravé sur le portail : « Lara ».

— Viens, a-t-il dit en me prenant le bras. On appréciera mieux le terrain d'en haut.

Actionnées par la commande à distance, les portes imposantes se sont ouvertes. Je n'avais jamais vu cela. Nous avons emprunté une allée bordée de conifères.

— Ah, ils ont enfin réussi à trouver des arbres de la même taille, a murmuré Luke.

Les arbres étaient parfaitement taillés ; cette maison lui appartenait. Je savais qu'il était riche, mais je n'avais pas imaginé qu'il pouvait l'être à ce point.

Au bout de l'allée, sur une grande esplanade ombragée de hauts arbres, la maison, blanche, ornée de magnifiques frontons et de robustes piliers romains, s'élevait majestueusement. Deux redoutables lions sculptés dans la pierre gardaient l'entrée. J'ai laissé mes doigts glisser sur leur crinière polie.

— Ils sont magnifiques.

— Regarde par là.

Luke désignait une statue à l'ombre d'un angsana.

Je me suis approchée. C'était un jeune garçon ; son visage irréprochable nous implorait. Dans ses mains, comme une offrande, il tenait un pied d'homme chaussé d'une sandale. J'ai frémi.

— Il te plaît ? a demandé Luke tout contre mon oreille.

— Pas vraiment. C'est assez horrible, non? ai-je répondu d'un ton que je voulais léger.

— C'est une copie d'une sculpture très célèbre. Viens, je vais te montrer l'intérieur de la maison.

Il a extirpé une clef et a ouvert la porte. J'en ai eu le souffle coupé. Sur le haut plafond étaient peints des chérubins et des personnages de la Renaissance. Sous nos pieds, s'étendait une immense dalle de marbre d'une seule pièce, et aux murs se déployaient de somptueuses peintures. Un large escalier menait au premier étage.

— Bienvenue dans ta nouvelle maison, Dimple Lakshmnan, a dit Luke en glissant les clefs dans ma main.

J'ai sursauté.

— Ma nouvelle maison? Cette maison est à moi?

— Mais oui. Elle est même à ton nom.

Il a glissé dans ma main des papiers qu'il avait ramassés sur une table. J'étais debout, interloquée. Sa voix s'est perdue dans le fond de la pièce. Stupéfaite, je contemplais sur le mur le plus éloigné une grande peinture qui me représentait. Il avait fait faire un portrait de moi. Ébahie, je me suis avancée. C'était bien moi. L'air triste. Mes yeux... Quelqu'un d'autre, avec un pinceau et un peu de peinture à l'huile, avait pénétré mon âme et saisi une part de mon être. Quand ce tableau avait-il été exécuté? Qui m'avait représentée avec cette expression?

— N'est-ce pas beau? a-t-il demandé derrière mon dos.

— Si, ai-je acquiescé faiblement.

La tristesse *était*-elle belle? Incapable de détacher mon regard de mon image, je me dévisageais, troublée et excitée.

— J'aime les yeux, a-t-il dit.

— Oui.

— J'aime cette expression pure, totalement vierge.

— Qui est le peintre?

— Un des meilleurs faussaires belges. Je lui ai envoyé quelques photos, et voilà!

— Est-ce que je suis comme ça?

Mais il s'était déjà détourné pour poursuivre la visite. J'ai arraché mon regard de la jeune fille qui me regardait avec tant de désespoir.

— Regarde, c'est inspiré de la Maison dorée de Néron. Appuie sur ce bouton et les carrés de nacre du plafond vont glisser; regarde...

J'ai rejeté la tête en arrière et, sous mes yeux stupéfaits, le décor du plafond s'est ouvert en laissant tomber des gouttes de parfum. Mon parfum préféré. Il devait vraiment m'aimer. Je n'ai pu m'empêcher de lui adresser un large sourire de bonheur. De ma vie, je n'avais jamais vu tant d'opulence. Un tel déploiement de richesse. Le visage en proie à une grande animation, Luke m'a saisie par la main et m'a guidée vers une élégante cuisine, très bien conçue. Les rayons obliques du soleil vespéral filtraient, dessinant de grands carrés de lumière sur une robuste table de ferme placée au milieu. Il a ouvert une porte qui donnait sur un grand jardin. Un haut mur de briques rouges lui conférait une impression d'intimité, d'isolement. Comme j'avais toujours imaginé l'atmosphère d'un jardin clos.

— Par ici, a-t-il dit en me guidant précautionneusement dans la descente d'un petit sentier.

— Oh, un étang !

Dans l'eau, sous un filet vert, de grosses carpes rouges et dorées nageaient en décrivant d'inlassables cercles. Il paraissait content de ma joie.

Une pensée m'a traversé l'esprit.

— Quel est ton peintre favori ?

— Léonard de Vinci, a-t-il répondu distraitement.

Je ne m'attendais pas à cette réponse. Léonard faisait preuve de sobriété lorsqu'il exprimait la douleur sourde, alors que la maison et tout ce qu'elle contenait étaient tapageurs. Non, pas tapageurs. Peut-être un peu ostentatoires, un peu trop *nouveau riche*[1]. Ce n'était peut-être même pas ça : mon esprit naïf avait sans doute rêvé d'une petite maison blanche et tout ce qu'il étalait à mes pieds me paraissait excessif.

— Regarde !

Il m'a entraînée à nouveau.

Au fond du jardin se trouvait une petite maison en bois. Elle était légèrement surélevée, avait de grandes fenêtres aux volets de bois et une véranda avec un fauteuil à bascule. J'ai tressailli. L'ensemble, entièrement blanc, était légèrement plus grand que ma chambre. Il y avait une chaise et un bureau blanc sur lequel était posée une lampe de la même couleur. De l'autre côté de la pièce, sous une fenêtre, une jolie petite

---

1. En français dans le texte.

chaise, blanche également. Un ventilateur d'une teinte identique pendait au plafond.

La maison blanche de mes rêves ? Je l'ai regardé d'un air interrogateur.

— Tu m'as parlé de ta maison blanche juste au moment où le Taj Mahal était sur le point d'être terminé, a-t-il dit en désignant d'un geste de la tête la grande et somptueuse demeure. Alors, j'ai fait construire ce petit pavillon d'été.

Des larmes ont inondé mes yeux. Oui, il m'aimait, sans aucun doute. J'avais enfin trouvé quelqu'un qui m'aimait. Au point d'édifier pour moi un pavillon d'été.

— La réponse est oui, ai-je dit en essuyant des larmes de joie. Oui, j'accepte de t'épouser.

Quelques jours plus tard, nous sommes allés nous promener sous les grands arbres des Lake Gardens[1], main dans la main, absorbés l'un par l'autre, comme tous les amants. Il s'est arrêté sous un arbre immense.

— Tu es ce qui est arrivé de plus extraordinaire dans ma vie.

J'ai scruté le visage irrésistible de Luke comme une enfant avide. Voulant davantage sans oser le demander. Je pense parfois qu'il est trop dur. Chez lui, tous les angles sont comme des feuilles de fer-blanc mal découpées. J'avais peur de m'entailler, bien qu'il ne m'ait jamais dit non, qu'il n'ait jamais prononcé une parole tranchante ni qu'il se soit montré sarcastique ou cynique. Et pourtant, il y a en lui quelque chose de sombre, d'inaccessible et d'inexplicable. Un endroit sur lequel est inscrit « Entrée interdite ». C'est un panneau blanc, avec des lettres majuscules noires soulignées de rouge. Aux coins, des chiens alsaciens d'aspect féroce semblent prêts à me déchiqueter.

Tel un prestidigitateur, il a sorti un pendentif de sa poche.

— Pour toi, a-t-il dit simplement.

C'était un diamant en forme de cœur aussi gros qu'une pièce de cinq cents. À la lumière du soir, il étincelait dans son écrin de velours bleu nuit.

---

1. Les Lake Gardens ou Taman Tasek (Jardins lacustres), conçus à la fin du XIXᵉ siècle par l'administrateur britannique A. R. Venning, sont le lieu de promenade favori des habitants de Kuala Lumpur.

– Je vais le perdre, ai-je gémi, à la pensée des innombrables bracelets, anneaux de chevilles, chaînes et boucles d'oreilles que Grand-Mère m'avait donnés et que j'avais perdus presque aussitôt.

– Il n'est pas irremplaçable, a-t-il dit d'un ton dur, avec l'assurance d'un vieux serviteur qui ne frappe plus avant d'entrer dans la chambre de son maître.

Puis il a scruté mon visage où se lisait l'appréhension et a congédié le domestique d'un geste brusque. De ses mains douces, il a effleuré mes cheveux :

– Nous allons assurer ce foutu truc. (Il m'a pris dans ses bras fermes.) On se voit pour dîner ?

J'ai secoué la tête en silence. Je ne pensais pas que Maman accepterait facilement deux sorties en une même journée. Elle semblait déjà soupçonner quelque chose. Je devais soigneusement dissimuler mon sentiment. J'avais parfois l'impression qu'elle était au courant. Bella disait la même chose.

Il s'est soudain penché vers moi et m'a embrassée doucement sur les lèvres. Il n'y avait aucune passion dans son baiser, mais ses yeux hurlaient quelque chose qui m'a effrayée. La distance entre le baiser qu'il m'accordait et l'émotion qui passait dans son regard était celle qui séparait ma mère de mon père.

– Luke ? ai-je murmuré d'une voix hésitante.

La pression de sa main s'est faite plus ferme au creux de mes reins et sa tête s'est brutalement affaissée. Un jour, lors d'une semaine d'accueil des étudiants, alors que j'étais en classe de terminale, on m'avait embrassée, mais cela avait été comme une humiliation. Des lèvres importunes, une langue insolente et humide avaient essayé d'ouvrir ma bouche de force sous les railleries d'une bande de grands dadais plus âgés. Aussi n'étais-je absolument pas préparée au baiser de Luke. Je me suis soudain trouvée prise dans un tourbillon sombre qui montait en spirale du creux de mon ventre. J'ai oublié les ombres du soleil couchant qui s'allongeaient, la fraîcheur de la brise du lac, les voix faibles des enfants dans le lointain et les regards des passants. Mes mains ont laissé échapper le pendentif. Le baiser durait.

Le sang cognait à mes oreilles. Mes orteils se rétractaient dans mes chaussures. Et le baiser durait toujours.

Quand enfin il a desserré son étreinte, j'ai scruté son visage, en état de choc. La soudaineté de sa passion me confondait. Elle venait de nulle part et n'allait nulle part. C'était comme si une personne différente vivait en Luke, un être animé d'une violente passion qu'il contrôlait en temps normal avec une précision impitoyable. L'espace d'une seconde, il s'était échappé et s'était révélé à moi. Mes lèvres étaient enflées. Il a regardé vers le lac. J'essayais de reprendre mon sang-froid. Il s'est tourné vers moi et a souri. Il revenait à l'impitoyable maîtrise. Il avait gagné toutes les batailles qu'il avait menées contre lui-même. Il s'est baissé pour ramasser le diamant.

— Oui, il faut vraiment assurer cette petite babiole, a-t-il lancé d'un ton joyeux. Viens, je vais te raccompagner.

Il m'a pris le bras comme un frère. Il avait les mains chaudes. J'étais incapable de parler. Comment pouvait-il basculer ainsi d'une seconde à l'autre ? Je lui ai jeté un coup d'œil à la dérobée ; il gardait le regard droit devant lui.

Quand je suis arrivée à la maison, Maman m'attendait. J'ai immédiatement senti qu'elle était furieuse. Elle était assise sur sa chaise, droite comme un piquet, les poings serrés, mais quand elle s'est mise à parler, elle avait un ton si doux que j'ai cru qu'elle était peut-être en colère contre Papa.

— Où es-tu allée ?

— Au parc, avec Anita et Pushpa.

J'étais nerveuse. Lorsqu'elle était dans cet état, Maman m'effrayait. Elle était comme un volcan sur le point d'entrer en éruption. Je me tenais si près d'elle que je sentais l'explosion des vapeurs chaudes et l'odeur des fumées âcres.

— Ne me mens pas ! a-t-elle rugi.

Elle a bondi de sa chaise et s'est avancée vers moi à grandes enjambées. Pendant quelques secondes, je me suis demandé où était passée son arthrite. Elle paraissait miraculeusement guérie. Elle s'est tenue debout devant moi, la respiration haletante.

— Où es-tu allée ? a-t-elle répété. Et ne t'avise surtout pas de me mentir.

J'hésitais, effrayée. Cela faisait longtemps que je ne l'avais pas vue si furieuse. C'était à l'époque où elle soupçonnait Papa de flirter avec les Malaises d'à côté quand il faisait ses pompes dans la petite cour...

— J'étais avec un homme...

— Oui, je le sais. Un salaud de Japonais. Tout le monde t'a vue dans le parc en train de l'embrasser comme une putain.

— C'est pas ça, Mam...

— Comment oses-tu déshonorer le nom de ta famille de cette façon ? C'est la dernière fois que tu vois ce salaud de Jaune ! Quel bon Ceylanais trouveras-tu si tu continues à te conduire comme ça ? Est-ce que c'est ce que je t'ai appris ?

— Je l'aime.

Jusqu'à ce que je prononce ces mots, je n'étais pas sûre de moi, mais maintenant j'en étais certaine comme je sais que chaque mois me fait saigner. Je l'aimais. Dès l'instant où je l'ai rencontré, des fleurs s'étaient épanouies dans mon cœur.

Sa colère était telle qu'elle avait envie de me frapper. Je l'ai vu à ses lèvres serrées. Elle s'en est tenue à un seul coup pour éroder sa rage. Il fut si violent que j'en ai perdu l'équilibre. La force qu'elle avait dans les mains ne finira jamais de m'étonner. Elle a jeté un regard furieux et dégoûté sur mon corps affalé.

— Tu n'as que dix-neuf ans. N'essaie pas de me tenir tête là-dessus. Je vais t'enfermer dans ta chambre sans manger si tu continues cette sottise. Qu'est-ce que tu crois ? Qu'un Chinois veut de toi ? Hein ? L'amour ? Ah ! Tu es vraiment bête et bornée. Est-ce qu'il t'aime, lui aussi ?

J'ai réfléchi. C'est vrai qu'il ne m'avait jamais dit qu'il m'aimait.

— Oui, j'imagine qu'il t'aime aussi. Et qui est ce saligaud futé ?

J'ai dit son nom.

Sous le choc, Maman a reculé d'un pas.

— Qui ?

J'ai répété son nom. Elle s'est détournée vivement de moi pour me cacher son visage. Face à la fenêtre, elle me tournait le dos.

— Raconte-moi tout depuis le début.

Je lui ai relaté toute l'histoire, en commençant par la glace et en terminant par le diamant. Elle a demandé à voir la pierre. Je l'ai sortie de la petite pochette ornée de perles de verre et de pompons ; elle l'a tenue contre la lumière et l'a contemplée un long moment.

— Lève-toi. Va faire du thé. J'ai très mal aux genoux quand le temps est comme ça.

Nous avons bu le thé toutes les deux dans le salon.

— Cet homme ne t'aura que s'il t'épouse. Tu ne le rencontreras plus dans le parc et tu ne sortiras pas avec lui sans être accompagnée. Je veux que tu le fasses venir ici pour dîner et nous nous assiérons entre adultes pour parler et décider du futur.

Ce soir-là, Maman en a parlé à mon père. Il a pâli.

— Est-ce que tu sais qui est cet homme ? a-t-il demandé à Maman d'un ton incrédule. C'est l'un des plus riches de ce pays !

— Je sais, a-t-elle rétorqué, à peine capable de dissimuler l'excitation dans sa voix.

— Vous êtes devenues folles toutes les deux ? C'est un requin. Il va prendre notre fille et la jeter quand ça lui plaira.

— Pas si j'arrive à mes fins, a répondu Maman d'une voix dure et froide.

— Il est corrompu et dangereux. Ne laisse pas Dimple s'engager avec lui. Tout d'abord, elle doit terminer ses études. Il n'est pas question qu'elle n'aille pas à l'université. Je ne le permettrai pas.

— Ta chère Dimple est déjà engagée. Elle m'a dit qu'elle était amoureuse de cet homme corrompu et dangereux. Qu'est-ce que je peux y faire ? Ce n'est pas moi que tout Kuala Lumpur a vue dans le parc en train de l'embrasser.

— Je le lui défendrai. Il faudra qu'elle me passe sur le corps pour l'épouser.

— Il est trop tard.

— Comment ça ?

Il y avait un certain trouble dans la voix de Papa.

— Ils sont allés jusqu'au bout, a lancé Maman sèchement.

— QUOI ?

— Oui, parfaitement. Est-ce qu'on va enfin parler de l'avenir en adultes ?

Papa s'est enfoncé dans le sofa, vaincu.

— Elle le regrettera, a-t-il murmuré, les bras ballants sous le coup de l'échec.

Puis il a plongé la tête dans ses mains à l'idée qu'un homme avait défloré sa fille. Il gémissait doucement.

— Ces monstres de Japonais. Ils ont d'abord pris Mohini et maintenant c'est au tour de ma fille.

Maman a poussé un soupir calculé.

— Tu sais, ce n'est pas la peine de te conduire comme si notre fille était morte. Elle aurait pu faire bien pis. En plus, il n'est qu'à moitié japonais.

— Non, espèce de femme cupide. Elle *n*'aurait *pas* pu faire pis. Il vous dévorera toutes les deux vivantes et vous recrachera dans le caniveau. Et dire qu'il faudra que je reste assis là à regarder tout ça.

Il y avait tant d'angoisse dans sa voix que j'ai eu envie de courir dans la pièce pour le réconforter. Lui dire que l'acte n'avait pas eu lieu. Que sa fille n'était pas déflorée. Il n'était pas trop tard pour le lui dire, mais je perdrais Luke. Et plus que toute autre chose au monde, je le voulais. Papa se trompait à son sujet. Avec le temps, il comprendrait à quel point il s'était trompé à son sujet.

C'est ainsi que Luke est venu dîner.

Il a offert à Maman une grosse boîte de chocolats de marque étrangère. La vue du coffret de couleur crème et des rubans qui l'entouraient a fait fondre son cœur avide. Elle a placé Luke à l'extrémité de la table, en face de Papa. Je ne l'avais jamais vue aussi animée, aussi sociable que ce soir-là. En fait, je n'aurais jamais cru qu'elle avait la capacité de se montrer si brillante. Elle a joué son rôle d'hôtesse à la perfection. Il n'y avait pas une fausse note dans l'élaboration du repas, le cadre, les sujets de conversation qu'elle amorçait en souriant, sa robe d'une élégance discrète et sa totale maîtrise de la situation. Luke était charmant et poli, mais je devinais qu'il était insensible aux efforts de Maman. Qu'il soit au-delà de ses intrigues me réjouissait secrètement.

Il a observé toute la scène comme s'il s'agissait d'une pièce de théâtre donnée pour le divertir et dont Maman était l'actrice principale. Rien n'échappait à ses yeux pleins d'assurance.

Papa était assis, impassible et silencieux. Derrière ses lunettes, il paraissait impuissant et malheureux. J'étais en train de penser que nous étions tous bien trop ordinaires pour des gens comme Luke, quand il a croisé mon regard.

— Belles fleurs, a-t-il murmuré.

J'ai rougi, contente qu'il ait remarqué le bouquet que j'avais assemblé, mais, surprenant les yeux perçants de Maman, j'ai baissé les miens avec une modestie affectée. J'avais un rôle à jouer. Celui de la fiancée timide.

— Donc, quelles sont vos intentions à l'égard de notre fille ? a demandé Maman après que Bella eut apporté le dessert.

Où Maman avait-elle appris à faire une telle mousse au citron ? La pièce a paru se pétrifier. Papa a posé sa cuillère et s'est penché en avant pour écouter. La main de Luke s'est immobilisée.

— Tout à fait honorables et je vous en ferai part en temps voulu, a-t-il répondu.

Maman a souri.

— Je n'ai bien sûr jamais douté de vos bonnes intentions, mais il est dans notre intérêt de nous renseigner sur les motivations des prétendants de notre fille. Car elle est très jeune et très innocente.

J'ai prié pour que Maman s'arrête là. Elle l'a fait.

Les yeux de Luke se sont assombris.

— C'est cela. C'est précisément son innocence qui a tout d'abord attiré mon attention, a-t-il dit d'une voix si basse que j'ai dû tendre l'oreille pour l'entendre.

Puis il a complimenté Maman sur sa mousse au citron.

— Absolument délicieuse.

Maman devrait donner sa recette à son cuisinier.

Ma mère a souri d'un air suffisant. Après le départ de Luke, mes parents se sont querellés une fois de plus. Maman a reproché à mon père d'être resté assis comme un imbécile.

— Une planche à repasser aurait été plus loquace.

Papa l'accusait de lécher les bottes de Luke.

— Fais attention, elles sont bourrées des entrailles des gens qu'il a écrasés.

Maman s'est contentée de lui jeter un regard venimeux, avant d'ouvrir sa boîte de chocolats. Son visage alors n'a plus été que pure avidité. Comme si elle avait soudain oublié la douleur de Papa. Furieux, un masque de colère figeant ses traits, il s'est précipité sur elle, a donné un coup de poing dans la boîte qui a échappé des mains de Maman. Les chocolats ont voltigé dans la pièce. Des petits bouts de papier doré volaient autour de ma mère.

— Espèce de putain. Tu vois ce que tu es en train de faire ? Tu vends ta fille contre une boîte de chocolats, a-t-il sifflé.

Le visage ébranlé de Maman s'est convulsé. Elle s'est mise à rire à gorge déployée, d'un rire moqueur et hautain. Papa a donné un coup de poing dans le mur et est sorti de la maison à grands pas. Il avait la main en sang et le rire de sa femme tintait à ses oreilles. Maman n'a même pas daigné jeter un regard à l'empreinte laissée dans le plâtre écaillé. Elle jouissait de la perspective d'un gendre riche, en fait l'un des hommes les plus fortunés de Malaysia [1]. Je l'ai aidée à ramasser les chocolats tombés par terre. Elle les a époussetés et les a savourés méthodiquement, en commençant par ceux qui étaient fourrés à la crème de fraise.

J'ai rendu visite à Grand-Mère avec Luke et ils se sont entendus à merveille. J'étais soulagée qu'elle l'aime bien. Avec Papa, cela a été un cauchemar. Il a catégoriquement refusé de s'adoucir. Quand nous étions seuls, il m'avertissait tristement :

– Tu vas le regretter, Dimple.

Et rien de ce que je pouvais dire ou faire n'a changé son opinion. Grand-Mère m'a dit que tout irait mieux quand je commencerais à avoir des enfants. Le bruit de leurs petits pas le transformerait. Grand-Mère jouait à l'échiquier chinois avec Luke. Avec lui aussi elle trichait, je connais trop bien sa façon de faire, mais elle l'a fait avec tant d'habileté que je ne crois pas qu'il s'en soit aperçu. Elle a gagné presque toutes les parties. Luke s'est montré généreux. Il s'est enquis de sa santé, a écouté attentivement tous les maux dont elle souffrait et a promis de prendre rendez-vous avec les meilleurs spécialistes de la ville. Je crois qu'il aimait bien Grand-Mère.

Un samedi, il m'a emmenée faire des courses avec Bella. Maman nous a vues partir les yeux brillants. En fait, Luke détestait aller dans les boutiques. Il nous a offert à chacune cinq cents ringgit et nous a donné rendez-vous une heure plus tard dans la cafétéria du centre commercial. Il a effleuré le bout de mon nez.

– Achète-toi une robe.

Puis il m'a fait un clin d'œil avant de s'engouffrer dans la fraîcheur de sa voiture.

J'ai acheté une robe blanche. Elle était assez courte, mais Bella la trouvait « géniale ». On la portait avec une petite

---

1. Depuis 1963, date de l'Indépendance, l'ancienne fédération de Malaisie est appelé la Malaysia.

veste de style Chanel. Dans une autre boutique, j'ai acheté une paire de chaussures marron. Bella a choisi une robe rouge à bretelles, assez osée, et un rouge à lèvres de couleur vive. Nous avons passé nos vêtements neufs. Bella avait l'air sensationnelle et je me suis demandé si Luke la trouverait plus jolie que moi. Dans sa robe rouge, avec sa masse de cheveux bouclés, elle avait l'air très sexy. Les hommes l'enveloppaient du regard.

Elle a posé ses coudes sur la table et ses boucles magnifiques sont retombées en avant. À ce moment, Luke est entré dans la cafétéria. Il l'a regardée de la tête au pied et a ri.

— Quand vous serez plus grande, vous allez dévorer tous les hommes, hein ? (Puis il s'est tournée vers moi.) Tu es éblouissante. J'aime cette robe. La pureté te va bien.

Sa voix contenait tant de nostalgie que, depuis ce moment-là, je ne me suis plus souciée d'avoir l'air sexy. Je me suis dit que Luke n'aimait pas les filles qui attiraient l'œil. Il trouvait que je devais toujours porter du blanc.

— Tu ressembles à une fleur, a-t-il dit après que le garçon eut pris la commande.

Bella, écœurée, a disparu dans les toilettes. Tandis qu'il la regardait s'éloigner, j'observais son regard. Bella semblait l'amuser.

— Elle est toujours comme ça ? a-t-il demandé.

— Toujours, ai-je répondu en proie à un pitoyable sentiment d'insécurité, redoutant qu'il trouve ma sœur trop attirante.

Les hommes étaient si imprévisibles ; ils étaient pour moi comme une page blanche.

Il y avait tant de choses que j'ignorais sur Luke.

Nous avons choisi un jour de bon augure pour célébrer le mariage. Maman voulait une grande célébration, Papa ne voulait pas de mariage et Luke semblait indifférent aux formalités. Il voulait que je porte un sari blanc, mais Maman a failli piquer une colère.

— Comment ! Que ma fille porte les couleurs d'une veuve le jour de son mariage ! Autant offrir un spectacle comique à la communauté ceylanaise de Malaysia. Pour le coup elle en oubliera ses soucis tant c'est ridicule !

Elle a donc décidé de commander mon sari à Bénarès. Là-bas, un jeune garçon au teint foncé allait s'atteler au tissage dans une petite pièce sans fenêtre de cinq heures du matin à minuit. Il se servirait d'une aiguille très fine et d'un somptueux fil d'or pour tisser et coudre six mètres d'un délicat brocart que je ne porterais qu'une seule fois. Rouge sang avec une blouse assortie.

Quand le sari est arrivé, enveloppé dans un fin papier, Maman s'est montrée enthousiaste. Celui qu'elle porterait était un splendide brocart bleu foncé, et elle a décidé que Bella serait tout à son avantage en couleur safran. Elle avait également commandé deux ensembles de dhoti crème pour Papa et Nash. Le col Nehru et les bords de la longue chemise ample étaient ornés de délicats motifs. Des invitations en lettres d'or avaient été envoyées et les réponses commençaient à arriver. Nous avions décidé que la réception aurait lieu à l'hôtel Hilton. Une pure Eurasienne vêtue d'un tailleur très chic est venue voir Maman.

De son porte-documents en crocodile, elle a tiré de multiples échantillons de tissu, une liste de mariage, des étiquettes de couleur et un plan de la salle de réception. Elle a aussi exhibé la liste des chanteurs professionnels loués pour l'occasion, des brochures de pâtissiers spécialisés dans les gâteaux de mariage et de fleuristes experts en bouquets de cérémonie. Maman voulait un décor où le rose domine, mais cette professionnelle a su adroitement la détourner de son projet.

— Pêche et poire avec une touche de citron vert, a-t-elle assuré dans un sourire radieux de ses lèvres rouges.

Maman n'a pu que se rallier à son jugement.

Luke a fait envoyer les bijoux du mariage. Les yeux de Maman se sont allumés quand le chauffeur est arrivé avec les boîtes garnies de satin et remplies de colliers, de chaînes, de bagues, de boucles d'oreilles et de bracelets assortis. Tous étaient sertis de diamants.

Luke a préparé notre lune de miel, il a gardé la destination secrète.

La veille du mariage, j'étais tellement excitée que je n'ai rien pu faire. Les bouquets, les feuilles de bananier fourrées de riz, l'encens, les aiguières d'argent remplies d'eau sacrée, les lampes à huile et des femmes d'âge mûr avaient pris possession du moindre recoin de la maison. Leurs bavardages étaient incessants. Vêtues de saris éclatants, un impeccable chignon posé sur le creux de la nuque, débordantes de suggestions, d'idées et de moyens pour faire les choses au mieux, elles constituaient une force dont il fallait tenir compte. Elles encombraient la cuisine, le salon, les chambres et même les toilettes. Plus elles étaient grosses, plus elles se montraient tyranniques.

Mon sari était accroché dans la penderie et ma valise de voyage de noces était faite, prête à être emportée. Elle contenait des vêtements chauds, des gants, un béret, d'épaisses chaussettes et des bottines qui montaient jusqu'à la cheville. Luke m'avait assuré que l'on pouvait acheter le reste à l'étranger.

J'avais également acheté une chemise de nuit en soie. Merveilleusement fraîche et légère comme le vent. Je rougissais en pensant à la réaction de Luke. Elle était d'un blanc immaculé, mais tout à fait étrangère à l'idée de pureté. Je savais que je l'avais choisie parce que je voulais voir à nouveau cet étranger qui habitait Luke. Celui que j'avais si brièvement aperçu près du lac. Il m'apparaissait comme un type excitant qui me faisait entrevoir des choses sombres enfouies en moi. J'avoue que je voulais qu'il me serre contre son corps ferme jusqu'à sentir que je n'étais plus qu'une part de lui-même. Jusqu'à sentir que je m'étais fondue dans sa poitrine et que j'avais pénétré dans son corps. Une fois en lui, je le connaîtrais vraiment. Et je pourrais définitivement prouver à Papa qu'il avait tort. Papa s'était trompé tant de fois dans sa vie. Toutes ces affaires qui n'ont pas marché parce qu'il avait mal évalué ses partenaires.

Après ces journées de préparation trépidante, mon mariage est passé devant mes yeux comme un film que l'on fait défiler en avance rapide. Je me souviens de Maman, resplendissante dans son sari de brocart bleu nuit. De toutes les femmes vêtues de couleurs vives qui retenaient leurs sarcasmes sur la race de Luke à cause de son énorme fortune. Leurs bouillonnantes marmites de commentaires malveillants brisées par leur propre envie. Mon pauvre Papa a pleuré, debout dans son magnifique dhoti. Les larmes roulaient au coin de ses yeux et ruisselaient de part et d'autre de son visage ; et toutes ces femmes croyaient que c'étaient des larmes de bonheur. Près d'un pilier, au fond de la salle, se tenait Tante Anna. Elle portait un sari vert orné d'une fine bordure dorée et des fleurs roses dans les cheveux ; elle avait un sourire triste. Je savais qu'elle s'inquiétait à mon sujet. Elle craignait que je sois broyée par un monstre nommé Luke. Puis je me rappelle l'interminable marche vers l'estrade où Luke m'attendait, mon regard qui a plongé dans ses yeux sombres et francs, débordants d'amour, et enfin la certitude de savoir que j'avais fait le bon choix.

– Je t'aime, a-t-il murmuré à mon oreille.

Il m'aime !

Je chéris ce moment à jamais. Puis je me suis forcée à avaler tous les plats rituels malgré mon ventre qui se soulevait. L'instant d'après nous courions vers un cabriolet décapotable sous une pluie de riz coloré[1].

– Heureuse ? m'a demandé Luke.

Il arborait un sourire indulgent qui me donnait l'impression d'être une enfant.

– Très.

Londres était magnifique, mais tellement froid. Les arbres étaient dénudés et les gens, courbés dans leurs épais manteaux sombres, se hâtaient dans les rues. Les Anglais ont de longs visages blêmes ; ils sont très différents des touristes en Malaysia beaux et bronzés avec leurs mèches de cheveux dorés. Aux arrêts de bus, ils ne perdent pas leur temps à se dévisager avec curiosité comme le font les Malais. Ils enfouissent immédiatement leur nez dans des livres qu'ils emportent avec eux partout où ils vont. C'est une habitude vraiment merveilleuse.

Nous sommes descendus au Claridge. Oh, quel luxe ! Un personnel au long nez portant livrée. Dans l'entrée se dressait un arbre de Noël de trois mètres de haut décoré de clochettes d'or et d'argent et de lumières qui clignotaient. J'avais très peur de me hasarder sans Luke dans les salles à haut plafond. C'était comme s'aventurer dans les pages d'un roman de Henry James. Si suranné, si anglais, si adulte.

– Oui, madame. Bien sûr, madame, disaient les garçons avec leur accent hautain.

Mais j'étais persuadée qu'ils désapprouvaient ma présence car ils me fixaient de toute leur hauteur avec leurs yeux froids et clairs.

---

1. Selon les rites de mariage hindou, jeter des grains de riz colorés, symbole d'opulence, sur les jeunes mariés est un geste de bon augure.

Nous sommes allés dîner dans un très bel endroit qui s'appelait La Vie en rose. Luke a commandé du champagne. Je suis devenue très gaie à l'idée de faire éclater des milliers de bulles dans ma bouche. En revanche, j'ai détesté le caviar. C'est sans aucun doute un goût que l'on acquiert. Rien ne vaut un plat de nouilles de Penang ou de *laksa* [1]. Le dessert était somptueux. Pourquoi n'avions-nous pas de mousse au chocolat en Malaysia ? J'aurais pu en manger toute la journée.

Après le dessert, Luke a pris un cognac dans un grand verre en forme de ballon. Il était resté très calme pendant tout le repas. Il souriait sans arrêt, enfoncé profondément dans sa chaise, mangeait très peu et m'observait avec une telle insistance que je me suis sentie devenir tout émoustillée. Je ne pourrai jamais dire ce qu'il a pensé ce soir-là.

– Viens, a-t-il dit en me prenant le bras.

Il a hélé un taxi qui nous a conduits jusqu'à l'Embankment. Nous avons marché lentement le long du fleuve noir, écoutant le bruit du clapotement de l'eau contre la berge en pierre. C'était beau. Un vent glacial me fouettait les joues, me gelait les pieds, mais rien ne pouvait assombrir la beauté du reflet des douces lumières jaunes provenant des éclairages de la rue. De temps à autre, un bateau passait en ronflant. Luke m'a serrée contre lui pour me protéger du froid. Je pouvais sentir, éprouver sa chaleur.

Cette nuit-là, je l'aimais à en avoir mal.

– Rentrons à l'hôtel, ai-je murmuré.

Je ne pouvais attendre davantage d'être allongée à côté de lui. D'être à lui.

Dans la chambre d'hôtel, la timidité m'a envahie à nouveau. J'ai songé un moment à passer la mince volute de soie que j'avais dans ma valise, mais cette simple pensée a fait rougir tout mon corps. Une bouteille de champagne dans un seau à glace et une grande coupe de fraises d'un rouge vif étaient posées sur une table en verre. Appuyée contre une colonne, j'ai regardé Luke saisir la bouteille. Il a levé un sourcil interrogateur.

J'ai acquiescé d'un signe de tête. La sensation de gaieté que j'avais éprouvée le long de l'Embankment m'avait quittée

---

1. Soupe épicée faite de fines pâtes, servie avec du poisson ou du porc (pour les non-musulmans).

et j'avais maintenant besoin de cette flambée d'audace insouciante qui avait jailli en pétillant de la première bouteille de champagne au restaurant. Le bouchon a fait un bruit sourd suivi d'un sifflement sympathique. Luke m'a tendu une coupe pleine de bulles.

Je me souviens de l'avoir acceptée en pouffant de rire, heureuse. Mon regard a croisé celui de Luke et le rire s'est arrêté net dans ma gorge. L'étranger se tenait devant moi et me regardait.

– À nous, a-t-il dit doucement.

En un éclair, l'étranger avait disparu.

Luke et moi avons bu deux coupes et sommes tombés sur le lit dans un enchevêtrement de bras, de jambes et de visages. Pendant un moment épouvantable, j'ai pensé à Maman debout, au-dessus du lit, les mains sur les hanches. Elle me réprouverait certainement.

– Éteins la lumière, ai-je dit, très vite.

La chambre, baignée de la lumière des illuminations de Noël accrochées dans les arbres dehors, s'est mise à tourner dès que je fermais les yeux. Je me souviens de lèvres, d'yeux et de peau comme des soies sauvages et, de temps à autre, une voix voilée par l'émotion prononçait mon nom. Il y a eu un moment de douleur suivi de caresses tendres. Le rythme. Puis cela a été fini. J'ai fermé les yeux et j'ai dormi dans deux bras fermes et puissants. Dehors, le vent anglais, glacial, bruissait dans les arbres, mais j'étais à l'abri.

Je me suis réveillée dans la nuit, la bouche sèche, des élancements plein la tête. Je suis sortie du lit en titubant et me suis servi un verre d'eau. Oh, ma tête ! Comme elle me faisait mal ! Il y avait de l'aspirine dans la salle de bains. J'en ai pris deux. J'ai vu Luke dans le miroir. Il m'a regardée et je lui ai rendu son regard avec impudence, sans être gênée par ma nudité.

– Ma Dimple, a-t-il simplement dit.

Mais il exprimait un tel sentiment de possession que j'ai senti un frisson me parcourir le dos. Enfin, je lui appartenais. Nous avons encore fait l'amour. Cette fois, je me souviens de tout. Chaque baiser, chaque regard, chaque gémissement, et ce moment incroyable où mon corps est devenu liquide, quand mes paupières closes ont rougi comme si une multitude de fraises avaient été réduites en une pâte si dense qu'elle formait un mur devant mes yeux.

Deux semaines plus tard, nous avons repris l'avion, nos sacs remplis de ceintures Gucci, de parfums français, de cuirs italiens, de cadeaux joliment empaquetés et d'une montagne de chocolats achetés dans des boutiques hors taxes. Assez intimidée, j'ai pénétré à l'intérieur de mon immense et nouvelle demeure. Je n'avais pas l'impression qu'elle m'appartenait. Trop grande. Au lieu d'une petite maison blanche, j'avais maintenant des sols en marbre poli, des plafonds ornés de somptueuses peintures et un luxueux mobilier que je craignais d'abîmer. Le lendemain matin, en déambulant dans les pièces, j'ai eu l'idée de demander à Amu de venir avec moi. Elle serait ma compagne et ferait en même temps les travaux ménagers. C'est ainsi qu'Amu est venue vivre avec nous.

– Ce n'est pas une maison, c'est un palais, a-t-elle dit le souffle coupé.

Elle n'avait jamais vu pareille chose de sa vie. La pauvre Amu avait mené une existence misérable. Je lui ai montré la machine à laver et elle a pouffé de rire comme une petite fille.

– Cette boîte blanche lave les vêtements ? a-t-elle demandé d'un ton dubitatif.

– Oui. Elle peut même les sécher.

Elle a étudié attentivement les boutons et les cadrans avant de déclarer que tout cela ne lui servirait à rien.

– Donne-moi simplement une bassine et des seaux et je te montrerai comment on lave le linge.

Je lui ai fait visiter toutes les chambres pour qu'elle en choisisse une, mais elle a préféré dormir dans la petite pièce près de la cuisine. De sa fenêtre, elle pouvait apercevoir mon petit pavillon d'été et ça lui suffisait. C'est là qu'elle se sentirait le mieux.

Je me suis assise sur le lit et je l'ai regardée dresser son petit autel qu'elle garnissait avec amour de vieilles photographies encadrées représentant les dieux Murugan, Ganesh et Lakshmi. Elle avait trouvé un nouveau prophète : Sai Baba. Arborant une robe orange et un gentil sourire, il transformait le sable en friandises et ressuscitait ses fidèles. Amu a allumé une petite lampe à huile devant son image. Elle a sorti de son sac en plastique déchiré les cinq saris délavés et les quelques blouses blanches qu'elle possédait et les a rangés dans son armoire.

Ensuite, nous avons bu du thé à l'ombre du grand manguier. J'ai écouté sa voix familière raconter avec rancœur des histoires de lointains cousins ingrats et, peu à peu, je me suis sentie rassérénée. Je revenais au lieu auquel j'appartenais, aux côtés d'une femme qui, pendant tant d'années, m'avait aimée comme une tante, comme une mère même.

Un jour, Luke est revenu de son travail plus tôt que d'habitude et nous a trouvées en train de faire briller la sinueuse rampe d'escalier. Il s'est arrêté net.

— Qu'est-ce que tu fais ? a-t-il demandé.

Il y avait une pointe de stupéfaction dans sa voix. Amu et moi avons immédiatement cessé notre activité. Il était manifestement très en colère, mais je ne comprenais pas pourquoi.

— On fait briller les balustres, ai-je expliqué en me demandant s'il fallait un cirage spécial ou quelque chose d'autre.

Mon Dieu, comment pouvais-je savoir ?

Il s'est avancé vers moi. Il a pris mes mains dans les siennes et les a regardées.

— Je ne veux pas que tu fasses le travail des domestiques, a-t-il dit d'un ton ferme.

J'ai senti Amu se glacer près de moi. Il l'ignorait totalement. Je me sentais embarrassée et blessée. Blessée pour Amu et embarrassée qu'il ait jugé bon de me réprimander ainsi devant elle. Sous son regard froid, ma peau s'est empourprée. J'ai acquiescé d'un lent signe de tête ; il s'est dirigé vers son bureau sans un mot. Je suis restée immobile, les yeux rivés sur la porte fermée, jusqu'à ce que je sente la paume rugueuse d'Amu contre ma peau.

— Les hommes sont comme ça, a-t-elle dit en plongeant son regard dans mes yeux tristes. Il a raison. Vois dans quel état sont mes mains ; je peux faire les rampes toute seule. Dans ma vie, j'ai fait des choses bien plus dures que l'entretien de cette maison. Va te laver et rejoins-le.

Je suis allée me laver les mains et j'ai vu dans la glace mon visage surpris et rougi. Puis j'ai frappé à la porte de son bureau. Il était assis sur sa chaise pivotante.

— Viens ici.

Je me suis avancée vers lui et me suis installée sur ses genoux. Il a pris mes doigts dans les siens et les a embrassés un à un.

– Je sais que tu souhaites aider Amu, mais je ne veux pas que tu fasses le ménage. Cela abîmerait tes jolies mains. Si tu as envie d'alléger la tâche d'Amu, trouve une autre servante qui vienne trois fois par semaine pour les travaux les plus difficiles.

J'ai acquiescé de la tête, désireuse de voir sa colère se dissiper. Désireuse de voir la menace voilée contenue dans sa voix retourner là d'où elle était venue. Je voulais le voir sourire et l'entendre demander comme tous les soirs : « Qu'y a-t-il pour dîner ? »

Maman venait parfois me voir. D'ordinaire, nous nous asseyions un moment puis je lui donnais de l'argent et elle partait. Mais un jour elle est arrivée l'air agité et mécontent; Nash avait encore des ennuis. Au cours de notre conversation, j'ai dû l'irriter pour une raison que j'ai oubliée, car elle a levé la main pour me frapper. Le coup ne m'a jamais atteinte car Luke est soudain apparu et a immobilisé d'une poigne de fer le poignet de ma mère.

– Elle est désormais ma femme. Si vous levez encore une fois la main sur elle, vous ne la reverrez plus et vous ne verrez jamais aucun de vos petits-enfants, a-t-il dit d'une voix affable.

Je l'ai regardé et j'ai vu l'étranger. Ses yeux étaient froids et durs; sur l'une de ses joues un petit muscle tressautait de colère. Et, cette fois encore, je suis tombée complètement amoureuse de l'étranger. Personne, sauf Grand-Mère et parfois Papa, n'avait osé prendre ma défense.

Je me suis sentie comme le dieu paisiblement allongé sous l'immense capuchon d'un serpent à plusieurs têtes [1]. Mes yeux se sont portés sur Maman. Son visage était durci par la rage contenue d'un tyran. J'entendais presque ce qu'elle pensait : *Elle a d'abord été ma fille.* Elle aurait pu céder avec grâce, arrondir les angles, mais elle est si orgueilleuse que sa bouche s'est tordue en un rictus méprisant. Et quand elle a découvert le sourire éclatant qui illuminait mon regard, son dédain s'est transformé en un violent dégoût. Elle a dégagé son poignet d'un mouvement brusque, a craché à mes pieds et elle est partie avec raideur.

---

1. Allusion au dieu Vishnou qui est souvent représenté allongé sur les anneaux du serpent déterminé, nommé Sheshnag.

Luke s'est avancé vers moi et a étreint mon corps encore tremblant. Je désirais de nouveau entrer en lui par le sternum, entendre ses pensées, voir ce qu'il voyait et être une part de lui-même. J'imaginais qu'il détachait ses bras de mon corps et me voyait m'affaisser, inerte sur le sol. Comprendrait-il alors que j'étais déjà en lui ? Une part de lui-même. Les paroles d'un chant soufi que j'avais autrefois tourné en dérision me sont revenues à l'esprit :

> *Ne vois-tu pas mon sang devenir henné*
> *À la seule fin d'orner la plante de tes pieds ?*

Dans le jardin, le manguier fleurissait. C'était un spectacle magnifique. Amu y avait aménagé un hamac dans lequel elle faisait la sieste tous les après-midi. Je l'observais depuis mon pavillon d'été ; on aurait pu envier son air paisible.

Je suis allée rendre visite à Oncle Sevenese dans sa chambre meublée. C'était un endroit épouvantable : quatre volées de marches dans une cage d'escalier en fer, au bout d'un couloir nauséabond et noir de crasse, derrière une porte qui avait dû être bleue. Tandis que je montais les étages en faisant attention à ne pas toucher la rampe graisseuse, j'ai aperçu une femme qui sortait de chez lui. Avec ses cheveux impeccablement coupés au carré, sa séduction avait quelque chose de dur. Elle portait un mini-short et des talons aiguilles assortis. Ses chaussures résonnaient lourdement contre les escaliers métalliques.

Je ne voulais pas me trouver nez à nez avec elle. Je ne savais pas ce que j'allais découvrir sur son visage. J'ai brusquement fait demi-tour et j'ai redescendu les escaliers. Je me suis cachée dans un petit café traditionnel chinois où tournait un ventilateur poussif, suspendu à un haut plafond. De vieux Chinois mi-assis, mi-accroupis sur des tabourets de bois à trois pieds sirotaient du café en mangeant du pain blanc tartiné de *kaya*. J'ai commandé une tasse de café. J'éprouvais une tristesse inexplicable à la pensée d'Oncle Sevenese me racontant comment il attendait devant la boutique du boulanger pour voler des petits pots de kaya. À cette époque-là, il n'était pas vert, mais d'un brun orangé. Oncle Sevenese ouvrait la boîte, y collait sa langue et léchait chaque gorgée de ce doux mélange de lait de noix de coco cuit avec des jaunes d'œufs.

369

Quand j'étais petite, il était mon héros irréprochable, monté sur un éléphant blanc; maintenant il vivait tout seul dans un minuscule meublé, fréquenté par des prostituées au visage dur et aux shorts inconvenants, qui quittaient sa chambre à onze heures du matin.

Après qu'un temps suffisamment long se fut écoulé, je me suis à nouveau aventurée dans les escaliers. Les yeux troubles, il a ouvert la porte et a poussé un grognement dès qu'il m'a vue. J'ai pénétré à l'intérieur.

— Bonjour, ai-je lancé gaiement, en évitant de regarder le lit défait.

Il avait l'air d'avoir une sérieuse gueule de bois. J'ai sorti les paquets de cigarettes que j'avais achetés au petit café en bas des escaliers et je les ai posés sur la table près du lit. Il a branché la bouilloire.

— Comment ça va? a-t-il maugréé.

Il n'était pas rasé et ses yeux étaient cernés d'effrayants anneaux noirs.

— Pas mal.

— Comment va ton père?

— Oh, ça va bien. Il ne veut plus me parler.

Il était en train de faire le café.

— Tu en veux un?

— Non, je viens d'en prendre un en bas, ai-je répondu sans réfléchir avant de me rappeler les circonstances et de rougir.

Mon oncle m'a observée avec un petit sourire malin. Il savait que j'avais vu la prostituée. Il était encore l'enfant qui prend plaisir à choquer les gens. Il a allumé une cigarette.

— Et comment va ton mari?

Sa voix avait pris un ton différent. Que je n'aimais pas.

— Bien, ai-je répondu d'un air radieux.

— Tu ne m'as toujours pas donné sa date et son heure de naissance; je ne peux pas dresser son horoscope.

— Ah oui, j'ai oublié, ai-je menti.

Je ne voulais pas les lui donner. J'imagine que j'avais peur de ce qu'il découvrirait.

— Je t'ai apporté des cigarettes, ai-je dit précipitamment, pour changer de sujet.

— Merci. (Il m'a regardée d'un air dubitatif.) Pourquoi est-ce que tu ne veux pas que je fasse son horoscope?

– Ce n'est pas que je refuse, c'est que...

– J'ai rêvé de toi...

– Oh, qu'est-ce que c'était?

– Tu marchais dans un champ et je m'apercevais que tu n'avais pas d'ombre. Puis, j'ai vu ton ombre qui se détachait de toi.

– Pouah! Pourquoi tu fais toujours des rêves comme ça? Ça me donne la chair de poule. Qu'est-ce qu'il veut dire, ce rêve?

J'étais remplie de craintes alors que j'aurais voulu manifester du mépris pour ces superstitions idiotes qui venaient envahir le bonheur de ma nouvelle vie. Oncle Sevenese et ses rêves n'avaient aucune place dans ma grande maison aux chandeliers de cristal, aux personnages sévères de la Renaissance, au plafond dont les panneaux laissaient pleuvoir du parfum. Je commençais à regretter d'être venue le voir. J'aurais dû partir dès que j'avais aperçu la prostituée. Puis je me suis sentie mesquine à entretenir des pensées aussi répugnantes. Mon regard a fait le tour de la pièce misérable. Petite, je l'aimais de tout mon cœur.

– Pourquoi ne veux-tu pas que je t'aide? lui ai-je demandé.

– Parce que tu ne peux me donner que des choses matérielles dont je n'ai pas besoin et qui ne soulageront pas mon âme. Crois-tu que je serais heureux dans une grande maison au sol en marbre noir?

– Bon, alors qu'est-ce que ton rêve est censé signifier?

– Je l'ignore. Je ne découvre leur sens que lorsqu'il est trop tard. Mais tous mes rêves sont des signes annonciateurs de malheur.

– Il faut que j'y aille; je te laisse un peu d'argent sur la table. D'accord?

– Merci. Mais la prochaine fois n'oublie pas de m'apporter les données astrologiques de ton bien-aimé.

– Entendu, ai-je acquiescé d'un ton las.

Ma bonne humeur avait complètement disparu.

Qu'était devenue l'époque où nous passions des heures à bavarder tard dans la nuit après que tout le monde s'était endormi? Nous n'avions plus rien à nous dire. Je savais que cela venait de moi. J'avais peur qu'il s'approche et détruise les ailes fragiles de mon bonheur. Je n'avais jamais été aussi heureuse de ma vie et je savais qu'il avait le pouvoir de détruire cette félicité. J'étais certaine qu'il était capable de le faire. Tout cela était trop beau pour être vrai, mais il fallait à tout prix protéger l'illusion du bonheur. J'ai décidé de cesser de voir Oncle Sevenese pendant quelque temps.

Trois mois plus tard, Luke a été transporté de joie quand je lui ai appris que j'étais enceinte. Si c'était une fille, je voulais l'appeler Nisha. Il y a très longtemps, Grand-Mère Lakshmi avait voulu me donner ce nom, et je voulais lui faire plaisir en le donnant à son arrière-petite-fille. Nisha. Belle comme la pleine lune.

J'ai commencé à être malade toute la journée. Grand-Mère Lakshmi m'a conseillé de prendre du jus de gingembre. Luke m'a apporté des fleurs enveloppées de papier argent et m'a ordonné de ne faire aucun effort.

C'est l'un de ces soirs où j'étais calmement allongée sur le lit que Luke s'est assis à mes côtés et a commencé à me raconter son passé.

Il était devenu orphelin à trois ans. Sa mère, une jeune Chinoise, avait été violée par des soldats japonais et laissée pour morte. Mais elle avait réussi à survivre et avait accouché d'un garçon, avant de succomber à la malnutrition sur les marches d'un orphelinat catholique. Un matin, les nonnes les ont découverts. L'enfant pleurait près du corps froid de la jeune femme. Il était couvert de plaies et son ventre gonflé par les vers.

Elles lui ont donné un prénom chrétien, en hommage à sœur Steadman, la nonne qui l'avait trouvé ; elles l'ont élevé dans la religion catholique, bien qu'il soit demeuré résolument bouddhiste et étrangement attaché à tout ce qui était japonais. La force de sa volonté lui a permis de garder cette mémoire. J'ai pleuré lorsqu'il m'a raconté comment le petit Luke se levait au milieu de la nuit, et, en proie à un sentiment de peur, quittait son lit douillet pour encastrer son corps menu entre les deux étagères de bois d'une armoire. Pendant presque un an, les nonnes l'ont retrouvé tous les matins recroquevillé dans l'espace de ces deux planches. Je pensais à ce jeune enfant au ventre déformé, aux membres émaciés, et je me demandais si ses yeux étaient déjà opaques.

Les mois ont passé très lentement. Chaque jour mon corps changeait. Je m'étendais sur le sol frais du salon en fixant les peintures du plafond. En vérité, je n'étais pas sûre de les aimer, tous ces personnages qui m'observaient de là-haut. L'artiste ne s'était pas contenté de les rendre vivants mais présents, comme s'il s'agissait d'une race austère qui existait sous le vernis. Quand je montais au premier étage, après avoir éteint toutes les lumières, ils descendaient et se servaient à manger dans le réfrigérateur. Si je les regardais trop longtemps, j'avais l'impression que leurs expressions changeaient. La plupart d'entre eux paraissaient indifférents, mais, à certains moments, on aurait dit qu'ils s'amusaient discrètement de nos activités. Plus je contemplais ces visages étrangers, avec leurs orgueilleux nez romains, leur expression vaguement suffisante et leurs moues dédaigneuses, plus j'étais convaincue qu'il fallait prendre un pinceau et passer un bon coup de peinture blanche sur tout ce fatras. Mais Luke aimait bien ces personnages perchés. Il était fier de son plafond. Il prétendait que c'était une œuvre d'art.

Je pense que cela venait de mon ennui. De toute la journée, je n'avais d'autre occupation qu'attendre le retour de Luke. Mes amies me manquaient. J'avais fait assez d'achats pour toute une vie et je n'avais, bien sûr, pas le droit de me promener toute seule le soir pour ne pas risquer d'être enlevée, violée ou assassinée. Pas le droit d'abîmer mes jolies mains à des travaux ménagers, ni au jardinage naturellement. J'étais la parfaite épouse inutile. Quand viendrait le bébé ?

Un jour, au retour d'une visite chez un antiquaire que je connaissais, j'ai pénétré dans le bureau de Luke ; il était debout devant la fenêtre et me tournait le dos. Droit comme un piquet. Inaccessible. Inaccessible à tout sauf à la musique qui l'enveloppait de ses tourbillons, à cette lamentation obsédante d'une maîtresse japonaise délaissée.

> *Prépare-moi le poison,*
> *Car je veux rejoindre les âmes des morts.*
> *Pour moi qui suis indésirable,*
> *Qu'il est plaisant le chemin du paradis.*

La supplication de la voix de la chanteuse, mêlée à la mélodie des flûtes, sculptait sa raideur. À l'observer là, debout, je savais qu'au fond de lui régnait la tristesse. Une part profonde de lui-même que je ne pouvais pas atteindre. J'avais l'impression que cette part se tendait comme un fin tentacule rétif, refusant la volonté de fer de son maître. Peu à peu, je comprenais le désir d'Oncle Sevenese pour les lèvres froides des prostituées car moi aussi j'avais commencé à attendre ardemment la bouche froidement distante de mon mari.

— Luke, ai-je appelé doucement.

Et j'ai vu le pauvre petit garçon au ventre déformé se relever, se débarrasser des vêtements en lambeaux et revêtir l'élégant veston bleu marine et le pantalon qu'Amu avait repassés hier. Ainsi vêtu, il s'est détourné de la fenêtre pour me faire face.

— Tu es rentrée, a-t-il remarqué en souriant.

— Oui, ai-je dit en marchant vers ses bras tendus.

Le bébé était entre nous. Je l'aimais profondément.

— Qu'est-ce que tu as acheté? a-t-il demandé en caressant tendrement mon ventre.

Dans la pièce froide pénétraient toutes les couleurs du couchant. Derrière lui, le soleil déclinant était d'un rouge intense.

— Un cadeau, ai-je répondu en essayant de le regarder dans les yeux.

À l'intérieur, au-delà d'eux-mêmes.

Il a levé un sourcil. Ses yeux bridés se sont faits curieux.

— Eh bien, où est-il?

Je suis sortie de la pièce en me dandinant et je suis revenue avec une longue boîte assez mince. Il a déchiré le papier d'emballage vert, ouvert le couvercle, jeté un coup d'œil à l'intérieur et relevé la tête d'un air amusé.

— Pourquoi donc aurais-je besoin d'une canne?

— Il y a très longtemps, marcher avec une canne était une manière d'exhiber ses bagues. Celle-ci est en bois satiné et le pommeau en ivoire sculpté, lui ai-je expliqué sur un ton faussement vexé.

— Oh, elle est ravissante. Où l'as-tu trouvée? demanda-t-il en effleurant de ses doigts le bois si sombre qu'on aurait dit qu'il avait été trempé dans du sang de serpent pendant des siècles.

— C'est un secret, ai-je dit en espérant avoir l'air aussi mystérieux que lui.

Il est resté sur son île de glace et a souri.

— Je la garderai toujours.

Et je l'aimais alors même que je sentais se creuser la distance entre nous.

Cette nuit-là, j'ai rêvé que M. Vellapan, notre médecin de famille, venait nous rendre visite. Il était assis avec moi devant mon pavillon d'été. Il faisait chaud et il avait enlevé ses chaussures.

– C'est très grave ? lui ai-je demandé.

– J'ai peur que les nouvelles ne soient pas bonnes.

– C'est vraiment très sérieux ?

Il a secoué la tête.

– Vous ne survivrez pas au-delà du week-end, a-t-il répondu tristement.

– Comment ? Je ne peux même pas dire au revoir à tout le monde ?

– Non.

Je me suis réveillée. Luke était profondément endormi. Je me suis blottie contre son corps ferme et je suis restée un long moment éveillée à l'écouter respirer. Il y avait encore tant de choses que j'ignorais de lui. Il ne m'appartenait pas. Qu'est-ce que tu me caches, Luke ?

Je reconnais que je suis restée debout derrière la porte dans le but de surprendre sa conversation téléphonique. Un dieu m'y a incitée. Sans doute n'aurais-je pas dû, car je n'allais plus jamais être heureuse. Je sais maintenant que le bonheur est le seul apanage des ignorants, des âmes simples, ceux qui ne voient pas ou qui décident de ne pas voir que la vie, toute la vie, est remplie de douleurs. Derrière chaque bonne parole se cache une mauvaise pensée. Sur un lit, au premier étage, l'amour gît agonisant.

– Qu'est-ce que tu as mangé ? demandait-il.

Pas d'un ton badin ni même particulièrement amoureux, mais je sus instantanément. *Il avait une maîtresse.*

Il avait une maîtresse.

Cette pensée m'a frappée de façon si instantanée et avec une telle violence que j'en ai chancelé. Le sang m'est monté à la tête et le petit vestibule devant le bureau de Luke s'est mis à tourner, dessinant des cercles moqueurs. Il y en avait une autre. Hier encore, il était amoureux de moi. Il est donc vrai que l'amour est cruel et ne fait que voler de cœur en cœur.

Idiote. Folle, imbécile, idiote. Est-ce que tu pensais, *toi*, pouvoir le retenir ?

Un homme comme lui.

– D'accord, on se voit à neuf heures.

Puis j'ai entendu le déclic du téléphone que l'on raccroche. Il ne semblait ni tendre ni voluptueux, comme je savais qu'il pouvait l'être, mais il allait la retrouver le lendemain à neuf heures. Alors qu'il était censé assister à une réunion des administrateurs.

Le bébé m'a donné un douloureux coup de pied.

Mes jambes se sont dérobées et je me suis effondrée sur le sol. Un cri imperceptible s'est échappé de mes lèvres mais il ne l'a pas entendu. Il passait un autre coup de téléphone, la voix coupante et professionnelle.

– Achète cet imbécile, ordonnait-il froidement tandis que j'étais accroupie par terre, anéantie.

La panique m'a gagnée. Il fallait que je sorte de ce vestibule. Derrière sa porte, la paranoïa me glaçait. J'étais sûre qu'il allait l'ouvrir d'un moment à l'autre. Je me suis éloignée en rampant.

Les domestiques. Ils ne devaient pas me voir dans cet état. Il avait une maîtresse. Mes mains tremblaient. Je me sentais faible. On m'avait prévenue. La nature d'un léopard ne change jamais.

Qui était-elle? À quoi ressemblait-elle? Quel âge avait-elle? Depuis combien de temps durait cette histoire? Prise de vertige, j'ai continué à ramper vers l'escalier. Je ne voulais pas qu'Amu me voie ainsi. J'ai réussi à monter au premier étage en m'agrippant désespérément à la rampe. Je me haïssais et je haïssais également cette horrible chose en moi qui me rendait si répugnante. Si laide. Il n'était pas étonnant que ma propre mère m'ait détestée avec une telle rage inexpliquée. Puis une pensée a pointé timidement. Et si je m'étais trompée? L'espoir s'est déversé dans mes veines comme d'inoffensives petites bulles. Elles pétillaient dans mon sang. Et si je m'étais trompée? Je me suis assise lourdement sur le lit. Dans mon ventre, l'élancement avait disparu et les battements de mon cœur ont ralenti. J'ai levé les yeux et je l'ai vu debout dans la chambre.

Il m'est apparu comme un fantôme.

– Ça va, ma chérie?

– Oui, je crois, ai-je répondu à travers mes lèvres engourdies.

Je scrutais son regard vide ; il examinait attentivement mon visage stupéfait et exsangue.

– Tu es sûre ? Tu es un peu pâle.

J'ai fait un signe de tête affirmatif et j'ai réussi à esquisser un sourire.

– Le bébé, ça va ?

J'ai acquiescé à nouveau en étirant davantage mes lèvres. Son anxiété s'est apaisée. Il a souri.

– Je prends juste une douche en vitesse avant le dîner.

Demain je le suivrai. Je dois savoir qui l'attendra à neuf heures.

J'ai mal dormi et je me suis réveillée avec la certitude que j'avais été trahie. Dehors, il faisait encore nuit et il faudrait quelque temps avant que le soleil n'apparaisse derrière les pins. L'air était merveilleusement frais. Je me suis demandé ce qu'elle avait mangé hier. Un gâteau, du poulet au riz, des nouilles, du *nasi lemak*[1], des satay, du *mee goreng*[2], du porc au miel ?

Les possibilités étaient infinies. La diversité de la cuisine malaise ahurissante. Elle pouvait être chinoise, indienne, malaise, sikh, eurasienne ou un mélange de tout cela.

J'ai commencé à avoir mal à la tête, à ressentir des élancements. Dans la glace, mon visage était gonflé et couvert de marbrures. J'avais l'air hagard. Pour une raison étrange que je ne comprenais pas, je n'en voulais pas à Luke. J'étais furieuse contre elle. Je me suis remise au lit et je suis restée allongée jusqu'à ce que j'entende les bruits de la maison qui s'éveillait. La musique, les chasses d'eau, les marmites et les casseroles dans la cuisine.

Le ronronnement luxueux de la Mercedes de Luke s'est estompé. On a frappé doucement à la porte et Amu est entrée dans la chambre. Elle tenait un petit plateau dans ses mains osseuses.

– Va te brosser les dents, a-t-elle commandé avec autorité, en déposant le plateau sur la petite table près du lit. L'odeur de l'*apam*, mon petit déjeuner favori, a rempli l'air. Deux petits gâteaux de riz blanc, le cœur satiné de lait de noix de coco sucré et les minces bords parfaitement craquants

---

1. Plat de riz au poisson, au bœuf ou aux légumes agrémenté d'une variété de curry.

2. Nouilles sautées avec des fruits de mer et de la viande.

semblaient m'observer, brillants de coquetterie ; j'ai eu envie de vomir.

— Qu'est-ce qui se passe ? m'a demandé Amu.

Amu. Son visage aux traits bien délimités, anguleux. Ses yeux ont sondé les miens comme des aiguilles.

J'aurais voulu dire : « Oh, Amu, il a une liaison. Et ces deux apam se moquent de moi. »

— Rien.

— Bon, alors mange-les tant qu'ils sont encore bons et chauds. Je vais au marché. À tout à l'heure.

J'ai acquiescé d'un sourire. Pendant un moment, elle a paru sur le point de dire quelque chose, mais elle s'est ravisée, a secoué la tête et est partie. La vive lumière du soleil s'est posée doucement dans la maison silencieuse comme si elle attendait de voir ce que j'allais faire. J'ai ouvert la porte de sa chambre. La pièce ressemblait à un congélateur. J'ai arrêté le climatiseur et elle aussi est devenue silencieuse.

Elle paraissait m'épier avec des yeux froids et désapprobateurs. Je devenais une intruse. D'un coup, tout m'est apparu sous un jour différent dans cette chambre naguère si familière. Les chemises que j'avais achetées riaient de mon idiotie ; les mouchoirs que je lui avais amoureusement offerts ricanaient. J'ai ouvert une armoire, un tiroir, un meuble ; j'ai tâté, palpé les vêtements qu'il avait portés, dans lesquels il avait travaillé, conduit. Je me sentais étourdie avec cette migraine qui me laissait la tête vide. Comme si une main gigantesque s'était emparée de moi et m'avait vidée de l'intérieur. Si ce n'avait été le bébé, je me serais sentie creuse. Rien ne le tenait. Comme ces merveilleux œufs de Pâques qu'on fabrique en Angleterre et dont l'intérieur ne contient qu'un jouet en plastique. Le lit défait, aux draps froissés, semblait me narguer. Je me suis assise au milieu. Quand j'ai hurlé, la maison a écouté et les quatre murs de sa chambre m'observaient. J'ai hurlé jusqu'à ce que ma voix s'enroue.

Dehors, le temps a changé. Des nuages menaçants se sont amoncelés et la pièce s'est assombrie. De grosses gouttes de pluie sont tombées sur le toit. Épuisée, je me suis effondrée sur le lit en une masse disgracieuse. Je ne pouvais pas le lui donner. Il m'était trop cher pour que je le cède à une quelconque prostituée. Je l'aimais trop pour l'abandonner. J'ai redressé mon corps lourd et je me suis allongée à plat dos sur ses draps frais. Je le séduirais à nouveau. On pouvait s'adresser aux *bomoh*, si l'on voulait réduire quelqu'un en son pouvoir. Oui, c'est ce que j'allais faire. C'était la seule façon qu'il m'appartienne pour toujours.

Soudain, j'ai vu Amu qui se tenait dans l'embrasure de la porte. Elle paraissait horrifiée. Avait-elle appelé ? Je n'avais rien entendu. Ses yeux sombres débordaient de pitié. Mes lèvres se sont mises à trembler, des larmes ont embué mes yeux tandis que la brûlante douleur de mon cœur hurlait. J'ai ouvert la bouche pour crier. Elle est montée sur le lit et a enfoui ma tête contre ses seins mous. Elle savait sans qu'on ait eu besoin de lui dire que quelque chose n'allait pas entre le maître et la maîtresse. Je sentais la pression de son sternum contre mon front. Elle m'a bercée doucement. Pas une parole ne s'est échappée de ses lèvres. Pas une histoire de tante intrigante ou d'un méchant cousin au second degré. Elle m'a bercée jusqu'à ce que s'épuise le fleuve de larmes.

— Le poisson et la viande, me suis-je rappelée d'une voix étranglée.

Les sacs de nourriture achetés au marché attendaient sur la table. Des mouches noires aux ailes chatoyantes devaient les survoler comme des parents voilés portant le deuil au chevet d'un défunt. Elle a acquiescé d'un signe de tête et a quitté silencieusement la pièce. À ce moment-là, je l'aimais plus que tout.

Mes jambes m'obéissaient encore. Je suis descendue tant bien que mal du lit pour téléphoner à une compagnie de location de voitures. Est-ce que madame préférait laisser le numéro de sa carte de crédit ou payer en espèces ? En espèces, s'il vous plaît. Deux heures cet après-midi. Très bien.

À deux heures, la voiture est arrivée. Je l'ai conduite au bout du chemin qui croisait notre allée et garée sous un arbre.

Luke est rentré à six heures et demie. Il avait l'air joyeux.

— Bonne journée ? ai-je demandé.
— Très bonne. Et toi ?
— Superbe. Le bébé va très bien.

Il m'a embrassée sur la tempe gauche, son endroit préféré. Les lèvres étaient fraîches et familières. Judas. Comme il me mentait facilement. Tandis que je le regardais, des larmes intempestives ont perlé à mes yeux. Elles ont ruisselé très vite le long de mes joues.

Il a paru stupéfait.

– Quoi? Qu'est-ce qui se passe? s'est-il écrié, soucieux.

– Les hormones. Aucune raison de s'inquiéter.

– Vraiment?

Il ne semblait pas convaincu.

– Oui, oui. À quelle heure vas-tu à ta réunion?

– À neuf heures. Mais je peux l'annuler si tu ne te sens pas très bien.

Il m'étonnait. Le parfait sang-froid de cet homme. Être là devant moi et faire preuve d'une sincère inquiétude sans la plus infime trace de sentiment de culpabilité.

– Non, ça va très bien. Simplement un peu de fatigue. Vas-y.

Est-ce que ma voix avait l'air aussi peu naturelle que je l'étais moi-même? Il a semblé satisfait.

– Je vais me reposer un moment. Je te dis bonsoir maintenant...

– Oui, repose-toi un peu.

Un gentil sourire est passé sur ses lèvres.

Je lui ai souri à mon tour. Espèce de salaud. Comment peux-tu être si insensible? J'ai fait un effort pour me lever de la chaise avec aisance. Je ne voulais pas paraître lourde. Elle était sans aucun doute mince et gracieuse; mais je lui préparais quelque chose à cette femme. Il me fallait à tout prix sa tête sur un plateau. En m'éloignant d'un pas hésitant, j'ai senti son regard peser sur moi. Au premier étage, j'ai fermé la porte à clef, et j'ai attendu. Quand je l'ai entendu rentrer dans sa chambre en fermant doucement la porte, je me suis glissée hors de la mienne et j'ai descendu sans bruit les escaliers.

Dans l'allée, mon cœur cognait très fort dans ma poitrine. Que se passerait-il s'il était encore à sa fenêtre? Je lui dirais que je voulais simplement marcher pour me rafraîchir les idées. Le soleil était déjà passé derrière les pins et le jour avait pris la teinte dorée des feuilles mortes quand je me suis faufilée derrière la grille. Il n'y avait personne à sa fenêtre allumée. Il était toujours sous la douche. J'ai descendu le chemin qui menait à la route. La voiture bleue que j'avais louée était toujours là. Tremblante, je suis montée à bord. La nuit tombait. J'ai attendu.

Sa voiture n'a pas tardé à dépasser la mienne. Pendant quelques secondes, la peur m'a paralysée. Puis, mes jambes et mes mains ont pris mécaniquement le relais, comme si elles étaient autonomes. La clef de contact a tourné, les vitesses se sont enclenchées. L'accélérateur s'est abaissé vers le plancher. Il était facile de se maintenir à sa hauteur. Je l'ai suivi jusqu'à l'endroit où les luxueux centres commerciaux s'élèvent du sol comme des géants qui se réveillent. Il s'est arrêté devant une pharmacie chinoise. Je l'ai vu décrocher le téléphone de sa voiture et parler. Il y avait un salon de coiffure au-dessus de la pharmacie ; au dernier étage un panneau proposait des « Filles d'Or » comme hôtesses. À côté de l'officine se trouvait un petit escalier étroit protégé par des portes en fer.

Elles se sont ouvertes en faisant un bruit métallique pour laisser paraître une jeune fille d'une incroyable beauté, vêtue d'un long cheongsam noir brodé de feuilles de bambou dorées. Des jambes parfaites ont jailli des hautes fentes de son costume, des cheveux d'un noir de jais retombaient sur ses épaules, encadrant un magnifique visage ovale et souriant. Cette fille stupéfiante a fait un signe à l'homme qui se trouvait dans la pharmacie ; il n'a pas répondu à son salut. Elle a descendu avec grâce les quelques marches qui débouchaient sur la rue et s'est glissée sur le siège avant, dans la voiture de Luke. Il a démarré sans jeter un regard derrière lui.

Je suis restée là, agrippée au volant pendant une heure, ou peut-être quelques minutes, je ne sais pas. Le temps n'avait plus d'importance. Des voitures m'ont dépassée. D'autres filles ont débouché de l'escalier étroit, vêtues de tenues moulantes et suggestives pour se faufiler élégamment dans de grandes voitures de luxe, parfois dans des taxis ; et moi je restais immobile sur mon siège, les yeux dans le vide. Jusqu'à ce qu'un marchand de nouilles ambulant passe près de moi. Il a fait sonner la clochette de sa bicyclette tout près de la vitre et m'a réveillée de mon rêve silencieux.

Je suis rentrée à la maison. Soudain, dans mon corps engourdi, une douleur sourde s'est fait sentir. Elle a commencé par le côté gauche de mon ventre et s'est répandue comme une goutte d'encre bleue empoisonnée dans un pot de lait rond. Elle ne cessait de s'élargir. Je savais que tout le pot ne tarderait pas être contaminé, mais j'arrivais enfin au virage du chemin qui menait à la maison.

J'ai garé la voiture en bas du chemin. Lorsque je me suis mise à marcher, la douleur s'est intensifiée. J'ai agrippé mon ventre avant de m'affaisser, impuissante, sur le sol. Il ne devait à aucun prix savoir que j'étais sortie, que j'avais tout vu. Je me suis mise à ramper vers la maison.

Dans mon esprit en proie au délire, une gamine vêtue d'un costume d'adulte se glisse dans une voiture étincelante. Elle me fait un signe de la main. Le pharmacien regarde la scène de ses yeux vides. Il n'approuve pas ce qui se passe.

À genoux, je suis parvenue à la porte d'entrée. J'ai sonné et me suis recroquevillée en une boule de douleur insupportable. Dans mon esprit, la jolie fille me faisait toujours signe. Dans mon ventre, quelque chose essayait de sortir en me déchirant. La porte s'est ouverte. Amu s'est agenouillée. Son visage était indistinct, mais ses mains vigoureuses se sont précipitées pour soutenir mon visage. Puis les étoiles sont apparues et m'ont octroyé l'obscurité. Une belle obscurité.

Je me suis réveillée dans un véhicule qui roulait mais une déesse qui passait par là a eu pitié de moi et m'a renvoyée dans la splendide nuit où vivaient les étoiles. Je me souviens d'un vent de hâte qui se pressait à mes pieds et de lumières au-dessus de moi. Elles aussi défilaient à toute allure. Le bruit d'un chariot à mes oreilles. Des bruits d'urgence. Et je me souviens d'avoir entendu la voix de Luke. Il n'y avait plus aucune froideur dans cette voix. Bien fait pour lui, ai-je pensé, emprisonnée dans mon monde noir et rouge. Il semblait furieux et pressant. Il semblait lointain et vague.

Dans son cheongsam noir et or, la fille me faisait signe. Son visage s'incurvait en un éclatant sourire de jeunesse et de beauté. Dans la pharmacie chinoise, l'homme ricanait. Il ne m'aimait pas non plus. La fille pouffait de rire et l'homme s'esclaffait. Je m'étais trompée. Ce n'était pas elle qu'il désapprouvait, ils étaient de mèche. J'entendais leurs rires au loin. Parmi ces sons qui s'estompaient, une autre douleur m'a frappée. Un blanc pur suivi d'un noir total. Bénie soit l'obscurité...

Je l'ai appelée Nisha. Je la contemple avec un émerveillement absolu. Elle remue ses mains et ses jambes minuscules et babille joyeusement. Comment une chose aussi petite et sans défense peut-elle exercer un tel pouvoir? Elle est mon refuge quand la douleur devient par trop intolérable. Au moindre miroitement de son sourire, le mal s'esquive comme un poltron.

Il dort encore dans l'autre chambre. Je crois que je lui ai fait peur. Ses yeux froids sont empreints d'une étrange inquiétude. Il m'observe avec une grande attention, m'entoure de protection, mais je serai toujours tourmentée par la fille qui me fait signe. Hier, je suis allée dans son bureau et j'ai fouillé tous ses tiroirs. Je n'ai rien trouvé bien sûr. Mais aujourd'hui j'ai cherché dans les pochettes de sa voiture et j'ai découvert une photo. Oui, j'ai trouvé une photo d'elle. Elle est debout au milieu d'une chambre d'hôtel. Sa beauté est telle qu'elle déborde du cadre de l'image et emplit mes mains curieuses qui se mettent à trembler. Ses yeux, surtout. Ils ont quelque chose d'effroyablement intemporel. Comme un lac au crépuscule. Inoubliables, mystérieux, pleins de rêve.

Un lac peut-il sourire ? Peut-être dans l'obscurité.

Vêtue d'un large T-shirt, elle semble trépigner dans une flaque de soleil. Ce n'est pas une personnalité, mais un vase d'irrésistible tentation. À quoi ressemble-t-elle quand elle dort sur le ventre, la tête posée dans le creux de son cou ? Ses cheveux sont humides. Elle sourit d'insouciance. Il y a quelque chose de terriblement innocent dans ce sourire figé. J'y vois un profond besoin d'être aimé. Elle est amoureuse de lui. Sur son visage sans fard, son désir scintille comme la rosée sur une tendre tige d'herbe. J'aimerais pouvoir lui citer Terrence Diggory : « On peut définir le désir comme étant la poursuite de ce qui est déjà perdu. » Je voudrais lui dire que ce qui apparaît au premier abord avec tant de clarté s'estompera pour devenir aussi vague que le passé nous apparaît aujourd'hui ; et il en sera de même de cet aujourd'hui dans le futur lointain. Elle ne joue pas franc jeu, mais j'ai une réponse qu'elle n'a pas.

« Qui me remplacera ? »

Il y a deux ans, c'était moi que l'on voyait avec des yeux humides sur la photo. Mais il y a des différences capitales. On dirait qu'elle fume. Oui, je vois le paquet de cigarettes Menthol à l'arrière-plan. Tout compte fait, une telle sophistication n'a pas beaucoup d'importance. Le temps s'enfuit. Son rêve prendra fin. Comment n'en serait-il pas ainsi ? Dans dix ans, dans cinq ans, dans deux ans. « Qui me remplacera ? »

Au fond de la pièce, sur la table de chevet se trouve le porte-monnaie que j'avais offert à Luke deux anniversaires auparavant. Un trousseau de clefs, dont l'une ouvre notre porte d'entrée, est posé à côté. Étalés sur un grand fauteuil, il y a un jean, le sien, et le pantalon de Luke. Une serviette est négligemment jetée sur le siège. Elle a été utilisée. Communion de parfum, de pensées intimes. On voit aussi le bord d'un grand lit. Des draps sont froissés. Ah... Je suis le témoin de son nid d'amour. J'ai vu le soutien-gorge en dentelle noire jeté sur son pantalon. Je vais vivre pendant des années dans cette partie de leur chambre d'hôtel. Je passerai des jours, des semaines, des années à regarder par la fenêtre les nuages immobiles dans le lointain et à revenir dans leur petit nid d'amour. Cette image sera toujours là, jour et nuit. Un soutien-gorge en dentelle jeté sur le pantalon de mon mari.

D'une mosquée au bas de la rue, un mollah chante les louanges d'Allah dans un haut-parleur. Sa voix profonde retentit et résonne dans le crépuscule.

« *Allah-o-Akbar, Allah-o-Akbar.* »

J'ai toujours aimé la modulation de leurs prières. Enfant, j'écoutais leur appel, si tangible que j'avais l'impression de le gravir comme s'il s'agissait d'une demeure enchantée suspendue dans l'espace. Je pouvais regarder par les fenêtres et monter les escaliers de ces sons magiques jusqu'à atteindre la plus haute pièce où... Non, ces jours sont à jamais enfuis. Je glisse à nouveau la photo dans la pochette en cuir. J'entends Amu qui chante une chanson à Nisha. C'est un adorable bébé.

Ce soir-là, je suis allée voir Oncle Sevenese. Je lui ai demandé le nom d'un bon bomoh. Un homme qui pourrait jeter un mauvais sort en mon nom. La photo me prouve qu'elle est dangereuse. Une femme amoureuse veut toujours davantage. Une prostituée ne veut que ce qui se trouve dans le portefeuille d'un homme. Une femme amoureuse veut connaître son cœur. Surtout si sa photo est gravée sur les parois du sien.

Lakshmnan

Il est tombé une fine pluie ce matin.

Maintenant, c'est dans ma tête. Tac, tac, tac. Comme les doigts d'un enfant qui tapotent sur une vitre. Ahhh, que je suis fatigué ! J'aurai bientôt cinquante ans, mais j'ai l'impression d'en avoir cent. J'ai des douleurs dans la main qui remontent jusqu'à mon épaule. Quand je suis allongé dans mon lit, à écouter la respiration de ma femme à côté de moi, mon cœur s'arrête pendant quelques secondes. Il est fatigué lui aussi. Il n'aspire simplement qu'à s'arrêter.

Je rêve d'elle. Elle m'apporte des paniers de fleurs et de fruits. Elle est resplendissante ; elle n'a que quatorze ans. Comme je l'envie ! Je la supplie : « Emmène-moi avec toi, Mohini », mais elle pose ses mains fraîches sur mes lèvres en me disant d'être patient. Je lui demande : « Encore combien d'années de ce sentiment de culpabilité ? », mais elle secoue la tête en disant qu'elle l'ignore.

« C'était un accident », déclarent-ils tous, d'un ton définitif, chacun bien à l'abri dans son cocon de chagrin irréprochable. Pas moi. Car c'est moi qui ai provoqué l'accident. C'était ma faute. C'est moi qui ai glissé et qui suis tombé dans le trou qui aurait dû la protéger.

Car chaque homme tue ce qu'il aime. Et cependant il n'en meurt pas.

Oui, il n'en meurt pas, mais dans quelles conditions vit-il ? Oh, mon Dieu, dans quelles conditions ?

Il y a longtemps, j'ai lu le récit d'un grand voyageur arabe, Ibn Battuta, qui vécut au XIVe siècle. Il écrivit que, lorsque le sultan de Mul-Jawa présidait l'assemblée, il vit un homme qui tenait dans sa main un couteau ressemblant à un outil de relieur. Il fit un grand discours dans une langue inconnue. Puis, de ses deux mains, l'homme s'empara du couteau et se trancha la gorge avec tant de violence que sa tête tomba sur le sol. Et le sultan rit en déclarant :

– Ils sont nos esclaves. Ils nous aiment tant qu'ils font cela de leur propre gré.

C'est ce que j'ai fait. Je me suis décapité pour l'amour de ma sœur.

Je pensais que je ne parlerais plus jamais d'elle et pourtant, après toutes ces années de silence, j'ai le sentiment qu'il faut le faire. Nous avons passé neuf mois perdus au tréfonds des entrailles de ma mère, à nous regarder, à partager les ressources, l'espace, le placenta et le rire. Oui, le rire. Ma sœur faisait rire mon cœur. Elle illuminait, éblouissait le monde entier sans dire un mot. Nous ne parlions jamais. Pourquoi parlerait-on à sa main, à sa jambe ou à sa tête ? Elle faisait à ce point partie intégrante de moi-même. Lorsqu'ils l'ont emmenée, ces salauds de Japonais ont emporté une part vitale de moi-même. Quand je fermais les yeux, je voyais son visage, et le désir de sa présence était insoutenable. Cela me donnait envie de hurler, de crier et de détruire. Je n'ai pas hurlé. Je n'ai pas crié. J'ai simplement détruit.

Au début, j'envoyais de violents coups de poing et j'écrasais les gens les plus proches de moi, respirant du feu et réduisant en cendres tout ce qui se trouvait sur mon chemin. J'ai pris un plaisir inhumain à semer la discorde, à voir la peur monter dans les yeux de mes frères et sœurs, mais ça ne me suffisait pas. Écraser sous mon talon le cœur de ma mère débordant d'amour pour moi n'était pas suffisant non plus. Il fallait que je m'efface. Comment pouvais-je réussir, être riche et heureux après avoir tué ma sœur ? Parfois je m'assieds en me demandant quel dieu m'a frappé de ce fameux mal de tête lors de mes examens de fin d'études. Était-ce le seigneur Lakshmnan [1] en personne qui essayait pour la première fois de saboter sa propre vie ? Était-ce le couteau du relieur qui avait déjà accompli sa tâche macabre ?

Dimple a été surprise quand je lui ai demandé de faire partie de son chemin des rêves ; j'avais refusé des centaines de fois sa proposition.

---

1. Allusion à la célèbre épopée hindoue du *Ramayana* dans laquelle Lakshmnan est le frère du héros Rama qui consacre toute sa vie à le servir et à lutter à ses côtés.

– Pourquoi maintenant, Papa ?

Maintenant, parce que les feux de la colère qui brûlent en moi sont en train de s'éteindre, parce que les cendres orangées grisonnent. Maintenant, parce que Nisha doit entendre ma version, parce que moi aussi j'ai une version particulière et qu'il est temps d'admettre les erreurs colossales et d'y faire face.

Parfois, ma tête contemple mon corps décapité et considère, choquée, les choses stupides et incroyables auxquelles il est arrivé. Et pourtant, je ne pouvais pas m'arrêter. Il y avait beaucoup de choses à détruire, je me mutilais de mon plein gré pour l'amour de ma sœur.

J'ai commis les vrais dégâts à Singapour où j'ai appris à bien connaître mes vices. Une bonne mère de famille a offert de m'héberger. Ils avaient un fils, de deux ans plus âgé que moi, et une fille de l'âge d'Anna qu'ils avaient appelée Aruna. Elle m'a haï dès le premier regard. Elle arborait des airs ennuyés et vomissait des commentaires sarcastiques dès que je disais quelque chose. Un jour, sa mère n'avait pas le temps de me repasser une chemise et lui a demandé de le faire pour moi. Aruna a pris la chemise d'un air dégoûté, mais je la lui ai arrachée des mains.

– Ne t'embête pas, lui ai-je dit durement.

Cette nuit-là, elle est entrée dans la pénombre de ma chambre. Elle ne portait qu'une combinaison soyeuse qui soulignait ses seins. Ébahi, j'avais les yeux rivés sur sa poitrine. Quand elle s'est arrêtée près de moi, j'ai étendu les mains pour les toucher. Ils étaient doux et généreux dans mes paumes. Je n'avais jamais connu le corps d'une femme. Elle s'est affalée sur moi comme un rapace. Cette nuit-là, je lui ai fait l'amour de nombreuses fois ; elle gémissait et se retournait dans mes bras. Elle n'a pas prononcé un mot. Elle est partie avant l'aube, laissant derrière elle l'odeur âcre de la passion. J'ai ouvert grandes les fenêtres et j'ai fumé une cigarette. Pendant un moment, là-bas, j'ai oublié Mohini. Mais le sentiment de culpabilité est revenu.

Le matin, au petit déjeuner, Aruna était calme. Elle évitait mon regard. Ses commentaires sarcastiques et ses mines boudeuses avaient disparu. Elle est revenue la nuit suivante. Nous avons établi un rythme. Au moment où elle me quittait, avant le lever du jour, son corps m'était devenu familier. J'ouvrais les fenêtres et laissais l'arôme s'échapper.

Nous avons institué une sorte de rituel. Je la regardais de moins en moins dans les yeux et j'attendais de plus en plus impatiemment la nudité de sa silhouette. Certaines nuits, elle n'est pas venue. Je fumais alors jusqu'à ce que le sommeil me gagne.

Puis, un jour, elle a murmuré dans l'obscurité :

– Je suis enceinte.

Comme j'étais naïf! Honnêtement, cette pensée prosaïque n'avait jamais traversé mon esprit fébrile ; je me suis reculé, en proie à une horreur soudaine.

Elle m'a attiré à elle, s'est agrippée à moi :

– Épouse-moi, a-t-elle supplié.

Cette nuit-là, nous n'avons pas fait l'amour. Elle est partie en sanglotant. Je suis resté immobile sur mon lit. Je n'éprouvais pas beaucoup de tendresse pour elle et encore moins d'amour. Je me souviens d'elle comme d'un rêve ou d'un fantôme qu'on ne rencontre que la nuit. La mémoire est toujours vague et précise à la fois. Une langue de velours sur mon dos, des lèvres douces sur mes paupières closes, le glissement de son corps contre le mien et le tourbillon noir dans lequel disparaissait mon sentiment de culpabilité. Et, bien sûr, son odeur : un curcuma humide.

Comme je ne parvenais pas à dormir, j'ai sauté par la fenêtre à la recherche de l'un de ces éventaires qui servent à manger la nuit et que je fréquentais souvent dans le quartier de Jalan Serrangon. À la lueur jaune de la lampe à gaz, le visage d'ébène de Vellu s'est ouvert en un large sourire.

– Salut, l'instit !

J'ai souri distraitement avant de m'effondrer sur une chaise. Sans que je le lui demande, il a posé un verre de thé fumant devant moi. Puis il est retourné à sa tâche ; il refroidissait le thé en le versant d'un gobelet en émail qu'il tenait très haut dans un autre situé à hauteur de son ventre. Pendant un moment, j'ai observé le liquide fumant, adroitement étiré entre les deux récipients, prendre l'apparence d'une plume d'autruche. Puis j'ai regardé la nuit sans la voir. Un chat des rues est venu miauler à mes pieds ; un chien galeux rôdait et fourrageait dans les ordures jetées près du caniveau. Toute la nuit, j'ai contemplé la procession de gens qui venaient boire un thé à l'étal de Vellu. Ceux qui allaient au cinéma, bruyants et enjoués, puis les étudiants du collège d'à côté, jeunes et insouciants ; plus tard encore les prostituées et leurs clients, puis deux agents effectuant leur ronde suivis de travestis d'une extraordinaire beauté qui m'ont jeté des œillades osées. Au fur et à mesure que la nuit s'enfonçait en elle-même, la foule devenait de plus en plus étrange. Quand les éboueurs sont arrivés, je me suis levé et je suis parti.

Au petit déjeuner, j'ai annoncé au père d'Aruna que j'avais trouvé un logement chez des amis; leur maison était plus proche de l'école où j'enseignais. J'évitais de la regarder. J'ai fait ma valise et je suis parti avant la tombée de la nuit. J'ai loué une petite chambre pas très recommandable dans le quartier chinois. Une semaine plus tard, j'étais en train de laver mes chaussettes dans l'évier quand son frère est venu me voir.

– Aruna est morte.

Elle est passée comme un éclair dans mon esprit, à moitié nue dans la pénombre, les yeux plissés par la passion.

– Quoi?

– Aruna est morte, a-t-il répété, hébété.

J'ai vu son cou, étiré dans une tension extrême, quand elle rejetait sa tête en arrière, le corps cambré au-dessus de moi comme une sculpture grecque. Elle avait la couleur de la terre.

– Elle s'est suicidée, a-t-il murmuré d'une voix rauque sans y croire lui-même. Elle a marché dans la mer jusqu'à ce qu'elle se noie.

J'ai vu sa silhouette robuste s'éloigner, disparaître, mais ce n'était pas douloureux. Une tragédie. Elle ne dansera plus jamais dans la pénombre.

J'ai assisté à ses funérailles. Avec la douceur d'un imposteur meurtrier, j'ai affronté sans pudeur le regard bouleversé de son père et le chagrin chargé d'incompréhension de sa mère. Mais lorsque je me suis penché au-dessus du cercueil, je l'ai vue à nouveau, étendue sur mon lit, ses cuisses autour de mon oreiller avec ses yeux sombres et tristes qui me contemplaient. Je ne pouvais pas mentir à ces yeux-là.

– Dors. Car c'est dans la pénombre que je me souviens le mieux de toi, ai-je murmuré.

Je me suis assis dehors, pétrifié. Mon enfant était mort. Et il n'y avait personne pour le pleurer. De retour dans ma petite chambre, je lui ai refusé un ultime lieu de repos dans mon esprit. Elle est devenue transparente. Au revoir. Tu sais que je ne t'ai jamais aimée.

C'est par l'intermédiaire d'un ami que j'ai rencontré ma nouvelle maîtresse. Et cette fois-ci, ce fut mon tour de tomber dans les bras soyeux d'une amante sans cœur. Mah-jong. Son nom opère un miracle en moi. Elle m'a tapé dans l'œil[1]. C'est un langage secret. Un ordre érotique. Tu ne peux pas comprendre parce que ses lèvres de vinyle rouge ne t'ont jamais sollicitée. Au seul cliquetis d'un jeton, moi, ma famille, mes projets grandioses, mes rendez-vous en attente, mon repas à peine entamé, ma femme malade, mon chien qui aboie, mes voisins pénibles, tout s'annihile. Je tiens ses jetons froids à la main et je deviens roi ; j'oublie ma sœur défunte. Je m'attarde à côté d'elle jusqu'au petit matin.

Je vais te confier notre véritable secret, à nous, joueurs invétérés : *nous ne voulons pas gagner.*

Je sais qu'aussi longtemps que je perds, j'ai une raison de continuer. Un gain important signifie l'intolérable : quitter la table de jeu alors qu'il y a encore de l'argent à gaspiller pour ma soyeuse amante.

Oui, c'est vrai que j'ai épousé Rani pour parer ma maîtresse. Et pendant toutes ces années, je suis resté fidèle à ses exigences possessives et déraisonnables même lorsque ma famille était dans la pauvreté et la misère. J'ai été un père épouvantable. Un père décapité.

Je savais que tous les objets de luxe que Nash gardait dans sa chambre avaient été volés, tout comme je savais que Rani avait monté Bella contre ma propre famille. Aussi amer que ce soit à admettre, je n'ignorais pas que cette chienne rouait Dimple de coups, mais je finissais toujours par revenir chez ma maîtresse, sinon le sentiment de culpabilité devenait insupportable. Elle était mon opium. Elle promettait l'oubli. Maintenant la mort est proche. Garde courage. Je n'ai pas peur. Mon père attend de l'autre côté.

Au début de notre mariage, la douleur infinie que j'éprouvais pour Mohini irritait ma femme.

– Pour l'amour du ciel, pendant les guerres, il y a des familles entières qui sont emportées et qui ne comptent qu'un seul survivant. Et je parie qu'elles ne font pas toutes ces histoires ridicules. Ce n'est qu'une jeune fille qui est morte, Lakshmnan. La vie continue.

---

1. Jeu de mots intraduisible sur le verbe *to click* qui signifie à la fois cliqueter, allusion ici aux jetons de mah-jong, et, au sens figuré, plaire, taper dans l'œil.

Mais au fil des années, sa colère et sa jalousie se sont accrues ; elle prétendait que ma sœur défunte était plus réelle qu'elle-même.

— Comment peux-tu m'insulter comme ça ? hurlait-elle. Je ne l'ai jamais dit à personne, mais tu sais, j'ai vu ce que les Japonais faisaient aux femmes qui leur plaisaient.

Et ce souvenir me hante encore quand je dors.

Un jour, je chassais dans la forêt avec Udong, mon ami aborigène. Dans la jungle, les soldats japonais étaient comme des lutteurs de sumo au milieu d'un ballet. Ils étaient reconnaissables entre tous. On les entendait piétiner à des kilomètres à la ronde. Un samedi, nous sommes tombés sur eux, dans une clairière. Nous nous sommes accroupis dans les buissons derrière ces salopards et nous avons regardé ce qu'ils faisaient avec une Chinoise. Peut-être une communiste bravant la jungle pour servir la cause. Ils ont abusé d'elle de façon terrible.

Mon Dieu, je ne peux pas décrire ce qu'ils lui ont fait.

À la fin, elle n'était plus un être un humain. Couverte de ses propres excréments, de son sang qui s'écoulait abondamment, elle haletait sur le sol quand un soldat lui a tranché la gorge. Un autre lui a coupé un sein qu'il a fourré dans sa bouche comme s'il voulait le lui faire manger. Ils trouvaient ça hilarant, ils riaient aux éclats tout en remontant la fermeture éclair de leurs pantalons éclaboussés de sang, puis ils se sont éloignés tranquillement.

Quand leurs voix dures et gutturales se sont éteintes, nous sommes sortis de notre cachette et nous sommes restés pétrifiés au-dessus de cette femme, les jambes nues écartées, le visage déformé par le morceau de chair sanguinolent qui dépassait de sa bouche. Il régnait un calme mortel, comme si la jungle brutale qui, tout le jour, se repaît d'elle-même avait vu l'horrible carnage et en était restée choquée. Je revois encore cette femme aujourd'hui. La haine silencieuse sur son visage.

Nous l'avons laissée là où elle était. Un avertissement, un sarcasme tragique à la face des communistes. Comme nous craignions les représailles et refusions d'être impliqués dans la guerre entre les Japonais et les communistes, nous n'avons emporté que le souvenir de cette haine silencieuse. Dans mes cauchemars, je rêve que ce n'est pas au-dessus de la messagère communiste chinoise que nous nous tenons, mais du corps de Mohini, les jambes écartées, un morceau de chair sanguinolent dans sa bouche, et c'est elle qui me regarde avec une haine silencieuse.

J'ai commis une énorme injustice envers Dimple, mais peut-être me pardonnera-t-elle, car ma tête décapitée roule sur le sol depuis longtemps déjà. Je vois des ombres tristes dans ses yeux. J'ai toujours su qu'elle serait malheureuse à ses côtés : je savais qu'il la briserait. Avec des hommes de sa trempe, les femmes ne sont que des jouets, des biens. Il aurait dû épouser Bella. Elle est résistante. Elle sait s'y prendre avec des hommes comme lui.

J'aurais dû élucider la raison de ces ombres tristes dans les yeux de ma fille. J'aurais dû l'affronter, lui. C'est mon droit, mon devoir de père, mais il est habile, mon gendre. C'est son sang chinois. Au cours des âges, ils ont même appris à soudoyer leurs dieux avec leurs offrandes sucrées et gluantes, alors pourquoi pas un beau-père décapité? Il m'a acheté avec cette grande maison dans laquelle je vis. Il a scellé mes lèvres avec le ciment suave qui a servi à l'édifier.

Vêtue de sa combinaison, Aruna est assise au pied de mon lit, rêveuse et fantomatique, les yeux ouverts mais vides, la bouche fermée. Elle m'observe. Bien sûr tout ça vient de mon esprit, pourtant je ne peux me défaire de l'idée qu'elle vit au pied de mon lit.

Cinquième partie

Le cœur du serpent

Dimple

Oncle Sevenese a fini par me donner l'adresse. Au début, il a refusé, mais mes yeux suppliants et gonflés lui ont fait mal. Je suis allé voir Ramesh, le second fils du charmeur de serpents. Il avait appris l'art dangereux de son père et médité dans les cimetières. On lui reconnaissait le pouvoir de chasser les esprits indésirables et de monnayer des charmes puissants. Le jour, il travaillait dans un hôpital comme aide-soignant. Il était remarié, sans enfants, et, selon une rumeur, sa première femme était devenue folle.

J'ai pris la voiture pour aller à Sepang. C'était un quartier très pauvre. De petites maisons en bois bordaient la rue. Un groupe de jeunes a regardé ma BMW bleu foncé avec un mélange d'admiration et d'envie. Je n'ai pas eu de mal à trouver la maison de Ramesh. Il y avait dans le jardinet une grande statue de Mariaman, le dieu de la bière et des cheerot. À mon appel, une femme émaciée, desséchée, les clavicules saillantes, s'est approchée. Elle avait le visage aplati d'une chauve-souris, ce qui lui ôtait toute séduction malgré sa jeunesse. Ma personne et ma tenue l'ont visiblement impressionnée.

— Vous êtes venue pour le voir ?

Elle m'a fait entrer. La maison en bois était petite et ne comportait que quelques meubles misérables. Au plafond, un ventilateur tournait, mais le lieu paraissait déserté.

— Asseyez-vous, je vous prie. (Elle m'a désigné l'une des chaises près de la porte.) Je vais chercher mon mari.

Je l'ai remerciée d'un sourire et elle a disparu derrière un rideau de perles. Quelques minutes plus tard, un homme s'est avancé vers moi. Il portait une chemise et un pantalon kaki. Sa présence réduisait la pièce à des proportions claustrophobiques, car il avait le visage d'une panthère en chasse ; l'air vorace, le teint très sombre. Il dégageait une odeur dangereusement masculine. Le blanc de ses yeux était d'une intensité effrayante. Il a souri légèrement et a joint les paumes selon le geste de bienvenue immémorial en usage en Inde.

— *Namasté.*

Sa voix témoignait d'une grande culture. C'était si inattendu que j'ai sauté sur mes pieds pour lui rendre son salut. Il m'a fait signe de me rasseoir puis il s'est glissé jusqu'à la chaise la plus éloignée de la mienne.

— Que puis-je faire pour vous, a-t-il demandé poliment.

Il ne cillait pas. J'avais l'impression qu'il voyait en moi. Qu'il savait pourquoi j'étais là.

— Je suis la nièce de Sevenese avec qui vous jouiez quand vous étiez petit, ai-je expliqué rapidement.

Pendant une fraction de seconde, son corps souple s'est raidi et ses yeux se sont plissés, vite, comme s'il avait reçu un coup inattendu. Ça a été si rapide que j'aurais pu croire l'avoir imaginé. Peut-être était-ce le cas.

— Oui, je me souviens de votre oncle. Il avait l'habitude de jouer avec moi et mon frère.

Non, je n'avais rien imaginé. Il m'est venu à l'esprit qu'il en voulait à mon oncle. Je n'aurais pas dû venir. Je n'aurais pas dû lui dire que nous nous connaissions. Mais il a esquissé un large sourire. Ses dents étaient très gâtées. Cette imperfection m'a détendue.

— Mon mari a quelqu'un d'autre dans sa vie. Pouvez-vous m'aider à le faire revenir ? ai-je lâché tout à trac.

Il a acquiescé d'un signe de tête. À nouveau il m'évoquait une panthère en train de rôder.

— Venez, a-t-il dit en se levant d'un bond.

Je l'ai suivi jusqu'au rideau de perles. Derrière, tout était plongé dans l'ombre, il n'y avait pas de fenêtre. Il a tiré un autre rideau et a pénétré dans une petite pièce que l'odeur d'encens et de camphre rendait étouffante. Sur un autel hétéroclite s'élevait la statue d'un grand dieu, ou demi-dieu, que je ne suis pas parvenue à identifier. De petites lampes à huile disposées en cercle brûlaient autour de lui. À ses pieds, s'étalaient des offrandes de poulet cuit, de fruits, une bouteille de bière et un plateau de fleurs. La divinité avait un visage hideux : une énorme langue pourpre, des yeux exorbités qui regardaient fixement devant eux et une bouche qui s'étirait en une redoutable grimace de colère. On avait tracé à la peinture rouge des gouttes de sang qui s'écoulaient de ce trou béant. Sur le sol, près de l'autel, se trouvait un couteau incurvé et, à côté, un crâne humain. À la lueur vacillante des lampes à huile, ces deux objets jetaient des lueurs menaçantes. S'agissait-il du même crâne qui, d'après Oncle Sevenese, appartenait à Raja ?

Ramesh m'a fait signe de m'asseoir par terre, puis il a fait de même. Jambes croisées sur le sol, il paraissait bien plus à l'aise que sur sa chaise dans le petit salon.

— Elle a le teint clair, sa maîtresse, très clair, a-t-il dit.

Il a allumé un bâton d'encens qu'il a planté dans la chair tendre d'une banane.

— Est-ce qu'il a deux profondes rides qui descendent verticalement de son nez jusqu'à sa bouche ?

— Oui, ai-je acquiescé avec empressement.

Je ne demandais qu'à croire à son extraordinaire pouvoir qu'il exerçait sans pompe ni théâtralité inutiles.

Il a versé du lait dans un bol.

— Votre mari n'est pas ce que vous pensez. Il a de nombreux secrets. Il a le visage d'un homme, mais le cœur d'un serpent. Ne restez pas avec lui. Il a le pouvoir de vous détruire.

— Mais je l'aime. C'est à cause d'elle. Il a changé depuis qu'elle est entrée dans sa vie, ai-je imploré désespérément. Il m'a construit un pavillon d'été avant qu'elle n'arrive. Il m'envoyait des jonquilles, et dans le langage des fleurs cela signifie : « À toi, pour toujours. »

— Vous vous trompez à son sujet, mais je vais faire ce que vous me demandez.

Il m'a regardée longuement. C'est alors que j'ai ressenti l'emprise de la peur. Désobéir à la panthère m'est soudain apparu comme une menace de mort. S'il avait réussi à me persuader... mais sa capitulation rapide exprimait sa déception à mon égard. Et la déception ne provient que d'une connaissance supérieure.

— Je vais mettre son mal dans le lait que le dieu boira.

— Pourquoi avez-vous dit qu'il a le cœur d'un serpent ?

Il a eu l'imperceptible sourire d'un sage.

— Parce que je connais les serpents et qu'en fin de compte il en est un.

Sa réponse m'a glacée jusqu'à la moelle. Non, je garderai quand même Luke. Il changera quand elle ne sera plus là. Je le garderai.

— Faites-la partir, ai-je murmuré d'une voix tremblante.

— Voulez-vous lui faire du mal ? a-t-il demandé doucement.

— Non, ai-je immédiatement répondu. Non, simplement qu'elle s'en aille.

Puis une pensée m'est venue. Si elle partait, il la désirerait ardemment et ce n'était pas ce que je voulais.

— Attendez ! (Dans la pièce sans fenêtre, le blanc de ses yeux a semblé flotter devant les miens.) Faites en sorte qu'il cesse de l'aimer. Qu'il ait peur d'elle.

Il a acquiescé d'un signe de tête.

— Qu'il en soit ainsi. J'ai besoin de certains ingrédients, chez l'épicier, a-t-il dit en se levant.

La panthère était rapide et gracieuse. Ramesh a baissé les yeux vers moi.

— Ça ne me prendra pas plus de vingt minutes. Vous pouvez attendre ici ou prendre une tasse de thé à la cuisine avec ma femme.

Dès que le rideau fut retombé derrière sa silhouette sombre, la pièce a paru sinistre. Dans les coins, les ombres se sont animées. Le crâne a grimacé d'un air entendu. Les lampes à huile ont vacillé et les ombres ont tremblé. Je me suis levée et j'ai traversé le rideau en toute hâte.

Le couloir était sombre et frais. Je l'ai suivi ; il menait à une cuisine claire. Tout y était propre et net. La femme au visage de chauve-souris était occupée à râper une noix de coco. Elle s'est tournée vers moi.

— Votre mari a dû s'absenter pour acheter des provisions. Il m'a dit de venir prendre une tasse de thé avec vous, ai-je expliqué, comme pour me justifier.

Elle a essuyé ses mains contre son sarong et a souri. La noix de bétel avait rougi ses dents et ses gencives. Quand elle souriait ainsi, son visage de chauve-souris avait l'air très amical. Je me suis appuyée contre la porte en la regardant préparer le thé. Elle a fait bouillir l'eau dans une casserole posée sur un réchaud à gaz.

— Quand il était petit, mon oncle avait l'habitude de jouer avec votre mari, ai-je lancé pour entamer la conversation.

– Vraiment? Où était-ce?

Pour la première fois ses yeux ronds manifestaient de l'animation et de la curiosité.

– À Kuantan. Ils ont grandi ensemble.

Elle s'est assise brusquement, comme sous le coup d'une révélation.

– Mon mari a grandi à Kuantan, a-t-elle répété.

Soudain, des larmes ont perlé à ses yeux, ruisselant le long de son visage aplati. Je l'ai considérée avec surprise.

– Oh, je n'en peux plus! Je ne savais même pas qu'il avait passé son enfance à Kuantan. Il ne me dit jamais rien; j'ai toujours peur de lui. Tout ce que je sais c'est que sa première femme s'est suicidée. Elle a avalé un désherbant qui lui a brûlé les entrailles. Elle est restée allongé pendant cinq jours à souffrir le martyre. Je ne comprends pas ce qui m'arrive à moi non plus. Je suis tellement effrayée et... et regardez ça.

En sanglotant elle s'est précipitée vers un tiroir pour en sortir vivement un petit sac à main noir. Elle l'a ouvert, l'a retourné et l'a secoué violemment. Il en est tombé des pièces de monnaie, quelques papiers et deux petits sachets bleus de forme carrée.

– C'est de la mort-aux-rats, a-t-elle expliqué fiévreusement. Je l'emporte partout où je vais. Je sais qu'un jour je la boirai.

J'étais médusée. Quand elle m'avait accueillie, elle m'était apparue comme une chauve-souris anodine, à des années-lumière de cette folle furieuse qui me faisait face. Je me suis passé nerveusement la langue sur les lèvres. Sa détresse m'ennuyait; son mari m'embêtait aussi. Mais je voulais Luke. J'aurais tout fait pour qu'il me revienne. Je pouvais bien attendre encore un peu en compagnie de cette femme étrangement perturbée. Un bruit a retenti à l'entrée de la maison. Elle a remis vivement les sachets bleus, les pièces de monnaie et les papiers dans son sac usé. Puis d'un seul mouvement, elle a séché ses yeux, versé l'eau bouillante sur les feuilles de thé et mis un couvercle sur le gobelet. Avant même que le bruit de ses pas ne parvienne jusqu'à la cuisine, elle avait versé le lait condensé et le sucre dans deux gobelets plus petits. Sans un mot, elle s'est remise à râper les moitiés de noix de coco.

Quand Ramesh est apparu sur le seuil, elle lui a jeté un regard furtif et chargé de peur. Je me suis demandé ce qu'il lui avait fait pour lui inspirer une telle terreur, mais je n'avais pas l'impression qu'il allait me faire du mal, et, si tel était le cas, j'étais tout à fait prête à endurer les conséquences de mes actes.

– Prenez votre thé. Je vais commencer à dire mes prières seul. C'est mieux comme ça.

Il a quitté la pièce. Sa femme a passé le thé dans les deux gobelets et m'en a tendu un en évitant de me regarder.

– Si vous voulez, vous pouvez le boire dans le salon, a-t-elle proposé poliment.

Tout désespoir avait disparu de sa voix. Elle était calme et neutre. La chauve-souris avait réapparu.

Je me suis installée dans le modeste salon et j'ai bu mon thé. Le liquide chaud m'a calmée. J'éprouvais une crainte à l'idée du forfait que j'étais sur le point d'accomplir. Mais Ramesh a écarté les perles du rideau et m'a tendu un paquet recouvert de tissu rouge. J'ai posé vivement mon gobelet sur le sol et j'ai saisi le paquet bosselé avec respect, à deux mains.

– Mettez le sel contenu dans ce tissu dans une bouteille et éparpillez-en un peu tous les jours sous le lit de votre mari jusqu'à ce qu'il n'en reste plus. Chaque fois qu'il sort le soir, prenez une petite poignée de sel, répétez le mantra que je vais vous donner avec toute la force dont vous êtes capable et, d'un ton ferme, ordonnez-lui de rentrer à la maison.

Il m'a pris la main. La sienne était sèche et froide. Il a examiné ma paume pendant quelques instants. Puis il l'a laissée retomber et m'a appris le mantra.

Il m'a demandé une somme misérable. J'ai voulu lui donner davantage, mais il a refusé.

– Regardez cette maison. Je n'ai vraiment pas besoin de plus.

Tandis que je me rechaussais pour partir, mon paquet de sel à la main, je me suis aperçue qu'il m'observait avec une intensité particulière. Son regard était sombre et insondable. On aurait dit une statue de marbre noir.

– Soyez forte et vigilante, sinon il gagnera.

J'ai hoché la tête et, tenant fermement mon petit paquet rouge, je suis partie très vite. Cette expérience m'avait profondément troublée. Je sentais mon sang battre dans tout mon corps. J'ai songé à téléphoner à Oncle Sevenese pour lui raconter ce qui venait de se passer mais j'ai renoncé.

Je me suis arrêtée pour acheter un régime de bananes. Puis j'ai jeté les fruits sur le bas-côté et j'ai emballé le précieux paquet dans le sac en papier brun qui avait servi à les protéger. Je ne voulais pas qu'Amu voie le tissu rouge. Elle en soupçonnerait immédiatement la fonction. Elle sait tout des revanches auxquelles les amants ont recours. Une grande part de moi-même avait honte. Que dirait Papa s'il me voyait saupoudrer mon sel magique sous le lit de Luke? Que dirait Grand-Mère? Le simple fait d'y penser m'était insupportable.

J'ai observé Luke en train de se préparer pour sortir. Il a mis sa chemise en soie gris et blanc. Il avait l'air tout à fait charmant. Il m'a souri et m'a embrassée tendrement sur le front.

– Je ne rentrerai pas tard.

Je le sais, toi, créature au cœur de serpent. Moi aussi, j'avais un secret maintenant. Cela me donnait un sentiment de pouvoir faire face à sa doucereuse duperie. Il était capable de me regarder dans les yeux et de me mentir d'un air impassible. Eh bien, moi aussi.

– Est-ce que je t'attends?

Je lui ai adressé ce demi-sourire particulier. Il n'avait pas vu cette demande d'intimité depuis longtemps. Il en a paru surpris. Il a acquiescé avec empressement.

Peut-être avais-je déjà commencé à le haïr. Je ne sais pas. Mais j'éprouvais un profond ressentiment à son égard. Et pourtant la pensée de vivre sans lui m'était insupportable.

J'ai écouté le bruit du moteur de sa voiture diminuer au bout de l'allée. Puis j'ai monté les escaliers, furieuse, j'ai éparpillé le sel sous son lit et j'ai craché les mantras lovés dans ma bouche. Je lui ai intimé l'ordre de revenir.

Une demi-heure plus tard, j'ai répété les mêmes gestes. Des larmes de colère coulaient sur mon visage. Je lui ai ordonné de revenir. Trente minutes plus tard, j'ai recommencé. Cette fois-là, ma voix est devenue dure et haineuse. Je lui ai ordonné de revenir : « Rentre maintenant », ai-je sifflé. Je l'exécrais.

Vingt minutes après, il était de retour. J'ai entendu avec émerveillement le ronronnement de sa Mercedes. Ramesh connaissait vraiment bien son affaire. C'était une bataille que j'étais sur le point de gagner. J'ai eu envie de rire. La clef a tourné dans la porte d'entrée.

– Oh, tu es rentré tôt, ai-je observé d'un ton dégagé.

Pendant un moment il est resté immobile, comme glacé, au milieu de la pièce. Il me regardait avec une expression étrange.

– Qu'est-ce qui se passe?

Une légère inquiétude s'insinuait dans ma tête. Je ne voulais pas qu'il soit si ébranlé. Il était entendu qu'il devait revenir chez lui, retrouver sa femme et l'aimer comme avant. Je l'ai observé avec attention et il a fait de même.

– J'ai craint que tu sois malade, a-t-il dit d'une voix bizarre. J'ai pensé qu'il risquait d'arriver quelque chose ici. J'étais angoissé, agité. Tout va bien?

– Oui, ai-je répondu faiblement en me levant pour le prendre dans mes bras.

Cela me brisait le cœur de le voir si abattu. En fait, je ne le haïssais pas. Il était toute ma vie.

– Mais oui, Luke, tout va bien. Allons nous coucher.

– J'avais l'impression de sentir quelque chose monter le long de mon dos, dans ma chemise, a-t-il murmuré comme pour lui-même.

Je l'ai guidé dans l'escalier; il était hébété et sans énergie. Au lit, il n'a pas voulu faire l'amour. Il m'a tenue serrée, comme un enfant effrayé par un cauchemar. Il me faisait peur. Le pouvoir du sel sous le lit m'affolait. L'éclat de ses yeux disparu, Luke avait l'air d'un zombie apeuré. Je ne pouvais assumer la responsabilité de réduire en bouillie son cerveau brillant. Cette nuit-là, je suis restée éveillée pour écouter sa respiration. À un moment, il a crié, le souffle court. Je l'ai secoué pour le réveiller et, l'espace d'un épouvantable éclair, il m'a regardée sans me reconnaître, hanté.

– Tout va bien.

J'ai tenté de le réconforter dans la douceur de l'obscurité, caressant sa tête jusqu'à ce que sa respiration redevienne profonde et régulière et qu'il s'endorme sur ma poitrine. Pourquoi mon cœur stupide désirait-il l'acide de sa caresse?

Le lendemain matin, j'ai balayé le sel. J'ai ramassé tous les petits cristaux et je les ai jetés dans les toilettes. Luke, tel qu'il était la nuit dernière, était un spectacle bien trop effrayant pour moi. J'ai également jeté le tissu rouge dans la poubelle et j'ai relégué Ramesh dans le recoin le plus inaccessible de mon esprit. Plus jamais je n'aurais recours à ce genre de choses. J'aimerais Luke jusqu'à ce que je cesse de l'aimer et alors, je serais libre. Il ne me restait plus que cette possibilité.

Pour me consoler, j'ai composé un bouquet de fleurs. Il couvrait un tiers de la table de la salle à manger. Uniquement composé de boutons de roses blanches, de branches d'if et de jacinthes mauves, les couleurs du deuil. On aurait dit une corbeille funéraire. Lorsqu'il est entré dans la pièce, il s'est écrié :

– Mais, Dimple, c'est magnifique. Tu as vraiment un don pour les fleurs !

Il n'a pas compris que les boutons de roses blanches signifiaient un cœur qui ignore l'amour, l'if, la tristesse, et les jacinthes mauves, mon chagrin. Comment s'attendre à ce qu'un lion tel que lui connaisse les émotions que les fleurs symbolisent avec tant de délicatesse ? En fait, ce fut sans doute sa secrétaire qui avait trouvé le sens des jonquilles qu'il m'avait envoyées et des tulipes rouges qu'il avait déposées à ma porte. Je l'avais toujours soupçonné.

Il continuait à la voir. Je le sentais sur ma peau. Un frottement persistant, semblable à un tissu rêche. Elle apparaissait dans mes rêves, me faisant un signe de la main, de loin. Parfois elle se moquait de moi et secouait la tête d'un air incrédule. « Il n'est pas à toi, me disait-elle. Il m'appartient. » Je me réveillais et scrutais mon mari, presque fascinée.

Il ignore totalement que je sais, aussi m'aime-t-il gentiment. Comme de la soie sur ma peau endolorie. Il m'achète de luxueuses fleurs, d'une texture veloutée. Je le regarde en souriant, car il ne doit jamais savoir que je connais le visage de sa putain.

Et il faut maintenant tenir compte de Nisha.

Amu aime beaucoup Nisha. L'après-midi, elles sont toutes les deux allongées, somnolentes, dans le hamac. Parfois, je sors sur la pointe des pieds pour contempler ces deux êtres que j'aime le plus au monde. La sueur sur leurs lèvres supérieures, leur respiration régulière, le tissage des veines minuscules sur leurs paupières closes, fenêtres entrouvertes, me consolent. Les sentiments qu'Amu fait naître en moi sont bizarres. Quand je la vois dans le temple en compagnie des autres personnes âgées, elle a l'air fragile et pitoyable. Sa vie paraît gâchée, finie, mais quand je la regarde avec Nisha dans les bras, je pense alors qu'elle est riche et comblée.

Bella voulait acheter une maison et j'ai promis de verser le premier acompte. Luke n'y verrait sûrement pas d'inconvénients. Et tant pis si ça ne lui plaît pas. Pour mon anniversaire, il m'a acheté le plus gros diamant que j'aie jamais vu. J'ai supposé que ses affaires allaient très bien ; le pays est en pleine croissance économique. C'est curieux qu'il soit si totalement aveugle à mon chagrin, à ma douleur. Est-il possible de l'être autant?

Maman est venue me voir; elle voulait de l'argent. Papa n'était pas bien et il ne pouvait pas travailler. Elle avait besoin de vingt mille ringgit. « Bien sûr, Maman. » Sa langue est très rose et bien acérée. Dans sa bouche, elle se meut comme un objet distinct qui obéirait à son propre programme. Cela m'a rappelé le jour où Oncle Sevenese était si soûl qu'il avait comparé Maman aux petits singes hurleurs qu'il avait vus en Afrique. Noirs avec une langue très rose. « Dimple, si tu voyais leur rituel d'accouplement, tu serais frappée par leur ressemblance avec ta chère mère quand elle parle. »

Maman est revenue quelques jours plus tard. Cette fois-ci, Nash avait eu un petit problème avec ces escrocs d'usuriers. Il lui fallait cinq mille ringgit. Je lui en ai donné dix. Je savais que Luke détestait Maman et qu'il me demandait des comptes quand j'effectuais d'importants retraits en liquide... Qu'il aille se faire foutre.

Deux semaines se sont écoulées et ma mère s'est à nouveau glissée dans mon salon. Nash avait maintenant de sérieux ennuis. Il avait « emprunté » vendredi soir quarante mille ringgit qui se trouvaient dans le coffre-fort de sa compagnie, dans l'espoir de doubler la somme le week-end en jouant à la roulette russe à Genting Highlands. Inutile de dire qu'il avait tout perdu. Son employeur avait fait établir un rapport de police et il avait été incarcéré. Quand Maman est allée le voir, ses bras couleur de bronze étaient couverts de brûlures de cigarette et ses yeux arrogants n'exprimaient plus qu'une peur violente.

– Ce sont les policiers, a-t-il murmuré à travers ses lèvres fendues.

Il s'est agrippé frénétiquement à la main de Maman en la suppliant de rembourser son employeur afin qu'il retire la plainte. N'en dis pas plus, chère Maman. Je suis allée à la banque avec elle et j'ai retiré l'argent en liquide. Je commençais à prendre goût au fait de donner à ma mère l'argent de Luke. Papa a téléphoné pour me remercier, mais il paraissait brisé. Je savais ce qu'il éprouvait.

Laisse-moi te raconter une histoire : elle est étrange, pourtant je t'assure qu'elle est vraie. C'est à toi de décider si oui ou non l'héroïne a bien agi car, en ce qui me concerne, je crains qu'elle ait commis une grave erreur, mais on ne peut pas revenir en arrière.

Impassible, l'homme magnifique la regardait parmi la foule des invités de la fête, elle, parée de bijoux, si belle. Bien sûr, il ne pouvait entendre ce qui se disait entre elle et le serveur suave, mais il pouvait déceler les moindres nuances de leurs corps furieusement jeunes. Ils flirtaient. Il scruta attentivement le regard de la femme. Il connaissait ses pensées rien qu'à regarder ses yeux. Ils étaient renversés, embués d'une étrange émotion. Avait-il déjà vu ce regard ? Peut-être. Il lui faudrait sonder plus profondément les ombres de sa mémoire. Le passé semblait si loin. Avant tout, il voulait être objectif.

Là-bas. Là-bas, un ongle rouge dessinant un pli sur la chemise du serveur. Devant tous ces gens ! Quelle honte. Il pensa à la délicatesse du cou de la femme. Il tenait si bien dans le cercle de ses doigts. Il le savait parce qu'il avait essayé, juste pour voir. Son esprit possédé par l'image de cette traînée ; ses jambes, douces et soyeuses, enserrant le torse nu du serveur. L'image limpide le fit suffoquer.

Soudain, il voulut savoir à quoi ressemblait la réalité. Ces cris de petit animal qu'elle faisait dans son lit, il voulait les observer de loin. Sans doute la perversion de ses pensées le surprenait-il, mais il se consolait en se disant que ce n'était qu'une expérience. Qu'il n'aimerait peut-être pas, ce qui alors l'affranchirait de toute perversion. De ses beaux yeux, il la vit offrir au serveur un rapide coup d'œil oblique et ce demi-sourire qui était davantage qu'une moue. Il reconnut sans erreur possible le regard. Il l'avait enflammé, une nuit, le pressant de la posséder, lui brûlant les reins.

Elle secoua ses cheveux d'un noir bleuté et s'éloigna majestueusement. Le serveur contempla le dos qui se détournait.

L'homme magnifique se redressa et s'avança vers le serveur. Elle avait choisi l'acteur ; il ne lui restait plus qu'à l'embaucher. Il fit claquer ses doigts, tout près de l'homme. C'était un geste insolent, mais le serveur se retourna avec une expression polie et professionnelle, quoique ses yeux parussent profondément offusqués. Il était vraiment très beau, mais d'une beauté un peu fade. L'homme sourit au serveur et lui fit signe de le suivre du doigt. En s'éloignant, il perçut le mécontentement qui raidit les épaules du domestique. Il avait la démarche d'une tapette. L'homme élégant se détendit.

— Voulez-vous coucher avec ma femme ? demanda-t-il poliment.

Un sourire sarcastique passa dans ses yeux froids.

Sous le choc, le serveur se figea. Son regard fit rapidement le tour de la salle. Elle était belle, sa réaction de dégoût et de colère, pleine de dignité.

– Je crois que vous me confondez avec quelqu'un d'autre, monsieur. Je ne sais absolument pas qui est votre femme. Je suis payé pour servir les boissons.

Le salaud ! Il y avait un certain plaisir dans sa voix.

– C'est celle qui a de longs cheveux noirs, reprit l'homme, le visage durci tandis qu'il étendait la main pour retirer un long cheveu noir enroulé autour du bouton de la veste blanche du serveur.

Celui-ci avait visiblement du mal à avaler sa salive.

– Écoutez, je ne veux pas d'ennuis.

– Hé, du calme. Je ne veux pas d'ennuis non plus. Je veux seulement regarder.

– Quoi ?

Le jeune homme écarquilla les yeux d'étonnement.

– Je veux vous observer, ma femme et vous.

– Vous êtes fou, bégaya le domestique en reculant d'un pas.

Il était évident que personne ne lui avait jamais proposé une chose aussi ignoble.

– Je vous paierai cinq cents ringgit si vous réussissez à emmener ma femme dans l'une des chambres de cette grande maison en laissant la porte de la salle de bains ouverte pour moi.

– Si on me surprend, je perdrai mon travail.

– Trouvez-en un autre, suggéra avec légèreté l'homme impassible, en laissant son regard errer autour de la salle comme si la conversation ne l'intéressait plus.

Lorsque ses yeux se posèrent à nouveau sur l'objet des attentions de sa femme, celui-ci était en train de livrer une bataille perdue d'avance contre la cupidité. Oui, la cupidité. La cause de la perte de tous les hommes.

– Comment me réglerez-vous ?

– En liquide, tout de suite.

– Comment fait-on ? demanda nerveusement le serveur.

En fait, l'homme magnifique n'avait pas vraiment songé au déroulement de l'affaire. Il devait maintenant penser très vite. La porte bleue au fond du couloir donnait sur une suite avec balcon qui communiquait avec une autre chambre. Il quitta la foule élégante et se dirigea vers le jardin. Dehors, l'air était doux. Le serveur le suivit docilement.

— Emmenez-la dans la chambre à la porte bleue, au bout du couloir, au premier étage, et veillez à bien ouvrir la porte de la salle de bains et à laisser au moins une lumière allumée, ordonna-t-il de sa voix dure et précise tout en fouillant dans son portefeuille.

Il compta cinq cents ringgit, encore tout raides et crissants, assemblés en liasses bien serrées. Curieusement, il ne vint pas à l'esprit de l'homme que le serveur pourrait échouer. Il était vrai qu'il avait une tête de perdant. Elle était néanmoins rattachée à un corps énergique. Exactement ce qu'elle voulait ce soir.

— Et si elle dit non ? demanda timidement le serveur.

— Alors, venez dans la chambre qui se trouve à côté et rendez-moi l'argent.

L'homme regarda froidement le domestique et lui sourit. C'était un sourire terrible, tendu. Le domestique approuva d'un rapide signe de tête.

— Au fait, elle aime bien quand c'est brutal, jeta l'homme d'un ton dégagé en partant retrouver sa femme.

Elle sortait des toilettes au rez-de-chaussée.

— Chérie, dit-il si près de ses cheveux qu'il put sentir le parfum de son shampooing. J'ai un imprévu. Il faut que je parte, mais je te renverrai le chauffeur. Reste ici et amuse-toi bien. À tout à l'heure à la maison.

Il déposa un léger baiser sur sa joue.

— Oh, quel dommage, souffla-t-elle très doucement dans son oreille droite.

— Au revoir, chérie, et tâche de *bien* t'amuser.

Il eut soudain hâte de s'en aller. De laisser le jeu commencer. Il longea la maison. Une sorte d'abattement fondit sur ses épaules raides. L'excitation initiale retombait. Il se tint derrière des buissons près des portes-fenêtres et regarda la fête dorée, à l'intérieur. Il vit sa cascade de cheveux. Elle était seule et regardait fixement à travers une fenêtre à la française.

Pendant un moment, ce spectacle le cloua sur place et lui fit maudire l'impulsion qui l'avait possédé de la piéger, de l'observer à son insu, d'éprouver sa fidélité. Elle paraissait tout à coup petite et solitaire. Puis le serveur s'approcha derrière elle. L'homme se tint dans l'ombre et l'encouragea en son for intérieur.

– Refuse, refuse, refuse, souffla-t-il doucement à l'adresse d'une haute haie vert foncé.

Elle regardait toujours par la fenêtre, ignorant le serveur qui avançait à pas de loup. L'homme songea un instant à faire cesser cette expérience. Elle était innocente. Puis il la vit se retourner et sourire au domestique. Non, il devait tout voir. Révéler son cœur infidèle.

La porte de derrière était ouverte et il traversa directement la cuisine en plein affairement. Il avait la tenue de soirée adéquate, arborait l'exacte expression d'arrogance; personne ne l'empêcha de passer. Il monta prestement les escaliers avant qu'une quelconque connaissance puisse l'arrêter. Il passa par la porte bleue et entra dans la seconde chambre, sombre et fraîche. Les deux pièces avaient une salle de bains commune. La porte de communication était ouverte; il traversa la salle de bains et pénétra dans l'arène où il allait prendre sa jolie femme au piège. Il alluma la lampe de chevet qui jeta une lueur dorée sur le couvre-lit vert foncé. Leurs hôtes préféraient un style simple et dépouillé. Il l'imaginait haletante de dégoût, hurlant : « Arrêtez! Ne me touchez pas avec vos sales mains! »

Si seulement elle réussissait cette épreuve. Elle était devenue si froide et si distante depuis la naissance de l'enfant. Et au fil des ans, elle se glaçait de plus en plus. Il quitta silencieusement la chambre pour attendre à côté. Il s'assit sur le lit et fuma pendant environ vingt minutes. Puis il entendit la porte de l'autre chambre s'ouvrir. Quelque chose gronda sourdement contre ses côtes. Quelqu'un vérifiait que la porte de la salle de bains n'était pas fermée à clef. Dans l'obscurité, il sourit cyniquement. Le poisson mord à l'hameçon. Il éteignit sa cigarette et attendit de voir si elle irait d'abord dans la salle de bains. Puis il entrouvrit la porte et y pénétra. Elle était plongée dans l'obscurité. Le serveur avait laissé la porte de communication entrouverte. Il pouvait voir directement la flaque de lumière.

– Est-ce que tu...

– Chuuut, dit-elle doucement en embrassant le domestique.

L'homme sentit son sang cogner dans sa tête. Il n'éprouvait pas de douleur, mais une étrange excitation. C'était un jaillissement si indescriptible qu'il en resta stupéfait. Il venait de fouler un nouvel horizon. Le domestique enleva la petite veste brodée de perles et la peau qu'il admirait depuis si longtemps miroita comme de l'ivoire poli dans la lumière dorée. Ses petits seins s'écrasèrent contre son veston. Il la jeta brutalement sur le lit. Le brave homme! Il avait suivi son conseil. *Elle aime bien quand c'est brutal.* Jusqu'à cet instant, l'homme avait ignoré le serveur, mais il voyait maintenant une créature en train de se tortiller pour enlever son pantalon. Voilà l'effet que produisait sa femme sur les hommes.

– Ne sois pas brutal, s'il te plaît. Fais-moi l'amour doucement, murmura-t-elle.

Dans l'obscurité, l'homme était abasourdi. Faire l'amour doucement? Qu'est-ce que ça voulait dire?

Puis le cauchemar commença. Comme en état de choc, il regarda la femme qui ressemblait en tout point à son épouse et l'homme qu'il avait payé se tenir étroitement enlacés et se mouvoir avec tant de délicatesse que leurs membres emmêlés semblaient faire partie d'une machine bien huilée. De sa bouche merveilleuse ne s'échappaient pas les imprécations, les cris rauques de la passion ni les grognements bestiaux qu'elle faisait quand elle était avec lui, mais des soupirs calmes et de longs halètements, signes manifestes d'un profond plaisir. Et quand enfin elle jouit, elle jouit avec douceur et élégance. Le corps raidi et la tête rejetée en arrière, offrant son cou mince comme un cygne agonisant.

– Maintenant, va-t'en, ordonna-t-elle gentiment.

Le serveur renfila son pantalon et partit immédiatement. Dès qu'il eut quitté la pièce, elle se redressa et s'étira comme une chatte repue. Dans la flaque de lumière, elle s'adossa contre les oreillers et fuma en silence, le visage pensif. L'homme qui l'observait était incapable de bouger. Il était pétrifié. Pendant toutes ces années, elle l'avait berné. Ces cris bestiaux, ces cris rauques : « Plus fort, plus vite, enfonce-toi! » Rien de tout cela n'était sincère. Tout était simulé.

Dans le silence, il lui vint à l'esprit que, depuis quelque temps déjà, elle transférait son argent et ses biens à sa famille. L'argent allait à son frère malhonnête et fruste, très souvent à sa mère cupide et une fois à sa sœur. Elle avait sûrement un compte secret à son nom. Il était debout, tremblant de rage. La salope. La garce. Elle avait l'intention de le quitter.

Il oubliait totalement que c'était lui qui avait organisé cette rencontre avec le domestique et que ce jeu constituait une nouvelle incursion dans la dépravation. Ainsi ne prenait-elle pas vraiment plaisir à voir sa peau claire rougir sous l'effet de la douleur. Elle n'aimait pas quand c'était brutal. Il oubliait que c'était lui qui lui avait insinué, mimé et appris lentement et subtilement à haleter et à hurler : « Plus fort, plus vite, enfonce-toi loin ! » Il voulait la punir et, en cet instant, il savait comment faire.

Il la détruirait.

Elle écrasa sa cigarette. Les jambes de l'homme se dénouèrent et il passa par la porte de communication qu'il referma doucement. Silencieusement. Il entendit alors le bruit d'une chasse d'eau que l'on tire, un froissement de papier et un robinet qui s'ouvre.

La porte se referma.

Une pensée lui traversa l'esprit. Il voulait revoir toute la scène. Il voulait être sûr d'avoir bien vu. Il voulait la voir, pâle et haletante, sous le domestique. Sa réaction avait été si incroyable qu'elle lui apparaissait comme un rêve Tout ça n'avait sûrement pas eu lieu ! Grand Dieu, elle était sa femme depuis six ans maintenant. Il lui semblait impossible qu'il n'ait jamais vu cet aspect d'elle-même. Oui, il voulait tout recommencer. Il devait s'assurer qu'il n'avait rien imaginé.

C'est ce qu'il se disait, mais il savait qu'en vérité il voulait simplement la voir à nouveau avec un autre. La vérité, aussi choquante soit-elle, était qu'il y avait pris plaisir. Il avait donné sa propre chair et fait l'expérience d'une joie exquise. Il n'était peut-être pas un homme très éduqué, mais il était capable de comprendre ce qui s'était passé. L'homme n'a pas de véritable défense contre la souffrance qu'il endure. La seule chose qui se rapproche de la défense consiste à transformer la torture en plaisir. C'est avec cette pâte-là qu'on fait un masochiste. Dans son visage, ses yeux devinrent des silex. C'était sa faute à elle s'il avait descendu cette pente épineuse. Il n'était même pas prêt à accepter le sadique qui était en lui, le masochiste pouvait toujours aller se faire foutre. Il ne voulait pas continuer à descendre cette terrible pente. Pas question. Non, il ne renouvellerait pas l'expérience ; il la réduirait à l'état de dénuement le plus total, elle et sa famille. Il traversa rapidement la chambre et referma la porte derrière lui. Il descendit les escaliers et sortit par la porte d'entrée.

Tu sais, le moment le plus difficile a été de m'asseoir sur le lit sans ma veste brodée de perles, et de fumer tranquillement une cigarette. De contrôler le tremblement de mes mains, sachant qu'il était dans la pièce à côté en train de m'observer. Et de penser : « Oh, mon Dieu, faites qu'il soit si dégoûté qu'il demande le divorce. »

Je l'ai vu revenir vers la maison tandis que je regardais par la fenêtre, et quand le serveur s'est glissé vers moi, j'ai tout compris. Je n'ai pas eu besoin de voir Luke monter furtivement les escaliers comme une ombre menaçante. J'ai laissé le domestique me pénétrer, mais tout le reste fut la meilleure représentation que j'aie jamais donnée dans ma vie. J'ai toujours voulu être actrice. Maintenant je sais que j'aurais dû faire ce métier. Je l'ai dupé. Je le sentais me dévorer des yeux ; son regard me brûlait les entrailles. J'ai détruit la pureté qu'il chérissait tant. Les choses souillées le rendent malade. Son bien le plus précieux détruit juste devant ses yeux. Je voulais qu'il se débarrasse de moi.

Après, j'ai voulu prendre une douche, enlever l'odeur du serveur. J'avais les mains sales. Mon corps était souillé. Mais je n'ai pas pris de douche. Cette saleté restera toujours en moi comme une honte. J'ai descendu les escaliers. Le domestique avait disparu. Un peu plus tard, Luke m'a envoyé le chauffeur.

Il m'attendait dans ma chambre. À le voir se prélasser sur mon lit comme un destin sombre tapi sur mes draps blancs et propres, une onde de choc venue du tréfonds de moi-même m'a coupé le souffle. J'ai contrôlé ma confusion intérieure.

– Bonsoir, chérie. C'était une bonne soirée ? a-t-il demandé d'une voix doucereuse.

Le ton était différent. Il était en train de jouer avec moi. Un nouveau jeu.

– Ça s'est bien passé. Je pensais que tu serais déjà au lit, ai-je répondu faiblement.

– Je suis au lit.

J'ai ri nerveusement et je me suis dirigée vers ma coiffeuse. Je savais que je ne devais pas le laisser percevoir mon trouble. Agir avec naturel. J'avais enlevé mes chaussures et mes pas étaient silencieux sur le sol de marbre. J'ai déposé ma pochette brodée de perles sur le meuble et j'ai allumé la petite lampe près du miroir. Il regardait fixement ma veste aux incrustations brillantes. Il se remémorait la scène. Dans la flaque de lumière jaune, j'ai dû lui apparaître comme un coffret rempli de secrets. Les siens. Son coffret à bijoux. J'ai remarqué un changement en lui. Il comprenait qu'il était incapable de me laisser partir.

– Viens ici, a-t-il dit d'une voix qui a claqué comme un coup de fouet.

C'est l'étranger qui était en lui. Luke était parti. Je tremblais. Il venait de me voir avec quelqu'un d'autre. Où était l'homme rempli de colère qui aurait dû me mettre à la porte sans pitié avec ma petite Nisha? Il a attrapé ma main tremblante et l'a portée à ses lèvres. L'étranger aux yeux pleins d'ombres m'observait. J'étais sa prisonnière, je le regardais d'un air impuissant. Comment avait-il pu avoir envie de me voir, moi, la mère de sa fille, ployer honteusement sous un autre corps? Ses yeux implacables annonçaient qu'il allait me punir comme lui seul savait le faire. Et maintenant, il savait que je n'aimais pas qu'on me brutalise.

– Ta main a une drôle d'odeur, a-t-il murmuré.

Je l'ai retirée vivement de la sienne et je me suis éloignée.

– Danse pour moi, ma chérie.

– Je suis un peu fatiguée ce soir. Je vais prendre une douche et me coucher.

Ma voix m'a fait l'impression d'un vagissement. J'ai passé ma langue sur mes lèvres sèches mais, rapide comme une panthère, il avait bondi du lit, m'avait empoignée par le bras et jetée violemment sur le matelas. J'ai rebondi légèrement. L'espace de quelques secondes, j'ai été abasourdie au point de ne pouvoir me défendre.

– Trop fatiguée pour danser? Alors pourquoi ne pas essayer quelque chose d'un peu différent, ma petite chatte.

Dans son roucoulement forcé, la menace était effrayante.

De ses lèvres minces, j'ai vu une créature sombre et effrayante fondre sur moi. La douleur. J'ai senti sa forme noire pénétrer mon corps comme un éclat tranchant. Elle demeurera en moi, dévorante et pernicieuse, et ce n'est que lorsque je serai dépouillée et amère qu'elle se retirera pour s'envoler vers l'être qui m'est le plus cher. Nisha. Oh, Dieu, qu'ai-je fait?

Cette nuit-là, j'ai souffert plus que jamais. Pour m'empêcher de hurler, il m'a bâillonnée de sa main.

– Tais-toi. Tu vas réveiller l'enfant, a-t-il ordonné froidement.

C'est vrai que l'esprit est capable de s'extraire du corps quand celui-ci ne peut plus supporter ce qu'on lui inflige. Il le survole en l'observant calmement et pense à des détails . une goutte de sueur sur le front du violeur, vérifier si les poubelles ont été sorties à temps pour les éboueurs. Quand il eut fini, Luke m'a abandonnée sur le lit avec dégoût ; l'expérience avait été aussi répugnante pour lui que pour moi. Il savait que son sang charriait désormais une nouvelle fascination. Non pas celle de coucher avec moi, mais de me voir coucher avec des inconnus qu'il payait. Me voir ainsi humiliée l'excitait. Je l'avais aidé à découvrir une perversion hideuse enfouie en lui. Et maintenant, je devais payer le prix de ma souillure et de la sienne.

Au cours des mois qui ont suivi, il a tenté tout ce qui était en son pouvoir pour oublier cette perversion. Mais rien n'y a fait. Même sa maîtresse au sourire insouciant, même les subtiles techniques qu'elle devait maîtriser, n'ont pas réussi à apaiser sa nouvelle passion. Il m'a fait suivre. J'avais peut-être un amant. Peut-être trouverait-il l'occasion de jouir à nouveau de mon humiliation. Des hommes bizarres, le sourire avenant et encourageant, le regard légèrement méprisant, s'approchaient de moi lors de fêtes ou dans les halls d'hôtel. Je ne me retournais pas pour voir les yeux avides de Luke ; je les considérais avec tant de froideur qu'ils comprenaient immédiatement que jamais, absolument jamais, je ne les laisserais me pénétrer de mon plein gré.

Puis un soir, en rentrant dans ma chambre j'ai découvert la panoplie complète du fumeur d'opium impeccablement disposée sur la table. J'ai caressé une magnifique pipe ancienne, sculptée de complexes figures d'éléphants ; j'ai soulevé la tasse et admiré la lampe à huile peinte en noir et décorée de motifs floraux d'argent et de cuivre. C'était le jour de mon anniversaire ; j'avais vingt-cinq ans. C'était le cadeau de Luke. Toujours le meilleur pour Dimple. Il n'ignorait pas que je savais tout du fonctionnement et de l'issue de tout cela. Oncle Sevenese m'avait depuis longtemps dévoilé ce monde. Je savais comment les vieux Chinois squelettiques goûtaient la drogue sur le bord de la lampe à huile avant de la secouer et d'en inhaler les fumées odorantes. J'examinais le petit sac d'opium en plastique tout en me demandant où Luke avait bien pu se procurer cette pâte brune et parfumée. Le sens de son cadeau était clair. Il voulait que je me détruise lentement. Et pourquoi pas ? Les fleurs de pavot n'apportent-elles pas la libération de toute souffrance ? L'empereur Shah Jahan n'avait-il pas mélangé de l'opium à son vin pour jouir d'extases divines ?

Dehors, sous le ciel noir, la lune avait décliné, dessinant un sourire jaune aux commissures relevées. L'opium promettait des rêves magnifiques. Le vent qui soufflait dans les bambous m'a apporté l'image de Nisha.

— Non, ne le fais pas, a-t-il dit.

— Jamais.

Mais mes mains n'ont pas tardé à allumer la lampe à huile et à chauffer un morceau d'opium au-dessus du manchon de verre. Une fumée bleue et parfumée s'est élevée de la pipe et a inondé la chambre. Oui, oui, je sais. Dis-moi comment j'aurais pu dire non à une musique semblable, à ce parfum, à cent années vécues en une seule nuit; même si je savais que tout cela finirait dans l'horreur de milliers d'années passées dans des cercueils de pierre, à ramper dans les égouts ou à subir les baisers cancéreux des crocodiles. Après tout, que restait-il d'autre que les rêves?

Grand-Mère est morte. Je ne parvenais pas à y croire.

Sa petite maison fourmillait de monde. Les gens étaient assis, s'appuyaient contre les murs, parlaient à voix basse ou chantaient de leur voix cassée d'anciens hymnes de dévotion discordants. J'ignorais que Grand-Mère connaissait tant de gens. Je suppose qu'il s'agissait de ses copines du temple. Excepté Tante Lalita, personne ne pleurait. Même moi; toutes mes larmes étaient cadenassées dans un endroit introuvable. Je savais que j'avais fait un énorme gâchis de ma vie, je voulais rejoindre Grand-Mère. Seule Nisha me retenait. Je sentais que ses petits ongles me raccrochaient à l'existence. Ils me faisaient l'effet de petites lames dans ma chair. Mais chaque jour le ciel est un peu plus gris et l'opium un peu plus doux. Non, lors des funérailles, je ne pensais pas à la fumée bleue. Céder à la tentation lors de cette dernière rencontre avec Grand-Mère aurait constitué une terrible insulte. Si elle avait pu entendre mes pensées, son esprit aurait porté le deuil de ma pauvre vie gâchée.

Papa courait à gauche et à droite en faisant de son mieux pour apporter son aide, mais quand son regard a croisé le mien, il est venu s'asseoir à côté de moi.

— Tu sais, j'étais son fils préféré, a-t-il dit en regardant par la porte ouverte l'endroit où s'élevait autrefois le grand ramboutan.

Les nouveaux voisins de Grand-Mère l'avaient fait couper: ses racines avaient déjà fissuré les canalisations en ciment autour de leur maison et ils craignaient qu'elles n'endommagent les fondations.

– Oui, elle me l'a souvent répété.

– Je n'ai pas été un bon fils, mais je l'aimais. On a souffert tous les deux à l'époque des Japonais.

Je l'ai examiné attentivement. Pauvre Papa, comme sa perception des choses est erronée ! C'est un fils épouvantable qu'il a été. Il lui a brisé le cœur et il s'est conduit exactement comme l'avait prédit le diseur de bonne aventure avant même qu'il ne vienne au monde. Grand-Mère l'avait soutenu comme un roc contre vents et marées. Mais il était trop tard, et il était inutile désormais de rétablir la vérité.

– On a souffert tous les deux pendant la guerre. J'ai caché ses bijoux dans le cocotier. J'étais le seul à être assez courageux pour monter jusqu'en haut de l'arbre. Personne d'autre que moi ne l'aurait fait pour elle. J'étais l'homme de la maison. Elle comptait sur moi et je ne l'ai jamais laissée tomber. Je me levais avant tout le monde pour emporter le lait que l'on vendait aux marchands de thé. Je travaillais la terre de notre petit lopin et j'allais porter le ragi au moulin. J'ai fait tout ça pour elle. Il était juste que ce soit moi qu'elle aime le plus.

Il a ôté ses lunettes et s'est essuyé les yeux. Papa chéri, torturé. L'évocation de ces souvenirs soigneusement triés l'avait bouleversé. Il s'est levé tout à coup et est sorti à grands pas dans la cour, vers l'éclatante lumière du soleil. Toutes nos vies faussées, hideuses. Quand Papa a souri, une fossette s'est dessinée sur sa joue. Je ne l'avais pas vue depuis des années. Il est passé devant Nash sans un mot. Mon frère et mon père se méprisaient mutuellement. Dehors, je l'ai vu parler avec Tante Lalita. Il voulait laver les vêtements qui trempaient dans le grand baquet rouge.

Tante Lalita secouait la tête.

– Non, non, je ferai la lessive plus tard. J'ai l'habitude de nettoyer le linge.

– Je veux laver les vêtements que Maman portait, insistait Papa tout en se débarrassant de sa chemise et de sa montre.

Il a déposé celle-ci sur la meule où, jadis, Mohini et lui réduisaient les fèves en pâte. Puis il s'est mis à l'ouvrage. Je me suis souvenue alors des récits de Lalita évoquant Papa en train de laver le linge, il y a des années. Lorsqu'il battait les vêtements sur la pierre lisse, tout son corps s'arquait ; le linge volait un moment dans l'air, des gouttelettes d'eau restaient suspendues autour de lui, attrapant le soleil au vol, étincelantes comme de précieux diamants. Tante Lalita se tenait debout à côté de lui, à l'observer, et je savais qu'elle pensait la même chose que moi. Mon père est le dieu de l'Eau.

Dans la cuisine, Tante Anna aidait à préparer le corps de Grand-Mère. Elle était étendue sur son banc, cet objet robuste qui lui avait tant plu quand elle était arrivée, toute innocente, en Malaysia. Maintenant qu'elle est morte, ce banc la soutient. Ce banc nous survivra tous. Il me survivra en tout cas. Il ne me reste plus longtemps à vivre. Je sens les ongles de Nisha dans ma chair, mais sa poigne n'est pas assez forte. Ma vie s'efface. Il me reste peu de temps à vivre.

On a tendu un drap pour cacher le corps nu de Grand-Mère pendant que Tante Anna et trois autres femmes le lavaient. Je tenais Nisha tout près de moi. Elle était calme. Je l'ai embrassée sur la tête et, quand elle a levé son visage vers moi avec de grands yeux interrogateurs, je lui ai souri.

Maman est sortie en boitant de la chambre de Grand-Mère. Son arthrite la faisait tellement souffrir qu'elle avait dû s'allonger. On lui a apporté une chaise, car ses genoux étaient trop raides pour qu'elle puisse s'asseoir en tailleur par terre, comme tout le monde. Elle avait haï Grand-Mère dès le jour de son mariage avec Papa. Elle était néanmoins venue lui rendre un dernier hommage et assister à la lecture du testament.

Je me souviens que Grand-Mère détestait les hommages. Elle n'avait pas de temps à leur consacrer et les rejetait quand on les lui offrait au lieu de sentiments authentiques. L'amour qu'elle donnait était profond et sa loyauté sans réserve, et elle exigeait la même chose en retour.

— Dimple, l'amour ne consiste pas en mots, mais en grands sacrifices, me disait-elle souvent. C'est la volonté de donner jusqu'à devenir infirme.

J'ai suivi Tante Anna dans la chambre de Grand-Mère. Elle s'est assise sur le lit à baldaquin et m'a souri tristement en ouvrant sa main droite. Au creux de sa paume reposaient les épingles à cheveux de Grand-Mère. Des épingles en forme de U, de la marque Kee Aa. Aujourd'hui, personne n'en porte plus. Grand-Mère s'en servait pour faire tenir son chignon.

— Bien des années après avoir quitté cette maison, je pensais à Maman dès que je voyais des épingles Kee Aa. Aujourd'hui, je les lui ai enlevées pour la dernière fois. Je me rappellerai toujours ce moment. Son corps est froid, mais sa chevelure est la même qu'il y a des années quand Mohini et moi la coiffions, chacune à tour de rôle. C'est bizarre comme ces simples épingles ont soudain rendu sa mort insupportable, non ? Pauvre Maman. On lui a tous infligé d'épouvantables déceptions.

— Oh, Tante Anna, tu ne l'as jamais déçue. J'ai les cassettes pour le prouver. Elle t'aimait, et vous tous, ses enfants, vous lui avez donné la plus grande satisfaction. Vous avez tous fait quelque chose de votre vie.

— Non, Dimple. Aucun de nous n'a été à la hauteur de ses attentes. Ta mère l'avait surnommée l'araignée ; elle ignore à quel point ce terme lui convenait. L'araignée est celle qui se tient au-dessus de tout. Elle nous dominait par ses dons, son intelligence et sa réelle grandeur. Elle était douée pour tout, elle était plus rusée que les plus rusés, et pourtant nous, ses magnifiques enfants, l'avons vaincue. Tu sais ce qu'elle m'a dit la dernière fois que nous l'avons emmenée à l'hôpital ?

J'ai secoué silencieusement la tête.

— Elle a dit : « Je sens l'odeur de la mort dans l'air. » Et comme une idiote, je lui ai répondu : « C'est l'antiseptique que tu sens. — Non, Anna, tu sens l'antiseptique parce que ce n'est pas ton heure. »

C'était exactement ce que j'avais senti quand j'avais emmené Nisha voir Grand-Mère. Je sentais la mort dans l'air, je la voyais partout, mais je tenais Nisha serrée contre moi, comme une arme, alors elle a battu en retraite. Grâce à la petite fleur à mes côtés, j'ai tenu l'avide ogresse à distance. Quand je serre ma fille contre moi, le parfum de la mort n'est pas si attrayant, son sourire pas si engageant. Tante Anna s'est mise à sangloter doucement et je l'ai serrée dans mes bras. La tristesse faisait frémir ses épaules. Par la fenêtre, j'ai vu Nash qui fumait, son beau visage ennuyé.

— Est-ce que je peux garder une épingle ? ai-je demandé.

Elle a ouvert sa paume et j'en ai pris une. Je vais la garder. Tante Anna a raison : cette épingle conservera le souvenir de Grand-Mère très présent. Je la revois dans son sari blanc, debout devant la glace. Elle se met toujours trop de poudre sur le visage ; quand elle remonte ses cheveux pour les coiffer, elle pince les épingles entre ses lèvres. Une à une, elles vont se planter dans son épais chignon argenté jusqu'à ce qu'il soit bien fixé sur sa nuque. Puis elle se retourne vers moi et demande :

– Tu es prête à y aller ?

Et un jour, je dirai : « Oui. »

Après les funérailles, j'ai rendu visite à Oncle Sevenese. Il avait très mauvaise mine.

– Quand j'étais petit, j'ai rêvé les funérailles de ma mère. Ça s'est passé exactement comme dans mon rêve. La seule différence, c'est que maintenant je peux mettre un nom sur les visages d'adultes que je ne connaissais pas alors. Lakshmnan m'était apparu comme un étranger plein d'amertume. Dans mon rêve, la seule personne qui m'était vaguement familière, c'était toi. Mais à l'époque je croyais que c'était Mohini devenue adulte. Quand je t'ai vue aujourd'hui avec Nisha sur les genoux, le rêve s'est brisé.

Je l'ai regardé longuement d'un air malheureux et il m'a jeté un vieil exemplaire d'un livre de Sartre.

– Lis-le et arrête de te *conformer aux apparences*. Tu as la liberté de choisir, tu sais. Ne reste pas avec lui si tu ne le veux pas.

Avant, j'aurais pris le livre et je l'aurais dévoré. Mais maintenant...

– Il n'y a plus d'espoir. Notre Riz maternel, la Dispensatrice de Vie, est morte. Il n'y a plus personne pour protéger mes rêves nocturnes, autrefois foisonnants d'herbes parfumées, de mousse verte, de fruits mûrs et de fleurs splendides. Maintenant, je les vois, ces pauvres choses, pâles et inertes, enfouies au fond d'un lac perdu.

En entendant ces mots, Oncle Sevenese est resté pétrifié d'horreur. Il s'est refusé à en savoir davantage. Je ne pouvais pas lui dire que j'avais de plus en plus besoin de ma fumée bleue et que j'aimais de moins en moins Luke.

Un jour, Nisha m'a dit qu'il y avait un nid d'oiseau dans le manguier. Elle prétendait entendre le pépiement des oisillons depuis sa chambre. Elle m'a emmenée dehors pour que je les entende, et, pour une raison inconnue, leurs appels frénétiques m'ont angoissée.

– Viens, lui ai-je dit avec un enjouement forcé. Allons en ville voir à quoi ressemble le nouveau café.

L'endroit avait été décoré dans des tons ocre. Sur les tables étaient posés des bouquets de pattes de kangourou, une fleur que je n'avais jamais vue. Noire, magnifique. Une fleur noire. Quelle chose étrange et quelle beauté ! Avec de petites corolles d'un vert extrêmement pâle. Je suis allée chez le fleuriste pour en commander.

Je les ai assemblées dans un vase en verre transparent sur la petite table basse. Elles étaient splendides. Nisha trouvait qu'elles ressemblaient à des araignées endormies, repliées sur elles-mêmes et posées sur une tige. Quelle enfant ! Je lui apprendrai à les aimer.

Luke ne la touchait plus. Il ne la touchait plus parce qu'il avait maintenant peur des monstres qui gisaient tapis en lui. Qu'adviendrait-il s'il découvrait qu'il avait le désir de coucher avec elle ? C'est cela qu'il redoute : de nouvelles perversions en lui. Cela me fait de la peine pour Nisha. Elle ne peut pas comprendre pourquoi son père la repousse. Je ne sais pas ce que nous allons devenir. Si seulement il nous laissait partir, toutes les deux, mais je sais qu'il ne le fera jamais. Il ne me laissera jamais m'en aller. Il se servira de Nisha pour me retenir ici.

Oncle Sevenese est mort. J'étais debout à son chevet quand il m'a fait signe qu'il voulait écrire. Je me suis précipitée pour lui mettre un stylo et un papier entre les mains. Il a tracé quelques mots en tremblant : « Je la vois. Les fleurs poussent... » et il est mort. Je ne cesse de songer à cette phrase inachevée. Qu'a-t-il vu ?

Cette question m'obsédait tandis que je montais les escaliers qui mènent à sa chambre.

J'ai tourné la clef graisseuse dans la serrure. La première bouffée d'air qui m'est parvenue était si viciée, si infecte que j'en ai eu un haut-le-cœur. J'ai ouvert la minuscule fenêtre de la petite cuisine aussi largement que le mécanisme le permettait. La pièce était sordide. Les fentes du linoléum étaient comblées par une épaisse couche de crasse noire ; une pellicule de cendre de cigarette recouvrait tous les objets. C'est la dernière fois que je contemple cette chambre, me suis-je dit avec un détachement qui m'a surprise. Puis je suis restée là, à tout enregistrer dans ma mémoire.

Tout était encore étrangement empreint de sa présence, comme s'il était descendu prendre son café du matin. Ses livres d'astrologie, ses horoscopes et ses diagrammes étaient éparpillés sur le lit. Il était en train de travailler sur un horoscope quand on l'avait emmené à l'hôpital. Je me suis assise sur les draps tachés ; une photo de la prostituée se prélassant sur le matelas, une cigarette mentholée aux lèvres, a surgi au cœur de mon chagrin. Elle ne saura jamais qu'il a disparu. Dans un cahier défraîchi, j'ai parcouru les notes qu'il avait griffonnées.

S'en écarter / ligne de vie courte. Rahu [1] */ serpent dans la maison marital / impasse. Mort, divorce, tristesse, tragédie.*

Dommage pour le pauvre couillon concerné par cet horoscope.

Mais, sous le cahier, il avait réuni les données astrologiques de ma sœur et de moi. Cela m'a glacée.

Dans un tiroir, j'ai trouvé une enveloppe qui m'était adressée. Je ne l'ai pas ouverte, mais j'ai deviné la forme d'une cassette. Il avait enregistré un message à mon intention. Une dernière histoire pour mon chemin des rêves abandonné. J'ai plié soigneusement l'enveloppe brune et je l'ai glissée dans mon sac. Elle y est toujours. Je ne peux pas l'écouter pour le moment. Peut-être une nuit, juste avant la fumée bleue, alors cela sera plus facile.

Les funérailles ont été brèves. On a dû apporter le corps à la crémation avant l'heure prévue. Ses intestins, sérieusement atteints, avaient pourri si vite que les gaz qui s'en échappaient avaient fait gonfler son corps comme un ballon. Malgré la puissante odeur de décomposition, la bonne Tante Lalita s'est approchée du cercueil et a embrassé Sevenese sur la joue. La puanteur était celle des détritus, pas d'un cadavre. Jusque dans la mort, Oncle Sevenese refusait le conformisme. En dépit de deux bouteilles d'eau de Cologne, il a été impossible de célébrer des funérailles dignes. Les émanations âcres nous piquaient les yeux ; deux femmes sont allées précipitamment se réfugier dans le couloir pour cacher leur dégoût, et une vieille matrone ridée, trop âgée pour se soucier encore de convenances, s'est couvert le nez et la bouche avec les bords de son sari. J'imagine que Tante Lalita va accrocher une photo d'Oncle Sevenese à côté de celles de Grand-Père, de Grand-Mère et de Mohini.

J'avais froid. J'ai eu froid toute la journée. C'était la fumée bleue.

Tante Lalita est venue nous rendre visite. Elle a passé beaucoup de temps dans le jardin avec Nisha ; elle lui parlait comme si elle avait six ans, elle aussi. Pendant des heures, elles

---

1. Dans l'astrologie hindoue, Rahu est la planète qui correspond à Saturne.

ont observé les libellules insouciantes aux longs abdomens émaillés de taches jade et turquoise, qui survolaient l'eau immobile. Lalita racontait les mêmes histoires qu'elle m'avait racontées quand j'étais enfant. Les libellules sont capables de coudre les lèvres des vilains enfants pendant leur sommeil. Les yeux de Nisha se sont transformés en deux cercles opalescents, remplis d'étonnement.

– Vraiment? a-t-elle soufflé.

Quand je les regarde, c'est comme si je contemplais le passé. Moi aussi, je m'asseyais à l'ombre avec Tante Lalita pour observer les libellules qui voletaient derrière la maison de Grand-Mère. Je tournais la tête pour voir Grand-Mère assise sur son banc en train de nous regarder par la fenêtre.

Papa va très mal. Il souffrait de douleurs dans la poitrine et on l'a emmené d'urgence à l'hôpital. Ils lui ont donné des médicaments, mais il les a jetés. Pauvre Papa. Je connais sa souffrance. Il recherche le même oubli que moi.

Nisha a des ennuis à l'école. Une petite brute qui s'appelle Angela Chan laisse sur ses bras la marque de ses ongles en forme de croissant de lune. Il faut que j'aille voir la mère de cette fille.

Est-ce que je t'ai raconté mes rêves atrocement beaux? Ils proviennent sans doute de la fumée bleue. Il y a un homme magnifique [1] dans une épaisse cage de verre. Il a de longues jambes fuselées; ses cheveux bouclés effleurent doucement ses puissantes épaules. Bien que son visage soit dans l'ombre, je suis sensible à sa beauté. Je sais que lorsqu'il sortira de ce verre massif, sa beauté dépassera toutes mes attentes. Ses yeux sont tristes comme les miens sur le portrait en bas des escaliers, mais j'ai la certitude qu'il m'aime. Il m'a toujours aimée.

Depuis des années, il me contemple d'un regard chargé d'un profond désir, mais maintenant il a hâte de me sentir, de me combler, de ne faire plus qu'un avec moi. Je ne sais pas quand exactement, mais, il y a quelque temps déjà, il a commencé à découper le verre. Il ne possède aucune arme, il se sert de ses ongles. Ses doigts saignent, le verre devient rouge, il s'acharne. Il est animé d'un profond amour. Il gratte jour et nuit. Un jour, il se dégagera; j'attends. Extraordinaire sera le

---

1. Selon l'hindouisme, la mort est masculine – et non pas féminine comme en Occident – et personnifiée sous la forme du dieu Yama.

moment où je l'embrasserai. J'aime la façon dont cette bouche s'incurve. J'aspire au jour où il serrera mon corps contre le sien, long et svelte, où sa bouche couvrira la mienne. Le jour où je donnerai ma vie à la Mort. Elle est un homme magnifique.

Sixième partie

Le reste est mensonges
Juillet 2001

Luke

Réduit par une maladie vorace à ce paysage déconcertant d'os protubérants et de chairs caves, je n'ose même plus fermer les yeux. Jour et nuit, je guette fiévreusement la porte. Dans cette froide chambre d'hôpital où des tubes couleur de beurre surgissent de mes bras inutiles et courent vers des machines qui clignotent, je sais que la Mort ne va pas tarder à me prendre. Bientôt. Dans la pièce silencieuse, ma respiration est caverneuse et bruyante. Des mains invisibles ont commencé à m'envelopper d'un tissu cireux et jaune. Je suis prêt pour le voyage.

Je tourne la tête pour regarder ma fille. Comme une petite souris, elle est assise à mon chevet sur une chaise en acier chromé. Si elle ressemble à une petite souris, c'est nécessairement mon œuvre. J'ai transformé la belle enfant de Dimple en une personne mièvre et quelconque. Ce que j'ai fait est cruel, mais je dois dire pour ma défense que je n'ai jamais eu l'intention de la blesser. Et cela n'a pas été facile. Il m'a fallu de nombreuses années et de multiples mensonges pour y parvenir. Elle est assise, candide, ignorant mon horrible duperie. Si elle savait, elle me haïrait. Elle se penche en avant pour saisir ma main raidie et griffue. La sienne est glacée.

– Nisha.

Un murmure sort de ma bouche desséchée. Faiblement. La fin est proche.

En fille obéissante, elle se rapproche. Si près qu'elle respire l'odeur de chair qui se décompose. La pourriture intérieure agite un long doigt noir : un jour, toi aussi, dit-il, pour avertir ma morne souris.

Je l'entends haleter.

– Je regrette.

Les mots peinent à sortir. Je ne tiens plus qu'à un fil.

– Pourquoi ? s'écrie-t-elle, car elle ignore tout du passé.

Un « accident » et une attaque d'amnésie fort à propos sont responsables de cette situation. J'ai peur d'en avoir tiré profit et d'avoir recréé tout un monde à son intention. Tapissé de mensonges réconfortants. J'ai décidé qu'elle ne devait jamais savoir la tragique vérité. Jamais voir le sang sur mes mains.

Je vois dans son visage les yeux de Dimple, mais ma fille n'a pas l'éclat de sa mère. Oh, le regret, quel regret ! Je leur ai fait du mal, à toutes les deux, mais je vais corriger tout cela. Je vais lui donner la clef. Qu'elle apprenne mon terrible secret, cette forme voûtée, distordue qui s'agrippe implacablement autour de mon cou. Oui, celle que j'ai soigneusement abritée et nourrie depuis seize ans. La clef qui a enfermé à jamais les rêves de Dimple.

J'ai profondément aimé ma pauvre femme.

Une légère douleur dans ma poitrine, ma respiration s'étrangle dans ma gorge. Nisha me regarde avec une peur soudaine. Elle se précipite hors de la chambre, ses talons claquant sur le sol poli, en quête d'un médecin, d'une infirmière, d'une aide-soignante, de quelqu'un, n'importe qui, susceptible de venir en aide...

Nisha

Quand je suis revenue avec l'infirmière il n'y avait aucune paix dans la bouche ouverte et les yeux fixes. Il est mort comme il avait vécu. Stupéfaite, je l'ai scruté sans comprendre comment les braises ardentes qui brûlaient dans les fentes de son visage avaient pu s'éteindre si facilement et se transformer en marbre inerte, dense et noir. Comme celui qui s'étend à l'infini dans mes cauchemars. Si bien poli que le visage d'un enfant s'y reflète. Un petit visage déformé par la terreur et le choc. Un autre fragment d'un vieux souvenir oublié par le serpent dévorateur de mémoire qui a englouti mon enfance. Le reptile ondule et s'écoule comme du mercure dans mes rêves en murmurant : « Crois-moi. Ces souvenirs sont plus en sécurité dans l'obscurité de mon ventre. »

Je m'affaisse lentement près de mon père immobile et, dans un petit miroir accroché au mur, je me regarde d'un air vide. Le sang de plusieurs races a conféré à mon visage ces yeux mystérieux, ces hautes pommettes et cette bouche bien dessinée qui semble s'attrister de devoir partager son espace avec ce regard exotique. La bouche savait ce que les hommes ignoraient : que la provocation contenue dans les paupières à demi fermées masque une invitation au chagrin d'amour. J'ai brisé de nombreux cœurs sans le vouloir. Sans le savoir.

Posées sur les genoux de ma robe marron, mes mains disent avec éloquence qu'elles n'ont jamais travaillé un seul jour en vingt-cinq ans. Je regarde la clef que j'avais arrachée du poing serré de Papa. Allait-elle servir à libérer les fragments de mémoire prisonniers dans le corps du serpent cupide ? Allait-elle redonner une voix aux souvenirs qui pourraient alors expliquer des choses bizarres, comme l'effroi que je ressens devant un robinet qui goutte ? Pourquoi l'association du rouge et du noir m'étrangle-t-elle d'une peur inexplicable ? J'ai quitté le corps de mon père sans un dernier regard.

Lena, son serviteur particulier, m'a fait entrer dans sa maison. J'ai monté en courant les hauts escaliers sinueux pour déboucher dans la fraîcheur spartiate de sa chambre sans caractère. L'espace d'un instant, je suis restée pétrifiée dans les ombres saphir. Je sentais l'odeur de Papa. Il n'était pas allé dans cette pièce depuis des semaines et néanmoins, comme un fantôme perdu, son odeur s'y attardait en vain. J'ai traversé la chambre, glissé la clef dans la serrure d'une porte à l'intérieur de la penderie et j'ai ouvert.

La petite armoire renfermait une épaisse poussière gris-blanc qui s'accumulait là depuis de nombreuses années. Ses étagères étaient vides à l'exception d'une petite araignée que j'ai fait fuir et d'une vieille boîte en carton dont les lettres majuscules indiquaient qu'elle avait autrefois renfermé douze bouteilles de chardonnay français.

« Tenir vers le haut », indiquait la flèche rouge fatiguée qui pointait en fait vers le bas depuis des années. Le vieux ruban adhésif s'est décollé facilement et un nuage de poussière s'est élevé comme une agréable brume de montagne.

Toute ma vie. J'avais cherché toute ma vie sans jamais la trouver. J'ai ouvert la boîte.

Une boîte pleine de cassettes. Pleine de secrets. Sur la première page jaunissante d'un recueil de poèmes d'Omar Khayyam, une écriture enfantine déclarait que le livre était propriété exclusive de Dimple Lakshmnan. Mais qui est donc Dimple Lakshmnan ? Des poissons d'argent, surpris, m'ont regardée d'un air interrogateur depuis leur assiette d'encre noire et de vieux papiers.

J'ai retourné toutes les cassettes. Chacune d'elles avait été soigneusement numérotée et étiquetée : LAKSHMI, ANNA, LALITA, SEVENESE, JEYAN, BELLA... Qui pouvaient bien être tous ces gens ?

En bas, le téléphone a sonné. J'ai entendu Lena haleter bruyamment. C'était l'hôpital.

— Je regrette, avait dit mon père d'une façon si énigmatique au seuil de la mort.

— Ne regrette rien, Papa, avais-je murmuré doucement. Je n'ai jamais rien désiré d'autre que d'avoir connaissance des secrets tapis dans tes yeux froids.

La femme en noir

— Je suis navrée, Nisha, a murmuré une femme tout contre mon oreille, en tapotant chaleureusement ma main.

Je ne la connaissais pas, mais si elle a jugé bon d'assister aux funérailles, c'est qu'elle devait être une amie de Papa. Assez déconcertée, je l'ai regardée s'éloigner dans une robe de circonstance, noir et gris.

J'avais hâte de partir. De rentrer dans mon appartement pour libérer les voix prisonnières des cassettes. Mais les filles respectueuses se doivent de rester au moins jusqu'à ce que le corps de leur père ait quitté la maison. À n'en pas douter, Papa connaissait beaucoup de gens, car la pièce où il reposait était pleine de fleurs. Il y avait même un énorme bouquet envoyé par un ministre. Il me semblait étrange qu'il ait envoyé des fleurs à mon père. Papa ne l'appréciait pas tellement. « Trop compromettant », disait-il. Il préférait les subtilités de son propre système de corruption.

Il n'y avait pas une seule patte de kangourou. Étrange, ce sentiment de *déjà-vu*[1] qui m'avait parcourue quand mon regard s'était posé sur elles pour la première fois. Je les trouvais curieusement familières et très belles. Minces et noires avec une légère nuance vert pâle, comme si elles ignoraient que c'était leur noirceur même qui suscitait l'émerveillement.

Comme moi. Qui ai ignoré, pendant des années, que mon attrait particulier résidait dans la courbe inaccessible de ma joue quand je dormais, le visage tourné vers l'obscurité. Allongés à mes côtés, les hommes qui sont entrés dans ma vie sont tous

---

1. En français dans le texte.

devenus, inexplicablement et sans exception, obsédés par le mystère qui gisait si cruellement à leur portée et qui demeurait inviolé. Ils étaient saisis de la même fièvre, du besoin de me posséder, d'aller là où les autres ne s'étaient pas aventurés... du moins au début.

Au début, ils entraient tous dans ma vie pleins d'espoir et débordants d'attentes. Ils avaient séduit la fille de Luke Steadman ! Les possibilités semblaient illimitées. L'argent, le pouvoir, les relations... Mais, à la fin, ils partaient tous exaspérés, frustrés de découvrir que dans l'espace noir entre eux et moi s'ouvrait une gorge terrifiante d'une profondeur inconnue.

– Quoi ! s'était écrié l'un de mes compagnons les plus mémorables, perché au bord de l'abîme. Je t'embrasse, je te suce, je te baise et tu te conduis comme si tu venais juste de coller un timbre ?

Une excuse rendait les choses encore pires.

– Ce n'est pas ma faute si mes yeux qui n'ont connu que le désespoir pendant tant d'années ont la même expression quand je colle un timbre et quand tu me baises. Tu t'y prends bien.

« Ça ne vient pas de toi. C'est moi », disais-je gentiment pour les apaiser. Épargner leur orgueil. C'est une chose à laquelle ils tiennent.

« C'est moi », insistais-je d'un air vague, mes yeux allongés, légèrement fendus, implorant la compréhension de l'autre.

– Tu sais, tout a basculé quand j'avais sept ans. C'est exactement comme si j'avais traversé sur un passage pour piétons, que j'aie quitté la ligne blanche pour mettre le pied sur une banale ligne noire et que, tout à coup, j'aie trébuché, puis que je sois tombée. Pour disparaître dans un trou noir sans fond avec les étoiles pour seules compagnes. Et quand, un jour, je suis remontée du trou, je me suis retrouvée sur un lit blanc, dans une chambre de la même couleur et sans le moindre souvenir.

À ce moment-là, je devais m'arrêter car ils me regardaient comme si j'avais concocté toute cette histoire de passage pour piétons dans le but de les attendrir. Je ne leur parlais jamais de l'étranger aux yeux étroits et à l'expression anxieuse qui baissait les yeux sur moi dans cette chambre blanche. Je le regardais et il me fixait lui aussi avec une lueur d'inquiétude. J'avais peur de lui. Il avait des yeux froids, distants.

Il m'a appelée Nisha et a prétendu qu'il était mon père, mais sans vouloir me toucher ni me prendre dans ses bras. Peut-être que tout ça n'arrive que dans les films hollywoodiens, toutes ces étreintes frénétiques entre père et fille. Il m'est venu à l'esprit que mon père n'était pas particulièrement content que je sois remontée de ce trou noir avec les étoiles pour seules compagnes. J'ai gardé l'impression inouïe qu'il était soulagé que je ne me souvienne de rien.

Parfois, je pense que j'aurais dû dire à ces hommes pleins d'espoir que mon père ne m'avait pratiquement jamais touchée. En fait, personne n'avait le droit de me toucher. J'ai grandi seule, entourée de serviteurs. Peut-être auraient-ils alors compris le gouffre infranchissable du lit.

Si je ne m'étais pas regardée dans le miroir ce jour-là, effondrée sur le lit blanc, dans la chambre blanche, et si je n'avais pas vu dans mon reflet les mêmes yeux étroits qu'il arborait sur son visage épuisé, je n'aurais pas cru que j'étais issue de lui. Comment aurait-il pu m'insuffler un peu de vie alors que son souffle était si froid ? ses yeux si distants ? Et cependant, il m'avait dit qu'il m'aimait ; il avait meublé ma vie solitaire de toute ce qui existait de meilleur. Car il était riche, très riche. Important. Puissant.

Je suis restée quelques jours dans la chambre blanche, puis il m'a emmenée doucement vers une grosse voiture et m'a conduite dans une grande maison. Il faisait très froid à l'intérieur. J'ai frissonné et il a baissé la climatisation. Puis il m'a fait entrer dans une étrange chambre rose que j'étais certaine de n'avoir jamais vue auparavant.

– C'est ta chambre.

Ses pupilles noires m'examinaient attentivement.

Mes yeux ont fait le tour de la chambre de petite fille. Tout paraissait neuf, sentait le neuf. Les vêtements pendus dans la garde-robe portaient encore des étiquettes. Dans le bas de l'armoire, de luxueuses chaussures vernies brillaient gaiement ; elles étaient impeccables, elles avaient échappé au déshonneur pourtant inévitable de l'éraflure.

– Tu te rappelles quelque chose ?

Il me regardait avec attention. Pas avec espoir, avec attention. J'ai secoué la tête. Si vigoureusement que cela m'a fait mal. Il y avait une cicatrice à l'endroit où ma tête avait cogné quand j'étais tombée dans le trou en traversant le passage pour piétons.

– Je n'ai pas de mère ? ai-je demandé timidement car j'avais peur de cet étranger.

– Non, a-t-il répondu.

Avec douleur, je crois, mais je peux m'être trompée. Je n'étais alors qu'une enfant. J'ignorais tout des papas qui font semblant. Il m'a montré une petite photo. La femme avait un regard empreint de nostalgie. Un regard qui m'a fait sentir ma solitude.

– Maman est morte à ta naissance. Elle a fait une hémorragie.

C'était donc ma faute si la femme triste de la photo était morte. J'ai souhaité alors avoir les yeux de ma mère ; mais j'avais ceux de l'homme. Froids et distants. J'ai eu envie de pleurer, mais pas devant un étranger. Dès qu'il eut quitté la pièce, je me suis laissée tomber sur le lit tout neuf. Et j'ai pleuré.

Je demandais souvent à mon père de me parler de ces années perdues, mais plus il me donnait de détails, plus j'étais convaincue qu'il mentait. Il me cachait un secret. Je voulais retrouver ces années. Leur absence avait gâché ma vie. Je savais que les voix des cassettes regorgeaient de secrets. C'est la raison pour laquelle mon père les avait cachées pendant tout ce temps.

Je regardais autour de moi ces magnifiques bouquets. Aucune patte de kangourou parmi les fleurs qui les composaient. Peut-être sont-elles trop chères pour être gaspillées sur des couronnes funéraires. Mon père était très riche, mais il détestait ces fleurs. Il les haïssait presque passionnément. De la même façon que je hais le noir et le rouge ensemble. La première fois que j'ai composé un bouquet en y mêlant des pattes de kangourou, il les a regardées comme si j'avais placé un serpent sifflant autour de chaque tige noire.

– Ça va, Papa ?

– Oui, oui, bien sûr. Je suis juste un peu fatigué aujourd'hui.

Puis il m'a observée. Attentivement. Comme si c'était moi qui cachais quelque chose d'ignoble. Comme si c'était moi qui avais acheté une garde-robe toute neuve pour lui, repeint sa chambre d'un rose doux et méconnaissable et lui avait raconté un tissu de mensonges. Je l'ai dévisagé à mon tour. Je ne l'ai jamais connu, mon Papa. Il ne m'a jamais touchée. Il ne s'est même jamais approché suffisamment près pour que je le touche. J'ignorais ses secrets. Et il en avait beaucoup. Au fond de ses yeux étroits et froids, brûlait comme un bûcher funéraire.

– Est-ce que tu te rappelles quelque chose aujourd'hui?
a-t-il demandé brusquement.

Je n'ai pas pu contenir ma surprise.

– Non. Pourquoi?

– Pour rien. Par simple curiosité, a-t-il menti avec son sourire de politicien.

Papa, l'homme malhonnête.

Mon regard s'est alors porté sur une femme qui venait juste d'entrer. Elle arborait son chagrin avec une splendeur tragique, vêtue de la tête aux pieds d'un camaïeu de noir. Comme une talentueuse styliste de mode japonaise. Elle était extraordinairement belle. Je ne l'avais jamais vue auparavant. Ses lèvres étaient trop rouges. Mes doigts se sont légèrement contractés.

Rouge et noir. Les couleurs mêmes des cauchemars qui me tourmentaient! La femme s'est tournée vers le salon où le cercueil de Papa avait été déposé sur une longue table basse. Niché dans la fraîcheur du satin, jaune et immobile, il attendait que nous le jetions en pâture aux bêtes du crématorium.

Soudain, la belle étrangère s'est mise à courir. À petits pas maniérés, féminins. Elle s'est jetée théâtralement sur le corps inerte et a éclaté en sanglots. Déconcertée, je me suis reculée.

L'un des multiples secrets de Papa attendait d'être révélé.

La sombre assemblée a immédiatement compris le sens du spectacle qu'elle offrait. Les gens me regardaient à la dérobée; je les ai ignorés. Pendant un moment, la vue de cette silhouette noire étendue sur le frêle cadavre jaune m'a évoqué une énorme araignée noire s'apprêtant à dévorer son amant. Mais il ne s'agissait pas de savoir s'il s'agissait d'une scène magnifique. Mon cher, cher père. Fidèle à lui-même jusqu'à la fin. Froid et indubitablement au-delà des toiles d'araignée soyeuses.

La femme n'était pas dans son testament.

Il ne mentionnait personne d'autre que moi. Sa fille. Celle à qui il avait donné la clef. Celle à qui il avait caché ses secrets. Comme si la femme avait entendu mes mauvaises pensées, elle a levé les yeux et nos regards se sont croisés. De son rouge à lèvres écarlate se dégageait une étrange impression d'abandon. Pauvre créature. J'ai senti mon cœur se radoucir un peu. C'était plus fort que moi. J'imagine que c'est parce que je sais ce que signifie être abandonnée.

Le corps de ma pauvre mère m'a expédiée en ce monde, puis il a saigné jusqu'à ce que mort s'ensuive. Mon père a jeté ce corps vidé de son sang aux bêtes à la salive jaune, dans le cré-matorium. C'est ainsi que je me suis retrouvée dotée d'un père. Lui-même m'a doté de beaucoup choses : des jouets quand j'étais plus petite et des bijoux quand je suis devenue plus grande ; il les déposait devant la porte de ma chambre avant de partir travailler. Je ne pouvais jamais me jeter dans ses bras ou l'embrasser comme le fait n'importe quelle fille. Et afin d'anéan-tir l'inconfortable éventualité de l'étreinte qu'il redoutait, mon père, retors, me téléphonait avant de rentrer à la maison pour me demander si j'aimais mon nouveau cadeau.

Il se retranchait derrière un mur d'expressions polies : « S'il te plaît », « Puis-je », « Merci beaucoup ». Tout le monde croyait en son rôle splendide et irréprochable. Certains m'enviaient même la tendresse parfaite qui existait, s'imagi-naient-ils, entre nous. À leurs yeux, je représentais un idéal. Je ne faisais en fait que rester derrière le mur épais qu'il avait dressé pour nous maintenir à distance, en hurlant silencieuse-ment. Si seulement, il m'aimait un peu. Mais il ne m'avait jamais aimée. Un bébé singe, privé de la chaleur de sa mère, meurt. La tristesse de son cœur avait simplement mis un terme au travail harassant de battre. J'imagine que j'ai de la chance de ne pas être un bébé singe.

Je faisais un signe de tête et les gens se déplaçaient comme des poupées obéissantes. J'étais le nouveau maître. Seule héri-tière de la rançon d'un roi. Ils ont arraché la bouche rouge au corps inondé d'eau de Cologne et l'ont guidée, sanglotante, dans un coin. Avec gentillesse et curiosité.

Puis ils ont hissé le cercueil sur leurs épaules et l'ont emmené. Excepté la belle femme aux lèvres rouge sang, per-sonne ne pleurait. Les gens ont commencé à se disperser ; je me suis approchée d'elle. Vue de près, elle n'était pas si jeune. Trente-cinq ans, peut-être, ou même quarante. Mais elle avait des yeux étonnants. Immenses et limpides. Pareils à la surface miroitante d'un lac par une nuit de lune. Elle aussi regorgeait de secrets, et certains d'entre eux étaient sans doute les miens.

Je l'ai invitée à venir dans le bureau de mon père, à l'abri des regards indiscrets. Elle m'a suivie en silence. Était-elle déjà venue dans la maison ?

– Je m'appelle Rosette. Nisha, je suis contente de vous rencontrer enfin, a-t-elle dit calmement.

Sa voix s'accordait étrangement à son regard. Elle s'écou-lait avec la clarté et l'onctuosité du miel.

– Que voulez-vous boire ? ai-je demandé mécaniquement.

– Un Tia Maria glacé, s'il vous plaît.

Un sourire sanglant s'est dessiné sur les lèvres rouges. Trop rouges.

J'ai ouvert le petit bar. Il semblait bien que mon père faisait provision de Tia Maria ! L'image de leurs corps entrelacés unis sur le lit d'hôpital m'a traversé brusquement l'esprit. Un cadavre jaune et rétréci avec cette créature, mystérieuse et belle. J'ai secoué la tête pour chasser l'idée ignoble de leur accouplement incongru. Mon Dieu, mais que m'arrivait-il ?

– Est-ce que vous connaissiez bien mon père ?

Elle a pris une profonde inspiration.

– Très bien.

Elle était douce, très féminine. Et secrète. Elle était la compagne de mon père.

– Vous le connaissiez depuis longtemps ?

– Vingt-cinq ans, a-t-elle dit d'un ton léger.

Le choc m'a fait sursauter.

– Avez-vous connu ma mère ?

Les mots s'étaient échappés de ma bouche avant même que j'aie pu les retenir.

Quelque chose s'est élevé des deux lacs de lumière lunaire qui éclairaient son pâle visage soigneusement maquillé. Une chose vivante et pleine de regrets. L'hideuse créature lacustre m'a regardée tristement quelques secondes puis a replongé dans l'eau miroitante. Le visage a repris une expression vide.

– Non.

Le miel de sa voix s'est épaissi pour devenir un sédiment trouble. Elle venait de mentir. Par loyauté envers un homme désormais mort : quelle en était l'utilité ? Il y avait un loyer à payer, des vêtements de différents camaïeux de noir à acheter. Je me suis concentrée sur le Tia Maria glacé. Tout près de moi, une horloge a tinté dans le silence.

– Mon père ne vous a pas mentionnée dans son testament, ai-je dit d'un ton désinvolte.

J'ai entendu l'immobilité l'étreindre. L'horloge tintait avec une détermination précise. J'ai laissé quelques instants s'écouler avant de me retourner pour lui offrir le verre avec un demi-sourire.

Rosette a pris le verre froid dans ses mains pâles. La pauvre, il faut dire qu'elle avait du mal à le tenir dans sa main.

L'expression d'abandon est revenue. Hélas, c'était donc vrai, il fallait payer le loyer. Des larmes ont perlé à ses jolis yeux tristes et ruisselé le long de ses joues blêmes.

— Le salaud.

Elle a prononcé ce juron d'une voix extrêmement douce avant de s'affaler sur le divan qui se trouvait derrière elle. Sur le divan vert foncé de Papa, elle avait l'air toute petite et très blanche. C'est alors que j'ai commencé à l'aimer un petit peu.

— Je crains d'être l'unique personne mentionnée dans son testament. Aucun des serviteurs, dont certains vivent ici depuis beaucoup plus longtemps que je ne peux m'en souvenir, n'est cité. Je vais leur donner quelque chose de sa part. (J'ai fait une pause.) Le problème, c'est que je ne connaissais pas très bien mon père et j'ignore tout de ma mère. Si vous pouviez m'aider à combler certains trous, je serais très heureuse de faire un geste en votre faveur.

La créature lacustre a ondulé dans le lac sombre et immobile. Elle venait de comprendre qu'elle était en train de contempler la forme que prenait désormais sa nouvelle source de revenus. Savourais-je ce nouveau pouvoir ? Quant à elle, elle l'avait sûrement reconnu car elle m'a saluée en se courbant très bas. Tout à coup, elle s'est mise à rire. Un éclat rauque et amer. L'éclat d'une femme qui n'avait jamais été maîtresse de son propre destin.

— Parfois, il vaut mieux laisser certaines choses dans l'obscurité. Le souvenir que vous recherchez n'est pas particulièrement tendre. Il pourrait vous détruire. Pourquoi pensez-vous qu'il vous l'a caché ? Êtes-vous vraiment sûre de vouloir savoir ?

— Oui, ai-je répondu immédiatement.

La conviction de ma réponse m'a surprise.

— Est-ce qu'il vous a donné la clef ?

Je l'ai regardée, stupéfaite. Elle connaissait même l'existence de la clef.

— Oui, ai-je encore dit, frappée de constater à quel point cette femme avait été proche de mon père.

Il était décidément bien vrai que je ne l'avais jamais vraiment connu. Les lèvres rouges ont souri. Je ne supportais pas cette couleur. C'est comme si on m'avait planté un couteau dans l'œil.

Elle a fini son verre et s'est levée, face à moi. Il y avait dans ses yeux la certitude qu'il ne restait plus désormais que la vieillesse et la mort, et les tristes regrets des mauvais choix. Moi-même, j'aurais pu lui dire que mon père avait été un mauvais choix.

— Venez me voir après avoir écouté les cassettes.

Elle s'est avancée jusqu'au bureau de Papa et a griffonné son adresse et son numéro de téléphone sur un bloc-notes.

— Au revoir, Nisha.

La porte s'est refermée.

Je me suis emparée du papier. Elle vivait à Bangsar, pas très loin d'ici. Son écriture était féminine et étrangement séduisante. Je me suis demandé de quelle origine elle pouvait être. Elle avait la peau fine et très claire d'une certaine classe d'Arabes. Le genre de femmes qui avaient des gardes du corps devant les cabines d'essayage chez Emporio Armani.

J'ai détaché la feuille de papier du bloc-notes et je suis rentrée chez moi.

Il faisait une chaleur étouffante dans mon appartement. Les délicates roses posées sur la table basse retombaient sur leur tige. Des pétales gisaient autour d'elles. Le temps est compté. La mort rôde partout.

Ignorant les appels assourdis du téléphone, j'ai enclenché le climatiseur ; un air froid et sec s'est engouffré silencieusement dans la pièce. Sans même ôter ma tenue de deuil, j'ai mis le magnétophone en marche, en fermant mes yeux las. La voix d'une personne nommée Lakshmi a rempli la pièce, rafraîchie par les ombres d'un passé inconnu.

Le lendemain matin, je me suis réveillée en sursaut, entourée de cassettes ; le grésillement de la sonnette de la porte d'entrée m'a fait tressaillir.

— Une lettre recommandée.

La voix anonyme d'un homme a résonné dans l'interphone.

J'ai signé la lettre envoyée par les notaires de mon père. Ils voulaient me voir immédiatement pour un motif de la plus haute importance. J'ai pris un rendez-vous avec l'associé principal de la firme De Cruz, Rajan & Rahim.

M. De Cruz s'est avancé et a enveloppé ma main dans les siennes, grandes et tannées. Du sang portugais coulait dans ses veines, décelable à son nez proéminent sur un visage altier et à une attitude condescendante envers les « indigènes ». Ses cheveux étaient raides comme de l'argent poli. Dans d'immenses orbites brillaient des yeux d'une impitoyable cupidité qui avait rendu ses ancêtres célèbres. Il se dégageait de lui quelque chose de très malsain. J'imaginais que sous sa peau serpentait un individu totalement différent.

Je l'avais rencontré une fois lors d'un dîner organisé par la Bourse. Il m'avait adressé un sourire charmant sans me présenter la grande fille au regard vide qui se tenait à côté de lui. Comme tous les hommes de loi que je connaissais, je le trouvais arrogant et fier de sa capacité à réduire les mots en esclavage. Il ruminait et les sortait au moment adéquat en y ajoutant l'exacte intonation. Ils lui obéissaient parfaitement, fidèles à toutes ses intentions. Et ces mots si bien maîtrisés l'ont considérablement enrichi.

– Je suis désolé, pour votre père, a-t-il dit avec compassion, de sa profonde voix de baryton.

Je n'ai pu m'empêcher d'être impressionnée. C'était sûrement un don que d'avoir l'air si immédiatement sincère au moment requis.

– Merci. Et merci aussi pour les fleurs, ai-je répondu mécaniquement.

Il a secoué la tête d'un air sage. Dans sa bouche, les mots attendaient le bon moment. Il m'a fait signe de m'asseoir. Le bureau était grand et frais. Dans un coin, se trouvait un bar bien garni. On disait qu'il buvait. Beaucoup. Au Selangor Club [1].

Il s'est laissé choir dans un grand fauteuil en cuir derrière son bureau. Il est resté un moment silencieux à m'examiner. J'imaginais ce qu'il pensait : *Très jolie. Si seulement elle pouvait se débrouiller un peu mieux dans la vie.* Les mots avaient suffisamment attendu ; il les a prononcés et a flanqué une peur bleue à la jolie créature. Il n'y était pour rien. Ce n'était pas lui qui avait fait tous ces mauvais investissements qui avaient conduit mon père à la faillite. C'était l'économie. Toute cette foutue économie qui s'est effondrée, lorsque George Soros s'en est pris au ringgit malaisien et a détruit le cours des actions aussi sûrement qu'un coup de poing dans un jeu de cartes.

Hébétée, j'ai écouté M. De Cruz utiliser les mots appropriés pour me parler du krach boursier, et des inévitables pertes liées aux investissements à haut risque que favorisait mon père.

---

1. Le club le plus élégant de Kuala Lumpur, bâti par les Britanniques en 1884.

En fin de compte, a-t-il conclu, il ne me restait plus rien que d'énormes dettes. Même mon luxueux appartement devait être vendu.

— Avez-vous des bijoux que vous pourriez vendre ?

Je l'ai fixé, médusée.

— Mais Papa était multimillionnaire. Comment est-ce possible ?

M. De Cruz a eu un haussement d'épaules éloquent.

— Comme je vous l'ai dit, l'économie. Des placements risqués. Quelques affaires véreuses...

Toutes sortes de paroles apaisantes sont sorties de sa bouche habile.

— Peut-être même certaines fraudes, des personnalités troubles...

— Donc, en fait, je suis à la rue.

— Pas tout à fait.

Il m'a décoché un bref sourire gêné, bizarrement coupable. Je lui ai adressé un regard interrogateur. Le sourire s'est élargi et avec lui a disparu l'éclair de culpabilité. Aucun homme de loi qui se respecte ne supporte longtemps tout ce qui, de près ou de loin, ressemble au sentiment de culpabilité.

— Eh bien, votre mère vous a laissé une maison. Vous deviez en prendre possession à l'âge de vingt et un ans, mais comme vous étiez alors confortablement installée dans votre appartement, votre père a décidé de ne pas vous importuner avec l'entretien d'une vieille demeure décrépite. Mais comme les circonstances ont maintenant changé, peut-être devriez-vous aller jeter un coup d'œil à votre héritage.

— Ma mère m'a laissé une maison ? ai-je répété bêtement.

— Oui, à Ampang. Bien sûr, le bâtiment lui-même est sans doute dans un état de délabrement effroyable, mais le terrain, c'est autre chose... Compte tenu de sa situation, vous êtes assise sur une petite fortune. La vente résoudrait tous vos problèmes et, naturellement, notre firme est parfaitement habilitée à la faire pour vous.

Il a pincé ses lèvres en esquissant une mimique très professionnelle et a ouvert un dossier devant lui.

On aurait dû me parler de cette maison quand j'avais vingt et un ans, mais M. De Cruz avait dissimulé cette information à la demande de mon père.

— Qui a payé l'impôt foncier de la propriété ? ai-je demandé.

– Il y avait un legs de votre arrière-grand-mère maternelle qui réglait automatiquement la somme requise ; mais il ne reste pratiquement plus rien de cet héritage. Il y a aussi une lettre scellée que votre père vous a laissée. Voici les clefs et l'adresse de votre propriété.

Il m'a remis le trousseau et le titre de propriété sur lequel étaient inscrits l'adresse de la maison ainsi que mon nom, puis il m'a tendu la lettre scellée.

Je suis restée sans voix. Ma mère m'avait laissé une maison et mon père s'était refusé à me faire part d'une information aussi essentielle pendant toutes ces années. L'homme continuait à débiter un flot de paroles. Je me suis levée brusquement. Il s'est interrompu.

– Merci, ai-je dit poliment avant de me diriger vers la porte rutilante.

À l'extérieur du bâtiment, la lourde chaleur de l'après-midi m'a terrassée comme un coup de poing. Tout ce que je considérais jusqu'alors comme acquis était mort hier. La maison que je croyais posséder ne m'appartenait pas ; la montagne d'argent n'existait plus. Et pourtant rien d'autre ne comptait plus que les clefs que j'avais en main et la maison. J'ai marché jusqu'à ce que j'aperçoive le Cherry Lounge Bar. J'avais l'impression qu'une lumière battait à mes tempes tandis qu'à mes lèvres jaillissait une folle envie de rire. J'étais pauvre. Quelle blague ! La vie d'aisance que j'avais menée jusqu'à présent me laissait désarmée. Mon diplôme en sciences sociales me donnait trop de compétences pour un emploi de secrétaire et pas assez pour faire autre chose. Il m'était impossible d'imaginer l'immense fortune de mon père réduite à une maison en ruine à Ampang. J'ai songé aux nombreux politiciens qui venaient vers mon père les bras tendus et lui tapotaient amicalement le dos. « Je sais que je peux toujours compter sur vous », disaient-ils.

Comment était-ce possible ? J'étais sûre qu'alors qu'il était à l'hôpital, mon père s'était fait escroquer et voler jusqu'au dernier sou. Il était trop habile et bien trop rusé pour avoir perdu tous ces millions en biens immobiliers, en actions et en comptes secrets. Il ne pouvait s'agir que d'une fraude. Cependant, la pensée de démêler les affaires de son empire pour tenter d'y voir clair me rendait malade. Les gens qui étaient capables de faire disparaître des sommes aussi colossales étaient très haut placés et mon père lui-même les avait surveillés avec beaucoup d'attention tout en s'en protégeant.

Je suis entrée dans le bar et j'ai commandé un double whisky auprès d'un barman qui m'a dévisagée d'un regard appréciateur ; puis j'ai trouvé un coin sombre où me cacher. Était-il possible que toute une vie change en un seul après-midi ? J'ai soulevé le lourd rideau de la fenêtre. Dehors, il pleuvait. Il était évident que je ne pouvais pas aller voir la maison cet après-midi et, pour des raisons qui m'échappaient, cet ajournement était un soulagement. Cette maison était bien davantage qu'une maison. J'en avais senti toute la magie dès que la bouche de De Cruz l'avait mentionnée. J'ai ôté mes chaussures, replié mes jambes sous moi et décacheté la lettre. « Voyons quelles nouvelles surprises tu me réserves, cher Papa. »

Mais ce n'était pas l'écriture de mon père. J'ai déplié mes jambes et me suis redressée. C'était une main féminine. En outre, cette lettre était adressée à mon père et non pas à moi. Je ne voulais pas la lire dans cet endroit horrible et sécurisant, mais mes yeux curieux se sont posés sur le haut de la page.

Cher Luke,

Ma dernière volonté est que Nisha ait les cassettes. Elles contiennent la mémoire de gens que j'ai aimés toute ma vie durant. Elles ne peuvent en aucun cas te blesser. Tu peux faire ce que tu veux des journaux intimes que je te laisse. Si tu m'as aimée, ne serait-ce qu'un peu, tu accéderas à ma dernière requête. Je veux simplement que ma fille sache qu'elle descend d'une fière lignée de gens exceptionnels. Aucun d'eux n'a été aussi faible que moi. Il faut qu'elle sache qu'elle ne doit avoir honte de rien.

Il y a dans sa chair des ancêtres hors du commun. Ils sont présents dans ses mains, son visage ainsi que dans les ombres, heureuses et tristes, qui traversent son visage. Quand elle ouvre le réfrigérateur, les jours de grosse chaleur, et qu'elle se tient debout devant pour se rafraîchir, fais-lui savoir qu'ils sont la buée de son souffle. Ils la constituent. Je veux qu'elle les connaisse comme je les ai connus. Qu'elle sache que lors de leur passage en ce monde, ils ont été des gens merveilleusement forts, qu'ils ont affronté davantage de difficultés que moi et qu'ils ont survécu.

J'ai été faible et lamentable parce que j'ai oublié que l'amour va et vient comme la teinture qui colore un vêtement. J'ai pris l'amour pour l'habit. La famille est le vêtement. Laisse-lui porter sa famille avec fierté.

Je t'en prie, Luke, donne-lui les cassettes.

La lettre était signée : Dimple. Donc Dimple Lakshmnan était ma mère. Elle ne s'appelait pas Selina Das comme le prétendait l'acte de naissance que Papa m'avait montré. Et elle n'est pas morte à ma naissance. Elle me connaissait. *Et je l'ai connue.* Dehors, de grosses gouttes de pluie frappaient la vitre teintée et glissaient le long de la fenêtre comme de gros vers transparents. « Quel menteur tu as été, Papa ! »

De loin, j'ai su que c'était la maison. J'ai coupé le moteur. Elle s'appelait Lara. Le nom était presque totalement masqué par les mauvaises herbes qui avaient poussé jusqu'en haut des portes et qui dépassaient du mur de briques rouges entourant la propriété. Trois jeunes gens à bicyclette se sont arrêtés près de moi.

– Vous n'allez pas entrer à l'intérieur, n'est-ce pas ? m'a demandé l'un d'eux. Elle est hantée, vous savez.

– Une femme y est morte, se sont-ils écriés en roulant des yeux redoutables. C'était affreux, il y avait du sang partout. Quiconque y rentre n'en ressort plus.

– Cette maison m'appartient, leur ai-je répondu en regardant par les portes de fer l'allée sinueuse flanquée de vieux conifères.

Les adolescents m'ont regardée bouche bée tandis que je me dirigeais vers le portail. Au bruit de la clef qui s'enclenchait dans la serrure, ils ont enfourché leur bicyclette et se sont enfuis.

Les deux battants se sont ouverts dans un grincement sombre. *Je suis déjà venue ici.* En remontant l'allée, un sentiment de perte m'a envahie. De part et d'autre, les conifères formaient un mur de silence vert foncé. J'ai garé la voiture près de la maison. Des plantes grimpantes recouvraient presque toute la façade et montaient jusqu'à l'avancée du toit de tuiles rouges. On aurait dit que ce pitoyable terrain avait perdu la bataille contre les hautes herbes folles. Il regorgeait de buissons de rosiers grimpants hérissés d'épines. L'ensemble constituait un tableau lugubre, spectral.

Et, cependant, la demeure m'invitait, les fenêtres sombres étaient autant de regards suppliants qui me faisaient signe. Sous un arbre, partiellement visible à travers le feuillage à l'abandon, une statue de petit garçon tenait quelque chose de ses deux mains levées, comme une offrande. Mais les mauvaises herbes lustrées avaient presque complètement masqué le présent. Deux lions, tels des gardiens silencieux, se tenaient devant une grande porte acajou. Sous la poussée de ma main, elle s'est ouverte doucement.

Je me suis arrêtée au milieu de l'immense salon ; j'ai souri. Le premier vrai sourire depuis la mort de mon père. L'endroit était recouvert de trois bons centimètres de poussière, de toiles d'araignée, mais j'étais enfin chez moi. Sans même lever la tête, je savais que les majestueux plafonds étaient peints de personnages d'antan aux atours somptueux. J'ai levé les yeux : même l'épaisse mousse de fils d'araignée ne réussissait pas à enlaidir ces magnifiques représentations. Par une vitre brisée, un moineau a pénétré à l'intérieur ; le battement de ses ailes a claqué dans l'immobilité silencieuse. Il est allé se poser sur la rampe et m'a regardée avec curiosité. La rampe qui jadis reluisait. Je le savais avec la même clarté que je connaissais la couleur du sol sous mes pieds. De la pointe de ma chaussure droite, j'ai dessiné un arc, écartant des couches de feuilles mortes, des brindilles, des fientes d'oiseaux, la poussière accumulée depuis tant d'années : mon propre reflet est apparu sur une surface lisse et noire. Ah, enfin, le sol en marbre noir de mes cauchemars.

Dérangés par le bruit inhabituel, des lézards ont fui le plafond, glissant sur les mains potelées et stoïques des nymphes et des chérubins qui s'ébattaient dans les nuages.

Le bruit de mes pas résonnait étrangement dans cette demeure vide et, pourtant, elle semblait m'accueillir, comme si tous ces personnages figés m'avaient attendue.

En regardant autour de moi, j'ai eu le sentiment que les habitants de la maison étaient partis avec l'intention de revenir bientôt. Il y avait un vase contenant des tiges séchées, une coupe à fruits pleine de pépins recouverts de poussière, de l'alcool dans les carafes en cristal posées sur un piano demi-queue. J'ai soufflé sur les photos poussiéreuses posées sur le piano. Je me trouvais en présence de la belle femme de mes rêves. Le visage qui avait échappé au ventre du serpent dévorateur. Qui était-elle ? Dimple Lakshmnan ? S'il s'agissait de ma défunte mère, alors la femme que mon père m'avait montrée était encore un mensonge.

Sur une table basse en marbre et en pierre, se trouvait une pile de magazines. Celui du dessus était daté d'août 1984. Le mois où j'étais tombée dans ce trou noir.

À l'extrémité de l'un des murs était accroché un tableau recouvert de poussière grise et entouré d'un cadre très orné. Debout sur une chaise, j'ai nettoyé avec un mouchoir le centre de la composition. Une poitrine féminine est apparue. Un peu plus haut, j'ai découvert un visage. Une belle femme me regardait tristement. J'ai eu la certitude que c'était ma mère, Dimple

Lakshmnan. J'ai épousseté le tableau tout entier, je suis descendue de la chaise et j'ai reculé d'un pas. Soudain, je n'étais plus seule. Comme si tous les défunts du côté de ma mère se blottissaient les uns contre les autres, tout près de moi. Depuis que je m'étais hissée hors du trou sans reconnaître personne, c'était la première fois que je ne me sentais plus seule.

Réchauffée et étrangement heureuse, je me suis détournée du portrait et j'ai gravi les marches de marbre. J'ai eu l'image fugitive d'une petite fille qui tombait. Je me suis arrêtée, portant automatiquement la main à ma tête. La petite cicatrice argentée. J'étais tombée dans ces escaliers, j'en avais l'inébranlable conviction. J'avais dévalé la tête la première en hurlant : « Maman, Maman ! » Ce n'était pas ce que m'avait dit Papa. Tout cela n'était pas arrivé sur un passage pour piétons.

Pour une raison atroce, mon père m'avait déracinée de cette maison où j'avais vécu avec ma mère. Il m'avait fait quitter tout ce qui m'était familier et m'avait implantée dans un environnement totalement nouveau. Il n'avait touché à rien ici, tout était resté en l'état, comme si l'habitant des lieux était simplement parti acheter une bouteille de lait. Je comprends maintenant pourquoi mon père n'avait rien emporté. Il ne voulait pas que des pans de mon passé fassent resurgir mes souvenirs. Il avait toujours eu peur de mes souvenirs.

Au premier étage, j'ai ouvert la première porte à gauche. Immédiatement, la vision d'une petite fille allongée sur le lit en train de dessiner m'a traversée. C'était celle-là, ma chambre, et non la pièce toute rose que mon père m'avait montrée quand j'avais quitté l'hôpital. J'ai reconnu les rideaux bleus aux tournesols jaunes. Le temps les avait décolorés, mais je les voyais encore onduler. Bleus avec des tournesols jaune vif. Maman les avait choisis.

J'ai ouvert une armoire. Elle contenait une garde-robe excessivement somptueuse pour une enfant de sept ans. Que de robes ! Et dans un parfait état. Mon attention a été attirée par une paire de sandales rouges agrémentées de jolies petits nœuds roses. J'ai fermé les yeux pour essayer de faire affluer les souvenirs ; en vain. *Bientôt. Bientôt, je me souviendrai de tout.* J'ai laissé courir mes doigts sur les vêtements, tout en m'étonnant qu'ils se soient si bien conservés malgré le passage du temps. Derrière le lit, des bruits de petits pas précipités me sont parvenus. Des rats. Les portes de la penderie avaient été bien fermées.

Tout à coup, je me suis vue dehors, dans le jardin, debout près d'un petit bassin rempli de carpes rouges et dorées. L'image s'est évanouie aussi vite qu'elle était apparue. Je me suis précipitée vers la fenêtre. Au milieu d'un jardin intérieur envahi par les herbes se trouvait un petit bassin sale et terne, pareil à un œil incrédule. Je me suis imaginé qu'il me regardait d'un air de reproche, comme si j'étais responsable de ses eaux, vertes de négligence. J'ai quitté mon ancienne chambre et longé la galerie intérieure qui surplombait le salon en contrebas. J'ai ouvert une autre porte et j'ai retenu mon souffle.

La pièce était décorée exactement de la même façon que la chambre de mon père dans l'autre maison ; tout y était identique. Papa avait vécu dans cette demeure avec Maman et moi ! Il s'était passé quelque chose qui l'avait poussé à fuir avec moi en abandonnant tout. Le spectacle de la chambre me donnait la chair de poule.

Derrière une porte de communication, j'ai découvert une autre pièce. Les rideaux étaient tirés. Il y régnait une agréable pénombre et l'air était si immobile que j'entendais ma respiration. Peu à peu et presque imperceptiblement, la sensation de ne pas être seule s'est emparée de moi. C'était comme de s'endormir sur une plage et d'être réveillé par le doux clapotis des vagues contre ses pieds. Je me suis sentie en sécurité, protégée, comme si quelqu'un d'aimé et de très cher était assis à mes côtés. Cette impression était si forte que j'ai fait le tour de la chambre et regardé derrière les rideaux. Personne, bien sûr. J'ai écarté les rideaux et le soleil du soir a pénétré à l'intérieur. L'air s'est transformé en espaces magiques chargés de poussière, mais la lumière a banni l'étrange présence de la pièce. J'ai éprouvé un inexplicable sentiment de perte. De l'autre côté du grand lit à baldaquin, impeccablement fait, j'ai ouvert les portes sculptées d'une rangée de belles armoires encastrées dans le mur.

Mes yeux se sont posés sur les innombrables étagères remplies de magnifiques vêtements parfaitement conservés. Devant moi s'étalait la mode des années 1970, avec toute la splendeur de ses broderies et de ses perles de verre, ses couleurs vives. J'ai cru reconnaître une robe bleu et vert qui allait avec un collier de chien en strass. J'ai cru me souvenir d'avoir dit : « C'est très joli, Maman. »

En fermant les yeux, j'ai vu une mince silhouette pivoter sur elle-même pour faire voler sa robe autour de ses jambes comme un papillon étincelant. C'était elle. Dimple Lakshmnan, ma mère.

J'ai décroché avec précaution le vêtement du porte-manteau et, debout devant la glace de l'autre côté de la pièce, je l'ai tenu contre moi. Maman avait presque la même taille que moi. J'ai enlevé mon chemisier et mon jean et j'ai enfilé la robe par la tête. Elle sentait le camphre et était fraîche sur ma peau. J'ai lissé soigneusement le satin sur mes hanches. Elle était magnifique.

Comme dans un rêve, je me suis assise sur les coussins rembourrés de la coiffeuse, face au miroir. Je l'ai essuyé avec un mouchoir en papier et j'ai examiné les fards disposés sur toute la longueur de la table. J'ai retiré le capuchon d'un bâton de rouge à lèvres. « Rose givré. Christian Dior. » Il sentait fortement la vaseline mais semblait étonnamment neuf. J'ai fait tourner le bâton et l'ai appliqué sur mes lèvres. Puis j'ai passé sur mes yeux un peu d'ombre à paupières d'un scintillant bleu martin-pêcheur qui faisait fureur dans les années 1970. Je me suis mise debout devant la glace et, dans la lumière du soleil, une femme ridicule aux paupières bleu vif et aux lèvres fardées m'a regardée. Je me suis sentie triste. Si profondément triste que j'ai refermé les rideaux et me suis effondrée sur le lit sans me soucier de la poussière. Mais, les rideaux fermés, j'avais à nouveau l'impression d'une présence. Et lorsque je me suis regardée dans la glace, j'ai vu le portrait de la femme, en bas. Dans la pénombre j'étais belle, aussi belle que ma mère l'avait été. Je ne ressemblais pas à mon père. J'ai contemplé le miroir, ravie de ma propre image, jusqu'à ce que mon reflet surpris s'efface pour laisser place à une scène du passé.

Maman était en bas, vêtue de cette même robe. Elle allait à une soirée. Je voyais très distinctement le salon, avec ses majestueux bouquets de fleurs, ses coupes de cristal pleines de fruits, le sol, les chandeliers, les lampes, la rampe, le voilage victorien de couleur crème, la grande table en acajou de la salle à manger, les profonds sofas : tout était intact et brillant, sans poussière, sans saletés ni fientes d'oiseaux. Tout resplendissait. En attendant le retour de Papa, Maman faisait des bouquets sur la table de la salle à manger en pleurant silencieusement.

Clac, clac, clac. Elle coupait, coupait, avec ses ciseaux. Elle était en train de préparer une corbeille sur la grande table. Des roses rouge sang avec des pattes de kangourou.

— Pourquoi tu pleures, Maman ?

Le souvenir s'est estompé et je me suis retrouvée en train de contempler mon alter ego subtilement modifié dans la glace. Toujours revêtue de la robe de Maman, j'ai descendu les escaliers. Non seulement j'avais l'air différente, mais je me sentais une autre. L'air était doux et calme et j'avais le sentiment d'être chez moi. Il n'allait pas tarder à faire nuit et il n'y avait plus d'électricité ni de gaz dans la maison. J'ai aperçu les deux statues Blackamoor [1] en bois d'ébène qui se tenaient de part et d'autre des escaliers, chacune tenant un candélabre à la main ; je me suis mise à fouiller la cuisine à la recherche de bougies.

Le réfrigérateur avait été nettoyé, mais les placards étaient pleins de vieilles boîtes de conserve. Paquets de nouilles et de céréales vides que les rats avaient retournés, boîtes de lait en poudre, de sardines, innombrables bocaux de condiments de mangues. Dans un autre placard se trouvait un pot de miel sauvage qui s'était séparé pour former un fond compact et doré et un épais liquide brun foncé. J'ai trouvé les bougies. C'est alors que j'ai remarqué un trousseau de clefs. L'une d'elles s'enclenchait dans la serrure de la porte arrière de la cuisine. J'ai donné une vigoureuse poussée et elle s'est ouverte sur la pénombre du soir. Le soleil s'était couché derrière les hauts murs de briques rouges qui encerclaient le jardin. Je suis sortie dans le crépuscule et j'ai emprunté un petit chemin dallé dont les bords étaient presque totalement envahis par les plantes sauvages. Le jardin était paisible. Merveilleusement paisible. Les bruits de la circulation paraissaient lointains et l'approche de la nuit commençait juste à revêtir les arbres et les sols de sobres nuances pourpres. Au milieu du délabrement et de l'isolement total qui régnaient à l'intérieur de ces hauts murs de briques, j'ai éprouvé le plaisir exquis d'avoir abandonné le monde et découvert un secret fabuleux.

Qu'est-ce que le paradis sinon un jardin enclos de murs ?

J'ai dépassé un petit potager colonisé depuis longtemps par des herbes vivaces et des broussailles. Comme pour l'ossature des wigwams des Peaux-Rouges, des pieux qui avaient fini par prendre la pâle couleur de l'écorce de bouleau avaient été fichés en cercle dans le sol et attachés à leur extrémité supérieure. On

---

1. Statues en bois ou en fer représentant des nègres qui furent très en vogue au XIXe siècle en Angleterre et dans les colonies anglaises. Littéralement : le Maure *(Moor)* noir *(black)*.

y avait jadis guidé des plants de légumes grimpants. Maintenant, l'extrémité de chaque pieu était constellée d'escargots mauve et gris, tassés les uns sur les autres. Près du mur de briques, les fleurs d'un manguier s'étaient durcies en petits fruits vert tendre qui pendaient en grappes basses. Un hamac en lambeaux était suspendu au manguier. J'avais le souvenir de ce hamac tout neuf qui se balançait doucement à l'ombre de l'arbre. Il y avait quelqu'un à l'intérieur. Dans la douceur de la brise, j'ai entendu une petite voix rieuse s'écrier : « La première qui arrive a gagné ! »

Je me suis retournée ; il n'y avait personne. Le chemin s'arrêtait brusquement, laissant place à une mousse moelleuse. À gauche s'étendait un autre petit bassin saumâtre au milieu duquel s'élevait une statue de Neptune couverte de mousse. Près du plan d'eau, un petit buisson avait fleuri ; une solitaire fleur blanc teinté de rose, presque aussi grosse qu'un chou, retombait pesamment sur sa tige. Alors que je m'inclinais pour en humer l'odeur, je me suis vue, penchée sur le bassin dont les eaux claires reflétaient un autre visage. Un visage au teint sombre, triangulaire et rieur. L'image a disparu aussi vite qu'elle s'était formée.

Tout au bout du jardin, presque complètement masquée par les plantes grimpantes, se trouvait une petite remise en bois. Les quelques tuiles orange qui restaient étaient cachées par de grandes feuilles de lierre lustrées en forme de cœur. J'ai écarté le feuillage et je me suis accroupie devant la porte de la remise pour regarder à l'intérieur. Dans la lumière qui tombait, j'ai distingué une table, une chaise, et ce qui ressemblait à un petit lit ou à un banc en bois. Dans l'obscurité, j'ai cru voir l'éclat d'or d'un anneau sur un doigt et, parmi les ombres, ce même petit visage triangulaire fendu par le large sourire que j'avais aperçu dans le bassin.

Le visage était marqué par les ans et les yeux débordants de bonté. Un tatouage vert foncé a réveillé ma mémoire. De petits points adamantins s'amorçaient sur le front, au milieu de chaque sourcil, et se déployaient comme une constellation jusqu'aux tempes et au niveau des hautes pommettes. Une enfant était prise d'un fou rire incontrôlable. La vieille femme tatouée lui chatouillait le ventre. Je me suis penchée pour mieux distinguer les ombres, mais rien d'autre ne bougeait. La vieille femme à l'anneau d'or et l'enfant qui riait devaient être modelés dans de la pâte à biscuit, car ils se sont fondus dans les ténèbres de la remise poussiéreuse comme des sablés trempés dans du thé chaud. L'obscurité était totale. Je me suis redressée et je suis revenue lentement devant le bassin. Le tatouage. Tout à coup, j'ai compris. Mon Amu chérie.

De retour dans la cuisine, j'ai fermé la porte à clef et je me suis tenue sur le seuil jusqu'à ce que mes yeux s'habituent à l'ombre qui régnait dans la maison ; puis j'ai allumé une bougie et je suis allée en installer sur les candélabres.

Éclairés, les jeunes Blackamoors paraissaient majestueux ; leurs beaux visages d'ébène étincelaient comme de lisses pierres noires sous la pleine lune. Ils ont fait danser une lumière jaune sur les murs et jeté des ombres mystérieuses dans les coins. J'avais oublié leur expression de légère surprise, mais je savais qu'ils s'appelaient Salib et Rehman. Un jour, j'avais été aussi petite qu'eux. La lumière des bougies a animé le plafond. Les nymphes bien en chair, femmes aux mines effarouchées et aux corps parfaitement proportionnés, et les hommes aux cheveux bouclés étaient vivants. La maison m'avait attendue. Elle pouvait être hantée, je n'avais aucune peur. J'étais chez moi et beaucoup plus à l'aise dans cette demeure déserte et en ruine que dans la fraîcheur de mon luxueux appartement de Damansara. J'aurais voulu rester là. Mais les recoins obscurs devenaient ténèbres, et je n'avais aucune envie de passer la nuit avec les rats dont les déplacements furtifs se faisaient de plus en plus sonores.

Il était deux heures du matin quand j'ai arrêté le magnétophone. Dehors, une tempête gémissait de détresse. Elle vibrait contre la porte du balcon comme un esprit cherchant désespérément à entrer. J'ai contemplé mon appartement sans éprouver le moindre regret. Sa perte ne me pèserait pas.

Ce qui importait était de découvrir le profond mystère qui entourait ma mère, de résoudre l'énigme du sol en marbre noir qui se profilait, sinistre, dans mes rêves, de trouver pourquoi un robinet qui coule me glaçait jusqu'au sang et la raison pour laquelle le rouge et le noir m'irritaient si violemment. De profondes émotions s'éveillaient en moi. Je croyais me rappeler mon arrière-grand-mère Lakshmi, mais il était difficile de réconcilier la personnalité jeune et débordante de vie des cassettes avec la vieille femme grise dont j'avais un vague souvenir.

S'agissait-il bien de cette même dame malheureuse, assise dans une chaise en rotin, qui trichait toujours au jeu de damier chinois ?

J'avais été tellement absorbée par l'écoute de la cassette relatant l'histoire d'Ayah que j'avais oublié de dîner. Ma servante avait laissé mon repas dans la cuisine. J'ai pris conscience que j'avais une faim de loup et je me suis mise à dévorer, chose que je ne faisais jamais.

Puis je me suis arrêtée. Pourquoi me conduisais-je ainsi ? Pourquoi cette avidité, cette hâte obscène ? J'avais l'image d'un jeune garçon vomissant dans sa propre assiette. « Je peux sentir ce qu'elle est en train de manger ! » crie Lakshmnan à la vieille femme aux cheveux gris et au regard perdu. Mais non, à ce moment-là, Lakshmi avait sans doute de magnifiques cheveux noirs, épais, et des yeux impudents et courroucés. J'ai repoussé mon assiette.

Agitée, je suis sortie sur le balcon. Un vent fort m'a fouetté les cheveux et s'en est pris à mes vêtements. Comme j'avais hâte d'être dans la maison de ma mère ! La mienne, maintenant. Le vent me soufflait la pluie en plein visage et j'ai respiré son odeur mouillée et sauvage. La foudre est tombée tout près. Dans ma tête, des voix réclamaient de l'espace, de l'attention. Ce n'est que lorsque le froid a commencé à endolorir mon corps que je suis rentrée.

Je suis ressortie de la douche réchauffée et épuisée puis je me suis séché les cheveux devant la glace. Il était déjà quatre heures du matin. Demain, je retournerais à Lara. Je voulais prendre des dispositions pour déménager immédiatement. Dans le miroir, mes yeux m'ont surprise. J'ai fixé les petits points verts de mes pupilles. Néfertiti était morte, mais elle avait laissé ses yeux en moi. J'ai constaté que mon regard avait perdu cette froide distance et qu'il brillait maintenant d'une excitation sauvage qui me donnait presque l'air d'une folle. Je me suis souri dans la glace et ce sourire même était différent.

– Dors maintenant. Demain matin, tu partiras à la première heure pour ta nouvelle maison, ai-je dit à la jeune femme qui scintillait dans le miroir.

Puis je me suis allongée sous la couverture en écoutant la tempête qui faisait rage dehors. Je me suis tournée et retournée dans mon lit jusqu'à ce qu'enfin je me lève, j'allume la lumière et j'enclenche le magnétophone.

Ratha

J'ai écrit une lettre très simple à Nisha et je l'ai envoyée à l'adresse de son père. Je lui ai expliqué que j'étais une parente liée à la famille par sa mère. Je lui ai fait remarquer qu'il avait été impossible de la contacter avant le décès de son père parce qu'il nous avait interdit tout contact avec lui ou sa fille. Depuis l'annonce de ses funérailles dans la notice nécrologique des journaux, j'avais voulu la rencontrer. Si elle le désirait, elle aussi, elle pouvait me téléphoner.

Quand elle est arrivée, ma fille lui a fait visiter toute la maison jusqu'à ma pièce préférée, ma grande cuisine. Nisha était une belle jeune femme. Elle m'a saluée avec attention, ses yeux évaluant mon visage déformé et mon crâne recouvert de rares cheveux argentés. Je sais que je suis une gargouille humaine.

– Asseyez-vous, Nisha, lui ai-je dit en l'accueillant, avec mon sourire de travers. Voulez-vous du thé ?

– Oui, merci.

Sa voix élégante dénotait une excellente éducation. Luke lui avait au moins conféré de la prestance. Je me suis dit que je l'aimais bien.

J'ai posé une petite corbeille remplie d'œufs devant elle.

– Mangez.

Elle m'a regardée un instant d'un air interloqué, puis je l'ai entendue penser : « Oh, cette pauvre vieille a plus de graisse que de protéines dans la cervelle. »

Les yeux pleins d'une malice joyeuse, j'ai cassé un œuf contre l'assiette et je l'ai ouvert. Le blanc liquide et le jaune d'or ne se sont pas échappés de mes doigts. L'astuce, c'est que l'œuf était un gâteau composé d'amandes et de crème anglaise. La coquille était en sucre coloré.

Elle s'est mise à rire aussi. Bien sûr, Ratha, la reine du sucre glacé. Aujourd'hui, elle avait préparé quelque chose de simple. Elle avait fait des œufs.

– Quel talent! a-t-elle lancé en prenant un gâteau.

De petites dents blanches ont mordu dans la friandise avec gourmandise. Je me suis assise en face d'elle.

– Je suis Ratha, votre grand-tante. Je veux que vous sachiez que votre mère, Dimple, a changé ma vie. Je suis vieille maintenant, et bientôt je ne serai plus, mais je voudrais vous dire ce qu'elle a fait pour moi il y a tant d'années. C'était la personne la plus attentionnée, la plus merveilleuse que j'aie jamais rencontrée. Il y a trente et un ans, un après-midi, j'étais assise toute seule en train de glacer un gâteau, quand j'ai entendu quelqu'un sonner à la porte. C'était votre mère. Elle devait avoir quinze ans à l'époque. C'était aussi un beau brin de fille. « Il faut que je vous parle, a-t-elle dit, c'est urgent. » J'aurais dû lui claquer la porte au nez parce que je ne voulais vraiment plus rien avoir à faire avec la famille de mon ex-mari. Des menteurs, des escrocs, et des voleurs, tous! De cruels prédateurs. Mais il y a toujours eu quelque chose d'innocent, de blessé chez cette enfant. Quand je vivais chez eux, j'avais constaté que sa mère la traitait très mal. Je voulais l'aider, mais j'ignorais que c'était elle qui était venue m'aider.

« Je lui ai proposé du jus de fruits, mais elle a refusé. "Pourquoi est-ce que tu n'aimes pas Grand-Mère? a-t-elle demandé en plongeant ses yeux dans les miens. – Oh, c'est une longue histoire ", ai-je répondu d'un ton évasif. Alors que je n'avais pas la moindre intention de raconter quoi que ce soit à cette gamine, je me suis soudain retrouvée en train de tout lui déballer. J'ai commencé au début, quand sa mère, Rani, était venue chez nous à Seremban, tout sourire, en quête d'une épouse. Tu sais, Rani nous a menti. Elle m'a montré une photographie de son mari, Lakshmnan, en m'affirmant que mon futur époux lui ressemblait beaucoup. " Ils sont frères ", a-t-elle dit. Elle pensait à sa commission. " Ils se ressemblent tant que tout le monde les confond. "

« J'ai regardé la photo : mon Dieu que je le désirais ton grand-père! Oui, c'est vrai : cette maudite femme avait deviné que son mari était l'homme de mes rêves. Elle le savait. Elle l'a toujours su. Elle savait sur quel bouton appuyer. C'est ainsi qu'elle m'a demandé ma dot. " Pour aider Lakshmnan ", a-t-elle dit.

« Comment pouvais-je refuser ? Elle savait. Elle l'avait toujours su. Mais ce à quoi elle ne s'attendait pas, c'est qu'un jour son Lakshmnan tourne son regard sur moi. Ça l'amusait que la pauvre petite rate qui vivait sous son toit nourrisse une passion secrète pour son mari. Elle s'imaginait qu'elle allait me tourmenter en exhibant sa chance. Elle laissait sa main négligemment posée sur son torse puissant et lui ordonnait de lui apporter ses sandales parce que son arthrite l'empêchait de se déplacer. Elle croyait s'amuser à me taquiner. Mais elle ne s'attendait pas à ce qu'un simple regard lui révèle à quel point son emprise sur lui était ténue.

« J'ai accepté le mariage. Et j'ai attendu le jour de la première rencontre. Une semaine plus tard, j'ai rencontré mon futur époux en chair et en os. Lakshmnan et lui étaient comme le jour et la nuit. Dans le salon de ma tante, j'ai dévisagé cet homme repoussant. J'aurais dû immédiatement arrêter les préparatifs de mariage, mais les gens, les parents, les fleurs... J'étais perdue dans tout cela, et ma gorge est restée nouée. De toute façon, il m'était impossible de m'unir à ton grand-père. Alors je me suis noyée dans le travail. Tous les jours, je travaillais, depuis le moment où je me levais jusqu'à celui où je me couchais, épuisée. Je travaillais toute la journée pour ne pas avoir à penser à mon terrible silence. Plus le jour du mariage se rapprochait, plus je sombrais dans l'abîme du désespoir.

« Seule, dans mon lit, je pleurais. L'homme que je voulais serait bientôt mon beau-frère. Personne ne devait connaître mon secret honteux. Comment aurais-je pu l'avouer ? à qui ? Toutes les nuits, je prenais dans mes bras mon pauvre amour qui, le jour, n'osait même pas respirer et je le caressais jusqu'à ce qu'il s'endorme. Mon silence s'est épaissi et un jour il a été trop tard pour parler.

« Le mariage est arrivé. Ça a été un désastre. Je ne pouvais rien faire pour occuper mes mains, alors mes larmes ont coulé. Un immense barrage a cédé en moi, les pleurs refusaient de se tarir. Le flot était tel que ma perle de nez a glissé et est tombée. Toutes ces larmes ! Et pourtant, personne ne m'a demandé ce qui n'allait pas. S'ils l'avaient fait, j'aurais pu le dire alors. Je l'aurais arrêté ce mariage. Personne n'a rien demandé parce que je n'avais pas de mère. C'est une question que seule une mère pose.

« Puis je suis partie vivre dans la maison de ton arrière-grand-mère Lakshmi. Elle s'efforçait d'être gentille, mais je lui en voulais d'avoir contribué à me duper. Tous ensemble, ils s'étaient ligués pour me faire épouser leur imbécile de fils. Je sentais le mépris qu'elle avait pour lui. Elle ne le manifestait jamais ouvertement, mais c'était perceptible dans sa voix, son regard, ses manières ; lui ne le remarquait même pas. Je sentais bien tout cela, mais je ne me permettais pas de penser à ma terrible déception, je préférais cuisiner et faire du ménage toute la journée. Je ne m'arrêtais jamais. Récurer sous le réchaud, entre les poutres, frotter ma peau à la brosse métallique jusqu'à ce qu'elle soit à vif étaient un soulagement. Je me frictionnais aussi la peau du ventre. Parfois, j'en saignais ; j'avais des ampoules, mais je prenais un plaisir pervers à m'infliger cette douleur. Dans la salle de bains, j'examinais ma peau lacérée avec une satisfaction morbide.

« Puis nous avons été invités à dîner chez Rani. Au cours du repas, elle nous a proposé de séjourner quelque temps dans sa maison. Elle insistait : " J'aime bien avoir de la compagnie. "

« J'ai interrogé du regard mon mari qui m'a contemplée de ses yeux de biche ; aussi ai-je accepté, timidement. J'ai eu tort de prendre cette décision, mais à ce moment-là, mon cœur stupide a bondi, sauté de joie à la pensée que je verrais Lakshmnan tous les jours. " Je veux simplement le voir ", murmurait ce cœur dévoyé, à ma grande honte. Il battait, il soupirait : " Ne vois-tu pas que cela me rassasierait ? " Préparer la cuisine, faire le ménage pour lui me comblaient de joie. Quand il s'asseyait à table et souriait d'admiration devant mes créations, mon cœur s'épanouissait. J'attendais paisiblement le moment du repas pour le voir s'avancer vers la table. Il manifestait de plus en plus d'empressement. Malheureusement, il me complimentait trop souvent.

« Je sais que Rani est ta grand-mère, mais elle a un cœur de pierre. Je l'ai vue se dessécher, se durcir de haine, s'emplir de venin. Elle me surveillait de près, mais, extérieurement, elle ne pouvait rien déceler, rien dont je puisse rougir. J'étais calme, respectable et je travaillais dur. Cependant, un jour, ton grand-père a rapporté un morceau de viande à la maison. Il l'a posé sur la table de la cuisine, enveloppé dans un vieux papier journal. C'était comme s'il m'avait offert un bouquet de fleurs. Le bonheur que j'éprouvais m'a donné envie de rire à gorge déployée. Il n'avait jamais fait une chose pareille. J'ai ouvert le paquet : c'était de la viande de roussette.

« Je me suis mise tout de suite au travail. J'ai d'abord fait tremper la viande dans du jus de citronnelle, puis je l'ai battue jusqu'à ce qu'elle devienne plate comme une longueur de soie. Ensuite je l'ai enveloppée dans une feuille de papaye afin de l'attendrir pour qu'elle fonde sur sa langue et qu'un désir accru le hante après qu'il aurait quitté ma table. Je me suis affairée pendant des heures : couper, hacher, moudre, attiser le feu avec une feuille de palmier pour que la marmite mijote doucement sur les charbons incandescents. Le secret résidait bien sûr dans les mangues vertes découpées en fines tranches. Enfin, ma création fut prête.

« Je l'ai posée sur la table et j'ai appelé tout le monde à venir manger. Quand il a porté un morceau de cette chair violette à sa bouche, je l'ai vu inhaler l'odeur involontairement. Nos regards se sont croisés et le désir a empourpré son visage. Mais ses yeux ont été envahis par la soudaine compréhension que, tout comme les vagues doivent quitter le rivage, sa quête du bonheur était de celles qui étaient perdues d'avance. Non, cela ne pourrait jamais se réaliser. Troublé, il a baissé les yeux sur son assiette et, comme s'il se souvenait tout à coup de la présence de ta grand-mère, il les a levés vers elle. Rani était en train de l'épier, ses paupières ne laissaient plus paraître que de petites fentes sombres sur son visage vibrant de rage. Lentement, et à dessein, elle a goûté la viande qui avait fait haleter son mari de plaisir.

« " Trop salé ", a-t-elle déclaré avec fermeté, en repoussant son assiette. Elle s'est levée d'un bond. La chaise s'est renversée en faisant un bruit sourd tandis qu'elle quittait la pièce d'un air hautain. Dans la salle à manger, seul Jeyan mangeait. On n'entendait que le bruit de sa mastication. Aveugle à toutes les puissantes émotions qui nous étreignaient, il mastiquait. C'était le calme avant la tempête. Car elle s'est à nouveau précipitée dans la pièce en criant à tue-tête : "Je t'ai hébergée chez moi, je t'ai nourrie, et c'est toute la reconnaissance que tu me témoignes ? Va-t'en, putain ! Est-ce qu'un frère ne te suffit pas ? " Que pouvais-je dire ? C'était vrai que je désirais son mari, mais elle le savait avant même de m'inviter chez elle et de prendre l'argent de ma dot.

« Elle a tempêté et fulminé jusqu'à ce que Jeyan nous trouve un logement temporaire : la petite chambre au-dessus de la teinturerie chinoise. Il était neuf heures du soir quand nous avons grimpé ces escaliers qui grinçaient, éclairés par une ampoule nue qui pendait au plafond. J'ai poussé un cri quand un rat aussi gros qu'un chat a heurté mon pied. La chambre était minuscule. Elle n'avait qu'une fenêtre et les murs n'étaient que de simples cloisons de planches nues. Par endroits, des petites bandes de peinture intacte indiquaient que la pièce avait jadis été bleue. Dans un coin, se trouvait un lit en bois avec un matelas taché ; dans un autre, une table avec trois tabourets. La poussière, tout comme la moisissure d'un gris clair, semblait tout envahir. Mon histoire d'amour était terminée. Et dans cette petite pièce sombre où nous devions partager la salle de bains avec les gens les plus sales que l'on puisse imaginer, je me suis mise à haïr mon mari. Cette haine s'est insinuée en moi si graduellement qu'au début je ne l'ai pas remarquée ; puis d'un seul coup, je l'ai détesté. Je détestais être allongée à côté de lui et l'entendre respirer la nuit ; je détestais les enfants que j'allais lui donner. Ma haine était une chose solide dans mon corps. Je la sentais jour et nuit. Lorsque je tenais un couteau à la main en sa présence, il m'arrivait d'avoir peur.

« De cette façon, j'en suis venue à oublier l'amour inassouvi que j'avais pour son frère. Je me disais qu'il n'existait pas de champ où les fleurs éclosent tous les jours. Je me convainquais que le monde était laid : un univers de cœurs qui battaient âprement pour leur survie. Les années sont passées et des enfants sont sortis de mon corps. En les regardant, je voyais mon mari dans leurs yeux. Et je méprisais cette part d'eux-mêmes. Cette façon particulière qu'ils avaient de parler ou de manger. J'essayais d'enterrer en eux tout ce qu'ils tenaient de leur père et je les punissais impitoyablement lorsqu'ils le laissaient paraître. Je les rendais honteux des moindres traits qu'ils avaient gardés de lui. Comme ma frustration et ma haine m'ont rendue cruelle !

« Chaque nuit, pendant que mon mari et mes enfants dormaient, j'entendais la voix de Maya murmurer à mon oreille. Maya était la très lointaine descendante d'un chef important de l'empire moghol. J'avais grandi sur ses genoux. J'avais passé toutes les journées de mon enfance à mendier des histoires et à me délecter des outrances commises dans les cours ombragées et le dédale de chambres intimes où personne, à l'exception de l'empereur, des eunuques et des serviteurs, ne pouvait pénétrer. À mes oreilles avides, elle chuchotait des récits qu'on se transmettait de génération en génération. Elle savait tout des intrigues de cour jamais publiées, des passions volatiles, des jalousies féroces, des excès sans précédent, des incestes royaux et des épisodes les plus cruels de la cour. " Il y a des choses que seuls les eunuques et les serviteurs voient ", m'a-t-elle dit un jour. Je l'avais ignoré jusque-là, mais sur ses genoux, j'avais appris l'art de la cruauté exquise. Elle gisait en moi, silencieuse.

« C'était le jour de l'anniversaire de mon mari. Je me suis réveillée très tôt. Le ciel était doré, une brume restait suspendue dans l'air. Les enfants étaient endormis et la main de mon mari posée sur mon ventre. Une question a traversé mon esprit : es-tu vraiment réveillée ?

« Mon cœur pitoyable. Pendant des années, j'avais cessé de songer à Lakshmnan. Sous la main pesante de Jeyan, sous les draps froissés, la pensée de cet oubli m'écœura.

« Je me suis rappelé une autre époque. Celle où je saisissais les chemises de Lakshmnan, déposées dans le panier à linge, pour les frotter contre ma joue. Son odeur de musc. Je voulais toucher son visage. Soudain, il m'a manqué si cruellement que des larmes m'ont brûlé les yeux et une étrange douleur s'est installée dans mon cœur. J'ai pris une résolution. Je suis allée à l'épicerie qui se trouvait au bas de la rue et j'ai dépensé sans compter l'argent que j'avais mis de côté pour acquérir une vraie maison ; j'ai acheté du sucre glace, des amandes, des œufs, des colorants artificiels, du chocolat au beurre et une farine fine. De retour à la maison, je me suis mise au travail. Cela n'a pas été facile de donner à mon gâteau la forme que je voulais : une tête humaine en forme d'œuf.

« Je chantonnais en travaillant. Les enfants m'ont regardée d'un air surpris. Ils ne m'avaient jamais entendue chanter. J'ai préparé une pâte brune à base de sucre que j'ai étalée finement pour la déposer sur l'œuf que j'avais fait cuire. Dans des pelures d'oignon, j'ai découpé de petits cercles que j'ai colorés en noir. Je maîtrisais parfaitement la technique. La chair des oignons convenait à mon projet parce qu'elle brille du même éclat que l'œil. Puis j'ai pétri davantage de pâte de sucre colorée et je l'ai ajoutée à la préparation de forme ovoïde, en faisant exactement comme la vieille Maya me l'avait appris. J'étais moi-même surprise par la ressemblance que j'avais obtenue. C'était tout à fait lui.

« J'ai inséré les morceaux d'oignon colorés dans les ovales vides que j'avais creusés pour ses yeux et j'ai façonné ses dents avec du sucre blanc que j'ai glacé afin d'obtenir l'éclat de l'émail. J'ai dessiné ses sourcils à l'aide de fines lamelles de caramel, puis j'ai découpé les narines. Je me suis reculée pour admirer mon œuvre. Elle m'avait pris cinq heures de travail, mais le résultat était beaucoup plus étonnant que je ne l'avais imaginé.

« Satisfaite, je l'ai posée au milieu de la table et je me suis assise en attendant mon mari. Lorsqu'il est entré dans la pièce, son regard sans méfiance s'est posé sur mon chef-d'œuvre. Pauvre homme ! La vue de sa tête reposant dans une sauce au sirop de palme teintée de colorant rouge l'a ébranlé. C'était un moment incroyable !

« " Papa ! se sont écriés les enfants. " " – Oui, c'est Papa, ai-je acquiescé, ravie qu'ils aient identifié mon œuvre. "

« Puis je lui ai tendu un couteau.

" Joyeux anniversaire ! " Et les enfants ont repris en chœur.

« Pendant un moment, il a fixé avec horreur le visage sur le plat. Les yeux exorbités et globuleux, la bouche béante de ter-"«reur. Il s'agissait d'une revanche dans la plus pure tradition moghole. Le pauvre Jeyan avait enfin compris que je le haïssais. Jusqu'alors, j'avais gardé ma haine en moi ; le fait qu'il le sache désormais me libérait. Cette liberté était analogue à l'odeur d'un café fraîchement moulu, le matin. Elle me réveilla. Mon cerveau bâilla et s'étira.

« Je pouvais désormais haïr ouvertement. Comme il refusait de prendre le couteau, je l'ai moi-même planté au beau milieu du gâteau, dans son nez. Jeyan n'a pas touché à sa part, mais les enfants et moi nous sommes régalés. Ils trempaient leurs doigts dans la sauce rouge sang qui s'étalait sous la tête et le léchaient avec avidité. Complètement hébété, Jeyan a observé la scène sans rien dire.

« Et un matin, j'ai rassemblé tout mon courage pour lui demander de s'en aller.

« Lorsqu'il est parti, j'ai passé ma journée à récurer la minuscule pièce de fond en comble pour chasser son odeur de ma vie. Au début, ça a été très dur, mais nous y sommes arrivés. Les enfants grandissaient bien, ils étaient en bonne santé, mais ils étaient terrorisés par ma présence. Nous avons déménagé dans une nouvelle maison. Au fond de moi, pourtant, je me sentais très malheureuse.

« Mon mari était devenu un vieil ivrogne. Je le voyais parfois, les yeux cernés de rouge, en train de boire de l'alcool bon marché avec des ouvriers pauvres. Un jour, il est passé devant moi en marmonnant dans sa barbe. Il ne m'avait pas reconnue. J'ai regardé cet homme pitoyable rentrer en titubant dans sa petite chambre sale. Je n'éprouvais pas le moindre remords. J'étais devenue dure et froide. Rien ne me touchait plus. Pas même mon propre malheur.

« Le jour où Dimple, ta mère, est venue me voir, elle avait pris un bus, était descendue au mauvais arrêt et avait fait tout le chemin à pied jusqu'à ma petite maison par un brûlant soleil d'après-midi. Je l'ai regardée : le visage tout rouge, le petit sac en plastique contenant le magnétophone qu'elle tenait agrippé à la main. " Raconte-moi ta version ", m'a-t-elle demandé.

« Personne ne m'avait jamais demandé ma version des faits. Personne ne m'avait demandé pourquoi je n'aimais pas ma sainte belle-mère. Alors, je lui ai raconté. Je lui ai dit que je la haïssais parce que, de nous tous, elle était la seule personne à vraiment savoir ce que représentait le fait d'être mariée à un homme dont la stupidité, l'aveuglement, l'ignorance butée et la démarche nonchalante vous dégoûtent. Elle était la seule qui aurait pu comprendre, et pourtant elle m'a mariée à son fils. Tout ça parce qu'elle ne se souciait pas de moi le moins du monde. Tout n'était qu'une subtile simulation parfaitement jouée. En fin de compte, elle n'aimait que les siens.

« Dès que j'ai commencé à déverser mes pensées réprimées, à l'étroit dans ma tête, dans la machine qui tournait, elles ont perdu de leur importance. Des strates et des strates de haine... elles reposaient sur quoi ? " Et alors ? " s'écriait mon cœur, au fur et à mesure que cette rancœur fusait librement de mon corps. Quelle est cette terrible haine que j'ai portée en moi pendant toutes ces années ? Qui d'autre a-t-elle blessé, outre mes enfants innocents et moi-même ? Je devais être folle pour avoir perdu autant de temps à nourrir une rancune aussi vaine. Je l'ai laissée se dissoudre. La haine envers mon mari, envers sa mère, envers la femme de Lakshmnan, et mon redoutable mépris cynique envers tous les autres.

« J'ai contemplé soudain dans le petit visage de ta mère mon amour inassouvi. Lakshmnan est redevenu une personne.

459

Le passé, furtivement, est revenu. Il m'interpellait et je me suis retournée vers lui. Je l'aimais encore. Et je suppose qu'il en sera toujours ainsi. Le désir bafoué ne marque jamais la fin du désir mais est le plus sûr garant de sa pérennité. Je buvais du thé avec elle en bavardant et c'était comme si je parlais à Lakshmnan. C'était la chose la plus étrange que j'aie jamais vécue. Après lui avoir dit au revoir et avoir refermé la porte, je me suis appuyée contre le battant et j'ai ri à en avoir un point de côté. Oui, je dois la remercier. J'ai compris alors que mes enfants étaient une partie de moi-même. Ce jour-là, quand ils sont rentrés de l'école, j'ai tenu leurs corps raides tout contre le mien et j'ai pleuré. Troublés, effrayés, ils ont essayé de me consoler et c'est alors que je les ai redécouverts. C'est ce que votre mère a fait pour moi. Elle m'a aidée à retrouver ma vie. Elle m'a permis de contempler à nouveau l'image de Lakshmnan. Il s'est arrêté de pleuvoir dans mon univers.

« Cette nuit-là, j'ai ouvert une vieille boîte rangée dans l'armoire de mon âme pour en sortir l'image de cet instant éclatant, quand il avait porté à sa bouche le morceau de viande violette. Ce moment où il m'a regardée pour voir si je lui rendrais son regard. Ce moment de surprise et de désir croissant. Ce moment où l'éclat du soleil a inondé la pièce d'une lumière lunaire argentée. Maintenant, cette image repose comme un trésor dans mon cœur vieilli et elle y restera jusqu'au jour de ma mort. Quand j'ai appris son décès, loin de s'estomper, elle est devenue encore plus lumineuse. Dans une autre vie peut-être nous retrouverons-nous pour être mari et femme.

« Maintenant, ma chère Nisha, il faut que je vous dise pourquoi je vous ai raconté tout ça. Votre mère m'avait écrit quelques jours après notre entrevue pour me dire que la cassette qu'elle avait utilisée pour m'enregistrer avait été endommagée par son magnétophone. Elle m'avait dit qu'elle m'enregistrerait à nouveau, mais elle n'est jamais revenue. Elle n'a jamais eu vraiment son mot à dire pour décider comment vivre sa vie. Comme je savais qu'elle conservait ces histoires pour vous, j'ai pensé que je pouvais vous les raconter, faire cela pour elle. Vous dire moi-même ce qu'il y avait dans la cassette endommagée.

Nisha

Je suis restée au milieu de la vaste entrée en regardant autour de moi, satisfaite. La demeure était totalement silencieuse. La vieille horloge de Grand-Père ne sonnait ni ne résonnait plus. Un jour, je la réparerais, mais à ce moment je voulais simplement sentir l'atmosphère de la maison.

· Une équipe de femmes robustes avait banni du plafond les épaisses toiles d'araignée, poli le sol de marbre noir, redonné leur éclat aux rampes. Le portrait à l'huile de Maman était revenu de chez le restaurateur ; une beauté merveilleuse, mystérieuse. L'eau coulait dans les robinets ; les pièces pouvaient à nouveau être éclairées. Dehors, des hommes avaient remplacé le hamac en lambeaux, drainé le bassin et y avaient relâché des poissons aux couleurs de flammes. Ils avaient brûlé les mauvaises herbes, arrachées à grand-peine, et consolidé le petit pavillon d'été repeint dans son blanc immaculé.

Dans la cuisine, j'ai fait jeter la plupart des vieux appareils ménagers pour laisser place aux miens, plus modernes. Un réfrigérateur qui fonctionne, un four à micro-ondes et une très bonne machine à laver, même si elle n'a pas reçu l'approbation d'Amu. Oh, j'ai oublié de dire que j'ai retrouvé Amu. Cela n'a pas été facile. Un aveugle, dans un temple de Ganesh, m'a conduite à un prêtre vivant dans un ashram qui, à son tour, m'a menée jusqu'à un cousin cupide qui a tenté de brouiller ma piste. Mais j'ai fini par démêler l'écheveau. Je l'ai trouvée en train de mendier sur un marché de nuit ; elle ne se nourrissait que de fourmis rouges qu'elle ramassait sur des lézards morts et de nourritures avariées jetées par les commerçants. Lorsque je l'ai vue, édentée, les mains décharnées, les pieds couverts d'une

461

épaisse couche de crasse noire, j'ai su immédiatement ce que c'était que de s'abandonner dans le cercle aimant de ses bras tannés.

– Dimple ! s'est-elle écriée.

– Non, Nisha, ai-je corrigé.

Et elle s'est mise à sangloter sans pouvoir s'arrêter. C'est ainsi que je l'ai ramenée à la maison.

Rien ne me paraissait plus important que de rendre à la maison toute sa grandeur passée. Parfois, remplie de crainte et d'incrédulité, je déambulais dans le seul but de toucher les objets qui la décoraient, de laisser mes doigts errer sur les surfaces douces et brillantes, encore stupéfaite d'être passée maintes fois dans ce quartier sans jamais avoir soupçonné qu'une rue à gauche me conduirait dans ma propre maison. Elle renfermait les trésors les plus merveilleux. J'avais peine à croire que tout cela m'appartenait. Je me retournais sans cesse pour contempler le portrait de Maman et croiser son sourire triste.

J'étais déterminée à retrouver mes proches. La rencontre avec Ratha m'en avait donné l'envie. Il n'y avait qu'une Bella Lakshmnan dans l'annuaire. J'ai composé son numéro.

– Bonjour, a répondu une voix stridente.

– Bonjour. Je m'appelle Nisha Steadman.

Il y a eu un moment de silence suivi d'un puissant gémissement qui vrilla dans ma tête. J'ai tenu le combiné à distance jusqu'à ce qu'une autre voix, brusque et forte, dise :

– Oui, je vous écoute.

– Bonjour, je suis Nisha Steadman. Je crois que nous avons un lien de parenté.

– Nisha ? C'est vous ?

– Oui, vous êtes Bella aux belles boucles, n'est-ce pas ?

– Mon Dieu, je n'arrive pas à le croire ! Venez donc maintenant, si vous le pouvez.

J'ai suivi ses indications pour me rendre à Petaling Jaya. La circulation était très dense et il faisait presque nuit quand j'y suis parvenue. En garant la voiture, j'ai vu une grande femme qui se tenait debout sur le seuil de la maison, telle une sentinelle, scrutant la pénombre du jour qui tombait. Elle s'est précipitée vers moi en boitant.

– Nisha, Nisha, c'est bien toi ? Après toutes ces années... Mais j'ai toujours su que tu te souviendrais de ta vieille grand-

Mère Rani. Regarde-moi, tu es le portrait de Dimple! Elle a toujours été une si bonne fille. Je l'aimais beaucoup.

Elle m'a étreinte très fort entre ses bras. Puis elle a pris ma main dans les siennes et elle l'a couverte de petits baisers secs.

— Entre, entre, a-t-elle réussi à dire, mêlant sanglots et baisers.

Une femme plantureuse, de belles boucles retombant sur ses hanches, est sortie de la maison. Elle avait le corps souple d'une danseuse et portait des bracelets de chevilles à clochettes. Dans l'obscurité, ses yeux paraissaient sombres et immenses. Oui, elle était bien la fleur exotique de la famille. En m'approchant, j'ai distingué de fines ridules autour de ses yeux. Elle devait maintenant avoir la quarantaine.

— Bonjour Nisha. Mon Dieu, c'est fou ce que tu ressembles à Dimple.

— Tu fais le perroquet, ai-je dit.

Elle a ri d'un air embarrassé.

— Ah, ah, tu as écouté mes cassettes.

Elle se tenait maladroitement à ma gauche. Grand-Mère Rani, qui me précédait, m'a conduite vers la maison. L'intérieur était modeste. Tout près de la porte d'entrée, des sofas formaient un amas bleu foncé et quelques peintures sans valeur représentant la vie rurale malaise étaient accrochées aux murs. Contre l'un d'eux se trouvait une petite vitrine remplie d'objets tarabiscotés. La table de la salle à manger paraissait étonnamment luxueuse et totalement déplacée.

Grand-Mère Rani a rassemblé les deux extrémités de son sari pour essuyer tristement ses yeux secs.

— Je prie depuis des années pour que ce jour arrive, a-t-elle soupiré. (Puis, se tournant vers sa fille :) Va faire du thé pour cette enfant et apporte quelques parts de ce gâteau importé. (Et, reportant son attention sur moi :) Où vis-tu maintenant?

— À Lara.

— Oh, tu vis là-bas toute seule?

— Non, Amu est avec moi.

— Cette vieille sorcière n'est donc pas encore morte?

— M'man, ne dis pas des choses horribles comme ça, est intervenue Bella d'un ton de reproche.

— Et toi, comment vas-tu? ai-je demandé.

— Mal, mal, très mal.

Rien n'a changé, ai-je pensé.

– Oh, j'en suis navrée.

Bella est allée préparer le thé. De ses yeux étroits et soup-çonneux, Grand-Mère Rani a regardé sa fille disparaître dans la cuisine. Une fois certaine que celle-ci ne pouvait nous entendre, elle s'est penchée en avant et a murmuré avec colère :

– C'est une prostituée, tu sais. À cause d'elle, aucune de nos voisines ne m'adresse la parole. Pourquoi est-ce que tu ne m'emmènerais pas vivre à Lara avec toi ? Je ne peux plus rester ici. Je suis la risée de tout le monde.

J'ai regardé ses yeux brillants, cupides, et j'ai éprouvé de la tristesse pour Bella. Je me suis souvenue de ce qu'elle avait dit de sa mère sur les cassettes : « Elle est un lien karmique. Un cadeau empoisonné du destin. Une mère. » Je n'avais aucun mal à imaginer comment cette femme avait dû tyranniser ma pauvre mère. Dimple était une fleur bien trop fragile pour un python comme elle. Et ce python essayait déjà de me broyer. À chaque expiration, elle me serrerait un peu plus fort, jusqu'à ce qu'elle sente que toute résistance avait disparu. Alors ses mâchoires se desserreraient pour m'avaler lentement, tout entière.

Tante Bella s'est appuyée contre la porte de la cuisine.

– Le thé est prêt, a-t-elle annoncé gaiement.

Je l'ai regardée.

– Tu sais, je me souviens de nous en train de manger des glaces à Damansara. Tu avais toujours des noix pilées sur les tiennes.

– Oui, c'est vrai, je les prends toujours avec des noix. Alors tu as retrouvé toute ta mémoire ?

– Non, juste des fragments. Mais je me souviens de toi. Je me souviens de tes cheveux et des vêtements magnifiques et très osés que tu portais. Tous les hommes te regardaient.

Grand-Mère Rani a émis un grognement désapprobateur. J'ai eu une impulsion subite.

– Tu sais ce qu'on va faire ? Laissons le thé, on va aller manger des glaces. Comme on faisait avant !

– Marché conclu. À Damansara alors, a acquiescé Bella avec un large sourire.

– Est-ce que vous auriez l'intention de me laisser toute seule ici, avec mes pieds gonflés et mes mains d'infirme ? Qu'est-ce qui se passera si je tombe pendant que vous êtes sor-ties ? a pleurniché Grand-Mère Rani.

– Je t'en prie, Grand-Mère. Je te promets de ne pas retenir longtemps Bella dehors. Reste assise tranquille un petit moment, d'accord ?

Bella a rejeté sa lourde chevelure en arrière. C'était encore une femme très séduisante.

– Allons-y !

Dans la voiture, elle m'a confié :

– Je ne suis pas une prostituée, tu sais.

– Oui, je sais.

– Ma mère est comme ça. Elle n'est plus la même depuis qu'elle a assassiné mon père avec ses mots.

J'ai écouté la dernière cassette, mais l'histoire était inachevée. J'ai sorti le numéro de téléphone de Rosette d'un tiroir.

– J'ai fini d'écouter les cassettes, lui ai-je annoncé.

Nous sommes convenues d'un rendez-vous. Il semblait donc possible de rencontrer la maîtresse ô combien mystérieuse de Papa. Quels cadeaux conviendraient pour une telle rencontre ? J'avais promis à cette femme une aide financière contre des informations, mais c'était bien avant que j'apprenne que j'étais presque sans le sou. Néanmoins, tout n'était pas perdu. Dans ma chambre j'ai déverrouillé un coffre encastré dans le mur, et, du trou noir, j'ai sorti une petite boîte incrustée de coquillages. Un cadeau rapporté du bord de mer à une enfant. À l'intérieur se trouvaient des bijoux : toutes les pièces que Papa avait laissées sur la petite table devant ma chambre au fil des années. J'ai renversé le précieux contenu sur le lit. Les pierres blanches ont lancé des éclairs. Les diamants étaient l'ornement préféré de Papa. Il aimait leur infinie brillance. Les perles étaient trop discrètes et les autres pierres ressemblaient trop à des perles de verre colorées, tandis que les diamants, froids et durs, exerçaient sur lui un attrait particulier. J'ai démêlé un petit collier en diamant serti d'or blanc. Je me suis souvenue que Papa l'avait assuré pour vingt mille ringgit. Je l'ai laissé se balancer devant mes yeux.

– Ça te plairait d'aller vivre à Bangsar et de pendre au joli cou d'une putain ?

J'ai nonchalamment laissé tomber le collier sur le lit et j'ai remis pêle-mêle tous les autres bijoux dans leur petite maison de coquillage. En bas, dans la cuisine, Amu parlait toute seule tout en roulant la pâte de notre simple dîner de chapatti et de dal.

La maison de Rosette était facile à trouver. Sur le devant poussaient les mêmes conifères que ceux qui entouraient Lara. Mon père infidèle devait les aimer particulièrement. Lorsque j'ai sonné, les battants du portail électrique se sont écartés sans bruit. J'ai garé la voiture sous un porche couvert, à côté d'un ancien modèle de cabriolet Mercedes. Une servante chinoise a ouvert la porte. J'ai laissé errer mon regard dans la maison. Le même sol en marbre, les rampes sinueuses et les énormes chandeliers en cristal avaient été installés dans la maison de la putain. Il semble que Papa affectionnait particulièrement ce décor de palais doré. J'étais émerveillée de son œuvre. Rosette a souri et s'est levée d'un grand canapé en cuir noir en esquissant un mouvement ondoyant. Elle est venue à ma rencontre, les bras tendus.

— Comment allez-vous?

Sa voix était amicale, sa main douce et sèche.

— Très bien.

C'était la femme qui avait détruit ma mère. Comme elle a l'air détendue et pleine d'assurance quand elle m'accueille dans sa tanière.

— Cognac, n'est-ce pas?

— Oui, merci.

— Sans glace, si je me souviens bien.

Elle m'a regardée en levant un sourcil. Elle ne correspondait plus à la jeune fille simple et retenue qui avait agité la main sous les yeux de Maman. Depuis, Rosette avait appris tous les rouages de la sophistication. J'ai acquiescé d'un signe de tête.

— Alors que voulez-vous savoir?

— Tout. Commencez par le commencement.

Tout en parlant, j'ai sorti le collier de la petite pochette en velours et je l'ai étendu sur une table en marbre vert foncé. Aucun écrin n'aurait pu conférer à ce bijou plus de beauté que la noirceur lustrée de la surface marbrée. Là encore, et sans aucun doute, le goût de Papa. Rosette observait les pierres miroitantes avec une expression difficile à déchiffrer. Pas vraiment de la cupidité, pas même du bonheur, peut-être une sorte d'attente sombre. Comme si elle examinait dans son passé quelque chose de très lointain et d'irrévocablement hors de portée. Un regard fugitif sur une vie perdue.

— Comme vous le savez sûrement, mon père est mort ruiné. Il ne restait rien d'autre que mes bijoux et la maison que ma mère m'avait laissée. Je me suis demandé si vous accepteriez ce petit collier à la place du chèque que je vous avais promis.

Rosette s'est avancée, les verres à la main. Le sien ne contenait pas du Tia Maria glacé. On aurait dit du thé. Elle a surpris mon regard et s'est mise à rire.

– Quand on est jeune, on peut boire à toutes les occasions. À mon âge, l'alcool n'est réservé qu'à des circonstances particulières.

– Et les funérailles de mon père étaient une circonstance particulière ?

– Vous rencontrer en était une. Je bois un mélange indonésien d'herbes et de racines. C'est horriblement amer, mais ce breuvage a la réputation de conserver la jeunesse.

Elle approchait de la cinquantaine et pourtant, à l'aise dans son cadre, elle ne paraissait pas plus de trente ans. Chirurgie esthétique ? Elle n'avait pas l'air d'être une survivante des traitements de choc. Elle m'observait tandis que je la détaillais ; elle a ri à nouveau. De fines ridules sont apparues autour de ses yeux et de ses lèvres.

– La jeunesse est une amie capricieuse. On peut tout lui sacrifier, ça ne l'empêchera pas de vous quitter. L'âge est le véritable ami. Lui ne vous quitte jamais, et se dépense sans compter jusqu'à votre dernier jour. J'aurai cinquante ans l'an prochain.

« Tous mes secrets sont gardés dans un petit village d'Indonésie où vit un vieil homme au visage cadavérique qui possède le *susuk*, la magie la plus extraordinaire que je connaisse. Il aiguise des aiguilles de diamant et d'or jusqu'à ce qu'elles deviennent les plus fines épingles que l'œil ait jamais vues. Puis il leur insuffle l'éclat de la jeunesse et les insère sous la peau. Glissées sous l'épiderme, elles confèrent à celui ou celle qui les porte une apparence de jeunesse et de beauté indéfinissable. Une beauté qui n'est pas la somme de toutes les caractéristiques d'une personne mais qui les dépasse. Je complète l'illusion avec ces toniques écœurants.

« Le seul problème de ces aiguilles aussi minuscules que des fils, c'est qu'il faut les retirer avant de mourir ou du moins avant d'être enterré, sinon, l'âme liée à la terre par le susuk, erre à jamais dans les cimetières ou au bord des routes. En Malaysia, la plupart de nos chanteuses et de nos actrices les plus populaires ont recours à cette pratique. Si vous les examinez attentivement, vous ne tarderez pas à découvrir que leur éclat cache en fait un visage très ordinaire. Juste avant ma mort, je ferai retirer les miennes et, de mes propres yeux, je me verrai vieillir d'un seul coup. C'est macabre, n'est-ce pas ?

Elle a ri de mon étonnement.

– Mais vous n'êtes pas là pour écouter ce genre de considérations.

De ses mains blanches aux ongles impeccablement vernis, elle m'a fait signe de m'asseoir.

J'ai pris place dans un fauteuil en cuir profond et confortable, mais j'ai résisté au désir de m'y blottir et de me détendre. Je voulais observer la fascinante créature qui tour à tour et avec beaucoup d'adresse réussissait à m'apitoyer et à m'émerveiller. Je me suis assise bien droite sur le siège. C'était elle, la femme qui avait détenu le pouvoir de séduire un homme comme mon père et de détruire ma mère, et cela alors que ses mains étaient encore très jeunes.

– Bon, par où dois-je commencer ?

– Commencez par le début et terminez par la fin. Où avez-vous rencontré mon père ? Et que savez-vous de ma mère, et de moi ?

– J'ai rencontré votre père quand je travaillais comme hôtesse pour l'agence des Filles d'Or. En fait, il était en compagnie de votre mère qui m'a été présentée, mais je ne crois pas qu'elle s'en soit souvenue. J'étais assise à une grande table autour de laquelle se trouvaient beaucoup d'autres jolies femmes. Ce soir-là, je sortais avec un ami de votre père ; ce dernier a été immédiatement séduit. Il me dévorait de ses yeux sombres. Je le voyais, là, en face de moi, et je sentais dans mon cœur la morsure de ses dents. Votre mère n'a jamais compris ce qui se passait. Elle n'en avait aucune idée. Elle était jeune, innocente, sans la moindre trace de perversité. Elle était enceinte. Quand elle regardait son visage, ses yeux brillaient de bonheur. Elle n'aurait jamais imaginé l'autre homme qui vivait en son mari. Elle était douce et trop pure pour qu'il lui montre son côté avide et répugnant qu'il cachait au reste du monde. Il a vu en moi une peau blanche comme le riz ; mais, au-delà, il a perçu l'acceptation et la reconnaissance de ce qu'il était. Je le comprenais. Mauvais et pervers, mais irrésistiblement attirant. Il n'y avait aucune tendresse entre nous. Nous faisions des choses laides, tous les deux. Des choses qui auraient choqué votre mère.

« Je n'ai jamais eu l'impression de prendre quelque chose à Dimple. De toute façon, elle n'aurait jamais voulu ce que je prenais. Le désert veut la pluie pour être rafraîchi, adouci, admiré, mais il a besoin du soleil pour savoir qu'il est un désert. Dans la vie de votre père, Dimple était la pluie et j'étais le soleil. Elle l'embellissait et faisait ressortir le meilleur de lui-même, mais il avait besoin de moi. De toute manière, il savait où me trouver.

« Le lendemain, il m'a demandée et Mme Xu, notre mère poule, nous a ménagé un dîner au Shangri-la. À l'époque, c'était le meilleur hôtel de la ville. Il m'a observée pendant toute la soirée. Il avait une telle faim de moi qu'il ne pouvait rien manger. Moi, je riais. Je taquinais la bête en lui. Puis, nous sommes montés à l'étage. La chambre 309 brûle à jamais dans ma mémoire. Il a ouvert la porte et je suis passée devant lui. Quand je me suis retournée, l'homme avait disparu, seule restait la bête.

« Il a sorti de sa poche de poitrine un mouchoir noir et, aucunement surprise, j'ai retiré de mon sac un mouchoir identique. La douleur peut être une chose exquise ; l'homme que Dimple avait épousé restait à l'extérieur de notre chambre d'hôtel. Il est demeuré fidèle à votre mère, tandis que la bête et moi nous livrions à nos ébats. Il n'y avait pas de place pour l'amour, mais ces moments étaient si vitaux qu'il nous était impossible d'imaginer que nous pouvions les perdre. Cette liaison étrange a brûlé d'un feu vif pendant vingt-cinq ans, jusqu'à sa mort. Bien que je vous aie vue grandir, nous n'aurions jamais pu nous rencontrer de son vivant. J'allais m'asseoir dans les parcs pour vous regarder jouer de loin, car j'appartenais à une vie différente, parallèle, inconciliable avec l'autre.

Elle s'est arrêtée de parler et a bu une petite gorgée de son horrible décoction indonésienne. J'étais muette de stupeur. Ses paroles ne pouvaient être vraies, non. Pourtant, après avoir bu une amère gorgée, ses lèvres se sont à nouveau ouvertes pour laisser échapper d'autres mots qui se faisaient de plus en plus rapides. Comme l'eau d'un fleuve qui jaillit de la fissure d'un barrage pour le détruire bientôt. Les vagues sont devenues de plus en plus fortes, de plus en plus hautes. Ses paroles ne vont pas tarder à m'engloutir, ai-je pensé, affolée. Rosette me regardait droit dans les yeux. Ses beaux cheveux oscillaient autour de son visage.

– Pourquoi paraissez-vous si surprise ? Les cassettes ont dû être bien plus choquantes.

J'ai secoué la tête.

– Écouter les cassettes, c'était comme lire un roman, un passé auquel je n'arrivais pas me rattacher. Mais le fait que vous soyez maintenant en face de moi donne soudain à toute cette histoire une réalité, une réalité trop tangible. Vous avez fait de mon père un étranger. Un monstre.

– Non, il n'était pas un monstre. Il aimait tendrement votre mère et il avait une profonde affection pour vous.

– Oui, si profonde qu'il ne pouvait même pas supporter de me toucher ! me suis-je écriée, pleine d'amertume.

– Pauvre Nisha. Ignorez-vous que votre père se serait couché par terre, mort, rien que pour vous. Tout ce qu'il a fait, il l'a fait en pensant à vous. Je ne connais pas très bien son enfance, mais elle ne correspondait pas à l'image romantique qu'il en avait brossé à votre mère. Il a vécu des événements brutaux, barbares qui ont modelé ses perversions ; il refusait de les reconnaître jusqu'à ce qu'il me rencontre. Je suis devenue son plus profond secret. Sans moi, il avait peur de lui-même. Peur des venimeuses fleurs nocturnes qui ne demandaient qu'à fleurir en lui.

« Luke m'a raconté qu'un soir il était assis au rez-de-chaussée en train de prendre un thé avec votre mère. Les portes-fenêtres étaient ouvertes et une agréable brise soufflait. L'horloge venait juste de sonner dix heures. Toutes les lumières de la maison avaient été éteintes, seules brûlaient les bougies des statues d'ébène près des escaliers. Et il se sentait content et en paix dans cette lumière tamisée. La présence de votre mère lui apportait cette sensation. Il a levé les yeux : vous descendiez les escaliers vêtue d'un haut blanc trop court pour couvrir votre petite culotte ; vos cheveux étaient en désordre et, du revers de la main, vous frottiez votre œil droit ensommeillé. Dans la lueur des bougies, vous étiez éblouissante. Sa bouche est devenue sèche. L'espace d'une seconde d'inattention, il vous a désirée. Puis il a repris ses esprits et a éprouvé un profond sentiment de dégoût. Ensuite, il s'est mis à se haïr et à vous craindre. Car, pendant cette seconde d'inattention, l'hideuse fleur nocturne en lui, gluante d'abominables sèves, avait menacé de s'ouvrir. Depuis ce moment-là, il s'est interdit de toucher votre peau douce. Il voulait être votre père et non pas ce qu'exigeait cette fleur répugnante. Il voulait être pur avec vous.

Sous le choc de cette révélation, je ne pouvais détacher mes yeux de Rosette qui me regardait d'un air vide. Je me suis approchée de l'une des fenêtres et je suis restée immobile devant les carreaux.

— Vous n'avez rien de positif à me dire sur mon père ? me suis-je entendue demander.

— Votre père vous aimait, a-t-elle dit simplement.

— Oui, c'était un pédophile.

— Il aurait pu l'être, si vous n'aviez pas été sa fille. Soyez indulgente envers sa mémoire. Vous avez de la chance. Aucune compulsion malsaine ne fermente en vous, jour et nuit, vous pressant de faire des choses que vous avez honte d'admettre. Jusqu'à la mort de votre mère, Luke a toujours ignoré qu'elle avait découvert mon existence très tôt. Elle s'y est mal prise. Si elle l'avait affronté, les choses auraient été différentes. Dans la pleine lumière du jour, le pire des démons paraît ridicule, mais, dans l'ombre, il prend une hauteur et une importance dispro-portionnées.

« Après la mort de Dimple, votre père a écouté ses cas-settes. Son visage ruisselait de larmes. C'est seulement là qu'il a compris les raisons de sa froideur et de son rejet. Et quand il en est venu à l'épisode du serveur, le remords l'a fait tomber à genoux. Vous comprenez, quand votre mère a laissé ce jeune domestique la pénétrer, elle a détruit ce qu'il y avait de positif en l'homme qu'elle avait épousé. Celui qui se tenait debout en train de l'observer au lit avec le serveur était l'homme que *je* tenais dans mes bras. L'homme que par naïveté et par erreur votre mère si romantique avait voulu rencontrer.

« Cette nuit-là, il est venu chez moi ; il était en colère, agité. Il marchait de long en large comme un tigre en cage et me regardait de ses yeux froids. Lorsqu'il m'a prise dans ses bras il s'est montré volontairement cruel, nous privant de toute forme de plaisir. Puis il est rentré chez lui et il a commencé à la haïr froidement. Il s'est mis à échafauder des plans pour l'humi-lier, l'avilir, la détruire.

« Une nuit, en revenant à Lara, il a pu constater le résultat de son œuvre. Elle n'était pas encore morte. Elle le regardait comme un animal innocent, et il a vu, là, devant lui, le fruit de son travail. Longtemps après que son âme eut quitté son corps, l'esprit malheureux de Dimple est demeuré en lui. Il ne suppor-tait pas de voir ce qu'elle avait porté ou touché. Où que se pose son regard, il la voyait. Il la reconnaissait jusque dans les yeux des domestiques. Il lui était impossible de dormir. Il a décidé de fermer la maison. Il n'a rien emporté d'autre que les papiers de son bureau qui n'avaient aucun rapport avec elle, et les précieuses cassettes.

« Ces cassettes, il les a enfermées à clef dans un petit placard de la penderie de sa nouvelle maison. Elles y sont restées jusqu'à ce que vous les trouviez. Il ne voulait pas que vous gardiez le souvenir d'elle gisant dans son sang, la bouche ouverte, haletant comme un poisson pris au piège, avec, dans ses yeux, cette question : " Tu es content, maintenant ? "

« Bien des années après, une bouteille de chardonnay, un bouquet joliment apprêté ou une longue robe noire dans une vitrine criaient encore : " Tu es content, maintenant ? " C'était l'époque où il était au moins heureux d'avoir balayé, nettoyé le passé pour vous. L'époque où, tandis que vous gisiez allongée sur un lit d'hôpital, il avait comme par magie changé tout votre univers. Il vous avait inscrite dans une nouvelle école, s'était débarrassé de tous les serviteurs et avait brutalement tranché tout lien avec vos proches. Je dois reconnaître que c'est une tâche qui semblait lui procurer du plaisir. Il détestait votre grand-mère Rani.

« Il a acheté une nouvelle maison, vous a installée dans une chambre toute neuve et vous a offert une vie totalement différente. Est-il si difficile de lui pardonner le fait qu'il ne voulait pas que vous gardiez le souvenir de Dimple dans l'état où elle était ? Est-il si difficile de croire qu'il vous aimait tant qu'il ne voulait pas que vous souffriez comme il a souffert ? Il a toujours voulu vous dire la vérité sur votre passé, mais plus il attendait, plus cela devenait difficile. Il se fixait des dates limites.

« " Quand elle aura dix-huit ans ", me disait-il. Puis les dix-huit ans passaient et il disait : " Quand elle aura vingt et un ans, c'est sûr. " Les vingt et un ans ont passé et vous êtes allée faire vos études à l'étranger. Il a dit : " Quand elle reviendra. " Puis il est tombé malade, et il a dit : " Il sera bien temps quand je mourrai. "

– J'aurais aimé savoir tout ça plus tôt, quand il était encore vivant. J'ai toujours pensé qu'il ne m'aimait pas, ai-je dit lentement.

– Rien n'est plus loin de la vérité.

Je me suis approchée de cette femme magnifiquement préservée. Sa peau était d'une surprenante blancheur. Ses yeux levés vers moi paraissaient très grands et débordants d'une douce obscurité. Je me demandais ce que mon père avait vu dans ce regard. Qu'avait-il donc vu qui ait pu réveiller le monstre qui sommeillait en lui ? Et dire que cette femme avait senti la morsure de ses dents dans son cœur quand elle avait croisé le regard de mon père pour la première fois. Comme la vie est incroyablement compliquée ! Et incompréhensible !

Pendant quelques minutes, Rosette et moi nous sommes regardées, chacune perdue dans l'intimité de ses propres pensées. Puis je me suis penchée pour l'étreindre.

— Merci pour le réconfort que vous avez apporté à mon père, lui ai-je dit très doucement.

Une ombre spectrale est passée dans les yeux de Rosette. Elle a fermé les paupières et baissé la tête. Les beaux cheveux que j'avais admirés sont retombés en avant, masquant son visage. J'ai senti en moi le besoin de caresser cette tête soyeuse, douloureuse. J'ai posé ma main sur sa tête. Sa chevelure était vraiment douce. Rosette s'est frottée doucement contre ma main, comme une innocente chatte noir et blanc. Je ne deviendrais jamais son amie. Jamais. Même en cet instant, j'ai eu l'image obscène de cette femme opiniâtrement emboîtée dans mon père.

— Merci, a-t-elle murmuré. J'ai sans doute mené une existence trouble, mais j'ai aimé votre père.

— Du moins avez-vous pleinement vécu votre vie pour savoir à quoi vous en tenir avec les « mais si... », ai-je répondu.

Puis je me suis détournée et je suis partie. Je savais que je ne reviendrais plus jamais dans cette horrible cage dorée où vivait, solitaire, la chatte noir et blanc.

Une nuit, je me suis réveillée aux petites heures de l'aube. Je suis restée allongée un moment, déconcertée et étrangement agitée. Je n'avais pas fait de cauchemar et je n'avais pas soif. Soudain je me suis rappelé une autre nuit au cours de laquelle je m'étais réveillée de façon tout aussi inexplicable.

Je me suis vue repousser mes couvertures et aller trouver Maman. Elle savait toujours ce qu'il fallait faire en de pareils moments. On se blottissait l'une contre l'autre dans son grand lit et elle attrapait des livres, les aventures d'Hanuman, le dieu singe.

Comme dans un film, je me vois marcher vers la chambre de ma mère. La maison est paisible. J'agrippe la rampe fraîche et, baissant les yeux, j'aperçois le salon plein d'ombres et de sombres recoins. En bas, excepté la douce lueur des veilleuses, le hall d'entrée est plongé dans l'obscurité. Cela veut dire que Papa n'est pas encore rentré. Mes pas sont silencieux sur le marbre froid. La porte de Maman est fermée. Dans leurs chambres, en bas, Amu et le chauffeur dorment profondément. Je me vois, toute petite, les cheveux tombant sur mes épaules ; je m'arrête un instant devant la porte de Maman avant de tourner la poignée. Elle s'ouvre, et, tout à coup, je suis parfaitement réveillée. La pièce paraît différente. La lampe de chevet est allumée. À l'exception du bruit de quelque chose qui s'écoule, tout est calme et immobile dans la pièce. Un son doux, humide. Floc, floc...

Comme un robinet qui coule.

Maman s'est endormie sur la petite table près du lit. Elle devait être si fatiguée qu'elle s'est effondrée, le visage contre le plateau de bois.

Je l'ai appelée doucement.

La chambre est froide, silencieuse et légèrement enfumée. Il y règne une odeur douceâtre que je n'identifie pas. Il se passe quelque chose d'étrange qui m'échappe ; j'ai la chair de poule et la bouche sèche. Je me détourne, prête à quitter la pièce. Je verrai Maman demain matin. C'est mieux. Les choses prennent toujours une meilleure tournure dans la lumière du matin. Puis j'entends à nouveau ce bruit sourd d'écoulement. Floc. Je me retourne et m'avance vers la silhouette endormie de Maman. Elle porte sa jolie chemise de nuit bleue. Sur la table où elle s'est assoupie se trouvent des pipes et des choses très étranges que je n'ai jamais vues. Je me rapproche encore.

– Oh, Maman !

L'exclamation ressemble à un soupir perdu. Je fais deux pas de plus et, pour une raison secrète que je ne comprends pas moi-même, je ferme les yeux. Je respire à fond et je les ouvre lentement.

Je regarde droit dans les yeux de Maman. Ils me fixent et me transpercent. Son regard est vitreux, elle ouvre et ferme la bouche comme un poisson. L'épée japonaise magnifiquement sculptée qui se trouvait dans le bureau de Papa est profondément enfoncée dans son ventre.

« *Hara kiri. Hara kiri. Hara kiri* », chante d'une voix rythmée et railleuse Angela Chan, la petite brute de ma classe.

Mon esprit commence à tourbillonner. « Sonnent, sonnent les roses », entonne-t-elle, et sa voix désagréable résonne dans ma tête. « Idiote, tu n'aurais pas dû lui dire », siffle-t-elle méchamment.

Je secoue la tête et la voix disparaît ; je regarde à nouveau les yeux vides et vitreux de Maman. Puis ma tête confuse se remplit encore de comptines qu'égrènent des voix persifleuses. Comme des millions d'abeilles bourdonnantes, elles occupent tout l'espace de sorte que mon cerveau n'a plus de place pour penser.

« Wee Willie Winkie court de par la ville. En haut, en bas, en chemise de nuit. Il tape aux fenêtres, pleure aux portes. Tous les enfants sont-ils bien au lit, car il est maintenant huit heures. Pauvre Wee Willie Winkie qui va pieds nus. »

« La colombe dit : coucou, coucou, que vais-je faire ?

« Que vas-tu faire si haut ? Enlever les toiles d'araignée pendues dans le ciel.

« Puis-je venir avec toi ? Oui, au revoir. »

« Mary Mary Quite Contrary. Et Miss Muffet de frayeur partit. Cordonnier, cordonnier, répare mes chaussures. Le Vieux Roi Cole était un joyeux drille. Oui, joyeux drille, il était. Je vois la lune, et la lune me voit. Dieu bénisse la lune et me bénisse aussi. »

Sans crier gare, les comptines cessent. Silence.

Maman s'est fait hara-kiri. Papa en sera-t-il fier ? Il disait toujours que seuls les plus courageux des samourais avaient le cran de le faire. Je m'approche encore de Maman. J'étends la main pour toucher ses cheveux. Douceur. Sa bouche s'ouvre et se referme. Le sang s'écoule rapidement de sa blessure, dégouline sur sa paume ouverte, ruisselle sur son annulaire et forme une flaque rouge sur le sol noir.

Rouge et noir. Rouge et noir.

Pétrifiée, j'observe une goutte de sang en équilibre sur le bout de son doigt ; comme au ralenti, elle tombe sur le sol. Je regarde sa lente progression jusqu'à ce qu'elle atteigne la mare rouge qui s'élargit et disparaisse dans l'épais liquide. Ce n'est qu'à ce moment que je commence à hurler.

Je m'arrache les cheveux par poignées et, en sanglots, je cours près du téléphone qui se trouve sur la table de chevet. Puis je m'aperçois que je ne me souviens plus comment on compose le 999. Mes doigts se prennent dans les trous du cadran et le récepteur glisse de mes mains moites. Je sors de la chambre en hurlant.

– Maman, Maman, MAMAN !

Mes cris sont hystériques.

Au bas des escaliers, je vois Papa, le pied sur la première marche. Il vient juste de rentrer. Il porte sa plus belle chemise en batik, celle qu'il arbore lors des dîners officiels avec de hauts dignitaires. À ma vue, son sourire se fige.

Je m'élance vers lui.

– Au secours, Papa, au secours.

En haut des escaliers se dresse le visage sévère du Jar au cou noir. Ah, je le reconnais. C'est Goosey Goosey Gander [1] qui monte et redescend de la chambre de sa dame. Il a dû me confondre avec l'homme qui ne récitait pas ses prières, car il me saisit par la jambe gauche et me précipite au bas des marches.

J'ai trébuché. Et je commence à descendre en chute libre, vers mon père frappé de stupeur. Je ne ressens aucune douleur. Je roule. Les images passent comme des éclairs. Je vois mon reflet terrifié sur le sol en marbre. Au plafond, je vois les yeux vitreux, accusateurs, de Maman, son rire magnifique s'est tu, étranglé dans une bulle qu'elle expire, tandis qu'au bas des escaliers, le visage pressant et affolé de Papa se précipite vers moi, son sourire brisé, évanoui. Puis, l'obscurité Le trou noir me happe. « Plus de souvenirs pour toi », me dit-il d'une voix douce et apaisante. C'était un ami. Il a pris soin de moi. Il m'a donné pour compagnon un serpent dévorateur de mémoire.

---

1. Personnage de comptine anglaise, qui est un peu l'équivalent de notre Mère l'Oie. Cette phrase en reprend les rimes principales en les adaptant au récit.

Septième partie

Ceux que j'aimais

Nisha

Jusqu'à ce que l'aube se lève à ma fenêtre, je suis restée calmement allongée dans l'obscurité à considérer un à un mes souvenirs, comme une pile de vieux films retrouvés dans un grenier oublié. À cinq heures et demie du matin, j'ai su que mon père m'avait aimée. Maintenant, je le comprenais un peu mieux. La douleur des vases imparfaits. Cette douleur, Oncle Sevenese l'avait apprise à ma mère. J'ai enfoui mon visage dans l'oreiller et j'ai pleuré en silence sur ce qui aurait pu être. « Je t'aimais vraiment. J'aurais voulu que tu me dises tout cela. J'aurais compris. »

Je suis allée en voiture à Kuantan. Je l'ai garée dans la rue principale et, à pied, je me suis engagée dans le cul-de-sac où avait vécu mon arrière-grand-mère Lakshmi. Les souvenirs ont afflué. C'est ma grand-tante Lalita qui m'a ouvert. Elle m'a prise dans ses bras frêles. Elle paraissait si âgée que je ne l'ai pas reconnue. Des larmes noyaient ses yeux.

— Entre, entre. Tu ressembles tout à fait à ta mère, a-t-elle dit, entre le rire et les larmes. Tu te souviens de moi ?

— Un peu.

Elle était la dernière survivante. Tous les autres étaient morts. Ils ne formaient plus qu'une longue rangée de photographies en noir et blanc, décorées de guirlandes de fleurs artificielles.

— C'est normal. Tu n'étais qu'une petite fille à l'époque. Ma mère disait toujours : « Lalita, un jour, cette fille sera écrivain. » Est-ce que tu écris ?

— Non.

– Pourquoi ? C'était ton rêve. Tu écrivais très bien : de jolies choses sur ton redoutable père. Je ne devrais pas critiquer les morts. Ta mère était une belle femme. Tu sais que ton père est tombé fou amoureux d'elle dès leur première rencontre ?

J'ai acquiescé de la tête.

– Veux-tu des bonbons à la noix de coco ? Ils sont tendres. Très bons pour ceux qui n'ont plus de dents.

– Oui, merci, ai-je dit en souriant.

Elle était adorable, exactement comme Maman me l'avait décrite. Si innocente.

– Oh, attends une minute. Ton arrière-grand-mère a laissé quelque chose pour toi.

Elle a disparu derrière un rideau et est revenue avec un bracelet qu'elle a déposé délicatement dans ma paume ouverte. Je l'ai regardé. Il avait une place dans mon passé partiellement reconstruit. J'ai fermé les yeux : effleurer les pierres fraîches du bracelet m'a rappelé les ombres d'une mémoire qui résistait. Peu à peu, j'ai entendu la voix de ma mère : « C'était le jour où Grand-Mère Lakshmi avait dit à Grand-Père : " Emmène Dimple avec toi. Assieds-toi et fais bien attention à ce qu'il ne change pas les pierres contre d'autres de moindre valeur. Ces bijoutiers sont tous des voleurs. " »

Rebondissant sur la barre transversale de la bicyclette conduite par Grand-Père, enveloppée pendant tout le trajet par ses longues manches blanches, je filais dans le vent. L'atelier du bijoutier était sombre. L'artisan travaillait à la lueur d'une petite flamme bleue. Grand-Père lui a remis les pierres précieuses et nous avons attendu là, les bras croisés, pendant que le joaillier sertissait les joyaux de Grand-Mère de ses instruments en métal pointus. Je me souviens que je voulais une glace, mais Grand-Père avait dit que nous devions attendre que le sertissage soit terminé.

La voix de ma mère s'est estompée et j'ai rouvert les yeux.

– D'où viennent les pierres ?

– Une fois, le sultan de Pahang et mon frère Lakshmnan se sont retrouvés à la même table de jeu et le sultan a perdu. Il a donné ces bijoux à ton grand-père pour payer ce qu'il lui devait. On ne discute jamais avec un sultan et mon frère a accepté les pierres précieuses en espérant les vendre rapidement. Mais ma mère s'en est emparée avant lui. Elle avait immédiatement reconnu leur valeur.

— Donc, mon grand-père a gagné ces opales au jeu? ai-je demandé en examinant les jolies lumières jaunes sur les pierres vertes.

Je possédais maintenant quelque chose qui venait de mon grand-père. J'étais debout, sous sa photo entourée d'une guirlande. C'était un bel homme, mais, dans mon esprit, sa tête roulait sur le sol. Je me suis détournée du portrait.

— Merci. Merci beaucoup pour ce bracelet. Puis-je voir la statue de Kuan Yin?

— Comment connais-tu l'existence de cette statue?

— J'ai écouté toutes les cassettes de ma mère. C'est toi qui parlais de cette Kuan Yin, tu te souviens?

Dans les profondeurs sombres de la vitrine, derrière le cure-pipe en forme d'oiseau et le magnifique corail blanc que Grand-Père avait volé à la mer, se trouvait la statue. Elle était lisse, splendide. J'ai passé un doigt admiratif sur le jade. Il n'était pas sombre comme les cassettes le décrivaient, mais d'une teinte beaucoup plus pâle.

— Je pensais que la statue était vert foncé?

— Oui, il y a des années, quand on l'a sortie de sa boîte, elle était d'un vert merveilleusement profond, mais elle s'est mise à pâlir, et, chaque année, elle perdait un peu plus de son éclat.

L'âge avait patiné le sourire de ma grand-tante.

Le jade avait changé de couleur.

— Tu sais...?

— Oui, je sais. Rends-la.

J'ai porté la statue dans un temple chinois de Kuantan. À peine avais-je pénétré dans la pénombre de la salle qu'une porte intérieure rouge s'est ouverte sur une prêtresse vêtue de blanc. Elle a regardé attentivement autour d'elle, m'a vue et s'est approchée de moi. Elle avait les yeux fixés sur le paquet recouvert de tissu que je tenais à la main.

— Vous l'avez rapportée. La nuit dernière, j'ai rêvé qu'elle revenait dans le temple.

Étonnée, je lui ai tendu le paquet. Elle l'a défait avec un profond respect.

— Oh, regardez la couleur! Elle a dû apporter bien des malheurs à la femme qui l'a gardée. Était-ce votre mère?

— Non, non, ce n'était pas ma mère, mais mon arrière-grand-mère. Cependant c'est vrai, ce jade a provoqué d'abominables catastrophes dans ma famille.

481

– Je suis navrée de l'apprendre. Ce genre de statues renferme de puissantes énergies. Elles exigent un esprit pur et des prières, sinon elles détruisent les vies de ceux qui les détiennent. Maintenant qu'elle a retrouvé son lieu d'origine, elle va reprendre sa vraie couleur.

Le soir tombait. Sur l'horizon, le soleil formait une orbe de sang liquide ; je me suis attardée un moment sous le dais d'un grand arbre. Kuantan était une petite ville. J'ai retrouvé certains lieux décrits dans les cassettes et j'ai souri de les voir inchangés après tant d'années.

J'avais encore quelque chose à faire. J'ai pénétré dans un centre commercial et j'ai déambulé un peu au hasard jusqu'à la devanture d'une petite boutique. Mon hésitation était presque imperceptible. Une fois à l'intérieur du magasin, j'ai passé en revue les articles sans grand enthousiasme. Le vêtement que je voulais était suspendu sur un mannequin dans la devanture ; il me fallait simplement un peu de courage :

– Est-ce que je peux essayer la robe qui est dans la vitrine, s'il vous plaît ?

Le visage de la jeune fille a trahi son agacement.

Si je décroche ce foutu machin, tu as intérêt à l'acheter, avait-elle l'air de penser. Mais elle m'a demandé poliment :

– Laquelle ?

– La rouge et noir.

– Elle est très jolie, mais elle coûte deux cents ringgit, vous savez.

Je suis restée silencieuse pendant que la vendeuse déshabillait le mannequin dans la vitrine. Dans la minuscule cabine d'essayage, la petite robe paraissait un peu trop courte.

– Oh ! quelles jolies jambes ! s'est exclamée la vendeuse d'un ton exagérément enthousiaste en passant sa tête dans la cabine. Vraiment très sexy.

J'étais déconcertée. Au lieu de la répulsion pour le rouge et le noir qui m'avait obsédée durant de si longues années, j'ai juste éprouvé une légère désapprobation pour cette robe trop courte.

– Les baskets, ça va pas, a déclaré la vendeuse en sortant une paire de sandales noires à bride.

J'ai glissé mon jean et mon T-shirt dans un sac en plastique, j'ai payé la robe et les chaussures et j'ai quitté la boutique. En passant devant les autres magasins, je contemplais mon reflet avec surprise. Je paraissais élégante et plus grande. Méconnaissable, en fait. Le rouge, que j'avais détesté, m'allait bien ; il faisait ressortir mon teint. Finalement, le rouge et le noir, magnifique combinaison, m'accompagneraient harmonieusement.

Un jour, alors que j'observais Amu depuis mon hamac, j'ai décidé d'écrire. Parfois, je m'installais dans la blancheur du pavillon d'été de ma mère, parfois dans sa chambre, mais c'était toujours l'esprit ardent qui résidait dans les cassettes qui m'animait. Les voix du passé descendaient comme des nuages de flamants roses sur les lacs mortels d'Afrique orientale. Chacune avec sa stridulation particulière. Chacune exigeant que l'on ajoute une autre silhouette rose sur le paysage de mon histoire.

Elles murmuraient à mon oreille et j'écrivais aussi vite que je le pouvais. Elles apparaissaient tantôt irritées, tantôt heureuses, ou encore pleines de regrets. J'écoutais leur tristesse ; je comprenais que ma mère avait recueilli leurs douleurs parce qu'elle savait qu'un jour elles permettraient à sa fille d'être libre. Les nuits semblaient venir de plus en plus vite. Quand je relevais la tête, il faisait déjà sombre dehors. En bas, Amu allumait les lampes à prière et les fidèles Blackamoors offraient leurs vacillantes flammes.

– Viens dîner, appelait Amu.

Puis est venu le jour où j'ai écrit la dernière page. Dans la pénombre de la pièce, je me suis écartée de la table : quelque chose me poussait à écouter la cassette que Maman avait trouvée dans la chambre de mon grand-oncle Sevenese après sa mort. Je l'ai inséré dans le magnétophone et j'ai enclenché la lecture.

> *Puis l'autre dit dans un profond soupir :*
> *Pendant ce long oubli, mon argile s'est asséchée ;*
> *Mais emplis-moi de ce vieux Nectar familier,*
> *Et il me semble que je pourrai un jour me rétablir.*

« Le gredin que je suis a simplement murmuré cela à ton oreille et aujourd'hui tu m'as apporté une grande bouteille de saké japonais. Je te taquine en te parlant d'un amant secret et tu deviens toute rouge. Ce n'est pas un amant que tu as. C'est une épine dans le cœur. Tu ne me diras rien sur la nature de cette épine. Chère, chère Dimple, tu es ma nièce préférée, tu l'as toujours été, et cela me fait mal d'aimer un être aussi profondément triste et égaré. J'ai examiné ton horoscope et dans la maison du mariage se trouve le serpent Rahu. Est-ce qu'on ne t'a pas mise en garde contre l'homme que tu as épousé ? Je n'ai pas confiance en lui. Il sourit comme il porte ses vêtements : avec facilité et insouciance. J'ai aussi examiné son horoscope et je n'aime pas du tout ce que j'y ai vu.

« Il sera comme une vipère dans ton cœur.

« Je ne t'ai jamais raconté l'histoire de la vipère que Raja avait dans sa poitrine ? Environ trois mois après la mort de Mohini, Raja est mort d'une morsure de serpent. Son magnifique cobra l'a mordu. J'ai toujours gardé de lui le souvenir d'un héros merveilleux issu d'un monde révolu. C'est à la lumière de la lune, le corps étincelant entre les hautes herbes, que tous ses secrets devenaient vivants. Je n'oublierai jamais ces moments où il disait : " Regarde-moi ", et s'approchait de cette menace noire et ondulante pour la caresser comme s'il ne s'agissait que d'un jouet. Quand je lui demandais si un charmeur de serpents pouvait être mordu par son propre serpent, tu te souviens de ce qu'il répondait ?

« " Oui, s'il veut être mordu ", disait-il.

« Je pense souvent qu'en moi coexiste un double de moi-même. Un type téméraire et imprudent qui fait tout ce que j'ai peur de faire. Je vis avec lui depuis de nombreuses années ; c'est lui qui me dit que Lakshmnan, notre cruel frère aîné, hante ton mari. Je me demande si tu l'as déjà vu tapi à l'intérieur de lui. Peut-être pas. Tous deux sont de rusés salauds. Quand je crie : non, non, non, mon double hurle : vas-y, vas-y, vas-y, avec une cruelle jubilation dans le regard. Quand le coq chante dehors et que je me détourne pour rentrer à la maison, c'est lui qui louche exagérément vers la sculpturale naissance des seins de la femme au bar et dit d'une voix traînante et, je pense, pas très raisonnable : " Tu vas pas laisser perdre ces deux ballons comme ça, sans y toucher ? "

« Je me réveille dans la lumière vive du matin avec un oreiller vide et bosselé à côté de moi, un souvenir brouillé et sordide, les orteils moites, et enfin cette pensée réconfortante : *Dieu merci, j'ai laissé mon portefeuille à la réception.* Une ou deux fois, quand je repousse mon verre et qu'un peu cotonneux je décide que ça suffit, il allume une autre cigarette, lève la main et commande un autre whisky. " Sec ", dit-il au barman. Puis il m'emmène dans les petites ruelles où même les chauffeurs de taxi ne s'aventurent pas. Une jeune femme se détache du mur contre lequel elle s'appuyait et passe son index le long de mon visage. Elle me connaît. Depuis notre dernière rencontre.

« En Thaïlande, tout s'achète. C'est facile, j'ai acheté plein de choses dans ma vie. Comme tu es ma nièce et que je ne suis pas encore soûl, il est inutile et déplacé que je t'en parle en détail, mais il faut que je te dise que l'héroïne pure fait partie de ces marchandises. Pourquoi je te raconte tout ça, je n'en sais rien, mais mon esprit confus me dit que mon expérience peut t'être d'une certaine utilité. J'étais assis dans ma chambre d'hôtel à regarder la seringue, l'aiguille et le liquide brun qu'elle contenait. J'ai scrupuleusement examiné mon esprit. S'agissait-il d'une autre expérience qui viendrait s'ajouter à toute la panoplie de mes excentricités ou d'une habitude qui allait me dominer ? Jusqu'à ce moment-là, je ne m'étais jamais rien refusé, mais l'héroïne est une machine infernale. On s'engouffre dedans et on en ressort à l'autre bout, méconnaissable. J'étais sûr que mon comportement compulsif allait me projeter tout droit dans le ravin de la dépendance. Mon Dieu, j'allais ressortir de cet enfer émacié, le teint terreux, couvert de vomissures, le regard fou. Je les ai vus près de la gare : sur leurs visages creux et sales, ils avaient les yeux vides de tout sauf de l'insatiable soif d'une autre dose. Est-ce que ça allait être mon destin ?

« J'hésitais, mais en fin de compte, on peut toujours être sûr que je vais me montrer faible. La perspective de devenir un détritus stagnant n'entamait pas mon désir invétéré de tenter une nouvelle expérience, d'aller vers l'autodestruction. J'ai serré le haut de mon avant-bras avec une ceinture, puis j'ai cherché, et trouvé facilement, une grosse veine verte dans mon bras. Les inspecteurs de la Santé publique savent très bien où se trouvent ces traces de piqûre. J'ai fait glisser l'aiguille dans ma peau et j'ai fermé les yeux. La chaleur est montée instantanément, suivie d'une immédiate bouffée de paix, comme je n'en avais jamais connu. Les problèmes de la vie étaient insignifiants. Je me suis laissé tomber dans l'abîme. Chaud, sombre, doux, indescriptible et prodigieux. Je ne cessais de plonger et j'aurais été encore plus bas si un regard n'était apparu devant moi. Qutib-Minar, ma chatte morte depuis longtemps, me fixait de ses yeux vides. La seule créature que j'aie jamais aimée de tout mon cœur. Je n'ai rencontré qu'elle qui ait un corps chaud et des lèvres froides. Et dire que... si j'avais trouvé une telle femme, je m'y serais totalement abandonné, comme un babouin qui s'étire avec passion, ses membres engourdis par le souvenir du plaisir, dans l'attente patiente de s'accoupler avec la femelle dominante.

« Le chat miaulait à faire pitié, comme s'il souffrait. Mes membres alourdis par la drogue s'engourdissaient. Soudain, Mohini est apparue. J'étais stupéfait. Depuis le jour de sa mort, j'avais entendu sa voix, mais je ne l'avais jamais vue. Elle se tenait debout devant moi aussi réelle et tangible que le lit sur lequel j'étais allongé. Des larmes miroitaient au bord de ses yeux verts. Puis sont venues les couleurs. Tout autour d'elle, les teintes plus étincelantes jaillissaient, se fondaient et disparaissaient. Un chatoiement de tonalités comme j'imaginais que seules les libellules et les poissons rouges pouvaient en créer. J'éprouvais une étrange douleur ; celle de la perte. Je ne pouvais me détacher de ces images. Elles surgissaient, se mêlaient ; il m'était impossible de les rejeter. La honte m'a submergé.

« Quand elle a étendu le bras pour poser sa main sur ma tête, j'ai senti la chaleur de sa peau. Étais-je mort ? C'était possible. J'ai essayé alors de déplacer légèrement ma tête et sa main a glissé le long de mon visage, très douce sur mes joues. À l'arrière-plan, de splendides couleurs se mouvaient et se confondaient. J'ai entendu les chants religieux que les vieillards entonnent lors des funérailles. Les voix venaient de ma tête. Ces chants épouvantables que j'ai toujours détestés, des chants qui résonnent comme les cris des mouettes lorsque, d'un coup de bec, elles crèvent les yeux des marins morts. Je sentais un lourd fardeau sur ma poitrine. Je scrutais les yeux de ma sœur défunte. J'avais oublié l'intensité de leur couleur verte. Tout à coup, elle a souri et j'ai entendu un grondement précipité, terrifiant, comme si un express passait à toute allure devant moi.

« Sur ma poitrine, le poids s'est allégé. Elle avait disparu et, avec elle, les couleurs. Dehors, il faisait déjà nuit. J'entendais les bruits des petits éventaires qui commençaient à s'installer dans la rue en contrebas. Raclement d'assiettes, voix rauques et grossières des marchands ambulants. L'odeur brute des ingrédients bon marché, aulx, oignons, morceaux de viande grillés dans le saindoux, montait jusqu'à ma chambre, pénétrant par la fenêtre ouverte. J'ai eu faim. La seringue était toujours plantée dans mon bras. Je l'ai retirée et j'ai regardé avec curiosité le

486

sang noir. Je ne répéterais pas cette expérience. Mohini m'avait donné cette certitude.

« Balzac a dit : "Un oncle est par nature un joyeux chien." Je suis un clown qui danse au bord de l'abysse, et pourtant, je veux te raconter tout cela. Mais, tu vas faire comme moi, tu ne vas pas m'écouter. Ne t'engouffre pas dans la machine infernale, sinon tu en ressortiras à l'autre bout, méconnaissable, pitoyablement défigurée.

« Dimple, ne le fais pas.

« Je suis allé chez mon médecin qui m'a dit : "Comment? Vous êtes encore vivant?" Il n'arrivait pas à croire qu'un corps tant malmené puisse survivre. Mais toi, tu ne résisteras pas à la machine infernale. Quitte ton mari. Laisse la vipère à sa jungle. Laisse l'enfant dans la jungle car il est certain que la vipère ne s'attaquera pas à son propre enfant. Nisha a un bon horoscope. Elle fera de sa vie une réussite. Sauve ta personne si fragile maintenant, Dimple chérie. Je vois des choses néfastes dans ton horoscope ; la nuit, les démons m'envoient des rêves entachés d'une bruine de sang. J'ai à nouveau sept ans ; je me cache derrière les buissons pour observer la mère de Ah Kow en train d'égorger un cochon. La panique, les hurlements de terreur, le jet de la fontaine de sang et cette inoubliable puanteur. Dans mes rêves, tu marches sous une pluie de sang. Je crie et tu te retournes en souriant avec intrépidité, les dents ensanglantées. Pars, Dimple.

« Pars. Je t'en prie, pars, Dimple. »

La voix de Sevenese s'arrêtait là ; seul a demeuré le bruit de la cassette qui tournait.

J'ai entendu Amu en bas qui récitait ses prières du soir, en faisant sonner la petite cloche [1]. J'ai fermé les yeux. Sur l'ombre rouge de mes paupières, s'est profilé mon grand-oncle Sevenese, assis au milieu d'un désert, la poitrine nue, vêtu d'un vesthi blanc. La nuit du désert l'avait paré d'un bleu étincelant. Le sable miroite, mais çà et là gisent des oiseaux morts ; dans leurs petits becs et leurs gorges ouvertes se déchaînent de minuscules tempêtes de sable. Il se tourne vers moi et me sourit de son sourire familier : « Regarde, dit-il, en balayant le ciel de ses mains, voilà l'orgueil de la nuit du désert : ces millions d'étoiles qui

---

1. Selon le rituel domestique hindou, les prières s'accompagnent d'une petite cloche que le fidèle fait sonner pour ponctuer certains moments de l'incantation.

ornent sa chevelure de jais. N'est-ce pas la plus belle chose que tu aies jamais vue ? »

J'ai ouvert les yeux sur une pièce envahie par la pénombre ; soudain, j'ai su. J'ai su ce que sur son lit de mort mon grand-oncle Sevenese avait désespérément essayé d'écrire à ma mère rongée par le tourment. Comme s'il le murmurait à mon oreille, j'ai compris le sens du message inachevé. Allongé sur son lit d'hôpital, le corps horriblement boursouflé et incapable de parler, prisonnier dans son univers d'agonisant, il avait voulu lui dire : *Je la vois. Des fleurs poussent sous ses pieds, mais elle n'est pas morte. Les années n'ont pas diminué notre Mère, notre Riz maternel. Elle est toujours ardente et magique. Cesse de te désespérer : appelle-la et tu verras : elle viendra, porteuse d'un arc-en-ciel de rêves.*

Dehors, le vent bruissait dans les feuilles indigo ; au fond du jardin, le vieux bosquet de bambous s'est mis tout à coup à chanter.

Remerciements

Je remercie ma mère pour chacune des cicatrices qu'elle partage avec moi. Je remercie également Girolamo Avarello pour avoir cru en ce livre avant tout le monde, ainsi que l'équipe de l'agent littéraire Darley Anderson, qui est tout simplement la meilleure ; William Colgrave pour son soutien et ses encouragements, Joan Deitch pour avoir ajouté sa griffe très particulière à ce texte, et l'inégalable Sue Fletcher, des éditions Hodder & Stoughton, pour avoir acheté le manuscrit.

Table